北京古籍叢書

[清] 周家楣　[清] 繆荃孫　編纂
左笑鴻　點校

光緒順天府志

第二册

圖書在版編目（CIP）數據

光緒順天府志．第二册 /（清）周家楣，（清）繆荃孫編纂；左笑鴻點校．— 北京：北京出版社，2018.2
（北京古籍叢書）
ISBN 978-7-200-13604-3

Ⅰ．①光… Ⅱ．①周… ②繆… ③左… Ⅲ．①北京—地方志—清代 Ⅳ．① K291

中國版本圖書館 CIP 數據核字（2017）第 282307 號

項目策劃：安　東　　項目統籌：許　可
責任編輯：喬天一　許　可　　責任印製：宋　超
裝幀設計：郭　宇

北京古籍叢書
光緒順天府志
第二册
［清］周家楣　［清］繆荃孫　編纂
左笑鴻　點校

出　版　北京出版集團公司
　　　　北京出版社
地　址　北京北三環中路六號
郵　編　一〇〇一二〇
網　址　www.bph.com.cn
總發行　北京出版集團公司
經　銷　新華書店
印　刷　北京京華虎彩印刷公司
開　本　八八〇毫米×一二三〇毫米　三十二
印　張　十點二五
字　數　一八六千字
版　次　二〇一八年二月第一版
印　次　二〇一八年二月第一次印刷

書號　ISBN 978-7-200-13604-3
定價　128.00 圓
如有印裝質量問題，由本社負責調换
質量監督電話　010-58572393

京師志九

官學

德清蔡賡年纂　江陰繆荃孫覆輯

古者，庠序學校，無地非學。我朝入關定鼎，特設官學，書射兼習，以教八旗子弟，皆毓成文武之材。二百年來，名臣良將，多出其中。軍事洊興，漸致廢弛。近年靈臺偃伯，德水銷鋋，今兩奉諭旨，整飭官學，行見彬彬雅雅，春誦夏絃之化，漸復舊觀矣。志官學。

景山官學在景山前門，即北上門。左右連房四十有五楹。內務府冊。

景山官學，康熙二十五年特設於北上門兩旁，給官房三十間。滿官學三房，漢官學三房，挑選內佐領、內管領下官學生三百六十六名。三十一年，於新添內管領三員下增選官學生，定爲三百八十八名。三十七年，於新添滿洲佐領七員、漢軍佐領六員、內管領三員下，仍挑選官學生三百八十八名。官學生缺額，卽於新添佐領、內管領下勻選。雍正元年，定官學生三百八十八名，俱於佐領、內管領下閒散人挑取。八旗通志。

漢教習十二人。禮部則例。按：通志，舊設內教習六員，教清書、中書三員，漢教習四員。

咸安宮學，在器皿庫之西，東向，房二十有七楹。內務府冊。咸安宮學，雍正六年特設，以教育內府三旗子弟，及景山官學中之俊秀者，復派翰林等官督課之。在壽康宮長庚門內。日下舊聞考十六。

雍正六年十一月諭：內務府咸安宮見在空閒，著設立官學，將包衣佐領內管領之子弟，並景山官學生內，揀選穎秀者，或五六十名，或一百餘名，入學肄業。

乾隆十六年，改建壽安宮，移置西華門舊尚衣監。二十五年，復移於此。道光二十三年，核減月費膏火。同治年間，編纂方畧，借學舍開館修書，於是學生到學益希。光緒八年，管理尚書志和、總裁少詹事寶昌，酌立章程，稍爲整頓矣。采訪冊。志和奏：竊查雍正年間，創立咸安宮官學，旋定滿、漢教習十五員，官學生一百十名，一切體制，在八旗景山各學之上，其地近隷禁垣，踵唐宏文、崇文之例，廊舍精美，廩給充腴。自道光二十三年，教習月費，學生膏火與官學供給，均循例核減，課試因之曠怠。同治年間，編纂方畧，借學舍開館修書，於是學生到館益希，徒存具文。奴才廣壽，前奉命管學，酌復漢書房考試，每月兩次，而繙譯例課，尚屬有志未逮。比奴才志和管理官學，奴才廣壽正在假中，竊維屢奉諭旨，整頓八旗官學，咸安宮事同一律，應卽及時復舊，以副上意而育人才。適滿總裁寶昌等、漢總裁葉大焯等，先後函商，到學集議，雖講堂齋室半已傾欹，博士弟子粗合册籍，而條規具在，課試猶存，較之八旗官學，整頓尚易爲力，反覆斟度，一切學規擬由該總裁釐定，總期實事求是，不徒爲一時動聽而已。竊謂課試既復，則教習月費，學生膏火與學舍之工程，官廚之供給，自應與一併議復，其請自部庫者，固當量予變通，其發自內庫者，亦當曲謀調劑。謹於規復舊制之中，仍寓參酌時宜之意，以期制用有節，歷久可行。查官學教習十五員，每員由部月支銀三兩，每季支米五石三斗；學生一百十名，每名由部月支銀二兩，歲支米二十一石二斗。道光以後，減成給發。教習月得銀一兩八錢，學生月得銀一兩三錢，季得米各一石有奇，此項銀米，應懇恩飭下户部，准予照數實給，無庸減成。惟教習官、學生銀米，例由該旗具領，今奴才等與該總裁會議，擬遵照嘉慶年間梁上國奏定章程，學生或任意告假，酌罰公費，若支領仍由該旗，學務無憑操縱，應請以此次奏准之日爲始，以後教習、學生所得銀兩，由奴才等按月派員赴部支領，教習隨領隨給，學生銀兩統於總裁二十五日大課日期當面發給，學生米石仍由該旗赴倉支領，照章開放，以杜中飽，而愧素餐。此公費之急宜籌復者也。滿、漢總裁、教習、學生供給，每年例支銀二千九百餘兩，道光二十二年，改爲減半給發。咸豐四、五年，改爲銀錢各半，又加八扣，於是餐錢食料僅屬虛名，總裁、教習面試之例遂廢。今議：將學生挑選足額，滿、漢總裁月課兩次，教習月課六次，若仍折給扣發，實屬不敷支應。查舊例，按日核算，爲數本優，此項課程，總裁月課及稽查教習、學生到學，月或六、七次，教習、學生到學，月凡八次，應查照道光二十三年核減章程，將滿、漢總裁、教習、學生各員名供給，准發五成實銀，毋庸扣算告假日期，即已足敷支應，如課試始勤終怠，管學大臣即照章停發，指名糾參。此供給之急宜籌復者也。學舍歲久失修，頹傾穿漏，宜加葺治，俾諸生橫經有地。奴才志和，於五月十六日徧加勘歷，擬將至聖殿五間酌量估修，整潔值屋，官廚附近補葺，奴才等嚴飭司員，就欵興工，不得虛估浮冒，以杜糜費。此學舍之急宜籌復者也。似此安飽兼籌，教養並至，數年之後，當有成效可睹。惟奴才等以爲凡事欲求整頓，不難於詳稽規例，而難於曲盡事情；不難於聳動一時，而難於力持久遠。官學舊章，鈐制既密，品課亦詳，何至俸廩畧一併裁，學業遂形沈隕？今日詳加釐定，若不抉其受病之處，改絃而更張，探其立法之源，反本而復始，恐今博規復之名，轉瞬即蹈荒嬉之習，非奴才等所敢出也。然則欲學務之時措咸宜，而相持不敝，準情酌理，約有三端：一、以會選責總裁：咸安宮官學，體制夙優，不得僅以背誦經書充數，例有專條。今照章整頓，自應遴選十五以上、二十以内能文之士，方符舊式。惟向由管學大臣送學讀書，當挑選之時，人數過多，恐其中有頂替、傳遞等弊，迨入選送學，總裁則以既經挑選，未便過事吹求，況管學與總裁欵接本希，易生隔閡，若不將事權歸一，即此無形之畛域，便爲叢弊之階梯。擬嗣後挑選學生，即由管學會同滿、漢總裁秉公遴校，試以文藝，以免互諉，而慎初基。一、以津貼恤教習：乾隆、嘉慶之世，年豐穀賤，士重官尊，寒畯邀一命之榮，斷無啼飢號寒之慮，重以月錢歲廩，僅足自支。今若墨守舊規，冷局微官，强以文法束縛，使其資生無策，殊不足以示體恤，已請旨將滿、漢教習部給銀米，如數實支，仍懇恩准，於奴才衙門公用欵下，酌籌每員歲給津貼銀十六兩，俾該教習等私計稍充，益得盡心訓迪；至漢教習，夏、秋兩季應得衣帽，及三年一次應得羊皮袍褂等件，仍照章行知該衙門具領。一、以考試勵學生：查咸安宮官學，乾隆二十三年奏准官學生内有情願考試者，不定年分，概准考試繙譯中書、筆帖式，旋准咨送吏部，考試庫使。今學生既嚴定課程，自當予以獎勵，除十年出學，循例飭行，應懇天恩飭部，凡予考試繙譯中書、筆帖式、庫使等缺，應查明咸安宮官學生報考名數，酌定中額數名，以示優異。如此則八旗子弟以入學爲榮，争奮於學，庶惰逸者皆自濯磨，而穎異者咸資造就矣。寶昌等奏：竊咸安宮官學，創自雍正七年，教習、學生定爲員額，以内務府大臣管理學務，而選滿、漢翰林稽查之。立法之始，既稟稱事，品課有章，高選經師，横舍闔溢，百餘年中，列聖恢儒右文，深沐雅化，學官益惇誨以道藝，士食舊德，支葉蕃滋，彬彬稱盛。自道光以後，用度不足，例支稍稍省併，亦會戎馬方殷，未遑庠序之事，師徒怠散，進取途雜，博士僅有虛名，學生遂無成業，失今不治，舊典兩渝。臣等伏念咸安宮官學，翹材夙衆，恩例獨優，遠固下庠西序之規，近亦上台東宮之制，際兹皇太后、皇上崇儒重道，籲俊求才，方屢下詔書，意在整飭官學，臣等稽察課程，同有綜理之責，謹與管學大臣吏部尚書廣壽、兵部尚書志和反覆集議。僉謂齋室未傾，徒屬粗備，振衰拾墜，宜及是時，輒參稽舊制，酌以今之便宜，分别條上，伏祈聖明監察。一、慎挑選：咸安宫官學學生，例選八旗及内務府三旗滿洲舉、貢、生監、官學生及閑散人内充補。嘉慶十四年，議准臣學體制較優，若學生年歲太幼，僅責以背誦經書，不足以觀成效，嗣後凡由官學生及閑散人等挑選者，定以十五歲以上，二十歲以内入學，至十年限滿，不能考中生員，即行出學。舉、貢、生、監，三經正科鄉，會試不中者如之。是臣學學生，必文理清通，材堪造就者，方能入格，非如八旗景山向以幼童充數者比。且教習期滿，例以名下學生中式進士、舉人，取列生員、筆帖式爲考課，若準十年就傅之條，恐無三載通經之效，揆之事理，妨礙實多。此次釐定學規，應將學生傳齊，面試校藝，署年一準成例，如不及額，即咨取各旗俊秀子弟，續加遴選。惟向章由管學大臣取定送學，比廣壽、志和議以臣等會同挑選，稽察尤周，具見該大臣等無分畛域之意。應俟得旨允行，臣等與聞選政，仍當於拔尤選穎之中，一材必庸，一藝必録，以宏樂育，而廣譽髦。一、分課程：官學生額缺一百十名，向例習漢文者七十七名，習清文者三十三名。乾隆二十六年，改歸清書者二十名。今學務久廢，不但清書全不通曉，即文藝亦甚空疏。近年漢書房經廣壽酌復月課，尚有基緒可尋。至於繙譯清書，殆乏專門，幾成孤學。臣等公同商榷，擬仍以七十七名學習漢文，以三十三名學習清文，旗員當以國書爲根本，而繙譯實以漢文爲權輿。如果教導有方，諸生敬業樂羣，親師取友，將旁通藝事，舉所謂十二字頭、三合切韻，實無難兼綜條貫，應俟數年以後，擇學中高材異等數十人，清、漢並習，亦不必預爲定員，以免博愛不專之弊。一、復公費：查户部例載，臣學教習共十五員，月給銀三兩，季米五石三斗；官學生一百十名，各月給銀二兩，歲支米二十一石二斗。道光、咸豐年間，以次核減，教習月得銀一兩八錢，學生月得銀一兩四錢，米皆每季一石有餘。在今日，教習具官，學生輟業，尚復月支奉糈，亦近於苟禄素餐。若經臣等酌復月課兩次，教習小課六次，既懲惰逸，宜恤清貧。擬懇恩施，將臣學教習、學生月銀、季米，均准實支，無庸減成給發，計每年增銀千餘兩，米千餘石，在部庫倉儲，所耗無幾，而冷官寒畯，所獲已多，體恤既至，始能專其責成，衣食既周，始能奮其志慮，學務持久之基，實在於此。至教習應給衣裘，學生應給紙筆各費，管學大臣已經籌給，無俟臣等瑣陳。一、嚴考成：臣學教習期滿，由管學大臣出考咨部，照例引見候用。自學務日弛，該教習等功課無憑，考核期滿報部，流弊孔多，久之將視教習一官徒爲舉貢入仕之捷徑，殊失論定後官初意。管學大臣與臣等詳行定議，擬於到學以後，將該教習名下分教各生，注册存案，其間或有事故改派加派者，均隨時登記，期滿將臣等所定課簿咨由該管大臣出考，並册送部，以憑稽核。其不能實心訓課，教法平常者，仍照例分别參處駁回。教習之考成，準以學生之功課，則學業玩愒，必不肯曲與通融，子弟梗頑，必不願仍爲掩護，斯視公事如私事，自能以身率教，收循循善誘之益矣。一、端學術：臣學課試久廢，試辦之初，不得不就文取士，漸與薰陶，但整頓官學，本期造就人才，若不深探本源，狃於俗學，久之學中但得數十工時文、精試律、擅楷法之士，不足見國家厚待八旗，甄陶品類之至意。伏考乾隆元年，臣學恭奉諭旨，令學生學辦稿案及諸藝業。嘉慶年間諭：士人讀書致用，若但知從事文藝，而置聖賢誠正修齊之學於不問，即幸獲進階，服官登仕，其於修己治人之道，懵無所知，何以副興賢育才之意？至尚儉黜奢，尤爲興廉善俗之本。官學子弟蒙養初基，著管理官學各大員，嚴誡教習人等，務與受業各學生講明四子之書，剖析五經之義，有心性浮華、興服僭肆者，隨時嚴加戒飭。欽此。是知經行貴於交修，體用宜於兼備。臣等既酌復課試於繙譯詩文之外，當漸加以經史策論，觀其志識。至先儒性理之書，本朝掌故之學，亦擬令教習等隨時講求，因其資稟，咸使通明。其常行書籍，由各生自行購置。惟臣學苦乏秘藏善本宏編，訪求匪易，所有列朝聖訓、御纂七經、御批通鑑輯覽，以及御定清文鑑及補編總綱、補總綱、御定滿、蒙、漢三合清文，與武英殿、國子監等處所有官刻書籍，及近年各省局刻書籍，應懇恩准臣學擇要咨取，俾諸生肄業之餘，得以縱覽異書，研究實學，斯教化宏而學術正矣。一、請恩試：臣學學生向例五年考試一次，由吏部請簡大臣，分別等第，一、二等録用，間有賜給，三等留學，四等革退。乾隆間改爲三年一試。二十三年，改爲不定年分，考試繙譯中書、筆帖式。四十一年，復准咨送吏部，考試庫使。臣等查近日侍郎錫珍請整頓官學、侍郎寶廷請教導六部筆帖式，均奉諭旨允行，即今事例停，而繙譯中書、各部筆帖式、庫使亦實有乏才之患，若申明舊章，集各學之良，以爲各衙門之用，仍酌予年限，准將各學學生請旨考試，分別録敘，則子弟有進身之階，小吏皆明經之士，似與學務、政務，皆有裨益。是否有當？應請飭下吏部，妥議具奏。以上六事，準舊制，定新章，酌時宜，除夙弊，似亦教養兼全，情法互盡。如蒙俞允，臣等卽當詳定條規，嚴立程課，時進諸生而訓迪之，以期徒衆響風，相觀而善。臣學近隸禁垣，較四姓小侯、二品士門、七營飛騎尤爲優厚，八旗子弟又類多開敏高明，仕路既寬，穎異之資騰上必速，若童年收辨志之益，幼學定育德之基，較之鄉貢進士、州郡文學困於科舉，習非所用者，當有事半功倍之益。以國家治理之隆，誠使實事求是，久道化成，或有一二瓌偉之士出於其間，以副聖明振興學校之意。此固

臣等可爲八旗子弟深期殷望者也。

總裁四人，漢教習九人，滿教習三人，教授騎射、清語六人，學生百一十人。禮部則例。

左翼宗學在燈市口。大清一統志。按：舊聞考云，左翼舊在大市街東。

右翼宗學在絨線衚衕。一統志。按：舊聞考云，右翼舊在瞻雲坊北。

宗學，雍正三年特建，以教宗室子弟。有正、副總管及教習清、漢書，騎射各員，並選翰林官稽察之。采訪冊。

總理左、右兩翼宗學王、大臣二人，每學稽察滿大臣一人，漢大臣三人，總管二員，副管八員，滿教習三員，漢教習四員，弓箭教習三員，學生一百名。采訪冊。

鑲黃旗覺羅學，在安定門香兒衚衕。宗人府冊。

正白旗覺羅學，在南小街新鮮衚衕。宗人府冊。

鑲白旗覺羅學，在東四牌樓北十條衚衕。宗人府冊。

正藍旗覺羅學，在崇文門内大阮府衚衕。宗人府冊。

左翼

正黃旗覺羅學，在西直門内北衛兒衚衕。宗人府冊。

正紅旗覺羅學，在阜成門内宮門口。宗人府冊。

鑲紅旗覺羅學，在承恩寺街。宗人府冊。

鑲藍旗覺羅學，在玉帶衚衕。宗人府冊。

右翼

覺羅學，雍正七年，特命將七旗之覺羅佐領，均之於八旗。宗人府冊。八旗通志：七旗所有覺羅佐領，共三十二分：鑲黃旗七分，正黃旗五分，正白旗無有，正丨旗七分，鑲白旗五分，鑲紅旗四分，正藍旗二分，鑲藍旗二分。就其可移者，每旗置爲覺羅佐領四分，將鑲黃旗七佐領内之佛保、永昌、阿堵，鑲白旗之海蘭，此四佐領移置正白旗，正藍旗惟有覺羅佐領二分，將鑲藍旗之永禄同保住此二佐領，移置正藍旗，共成四分，將正黃旗之東武立，正紅旗之得進、圖爾得、黑馬、喇熙，此四佐領移置鑲藍旗。八旗各擇官房一所，立爲衙署，旁設清、漢各一學。八旗覺羅内，自八歲以上、十八歲以下子弟，令其入學讀書。如十八歲以上，已曾讀書，而又願入學讀書者，亦准其入學，清、漢書俱隨其所願而教之。（宗人府册。）

總理一人，總查四人，每學副管一人，滿教習二人，漢教習二人，惟鑲白旗滿教習、漢教習各一人。（禮部則例。）

鑲黄旗官學，在安定門大街圓恩寺衚衕。（國子監志。）

正黄旗官學，在西直門内西四牌樓北祖家街。（國子監志。）

正白旗官學，在朝陽門内南小街新鮮衚衕。（國子監志。）

正紅旗官學，在阜成門内報子衚衕。（舊在巡捕廳衚衕，光緒九年移建。采訪册。）

鑲白旗官學，在東單牌樓觀音寺衚衕象鼻坑。（國子監志。）

鑲紅旗官學，在宣武門内頭髮衚衕。（國子監志一）

正藍旗官學，在東四牌樓南新開路。（國子監志。）

鑲藍旗官學，在西單牌樓乾石橋西斜街。（舊在東斜街，光緒九年移建。采訪册。）

八旗官學，順治元年，定八旗每佐領下各取官學生一人，八旗各擇官房一所，建爲學舍，以教八旗子弟，每旗設學長四人，以國子監二廳六堂分教習。二年，合兩旗爲一學，共官學四處，每處教習十人。會典事例八百二十九。按：官學初名書院，順治元年，國子監祭酒李若琳，疏請于滿洲八固山地方，各覓空房一所，立爲書院。固山云者，猶漢人占籍之義。所設學舍，當在本旗，未能詳考所在矣。雍正五年，八旗就學者衆，時官學屋隘不能容，允准國子監祭酒兼順天學政孫嘉淦奏，八旗每旗別給官房一所，各寬二十餘楹，可容百人誦習者，以爲學舍，仍飭本旗修葺完固，國子監志十。俾諸生聚處其中。會典事例八百二十九。道光二十三年，核減教習月費、學生膏火，近年以來，有名無實。光緒八年，御史俊乂，侍郎錫珍奏請整頓。特派大員寶鋆、李鴻藻、徐桐、麟書，會同國子監，妥議章程，修葺學舍，加廣膏火，並奏添管學官，翰林官董率之。學額舊設滿洲六十名，蒙古二十名，漢軍二十名，下五旗添包衣生十名，其中以滿洲三十名，蒙古、漢軍各數名，學習漢文，今復多撥數十名，盡令先習漢文，漢文通曉，然後學習清文，學務一新矣。采訪册。俊乂奏：竊維廣教化所以植才能，明人倫必先立學校，我國家建學偏寰區，黨有庠而州有序，聲教訖海宇，家孝弟而户詩書，復於八旗設立官學，以爲八旗子弟肄業之所，各官學教習、助教，專司訓誨，而國子監堂官董其成。其所以體恤培植旗人者，教養兼施，無微不至。查向例，八旗官學生月有課，季有考，平日入學，讀書習文，課其勤惰優劣，國子監堂官仍不時查學，以覈其實，法本極其周備。無如積久懈生，委靡不振。近來學生止希月例膏火，並不入學肄業，教習止圖三年議敍，並不認真教誨，助教亦止於坐支俸廉，並不從嚴督責，致將朝廷之良法視爲具文，尚復成何事體！相應請旨，飭下國子監堂官，申明舊章，嚴飭教習、助教，盡心訓誨，而該堂官亦當實力講求，總期名實相符，無蹈因循廢弛之漸，以仰副聖朝培養人才之至意。錫珍奏：竊維圖治首在用人，而作人必由學校。我朝滿、漢並用，内外文武，需人孔多，合十八省漢人所服之官，八旗與之同其員而共其事，我祖宗深知其難，於是廣設官學，加意訓迪。二百餘年，人才輩出，指不勝屈。良由上之教澤深，下之學校廣也。降至今日，統觀中外，幹濟之才未必盡無，而以視從前，則百不逮一。夫八旗生齒之繁，與朝廷振拔之亟，皆非有減於昔也，何以今不逮昔，遂相倍蓰？靜言思之，其故有二：一曰學校不修。查八旗官學，建自國初，選學生，設教習，給膏火，予升階，訓課精嚴，法良意美。今日奉行故事，百弊叢生，各旗學舍，傾圮殆盡，多年不修，教習僅備員額，不聞實授生徒，學生挑選，强半假冒。官學之虛名僅存，轉不若私設義學之得收實效。國家造士之美意，幾等于告朔之餼羊。此今不逮昔者一也。一曰仕途太廣。查八旗仕進，除科目、廕生、世職外，其由清、漢文武八仕之途，寬于漢員數倍。寬則易，易則坐歷階資，孰肯攻苦？卽如捐納筆帖式，入資無多，易于措辦，往往年未及冠，卽出當差，從此束書不讀，而異日之保送御史，薦列京察，內則京堂，外則道府，率由此出。此今不逮昔者二也。夫前言往行，非書無以傳，不學則立身何所式？文物典章，非書無以識，不學則掌故何由知？卽簿書稿案，爲服官所必需，不學則何以解于心而出于手？一旦治繁理劇，京官則恃有書吏，外官則恃有幕友，方自謂其得計，而不知官聲之壞，弊端之多，盡由于此。總之，人才之乏，至今已極。若不亟爲培養，竊恐學日廢，教日壞，異時更有求如今日不可得者。恭讀上年十月二十五日諭旨，有今日之道府，卽異日之藩臬，亦卽將來之督撫；道府半屬平庸，則封疆、兩司，將有乏才之患。又本年三月二十四日奉上諭：御史俊乂奏請整頓官學一摺，等因，欽此。是人材之宜講，學校之應修，皆在聖明洞鑒之中。然非盡除積弊，力破虛文，不能獲真材而收實效。今欲實事求是，莫先于修復學舍，慎選教習，甄別學生，然後取舊時之規模，斟酌損益，實力奉行，使教者真教，學者真學，爲清源正本之始基。再于旗員入仕之初，明定章程，嚴加考核，除本由考試得官者不計外，其餘但就文職，皆令考于官學，或滿或漢，務須文理通順，方許服官。如此，庶得弊漸除，材漸出，吏治可期，蒸蒸日上。查八旗官學，向歸國子監管理，從前之廢弛，未必不因耳目難周，不能兼顧。今議重修，事同創始，舉凡興工作、籌欵項、用人員、議章程諸大政，責重事煩，斷非監臣所能獨任，擬請飭下吏部，將在京之進士出身滿、漢大員，開具銜名全單，請旨簡派，按八旗每旗一人作爲管學專員，一切規模，會同吏部、國子監堂官悉心妥議，奏明舉辦。翁同龢奏：竊三月二十四日，內閣奉上諭：御史俊乂奏請整頓官學一摺，國家設立八旗官學，原以培養人才，該教習等宜如何安心督課，以期名實相符。若如所奏，近來各官學學生，並不入學肄業，教習、助教亦不認真教誨督責，尚復成何事體！著國子監堂官，嚴飭各該學教習、助教，盡心訓誨，毋任積久懈生。該堂官務當隨時稽查，認真整頓，用副朝廷教育人才至意。欽此。跪讀之下，欽悚難名。伏查各項官學，建自國初，教養兼施，法良意美，八旗官學專隸臣監辦理。當時立法，亦極周詳，近年以來，漸形懈弛。推原其故，約有數端：一則曰膏火短絀，一則曰房屋傾頹。夫膏火者，士子讀書之資也。自兵餉減成，而膏火亦遂折扣，該生每月應得銀一兩五錢，按現在章程，實得不過九錢，以九錢之銀，饘粥且不能給，安能市書籍紙筆，以從事于學乎？同治十二年，臣監奏准，擇學生中材堪造就者，酌加獎勵。然籌欵無多，究不足以資津貼。此膏火短絀之實在情形也。官學之設，原係撥給官房，或二十餘間，或三十餘間，大率以足容百人爲講堂，學舍粗具規模，無如年久失修，牆屋遂多頹廢。同治十年，臣監因雨水過多，官學坍塌，迭次咨報各旗，及時修葺，旋因工程浩大，一概緩修。現在廊廡蕭條，上雨旁風，不堪棲止，此房屋傾頹之實在情形也。夫學生既無讀書之所，則教習難以責成，教習既無住學之時，則助教何從督率？臣等職司教士，未嘗不日夕圖維，然僅能于學生挑缺時秉公去取，教習教課時認真查驗，至于肄業無資，橫經無地，斷非空言所能獎勸，抑豈微力所能振興？臣等悉心商酌，以爲事貴因時以制宜，法必變通以盡利，擬請仿照各旗義學之制，先立數齋，俾生徒得以居處，並請飭部將應修處所，確實勘估，擇要繕完，不必統加修整。至官學生中，分別到學、不到學兩項，世家子弟有力從師者，於挑補後不必責令到學，准其在家讀書，止予出身，不給膏火，卽以所裁膏火，匀給到學生徒，作爲津貼，仍請飭部另籌獎賞之欵，以期鼓舞奮興，如此量爲變通，尚不至過于繁費。至教習等如何責成，學生如何核實，臣等再行詳議章程，奏明辦理。光緒九年四月，寶鋆等奏稱：前因官學亟應興工，請旨曾將商人先行墊欵興辦，將來籌欵發給等因，已于八年十二月奏准在案。兹已于正月二十五日各學一律興工，請旨飭下户部籌欵，以應急需。八月，寶鋆等奏稱：重修官學八所，一律告成，工程尚稱堅固，可期經久。惟學務實同創始，全在經理得人，若不量爲變通，深恐積弊難除，有名無實。臣等公同商酌，除額設助教、教習，挑取官學生，仍由國子監照舊辦理外，擬請于滿、漢科甲人員中，每學各派一員爲管學官，專司其事，並請于滿、漢進士出身之一、二品大員中，簡派二員，爲管理八旗官學大臣，總理一切，如此則各有責成，庶可不致廢弛。其管學官八員，擬請由此次派出之管學大臣公同酌保，恭候欽定。以後如有更換，卽由該大臣等公保奏派。奏定官學章程：一、查宗室左、右翼兩學，曾于雍正十一年奏准，各以翰林官二人分日入學講解經義，指授文法，嗣經停止。惟八旗官學現籌整頓，非于文章經術加意講求，不足以收實效。擬請援照舊案，每學添設翰林官一員，由翰林院堂官于編、檢内揀派，令其分學訓課，庶幾相得益彰。至學生課程，教習勤惰，除由管學官隨時考覈外，應定爲月課、季課，每月由管學官會同翰林官及國子監助教，定期分司考校，翰林官考校經義詩文，助教考校經書及清文、蒙古文，均由管學官覆定優劣，存記簿册，四季由管學大臣率同管學官、翰林官、助教，定期會考，列優等者獎勵，劣等者示罰，並于年終將管學官所記功課簿册，統計優劣，分別賞罰，以昭懲勸。其春、秋二季，學生赴監會考，仍由國子監照例辦理，管學大臣無庸會同考試。一、查向例，每學額設滿教習一員，蒙古教習一員，漢教習四員，以滿文、蒙文、漢文三項，分教學生一百名、一百一十名不等，今擬于各學中酌量多撥學生，先習漢文，若僅止漢教習四員，實有日不暇給之虞，擬請添設額外漢教習二員，分司訓迪，且以備不時替代，其報滿日期，仍以補實之日起算，連閏扣足三年，如補額後未滿三年已有成效，准由初次到學之日起算，以示激勵。其原設滿、蒙教習，弓箭教習，悉仍其舊。一、查定例，漢教習月給銀米，歲給衣裘，近來減成支發，不足以資養贍。滿、蒙教習則有錢糧者止食本身錢糧，無錢糧者方准照教習例支給。夫欲責其課程，不得不厚其廩餼，今擬教習一項，月給津貼銀六兩，月費二兩，其常年住學，每日兩餐肴饌，卽由學中備辦，其舊例銀、米、衣裘，一概停止。額外教習，應支津貼月費，擬照實缺教習減半支領。滿、蒙教習如本身實有錢糧者，除照舊開支外，本學酌給津貼月費，亦減半支領。一、查每學額設學生滿洲六十名，蒙古二十名，漢軍二十名，下五旗添包衣學生十名。其中以滿洲三十名，蒙古、漢軍各數名，學習漢文，其餘均分習滿、蒙文，此舊章也。以今日之八旗子弟而論，滿文日就生疏，蒙文幾成孤學，總由于漢文之不能曉暢，經書之不能貫通所致。應俟該學生到學後，由臣等會同管學各官考驗，酌量多撥數十名，先儘學習漢文，務令漢文通曉，然後學習清文，以期遠到。一、此次管學官八員，業經擬定奏聞，嗣後無論滿、漢，已仕、未仕，但取人品端慤，學問優長者充選，除已升任至副都御史以上，事務較繁，勢難兼顧，應卽開除外，其餘各員，均定以二年爲期，酌量更換，卽由臣等公商推薦奏聞。如管學官實在得力，仍由臣等奏請留學，以資整頓。至各學一切事宜，均責成各管學官督率司事諸人，認真辦理。所有各學司事，由管學官自行延訂。

滿教習一人，蒙古教習一人，漢教習四人。各學舊額。

光

緒九年，添設額外漢教習二人。（采訪冊。）

蒙古官學，在咸安宮官學內。（內務府冊。）

蒙古官學，乾隆十二年設立，於八旗蒙古官學生內，每旗揀選三名，共二十四名，令在學讀蒙古經書，及阿里嘎里字韻，並書寫烏木克蒙古繙譯等學業。（內務府冊。）滿教習二人，學生二十四人。（采訪冊。按舊制，八旗向有蒙古官學，雍正元年，副都統祁爾薩奏設。其時八旗蒙古佐領下，每旗設立一學，揀選能蒙古書話者爲助教，于每佐領下擇可學者一人，令其肄業。今滿、蒙子弟併歸入八旗官學肄業矣，惟咸安宮官學、內蒙古官學如舊制。）

八旗義學。（八旗冊。）

康熙三十年，九卿議准禮科給事中博爾濟疏請立官學一摺。京師八旗子弟，十歲以上者，各佐領于本佐領內選優長者各一人，滿洲旗分幼童教習滿書、滿語，蒙古旗分幼童教習滿洲蒙古書、滿洲蒙古語，漢軍旗分幼童教習滿書、滿語，並教習馬步箭，仍令各佐領驍騎校稽查，將此學名爲義學。雍正元年，設立學堂於兩翼，官房奏撥四所，各設漢書教習二員，滿、漢書教習二員。六年，副都統韓光基奏請添設義學於八旗官房內，量其足用，揀擇四所，共爲八所，每旗各立一學，增設教習四員，共爲八員。七年，漢軍副都統劉汝霖奏設八旗漢軍清文義學，副都統阿魯又奏設甲喇清文學舍，（八旗通志。八旗義學各在就近地方設立，其經費卽在八旗地面舖租項內提銷。今惟八旗漢軍義學行如舊制，滿、蒙各學均失整頓矣。采訪冊。

圓明園護軍營官學，在西直門外迤北。采訪冊。

圓明園學，於雍正十年會典事例作六年，茲僅從八旗通志所載諭旨。設立，各視營房之遠近建造，內府三旗立學舍一，設教習一人；鑲黄、正黄、正白、鑲白于適中之地立學舍一，設教習二人；正紅、鑲紅立學舍一，設教習一人；正藍、鑲藍各設學舍一，各設教習一人。其教習于八旗及內府生員內選補，教圓明園官兵子弟。會典事例八百八十二。

雍正十年旨：圓明園兵丁，朕從前未經細看，此次往觀大閱，細看沿途站立管道之圓明園兵丁，氣象較前甚優，圓明園之八旗及內府三旗賞給教習，令伊等子弟學習漢書。乾隆二十一年旨：圓明園護軍營學舍肄業子弟，令專習清書。

健鋭營官學，在西直門外三十里翠微山麓。采訪冊。

健鋭營學，乾隆四十年奏准，設通曉清語教習八人，以訓健鋭營八旗幼丁清語。會典事例八百八十三。按，事例載營房建于乾隆十五年，而未詳所在，並未及學舍設立年月。

外火器營義學，在西直門外長河西岸藍靛廠後。采訪冊。

外火器營，乾隆三十八年建，隨立義學，凡官廨一千二百十四間，官廳義學等房六十間。會典事例。

長房官學。內務府冊。

長房官學，康熙三十五年，交出內監十三人，著習漢書，於蕉園閒房讀書。五十一年，於景山官學教習揀選一人教授。五十二年，移蕉園教習於萬善殿。乾隆三十四年，裁漢教習，歸併長房讀清書處。會典事例九百七。

乾隆三十四年上諭：向來萬善殿有年幼內監十餘人在內讀書，派漢教習一員，專司其課。該處復係僧徒典守與學舍雜居，既屬非體，且內監職在供給使令，就使讀書，不過教之畧識字體，何必選派科目人員與之講授，令其通曉文義乎？在前明閹豎擅政，司禮、秉筆惟所欲爲，因使若輩通文，便其自利之計，甚至選詞臣課讀，交結營私，此等秕政，朕每甚非而痛斥之。我朝宫府肅清，内監等從不令干預政事，即不識字何礙？或伊等間有登記冊檔之處，但能粗辨字畫足矣。現今讀清書之内監等，在長房一帶，派内務府筆帖式課之，此等讀漢書之人，原可附近該處另選筆帖式之曾讀漢字書者授之句讀，又何必爲之專設一漢員，教令讀書乎？所有萬善殿派用漢教習之例，著永遠停止。

教習清書、蒙古書筆帖式二人，教習漢書筆帖式一人，歸内務府管理。内務府冊。

回緬官學，在内務府衙門門南。内務府冊。

回緬官學，乾隆二十一年設立，揀選來京居住之回子二人充教習，其學生於内務府幼丁内揀選十人，學習回語文字。三十三年，增設緬子官學，坿回子官學，令回子學生兼習緬子語言文字。嘉慶五年，咨雲、貴督撫選擇熟習緬文之人送京，充當教習。内務府冊。回子教習二人，緬子教習二人，學生十人。内務府冊。

華陽吴祖椿校

京師志十

德清蔡賡年纂　江陰繆荃孫覆輯

倉庫

禮：倉人、廩人，屬於司徒，内府、外府，掌之冢宰。量入爲出之經，耕九餘三之道，治國者所當留意也。我朝燕京定鼎，轉漕東南，天庾正供，偫積維謹。至於庫儲出納，國計所關，蠲恤則億萬非糜，用度則幾微必飭，節用愛民，敻乎上矣。志倉庫。

禄米倉，計五十七廒，在朝陽門内南小街。江北運程一。

南新倉，計七十六廒，在朝陽門内北小街豆芽菜衚衕。江北運程一。

舊太倉，計八十三廒，在朝陽門内北小街燒酒衚衕。江北運程一。

海運倉，計百廒，在東直門内南小街宋姑娘衚衕。以上四倉，屬左翼。江北運程一。

北新倉，計八十五廒，在東直門内南小街瓦岔衚衕。江北運程一。

富新倉，計六十四廒，在東直門内四牌樓七條衚衕。江北運程一。

興平倉，計八十一廒，在東直門内四牌樓十一條衚衕。江北運程一。

太平倉，計八十六廒，在朝陽門外南城牆根，倉有水門。以上四倉屬右翼，均國初建。（江北運程一。）

恩豐倉，計十二廒，在東華門内。（江北運程一。）

内倉，計二十廒，在皇城内，於城垣設倉，門東向，對户部署。（江北運程一。）

裕豐倉，計六十三廒，在東便門外，雍正六年建。（江北運程一。）

儲濟倉，計一百八廒，在東便門外裕豐倉北，雍正六年建。（江北運程一。）

萬安倉，四十廒，在朝陽門外北城牆根，雍正元年建。乾隆四年，分儲濟倉四十八廒爲萬安東倉，以舊萬安倉爲萬安西倉。（江北運程一。户部則例：太平倉、大萬安倉西面，俱附近城牆，東面臨近河岸。咸豐元年，奏定添設堆撥，太平倉舊設五處，添十四處，大萬安倉新添八處。）

本裕倉，計三十廒，在德勝門外清河，康熙四十五年建。（江北運程一。）

豐益倉，計三十廒，在德勝門外安河橋，雍正七年建。（江北運程一。）

通州中倉，計九十八廒，在天花牌樓東。（江北運程一。）

西倉，計一百二十四廒，在天花牌樓南，舊有南倉八十一廒，乾隆十八年奏裁。（江北運程一。）

按：京倉十有五，通倉二，爲京通十七倉。倉設滿、漢監督各一，稽查科道一，歲入額漕四百三十餘萬。山東漕，粟、麥、豆，正糧二十八萬一千四百九十六石六斗六升二合三勺，耗糧六萬三千五百五十四石六斗九升二合七勺。河南漕，粟、麥、豆，正糧十九萬二千五百七十五石三斗七升八合，耗糧四萬三千一百六十五石九斗零四合七勺。江安漕，粳、秈、稜、粟，正米三十八萬八千八百五十四石六斗二升五合六勺，耗米八萬九千一百二十九石二斗一升零二勺。蘇松漕，白粳、糯，正米一百二十萬零二千三百八十一石四斗八升八合四勺，耗米四十二萬三千二百七十石零三斗一升二合五勺。浙江漕，白粳、秈、糯米，六十四萬四千五百九十二石一斗七升三合三勺，耗米十五萬二千五百六十八石二斗二升二合二勺。江西漕，稜，正米五十萬零一千八百十八石零七升四合三勺，耗米十一萬三千三百八十一石一斗零二合。湖北漕，稜，正米九萬四千一百八十七石八斗七升二合二勺，耗米二萬三千五百四十六石九斗六升八合。湖南漕，稜，正米九萬五千四百八十二石六斗四升零一勺，耗米二萬三千八百七十石零六斗六升。加以奉天粟、豆三萬八千七百四十八石四斗五升九合七勺，共計正糧三百四十四萬零一百二十七石三斗七升三合九勺，耗糧九十三萬二千四百八十七石零七升二合三勺，正、耗統共四百三十七萬二千六百十四石四斗四升六合二勺。此據董尚書恂江北運程，系咸豐年間雲南司稟，與會典通志、户部則例、漕運全書、漕運則例纂諸書數俱小異。百官俸禄，八旗甲米，均取給於斯焉。户部則例：内倉歲儲漕、白二糧，及直隸省歲解芝蔴、屯豆。京通各倉，每廒額儲紅斛漕糧一萬石。凡歲漕抵通，不論正兑、改兑，分儲京通倉，白糧專儲通倉，粦麥、黑豆專儲京倉。儲濟、萬安、舊太、海運四倉，專儲黑豆，禄米、南新、舊太、海運、北新、富新、興平、萬安、裕豐、儲濟十倉，專儲麥石。又通州西、中二倉，每年派儲粳、稜二項米石。會典事例：順治初年，定京城八倉，通州三倉，每倉以五間爲一廒。每間七檁、六椽，闊一丈四尺，深五丈三尺，山柱高二丈二尺五寸，檐柱高一丈五尺五寸，每廒頂各開氣樓一座，廒底甎砌，上鋪木板，廒門及牆下均開竇穴，以洩地氣。每倉有官廳、官舍、科房、石壩、土壩，朝陽門外各有號房，大通橋有盤糧廳，有號房。乾隆六年，議准京通各倉，各就廒房之多寡，地基之廣狹，酌增井以備緩急。太平、裕豐二倉，取水近便，毋庸掘井，禄米倉增井五，南新、富新、北新三倉各增井八，舊太、興平二倉增井七，海運倉增井九，儲濟、本裕二倉各增井二，萬安、西倉開建東水門五道，萬安東倉掘井四，通州西倉增井六，中倉增井四。

木倉，在長安右門外，屬工部，司員監督。今古地理述二。

官三倉，在西華門外北圍房。今古地理述二。

傢伙倉，在西華門外北城下連房。今古地理述二。

紅本庫，在午門内，内閣後門東。舊聞考六十二。

尊藏實録庫，在内閣紅本庫之東。舊聞考六十二。

書籍表章庫，在内閣紅本庫之東。舊聞考六十二。

玉牒庫，在宗人府内左、右，司員兼理。宗人府册。

黄檔庫，在宗人府。宗人府册。

黄檔房銀庫，在宗人府。宗人府册。

大庫，即銀庫。在户部公署東。一統志。

緞疋庫，在東安門内。一統志。

顏料庫，在西安門内。一統志。按：大庫、緞疋庫、顏料庫，謂之三庫，均屬户部。特派大臣管理，其郎中、員外郎、司庫等官，於各部院中揀調。

户部内庫，在午門内内閣之東。一統志。

節慎庫，在工部署東，隸工部。一統志。

製造庫，在長安右門外，隸工部。所屬分五作：曰銀作、曰鍍作、曰皮作、曰繡作、曰甲作。又惜薪廠在宣武門外。礮子庫在左安門内。濯靈廠即鉛子庫，與火藥局在右安門内。

銀庫，在太和殿弘義閣内。内務府册。

皮庫，在太和殿西南角樓房内，及保和殿東配房。内務府册。

瓷庫，在中左門外迤西之西配房，及武英殿前影壁後連及。内務府册。

緞庫，在太和殿東體仁閣，及中右門外西配房。内務府册。

衣庫，在弘義閣南之西配房。内務府册。按：恭製御服在咸安宫，内宫門三楹，正殿五楹，東、西殿配各三楹。

茶庫，在右翼門内西配房，併太和門内西偏，南向配房，中左門内東偏配房。内務府册。舊聞考：茶庫向藏歷代帝后圖像，乾隆十四年，奉命移藏南薰殿内，恭鐫御製藏圖像記文并詩。按：以上六庫屬廣儲司。

官房租庫，康熙六十年立。初名官房收租處，在景山西門路西。乾隆十年，復移置西華門外北長街路東，西向，并改今名，廨舍共十二間。内務府册。按此屬會稽司。

車庫，在紫禁城内西筩子河西，連房十一楹，貯車輛幃鞍等物。神武門外迤東房七十有九楹，收貯車輛。内務府册。

銅器庫，在中和殿西第二連房，凡五楹，康熙三十四年設。内務府册。按：以上屬内管領。

甲庫，内庫在左翼門内，體仁閣之南，庫房八楹；外庫在東華門外北城下，房十有二楹。又景山官學之西庫房五楹，所屬亮鐵作，在東安門外迤北，房八十有五楹。内務府册。

氊庫，内庫在昭德門内東西房共十一楹，又中右門内房十楹；外庫在東華門外城下，房十有四楹，所屬箭廠，坐落南池子長街石頭縫衚衕，房十有五楹。内務府册。

北鞍庫，内庫在左翼門内迤北，房四楹，又南房四楹，體仁閣之南房四楹，又房二楹；外庫在東華門外北城下，房六十楹。所屬鞍作，在南池子長街南燈籠庫内，房九楹。内務府册。

南鞍庫，内庫在昭德門内南角樓；外庫在東華門外北城下，房十有八楹。所屬熟皮作，與騎河樓相望，房十有五楹。内務府册。按：以上屬武備院。

御藥庫，順治十年設藥庫，東華門内東三所之左，堂西有藥王殿，前後三重，共房三十有六楹。内務府册。按：此屬造辦處。

内鴐庫，在東華門内，大門一楹，隨門房六楹，更房一間，東黄瓦大庫五楹，南黄瓦大庫二座十楹，庫前石碣，鎸古今通集庫五字，大堂二楹，小堂三楹，銀庫三楹，辦事房及小庫班房、檔房計三十三楹。鑾儀衛冊。

外鴐庫，在東長安門外，大門三楹，前黄瓦正庫九楹，後黄瓦正庫五楹，前後四廂黄瓦庫四座，每座七楹，土地祠、官廳、廂房、巡更房，共九間。鑾儀衛冊。按：以上屬鑾儀衛。

門神庫，在東安門内南池子，西北爲明玉芝宫地，隸工部之製造庫。今古地理述二。

器皿庫，在西華門内武英殿之西。今古地理述二。

瓷器庫，在西華門内武英殿之南。今古地理述二。

西十庫，在西安門内，舊設掌庫太監一人，貼庫數人，僉書數十人。十庫：甲、乙、丙、丁、戊，不全用十干，以己者已也，故改用别名，曰承運、廣盈、廣惠、廣積、贓罰。國初封錮不開，塵土堆積。康熙年間，命内務府清察，立檔案焉。今古地理述二。按：各署均有庫，收儲銀兩及什物，均附各署，不入此門。

前代倉庫考

金：豐備倉、通積倉、太倉，於通州置。畿輔唐志。

元：京師二十二倉：萬斯北倉、中統二年置。萬斯南倉、至元二十四年置。千斯倉、中統二年置。永平倉、至元十六年置。永濟倉、至元四年置。惟億倉、既盈倉、大有倉、均皇慶元年置。屢豐倉、積貯倉、均皇慶元年增置。豐穰倉、皇慶元年置。廣濟倉、皇慶元年置。廣衍倉、至元二十九年置。大積倉、至元二十八年置。既積倉、盈衍倉、至元二十六年置。相因倉、中統二年置。順濟倉、至元二十九年置。通濟倉、中統二年置。慶貯倉、至元四年置。豐潤倉、至元十六年置。豐實倉。河西務十四倉：永備南倉、永備北倉、廣盈南倉、廣盈北倉、充溢倉、崇墉倉、大盈倉、大京倉、大稔倉、足用倉、豐儲倉、豐積倉、恆足倉、既備倉。通州十三倉：有年倉、富有倉、廣儲倉、盈止倉、及秭倉、廼積倉、樂歲倉、慶豐倉、延豐倉、足食倉、富儲倉、富衍倉、及衍倉。元百官志。

明：永樂中置通州左衛倉，既又設武清衛倉於河西務，設通州衛倉於張家灣。宣德中，增置通州倉、京倉。正統中，增置京衛倉，凡七。兑運法行，諸倉支運者少，而京通倉不能容，乃毀河西務及臨清、德州倉三分之一，改爲京通倉。景泰初，移武清衛諸倉於通州。凡京倉五十有六，通倉十有六。明食貨志。糧儲抵通，分貯京、通二處，在京者曰舊太倉、曰百萬倉、曰南新倉、曰北新倉、曰海運倉、曰禄米倉、曰新太倉、曰廣備倉；在通州者曰大運西倉、大運南倉、大運中倉、大運東倉。户部侍郎或尚書總督之，其公署在舊大倉內。春明夢餘録三十七。

元户部都提舉萬億綺源庫、都提舉萬億賦源庫、都提舉萬億寶源庫、都提舉萬億廣源庫、提舉富甯庫、順承行用庫、文明行用庫、光熙行用庫、健德行用庫、和義行用庫、崇仁行用庫、順承行準庫、大都平準庫、寶鈔總庫、印造寶鈔庫、燒鈔西庫、燒鈔東庫，工部諸物庫、符牌庫、受給庫，從政院備用庫、藏珍庫、文成庫、供須庫、儀從庫，宣徽院諸物庫、生料庫，中政院奉宸庫，宣政院資善庫，秘書監秘書庫，大府監内藏庫、右藏庫、左藏庫、器備庫，中尚監資成庫，利用監資用庫，章佩監御帶庫、異珍庫，將作院金絲顏料總庫，泉府司富藏庫，侍儀司法物庫，武備寺壽武庫、利器庫，尚乘寺資乘庫，省架閣庫、左右部架閣庫。輟耕録二十一。

明庫曰承運庫、廣積庫、甲字庫、乙字庫、丙字庫、丁字庫、戊字庫、廣惠庫、廣盈庫、天財庫、一名司鑰庫。供用庫，以上通謂之内庫。其會歸門、寶善門迤東，及南城瓷器諸庫，謂之外庫。明食貨志。按：明諸庫今其地有可考者，往往地仍庫名，内詳街巷。

華陽吴祖椿校

京師志十一

關榷

山陰潘遹纂　江陰繆荃孫覆輯

周禮，司關一職，掌國貨之節，以聯門市，鄭氏康成以爲貨自外來者，則案其節而書其多寡，通之國門，國門通之司市，是卽門關之制所由昉也。燕京爲都會之所，致天下之民，聚天下之貨，熙熙攘攘，駢闐輻輳，駔儈之徒，羣萃雜出，於是設關吏，定課則，循什一之舊制，剗明季之煩苛。列聖御宇，必下詔書，堅明約束，不務取盈。蓋度支所賴，初不繫乎徵榷，而豪彊擅山海之利，故約取之以示崇本抑末之意。舊例，崇文門正、副監督歲遣户部滿司官一人、内務府司官一人，自道咸以來，特簡親信重臣臨涖其事，仍一歲而受代。建畫失當，譴罰隨之。然則朝廷之惠商賈，防流弊，不謂不至矣。志關榷。

崇文門稅務，額徵銀十萬二千一百八十七兩五錢六分二釐，盈餘銀十一萬二千七百七十六兩。崇文門册。户部則例：舊徵正稅銀十萬二千一百七十五兩有奇，盈餘無定數。後徵正稅銀九萬四千四百八十三兩，銅觔水脚銀七千六百九十二兩三錢一分二釐。設自國初，歲遣户部滿司官一人、内務府司官一人爲正、副監督，徵税科則，詳刊木榜，竪立關口街市，並令地方官將税則刊印頒發，照章徵收，如有偷漏，拏獲議罰。分口税局，另派胥役家人分任其事，嚴禁需索，法令至爲詳備。崇文門册。

雍正二年諭：崇文門收税及分委各口收税之人，亦有多方勒索、分外苛求之弊。京師爲四方輻輳之地，行李絡繹，豈宜苛刻滋擾！監收者尤當不時稽察，杜絶弊端。各省關差，若不遵諭旨，經朕訪聞，定從重治罪。

乾隆十三年，令江南道御史稽查。嘉慶五年，特旨嚴懲税務人役需索。崇文門册。

嘉慶五年諭：上年將關税贏餘酌加裁減，原以體卹行旅，加惠商民，在各關監督等，自應仰體朕卹商惠民之意，不敢於正税之外復有勒索擾累之事，而所派之巡役家人等，難保無肆意苛求，藉稽查税務之名，妄行勒掯情弊。現在蘆溝橋、彰儀門經管税局人役，竟有訛索過往行人銀錢等事，業經分别懲治。輦轂之下，尚敢如此，其餘各省關税，種種情弊，不問可知。該監督等所管税口不止一處，於稽查税務一節，不能不另派胥役家人等分任其事，務當諄切曉諭，不許例外訛索，仍應時加訪查，嚴行管束，以絶弊端。

十七年，令京營汛弁，巡查私收私放，並冒充白役情弊。道光二年，因御史許乃釗奏請嚴禁税局刁難勒罰，令巡視五城御史隨時稽察。

道光二年諭：御史許乃釗奏請嚴禁崇文門稅局需索蠹弊一摺，所奏甚是。各關徵稅科則，責令該管官詳刊木榜，竪立關口街市，並令地方官將稅則刊刷，頒發定例，本爲詳備，即崇文門有商人漏稅議罰之條，亦自有一定章程，豈容意爲高下？若如該御史所奏，崇文門稅局於尋常行李往來，不論有無貨物，每衣箱一隻，勒索銀二兩、四兩至八兩之多；或偶然攜帶常用物件，不知應稅科則，一經查出，輒以二十倍議罰；即有照例開報納稅者，又以輸課無多，仍百計刁難，否則押赴官店守候，不准放行。京師爲萬方輻輳之區，乃經書役恣意婪索，苛及行旅若此，不可不嚴申禁令。著該監督等，遵照定例，於崇文門及分口巡查之蘆溝橋、東壩、板橋、海淀等處，一律添設木榜，仍著順天府刊刷科則定例，每年頒發，俾衆咸知，並責成巡視五城御史，隨時前往認真稽察，如有濫行需索，擾及行旅情事，即行據實參奏，不得日久視爲具文，務期革除積弊，以懲關蠹，而便商旅。

又特簡重臣爲正、副監督，奏派司官二員，文則用印稿司員，武則用印務參佐，總理一切。崇文門冊。

道光十七年諭内閣：給事中沈鑅奏請嚴禁各門稅口藉端需索擾累一摺。各城門稅口，應稅貨物，自有一定則例，此外不准絲毫藉端需索。若如該給事中所奏，近來各門稅口，於尋常行李，任意勒索錢文，更有不肖營兵及無賴匪徒，冒充差役，攔阻訛詐，實爲行旅之害，而右安門爲尤甚。似此擾累，不可不嚴行查辦。若僅交該監督及步軍統領衙門查究，並責成該都司查拏，恐層層蒙蔽，仍不免有名無實。崇文門總局本派有御史二員，專司稽查，其内外十三門稅口，巡城各科道，本有稽查之責，嗣後著即責成該城科道，分段認真密訪嚴查，儻有前項情弊，即時參奏，嚴加懲辦，以肅門禁而安行旅。咸豐二年諭内閣：據户部遵旨議覆崇文門徵收貨稅，向以茶、酒、煙、布爲大宗，近來酒稅日見虧短，總因奸商雇覓貧民私運私背，囤積隱賣，漏稅日多，則正稅日少。著步軍統領衙門、順天府，將販運私酒各匪犯，隨時一體查拏，奏明懲辦。至崇文門徵稅口岸，向係在蘆溝橋、東壩、板橋、海淀設役巡查。道光十三年並二十三年復於密雲縣之穆家峪、石匣，順義縣之半壁店各地方，添設稅局，派員稽查，既有例定口岸，該商等自不容繞道巧避，差役人等亦不得越境私拏，致滋流弊。著崇文門監督遵照定例，實力整頓，隨時稽查，毋庸輕議更張。

光緒九年，令大學士寶鋆、户部尚書閻敬銘，重定章程十六條，並著五城、江南道御史隨時查察。崇文門冊。

光緒九年諭：嗣後崇文門驗貨收稅，該監督務當飭令委員，躬親其事，毋得假手書役人等，致滋弊竇。儻委員有貪婪劣迹，定將該員及監督照現定章程分别懲處。至商人漏稅，自應照例議罰，豈容任意勒索？其肩挑貿易及眷屬車輛，如查無應稅貨物，概不准留難擾累。著五城、江南道各御史隨時查察，該員役如有勒索情事，即行參辦，並著該監督常川到署，嚴切稽察，毋稍疏縱。寶鋆等所擬章程十六條，係爲裕課卹商起見，即著該監督飭令委員，認真辦理，力除弊端，毋得仍蹈積習，致干咎戾。大學士寶鋆、户部尚書閻敬銘疏奏：爲酌擬崇文門稅務章程，恭摺具陳，仰祈聖鑒事：竊惟崇文門徵收税課，係國家維正之供，正額盈餘，均有定制。京師爲萬方輻輳之區，地稱首善，惠商便民，尤屬當務之急。近來劣員、猾吏、蠹役、奸商，因緣爲奸，遂至上虧國課，下累民生，爲害不可勝言，亟宜設法整頓，以重税務，而除積弊。臣等謹酌擬十六條，恭呈御覽。一、嘉慶五年，欽奉上諭，各關税局如再有訛索擾累等事，從重治罪等因。又道光二年，欽奉上諭，嚴禁崇文門税局需索蠹弊等因。應令該監督將諭旨二道敬謹繕寫，懸挂該衙門大堂，俾資永遠遵守。一、奏派宜擇本屬也。向來正、副監督到任後，事皆責成奏派委員總理一切，文則用印稿司員，武則用印務參佐，其人率以明白幹練，心地端直者充選，故能上顧國家正課，兼可鈐制驗貨家丁，免滋流弊。近來或參以親故等人，以致堂官、家丁，狎熟牽掣，種種弊端，在所不免，正本清源，必自奏派委員始。一、堂委宜戒濫派也。奏派向止二員，恐有別項差故，則堂派委員以佐之，此項委員，亦當以一二員爲是，近聞堂委之員，多至十餘員，或二十餘員不等，非浮薄少年，卽艱窘末吏，實於公務無益，亟宜裁汰，以端浮囂，而杜撓亂。一、各口宜擇妥員也。崇文門向有分局，例設於蘆溝橋、東壩、海淀、半壁店、南口、穆家峪、張家口等處，派員駐守，需人既多，勢不能盡取本屬明幹人員，故向來監督每擇素識之人，量材器使，然亦不容純用情面，以私廢公。且張家口、東壩兩處，中外商人紛錯，查核甚非易事，奸巧猾商，藉端影射，亟當詳遴明白曉事之員，常川駐局，中外茶商交涉，儻有疑竇，卽稟明監督，迅速行文總理各國事務衙門，詳察辦理，不得漫任冗員，有妨税務。一、蘆溝橋、東壩、半壁店、穆家峪、海淀、張家口等處口岸，向設委員分駐稽察，應申明舊章，飭令輪班駐宿，督同書役、家人，認真辦理，以除積弊，其各口委員，每處祇需四員，由正、副監督各派二員，庶免人浮於事。一、京城十三門，向來監督但派家人、書役，分駐巡查，距務較遠，耳目難周，致有勒索留難等弊。擬請嗣後安定、東直、朝陽、東便、廣渠、左安、永定、德勝、西直、阜成、西便、廣安、右安十三門，均由監督揀派廉勤人員，每門三員，輪班住宿稽查，不准曠悮，違者參處。應需飯食津貼銀兩，由監督酌量籌給，奏明辦理。一、海巡宜調營弁也。海巡向用家丁，藉端滋擾，得財賣放，比比皆然，未革偷漏之弊，徒滋勒索之端。營弁究係官屬，儘可行文步軍統領衙門，調取來署，儻仍不得力，卽由該監督自行參懲。一、光緒九年，給事中樓譽普奏：崇文門海巡，請按名給發號衣、腰牌。嗣經該衙門奏稱：若給予號衣、腰牌，轉恐恃有官物，四出招摇，流弊更甚，且於密查偷漏，益多窒礙等語。竊惟該巡役無號衣、腰牌，則恃無查考，肆意妄爲，有號衣、腰牌，則奉官緝拏，被拏者既不敢拒捕，往拏者亦不敢詐擾，仍請飭下該監督，將巡役每名各給號衣一件，並印花腰牌，寫明某門海巡姓名，有訛詐者，准商民指名稟究，如有僞造號衣、腰牌，冒充巡役者，嚴行究辦，其製造號衣、腰牌經費，准由盈餘項下開銷。至巡役向無額數，散漫無稽，擬請飭下監督，酌定額數，每門若干名，務上及十三門共若干名，造册咨報户部查核，嗣後每届年終，造册咨部，遇有更换，隨時咨報。一、例載各關徵税科則，責令該管官詳刻木榜，竪立關口街市，並責令地方官將税則刊刷小本，每本作價二分，聽行户領發遵照。又例載已革之税，概行刊榜曉諭，各等語。現在崇文門未刻榜竪立，地方官亦未刊刷頒發，以致商民無從周知，亟應申明舊例，略加變通，所有徵税科則，應由該監督認真詳刻木榜，其例應免税之貨，逐款開明，另刊木榜，一併懸挂税務衙門門外。各十三門暨各税口，並將商税則例、現行比例、增減新例及免税各條，刊刷成書，於每年八月初三日監督到任後，發給各行户經紀一本，使商民共見共聞。其刊榜刷書經費，准由盈餘項下開銷。一、例載乾隆四十五年奏定，丁梨、脆棗最下之物，不過近京所産，即有興販，亦止於肩挑背負，嗣後應豁免税銀，庶近京小民不無小補等語。嗣後除水梨係屬客貨，仍照例收税外，至近京西山等處所産丁梨，毋論是否肩挑背負，應一律免其送務徵税。蘆溝橋及各門亦不准私收税錢、飯錢，違者懲辦。一、例載各關商民輸税，填寫收税紅單二紙，一給商人收執，一送部查察，其有不給紅單，或納銀數多，給票數少，及私將紅單撤回，多徵勒索者，許商民首告。嗣後崇文門收税，擬請用三連票根，一給商人，一存該衙門，一送户部，以備稽查。如有前項情弊，一經商民首告，照例究辦。一、例載崇文門税課，令本商自行完納，若貨到而本商未至，准店鋪代報納課等語。惟往往有數家之貨，該行到務，呈遞驗片，只寫一家字號，易滋弊端。嗣後貨物報門，無論數家共一貨車，總須各分各單，不得數家併作一單，僅寫一家字號，致涉牽混。至各門每日送務手本，亦須將各鋪字號一一分寫，不准籠統，以杜行户影射漏課，及巡役朦混誣拏等弊。一、行次重責成也。商賈納税，必由行次，原爲事期簡易，責有攸歸，乃日久相沿，竟成作弊之首，平日串通本處書吏，臨事賄囑驗貨家丁，賣放營私，視爲故事。當飭奏委司員，隨時逐行詳查，儻敢仍前作弊，立予嚴懲，毋稍輕縱。一、崇文門拏獲漏税客貨，該委員過堂時，並不言明罰銀數目，輒先令畫供認罰，迨畫供後，委員於原供内批罰銀至數百兩、數千兩之多，交坊羈押勒繳，殊屬不成政體。擬請飭下監督，嗣後遇有應罰之案，除按照例定倍數擬罰外，務須先將應罰銀數示知該商，並於供内寫明，令其輸服畫供，不得刑逼勒罰，每月實收罰款若干，分列貨物、款項、案由，分註本税銀若干，罰款幾倍，銀若干，明示税務衙門首，咨明户部。庶儆偷漏，並有稽核。一、崇文門照例驗貨納税放行，不准留難勒索，嗣後每日各門送到行李貨物到務，無論天晚，必須當日驗完，不准押送客店，延至次日方驗，違者即將委員監督參處。一、崇文門監督到任，向係出示曉諭，嚴禁官店，至每日務上未經驗完之行李貨物押送店内，有押至數日之久者，其拏獲漏税貨車，有押至數十日之久者，無官店之名，有官店之實，該店串通差役，藉漁重利，商民受累不堪，爲歷年未除之積弊。嗣後崇文門附近客店，如敢容留務上交押之車，准被押之人赴城喊控，即由該城御史將委員查明參處，並將該店勒令封閉，店商從嚴懲辦。以上各條，或參核舊例，或酌擬新章。總之，立法必先防弊，任事尤貴得人。應請旨飭下崇文門監督，隨時督飭委員，認真辦理，實事求是，於國課、民生兩有裨益。所有酌擬崇文門稅務章程緣由，謹恭摺具陳，伏乞皇太后、皇上聖鑒。謹奏。

分局設蘆溝橋、東壩、海淀、半壁店、穆家峪、張家口七處，每處派委員管理，由正、副監督各派二人。崇文門册。户部則例：崇文門之東壩，徵收各項雜稅，於順義縣半壁店、密雲縣石匣，設立稅局，派役稽查，凡應在東壩納稅，查有繞道行走，即照東壩稅例徵收。道光二十三年咨准。穆家峪稅局專稅古北口所進牛隻，奶牛收稅一錢五分，使牛收稅三分，即在穆家峪稅局就近交納，給發照票，交商收執，其有由穆家峪至京售賣者，准其持票換引，不再收稅，不收飯錢。道光十三年奏准。

左翼稅務，額徵銀一萬八兩，盈餘銀一萬八千兩，隨徵經費銀六千一百四十五兩二錢四分。崇文門册。户部則例：舊徵正稅銀一萬兩，盈餘無定數。本衙門徵收安定、東直、朝陽、東便、廣渠、左安六門，設役巡查。户部則例三十九。

右翼稅務，額徵銀一萬五兩一錢二分，盈餘銀七千三百二十一兩四錢，隨徵經費銀六千二百一十六兩九錢一分。崇文門册。户部則例：舊徵正稅銀一萬兩，盈餘無定數。本衙門徵收德勝、西直、阜成、西便、廣寧、右安、永定七門，設役巡查。户部則例三十九。道光二十四年，將北辛安、八角邨、衙門口、古城邨、磨石口、甎瓦窰、蘆溝橋、長辛店、五里坨、三家店、牛角、安家灘、王平口、上下莊、門頭溝、琉璃局等十六邨牲稅，均歸徵收。同治九年，因御史馬相如之奏，嚴禁巡役。崇文門册。

同治九年，奉上諭：御史馬相如奏，請嚴禁巡役藉端訛索等弊一摺。右翼監督徵收西山牲畜，自應遵照定章辦理，若如該御史所奏，巡役横徵苛索於起票、銷票、换票，肆行勒費，甚至徵多報少，種種弊端，不可枚舉，亟應嚴行禁革。著該監督除將此項巡役從嚴約束外，將税則定章，出示曉諭，並刊刻新票，以及换票、銷票，明定限期，不准官役勒索使費，以安商民而除積弊。

坐糧廳税務，正税銀六千三百三十九兩二錢六分，盈餘銀六千兩。税口設通州四門、楊富店、洪仁橋、浮橋、張家灣、新河口、崔家樓、東嶽廟、南北鵞房徵收税銀，晏公橋止收糧税，水南設役巡查，其税課仍歸新河口報納。户部則例三十九。

通永道税務，額徵木税銀七千一百十五兩有奇，盈餘銀三千九百兩，遇閏加增五百九十二兩九錢八分。采訪册。

古北口税務關，建自順治十五年，歲遣監督徵收木税，舊額四萬三百四十一兩五錢，不徵盈餘。雍正七年，裁監督官，令密雲縣知縣兼理税務，歲徵銀一千十二兩有奇。嘉慶七年以後，儘收儘解，不定額數。采訪册。

嘉慶七年諭：顔檢奏，密雲縣徵解木税，不敷定額，懇請覈實辦理一摺。該縣管理古北口抽分事宜，每年應解木税，原以一千一十二兩零定爲歲額，今據稱，該處商販寥寥，無人領票辦課，山場砍伐既久，近年以來只有小民在附近各山采取柴薪，照例輸課，每歲不過三四十兩至五六十兩等語，自係實在情形。除嘉慶二年至六年止，應解税銀，仍在歷任知縣名下照數勒完外，嗣後此項木税，自嘉慶七年爲始，著卽照徵收雜税之例，儘收儘解，不必定額以數，仍著該督責成該道、府等，隨時稽查，毋得以多報少，致滋弊混。密雲距京甚近，儻一經查出，必將該令等懲處不貸。其該縣原領監督關防，卽著繳銷。

京師九門以外，開設鋪面者，分別等則，令大興、宛平二縣徵收税課。上則鋪户，每户徵銀五兩，中則徵銀二兩五錢，下則免税。該二縣於每年二月，户給由單，按季完納。如有新開者，令地總隨時報縣給單。歇業者，卽行繳銷。儻有徵多報少情弊，查出參處。九門以内鋪户，供潑水墊道之役，不徵税課。户部則例三十九。額設牙帖八百八十九張，分三則徵税：上則二兩，中則一兩五錢，下則一兩。户部則例四十二。

前代關榷考

遼太宗得燕，置南京，城北有市，百物山峙，命有司治其徵。淵鑑類函。元於大都腹裏，設税務七十三處，其在京城者，豬羊市、牛驢市、馬市、果木市、煤木市，所有宣課司、提舉司領之，利網雖密，然自酒、醋而外，若魚、鰕、藥、果之屬，以及書、畫、藁、席、草鞵、篠帚、甎瓦、柴炭、諸色鐙、銅、鐵、綫、麻綫、苎棉、草索、麯貨，皆爲不合税之物。稼堂雜鈔。明宣德四年，以鈔法不通，由商居貨不税，由是於京省商賈湊集地，市鎮店肆，門攤税課，增舊凡五倍。兩京蔬果園，不論官私種而鬻者，塌房、庫房、店舍居商貨者，騾驢車受雇裝載者，悉令納鈔。委御史、户部、錦衣衞、兵馬司官各一，於城門察收。鈔關之設自此始。於是有漷縣諸鈔關，量舟大小修廣，而差其額，謂之船料，不税其貨。正統初，移漷縣鈔關於河西務，船料當輸六十貫者，減爲二十貫，商民稱便。九年，王佐掌户部，置彰儀門官房，收商税課鈔。景泰元年，于謙柄國，船料減至十五貫，減張家灣課税之半。明食貨志。成化二十一年，令順天府委佐貳官一員，於崇文門宣課分司監收商税。明會典。孝宗宏治元年，差御史、主事各一員，於崇文門宣課司監收。續文獻通考。御史陳瑶言：崇文門監税官以掊克爲能，非國體。乃命客貨外，車輛毋得搜阻。明食貨志。六年，令崇文門宣課司，商税止差主事監收，不必御史巡察。續文獻通考。武宗時，御馬監太監于經寵幸，嘗導上於通州張家灣置皇店，榷商賈舟車，微至擔負，亦皆有税，中外怨之。明武宗實録。世宗初，革京城九門之税。神宗萬曆初，令商貨進京者，河西務給紅單，赴崇文門併納正、條、船三税，其不進京者，河西務止收正税，免條、船二税。榷税之使，自千户趙承勳奏請始，王忠於密雲，張曄於蘆溝橋。明食貨志。二十四年，復命中官榷税通州。明神宗本紀。

竹木局建於通州，自永樂始。其抽分有二八、九一之額。舊制，張灣之滸，設有大通關巡檢司竹木局，又以大使領之。桴筏至者，各列其材，板枋之多寡、長短、闊狹、厚薄之差等，以達之關司長。關司長據所差等，較勘虛實，而上之巡倉御史。御史據所陳報，而下之竹木局，使如例抽之。其署額曰抽分竹木廠。舊聞考。

崇文門宣課分司，約解商税正餘銀一萬六千六百六十二兩一錢六分，銅錢一千八百八十七萬七千七百十六文，豬牙税銀二千四百二十九兩。天啟年間，額已至六萬八千九百二十九兩。五年又加二萬。春明夢餘録三十五。

張家灣宣課司，約解商税正餘銀二千四百七十九兩二錢，銅錢二百八十八萬七千七百六十二文。夢餘録。

河西務鈔關，約解商税正餘銀一萬四千六百三十三兩六錢八分。夢餘録。蕭彥商税議略：河西務大小貨船，船户有船料矣，商人又有船銀，進店有商税矣，出店又有正税，張家灣發買貨物，河西務有四外正條船矣，到灣又有商税，百里之內，轄者三官，一貨之來，榷者數税，所利幾何，而可堪此。夫船料舊也，條船果舊乎？出店，進店，可重税乎？而不落店家，徑赴京賣者，彼且未嘗進店也，一體徵收，何名乎？此萬曆八年該司郎中之議，而今因之者，約所增三萬有奇，而商困矣。

定遠方孝傑校

京師志十二

廠局

德清蔡賡年纂　江陰繆荃孫覆輯

周禮：地官司救以王命施惠。鄭注：施惠，賙卹也，後世昉之，則有稟貧民之政。東漢興平元年，量試作糜以濟饑人。又後世設廠煮粥所權輿也。國朝視民如傷，饑寒交卹，視前代尤爲切至。京師五城廠局，收養窮民，食之，衣之，歲發銀米以爲常。即禮拜寺回民，亦歲蒙厚惠，以視宋熙寧間暫食羌户方之蔑如矣。然則詳其經始，記其地位，揚仁聲而存故實，可不備哉！凡官紳所設，如煖廠、嬰堂，如字局、水局，並羅載焉。蓋善氣之相承，皇風所由扇也。平糶各廠，附於篇末，蠲振大政，例不兼書。志廠局。

姚斌關帝廟飯廠，同治元年十一月設，在藥王廟街，歸南城正指揮管理。采訪册。

積善寺飯廠，在廣渠門外，歸南城副指揮散給。會典事例七百七十六。

萬明寺飯廠，順治九年設，在阜成門外南驢市口，歸副指揮散給。會典事例七百七十六。

海會寺飯廠，設立年月失考。在朝陽門外大街，歸副指揮散給。會典事例七百七十六。
佑聖菴飯廠，順治九年設，在永定門內，歸吏目散給。會典事例七百七十六。
興隆菴飯廠，設立年月未詳。在崇文門外蒜市口西利市營，歸吏目散給。會典事例七百七十六。
安國寺飯廠，設立年月未詳。在三里河南橋灣，歸吏目散給。會典事例七百七十六。
增壽寺飯廠，順治七年設，在廣寧門大街，歸吏目散給。會典事例七百七十六。
永光寺飯廠，順治七年設，在宣武門外青廠，歸吏目散給。會典事例七百七十六。
給孤寺粥廠，順治九年設，在正陽門外西珠市口，歸副指揮散給。乾隆二十七年，奏准五城添設粥廠，司坊官不敷經理，令順天府添派佐雜五員，會同妥辦。會典事例七百七十六。
普濟堂粥廠，康熙三十六年邑人王廷獻設，在廣寧門外，距城二里許之關帝廟。四十四年，府尹錢晉錫以其事上聞。聖祖仁皇帝頒賜御書膏澤回春扁額，復御製碑文以記其事。采訪册。

聖祖御製普濟堂碑記：京師廣寧門外，有普濟堂焉。門臨孔道，地接神區，萃萬國之梯航，普兆民之樂利。熙來攘往之衆，胥慶春臺；肩摩轂擊之倫，咸登壽域。然而川塗跋涉，易興趼足之嗟；風雨晦明，難遂棲身之願。或徘徊歧路，最急資糧；或偃蹇孱軀，尤需醫藥。於是都人尚義，上户輸金，託此三乘之津梁，用濟四生之疾苦。慈雲法雨，資佛力以醒羣迷；夕唄晨鐘，贊王化以宏大澤。寒得衣而饑得食，羇旅如歸；病有託而療有方，疲癃立起。既安全之甚衆，且存没之皆寧。有司以聞，深爲嘉悦。夫好義輕施，乃良民之美行；卹災拯患，實盛世之休風。喜見我民，還敦古道，咸能體朕憂民之念，推朕救民之心，創建雖肇乎都城，效法期及乎寰宇。成比户可封之俗，慰一夫不獲之懷。書傳從欲於四方，詩咏徧德於百姓，此則朕之志也。爰賜之額曰膏澤回春，而爲之記。

世宗憲皇帝歲賜千金。雍正四年，又賞給孤貧額餘銀米。采訪册。

雍正十三年上諭：京師有普濟堂二處，育嬰堂一處，收養無依之貧民，及抛棄之嬰孩，由來已久，其經管之人，實心行善，有存孤卹老之風。從前皇考曾兩賜帑金，並賜温綸，以旌義舉。今朕即位，廣布恩膏，而輦轂之下，樂善良民，敦行不怠，朕心嘉悦。三處各賜銀五百兩，以助其饑養之費。著内務府即行給發，並將朕旨宣諭知之。

乾隆元年，每歲賞粟米三百石。嘉慶七年，賞銀五千兩生息。同治五年，加賞小米五百石，著爲定例。采訪册。順天府府尹蔣炳普濟堂紀恩碑略：京師廣寧門外有普濟堂一所，以處夫貧而無所歸者，居有舍宇，出有衣履，食有饘粥，而疾有醫藥，其下及於物，則有隙地以縱禽畜之生，衆善之事，靡所不備。其初，本處士王廷獻首倡義舉，醵金以成。前府尹臣錢晉錫，以其事聞，恭荷聖祖仁皇帝頒賜御書膏澤回春匾額，懸之堂中，復御製碑文，命侍郎孫岳頒書石，以垂永久。世宗憲皇帝龍潛藩邸，即歲賜白金千兩，以資其費，至今歲以爲常。雍正元年，特頒諭旨嘉獎。四年，又允前府尹今協辦大學士吏部尚書劉於義之請，賞給孤貧額餘銀米，著爲定例。我皇上御極之初，即垂軫念，頒賜帑金。八年冬，又以歲旱穀貴，本堂缺粟，俯允臣炳之請，頒發天庾米二百石以賑，全活無算。朝廷之恩德被於是堂者可謂至矣。乾隆十一年四月。兵部侍郎陳德華普濟堂功德碑記略：京師廣寧門外有普濟堂，距城二里，行旅輻輳之衝。康熙三十六年，處士王廷獻醵金庀材於此，以處往來貧病無所歸者，門宇庭室，庖湢庫廐，依緒以就，每歲冬，聚窮人而廩之，庤其米薪，時其饘粥，春則給衣履，資刀布，以任其自力，其有疾者藥之、養之，分醫以治，而稽其事，病各有坊，疕者，瘍者，遘四時癘疾者，彼此異區，不相亂，死則蔽以棺，而書其所以，待識取者舁以歸，無則收瘞。外此又延塾師訓童稚，其兼及於教如此。置隙地，縱六畜，其旁周於物又如此。初，堂之建也，蓋彙同志有力者私爲之，既訖工，有司以其事上聞，恭荷聖祖仁皇帝賜之碑額，世宗憲皇帝銀米歲頒，皇上垂注拳拳，賞賚有加，遂著爲典，而領於京兆，詳載今府尹蔣公紀恩碑中。又王廷獻既始厥役，又有賈煓、高以喧、梁穟相繼綜理之，今承事勿替者王景勳也，其事皆不忍没，因附識於此，以俟後之有志者，知所勸焉，是爲記。普濟堂司事周振遠增塑寂容和尚像碑記略：寂容和尚者，號如信，不詳其族里，初卓錫於廣寧門外之北極菴，嚴戒律，性尤慈善。廣寧門外每歲役夫修道，受傭者流丐居多，往往以寒餓死，死輒委溝壑中，寂容惻然憫之，謀諸關君名成者，康熙三十六年秋，在乾石橋東北隅購屋二十六間，以資役人棲止，而病餓者，稍稍就養焉。報官完葺，名曰修路慈悲院。美哉始基之矣！其明年，寂容復與關君十二人增屋十間，其中王居士名廷獻者，尤踴躍樂善，既爲寂容和尚所推引，傾産赴之，於是增其式，廓建殿閣，崇堂宇，復得內侍高君以喧住持其事，遂以落成，此慈悲院之所以爲普濟堂也。嗟夫！窮而無告之人，生無以爲生，死無以爲死，一旦寂容倡其先，王、高二君繼於後，而晝有食，夜有宿，病有藥，死有棺，俾各得其所，遠近翕然稱之。觀感興起，一時公立米會者六十家，歲各助小米十石，爲收養費，惜行之十數年，而會中物故，衆漸莫能繼其始也。世宗憲皇帝在藩邸時，聞其事，心善之，每歲賞銀一千兩。雍正四年，復賞以五城孤貧項下銀米，迄於今，皇上仍歲賞銀一千兩，米三百石，內撥給功德林一百石。嘉慶壬戌，宮保尚書兼京尹戴大京兆閣，奏准賞銀五千兩生息，爲久遠計。由是斯堂之所普其利濟者，可以永遠勿替矣。堂有王、高二君像，日久剥落，振遠捐資修之，增塑寂容和尚像，結龕製幔，以無忘始事之功，並記其顛末，俾後人得所考焉。嘉慶八年。每年由順天府派員輪管。采訪册。

功德林粥廠，康熙戊子年，山西僧人王元章募建功德林廟養濟院，在德勝門外，每年夏季施茶藥，冬季施粥，其經費俱由僧募化。雍正元年，御史鄧齊禮奏聞。奉旨：由雍和宮賞給濟貧銀一千兩。乾隆元年，順天府尹孫岳頒奏：功德林近年收養貧民較前倍增，與普濟堂事同一律，懇恩賞給粟米，以廣皇仁。奉旨：每年賞給普濟堂粟米三百石內，撥給功德林一百石，並由崇文門税課司每年賞給功德林經費銀一千兩，散給貧民。向歸廟僧經理。光緒四年，府尹周家楣訪聞廟僧戒行不嚴，奏准比照普濟堂例，每年由順天府派員輪管。（采訪册。按：功德林舊有普濟堂，賞米三百石内撥給一百石。同治五年七月，順天府尹會同五城御史奏准，於恩賞小米三百石外，加賞小米五百石，分給功德林一百五十石。）

朝陽閣粥廠，乾隆四十五年設，在正陽門外，每年自十月初一日起，每月賞粟米三十石。（采訪册。）

光緒八年九月十六日上諭：巡視中城給事中國秀等奏：援案請賞外城粥廠粟米，開單呈覽一摺。京師貧民過多，覓食維艱，所有中城之朝陽閣，東城之卧佛寺、育嬰堂，南城之打磨廠，西城之長椿寺、甎塔胡同，北城之圓通觀、梁家園各粥廠，每月共需粟米三百三十石，加恩照數賞給。自十月初一日起，由各該城咨明户部，劄倉給發。該給事中等務當督飭紳士，妥爲散放，毋任侵漁。單並發。另片奏：賞給崇善堂等處米石等語。崇善堂等處各廠，收養貧民人數衆多，加恩著照所請，所有清化寺街之崇善堂，梁家園之百善堂，太清觀之公善堂三處煖廠，及教子胡同禮拜寺，各賞給小米三百石，朝陽門外南海會寺，崇文門外玉清觀各粥廠，並岡子上興善煖廠，各賞給小米一百五十石，以濟窮黎，該部知道。欽此。（按：粥廠歸城坊辦理者，每年届期由御史奏請撥給米石，及棉衣銀項；其歸順天府辦理者，由順天府奏請。光緒七年，巡視中城户科給事中安祥奏：查五城散放貧民棉衣錢文，節經奏准，由内務府生息項下提銀三千六百兩，發交五城，於小雪節前散放，歷經遵辦在案；嗣於咸豐四年，准内務府知照，此項銀兩每兩折制錢二千，共七千二百串文，與時下銀價懸殊，實屬不敷散放。同治元年，經巡城御史銘恩等查照舊章，奏請發給實銀，奉旨允准在案。上年十月間，前巡城御史扎拉豐阿等，援案奏請，仍發實銀辦理。奉上諭：巡視中城御史扎拉豐阿等奏，例賞貧民棉衣錢文，查照舊章，及上年辦理成案，請飭發給實銀一摺。現届冬令，天氣漸寒，貧民無衣，情殊可憫。著照所請，仍准於内務府息銀項下發給實銀三千六百兩。如長蘆銀兩尚未解到，卽於廣儲司存項内先行墊發，分交五城，趕緊散放，以示體恤。等因，欽此。臣等查現屆冬令，貧民無衣者甚多，謹照上年成案，請旨飭下内務府，於生息項下發交實銀三千六百兩，早爲給領，臣等趕於小雪節前照例易錢散放，庶貧民早荷皇恩，不至無禦寒之資矣。再，同治元年奉旨，添設新廠，臣等察看情形，貧民甚多，尚難裁撤，合併聲明。謹奏。

壽佛寺粥廠，乾隆年間范叔度設，在宣武門外梁家園，向歸與善堂經理，而惜字會館同人助之，每歲十一月至次年正月，率三月而止。同治丁卯，畿輔旱饑，道殣相望。盧陵户部彭世俊等，倡捐集資，卽與善堂粥廠續放。自丁卯三月，至戊辰六月止。是年刑部主事彭世華，復購惜字會館東隙地，建屋六楹，中居司事者，右爲煮粥所，空其後，以受餓者，而隔以垣，闢東、西門，俾男、女貫行，出入不相溷。既，編修彭世昌慮受粥者雨雪無所蔽覆，購旁近宅充之，凡爲屋二十三楹。自戊辰六月後，米不受於官，悉出捐辦，以十月啟廠，至次年四月或五、六月止，或止而復啟，大率視歲之豐歉爲久暫。近年復蒙恩給粟米，每月三十石，自冬至春，歲以爲常，而各省公局及海運諸局皆有助，并集外捐，至今行之無廢。采訪冊。

圓通觀粥廠，道光五年設，在宣武門外南横街。采訪冊。

長春寺粥廠，咸豐四年十月設，在宣武門外土地廟斜街。采訪冊。

關帝高廟粥廠，同治元年十月設，在正陽門外長巷三條胡同内。采訪冊。

普賢寺粥廠，同治元年九月設，在東直門外東中街。采訪冊。
廣通寺粥廠，同治元年十月設，在西直門外北關。采訪冊。
聞陽菴粥廠，同治四年設，在阜成門外關廂，由願學堂分出，菴内並設守正義學。采訪冊。
白雲觀粥廠，同治四年願學堂分出，在西便門外。采訪冊。
宏慈寺粥廠，同治四年願學堂分出，在德勝門外。采訪冊。
二聖廟粥廠，同治四年願學堂分出，在東便門外。采訪冊。
關帝廟粥廠，同治四年願學堂分出，在永定門外。采訪冊。
崇壽寺粥廠，同治五年内務府郎中文錫設，在西直門外竹桿井。采訪冊。
雙關帝廟粥廠，同治五年文錫設，在海甸。采訪冊。
培善粥廠，同治五年設，在廣渠門内卧佛寺。采訪冊。
益生堂粥廠，同治七年十二月文錫設，在朝陽門外七條胡同觀音寺内。采訪冊。
羅道莊粥廠，同治九年候選道王海設，在西便門外。采訪冊。
法塔寺粥廠，同治九年設，在廣渠門内岡子上。采訪冊。
崇效寺粥廠，同治十年十月設，在宣武門外棗林街。采訪冊。
普善局粥廠，光緒元年設，在正陽門外打磨廠普善水局，紳士管理。采訪冊。

種善粥廠，光緒三年十月公設，在廣渠門育嬰堂内。采訪冊。
繼德堂粥廠，光緒三年十月紳士王廷佐設，在朝陽門外神路街南海會寺。采訪冊。
玉清觀粥廠，光緒四年設，在岡子上。采訪冊。
禮拜寺粥廠，一、光緒四年清真諸首事收養回民設，在朝陽門外南中街；一、光緒五年十月設，在宣武門外教子胡同禮拜寺外。采訪冊。
三忠祠粥廠，光緒四年，肅王府管家頭等侍衛倭和設，在東便門外三轉橋。采訪冊。
法源寺粥廠，設立年月未詳。在廣安門内甎兒胡同。采訪冊。
蘆溝橋粥廠，設立年月未詳。在彰義門外，距城四十里。采訪冊。
百善堂煖廠，同治十一年設，在梁家園。采訪冊。
崇善堂煖廠，光緒元年，御史陳彝建設，在三里河陽清化寺街。采訪冊。
公善堂煖廠，光緒三年四月設，在南下窪太清觀。采訪冊。
興善堂煖廠，光緒四年設，在岡子上。采訪冊。
勉善善堂，嘉慶初年設，在廣安門内王子墳口内。采訪冊。
悦生善堂，嘉慶二十三年設，在廣安門内皮庫營。采訪冊。
百善善堂，光緒元年設，在梁家園。采訪冊。按：百善堂辦理惜字、施藥、捨材等善舉，卽百善煖廠經理紳士捐設，故仍額曰百善。

資善善堂，光緒三年十月設，在廣安門大街。采訪册。

光緒八年十二月十五日上諭：順天府奏，請加賞資善堂米石一摺。西城資善堂煖廠，本年八月間業經賞給粟米三百石，現在收養貧民人數較多，情殷待哺，著再賞給粟米三百石，以資接濟。欽此。

按：資善堂煖廠，光緒三年，西城御史奏准，每年冬季賞撥小米三百石，届期由順天府具奏，復由西城御史派員會紳具領，其所需各項經費，西城官紳自行籌辦。

廣仁善堂，光緒六年設，在廣安門内爛麵胡同。光緒七年，府尹游百川奏請賞給米石，奉旨允准。采訪册。

光緒八年九月二十五日上諭：順天府奏准照案懇賞廣仁堂米石。廣安門内廣仁堂，收養無依童幼，並分助守節婦女，常年經費不敷，著加恩賞給小米三百石，以資接濟。欽此。光緒七年十月十一日，兼管順天府尹童華、順天府尹游百川奏：據城内紳士翰林院編修袁善、朱百遂，刑部郎中馮光勛，兵部員外郎季邦楨等呈稱：前於光緒三、四年間，晋、豫災饉，近畿歉收，經直隸總督在天津設立廣仁堂，收養撫卹，法甚周摯。而京師地面較廣，貧民流寓更多，職等倣照其法，試行賃屋收養，並函商直隸總督，量籌佽助，除隨時陸續資散外，其婦女、幼童、孤寡無依、勢實難於支遣者，酌量收養。行已數年，頗有成效。現於本年七月，在廣安門内爛麵胡同購屋八十四間，建立廣仁堂一所，倣照天津成法辦理。查有無依童幼，自五歲起，至十五歲止，收入堂中棲宿，逐日養贍。仍另設義塾四齋，延師課讀，逐月稽查，以期造就。其體質健壯，姿稟惷愚者，另教各項工藝，以備日後資生，不至終歸游惰。所有衣履等事，均由堂中供給，現已百有餘名。又京師舊有敬節會，於婦女青年守節，籍貫清白，志行堅貞者，查明按月給費，其翁、姑、子、女，亦各照分加數，由堂量撥，現亦百有餘户，大小三百餘名口。二共四百餘名。近來經費不敷，恐漸廢弛。經大學士直隸總督李鴻章籌貼購屋，價本按年籌款撥助，餘由紳士量捐，仍恐持久維艱。查普濟堂粥廠、資善堂煖廠，每年均照恩賞米石，歷經請領在案。懇爲奏請，援案賞給，等因。臣等查該紳等所建廣仁堂，收養各項貧民，辦理洵屬妥善，且係經年養贍，較僅發冬季者尤爲全備，收養人數雖不及兩廠之多，而皆係孤貧窮而無告之人，比各項窮黎，力能乞食者更堪憫惻，但常年養給，爲日甚長，兼有各項教習等事，所費尤鉅，擬合援案，籲懇天恩，每年賞給小米三百石，以濟貧困，而垂久遠。如蒙俞允，所有本年應領米石，由臣等咨部照章辦理。謹奏。

八年，府尹周家楣奏撥甯河船捐、糧捐，以充經費。采訪册。八年六月初十日，兼管順天府府尹畢道遠、順天府尹周家楣奏：爲興辦近畿教養事宜，酌撥常款，以資久遠，恭摺會陳：竊京師爲首善之區，畿輔爲根本之地，而貧民謀食維艱，饑寒難免，各外屬水旱荒歉，動值偏災，民生計蹙，風俗日漓，饑饉之餘，流而爲匪，興教化，籌撫綏，誠萬不可緩之事。查京師舊有義學、粥廠各處，以教以養，已極周詳。上年復經紳士建立廣仁堂，收養無依童幼，設塾讀書，曉以義禮，束以規矩；其質地愚魯，讀書難成者，則令學習工藝；並分助敬節會守節婦女，創辦保嬰，貧户由孕報明，以至生育，各以母乳其子女，由堂給助。以常年經費不敷，經前兼管府尹童華、前府尹游百川奏，蒙恩賞小米三百石，貧民無不歡呼鼓腹，感戴皇仁。惟該堂經費，本屬拮據，近自臣等莅任以後，體察地方情形，城内貧民，絡繹相望，而所屬各州縣，盜刦案件，層見迭出，輦轂之下，尤宜及今正本清源，以消隱患。夫民豈無良，甘罹法網？無如田土祗有此數，户口日益繁滋，禮義無文，衣食無計，迫脅爲匪，習慣爲常，其害伊於胡底！此等情形，於各屬回民爲尤甚，生計之窄，及謀生之拙，亦惟回民爲尤甚。其力能自給，夙嫻禮法者，卽有任卹之心，亦有難周之勢，既爲盜賊，不得不齊之以法，其童孺之天性未漓，及迫於所處，尚未妄爲者，亟宜掖之於正，免其陷溺。卽業經敗行之徒，安知不一聞大義，一有生機，或猛省回首，尚堪爲末途之贖。臣等歷查廣仁堂自設立以來，將及兩載，其中幼孩，多由乞丐餘生，近頗粗解誦言，略知揖讓；至工藝告就，可藉謀生者，尤不乏人。該堂董尚屬實心任事，不憚勤勞。臣等因囑令堂董，推廣義塾章程於宛平縣屬之西紅門，通州屬之長營邨、普濟閘，香河縣屬之香椿營，三河縣屬之北務邨等處，陸續設立義學，延師教讀，酌送脩金，就學各童，無力者給以飯食，於字及業四書經書外，教以小學千家詩、小學神童詩、小學集解、訓學良規、弟子規，脱口背誦後，卽歸而誦説，以入其父母兄弟隣里之聽，所言者皆孝弟忠信，禮義廉恥之常，經令各塾師隨時講解，告以由此則成人，違此則非人。先經兼尹臣童華、尹臣游百川刊印聖諭廣訓，一體敬謹頒發，以時誦讀講解，咸使聞知。又立工藝所，各就其質地相宜，令人教示習學，以期多一手藝，卽少一游民。並增設紡織局，以教婦女。另擇夙習其事一老嫗，俾司教習，織具、棉本亦由堂購給。又設借錢局，以貸貧家小本營生，按日還本，不取其息。局用錢本，亦由堂塾發，現在逐漸施行，民情欣感。揆度情形，當可收效。特是開辦之事愈增，則支用之費愈大，若不借資鉅款，斷難恃爲久長。臣等查順天府屬之甯河縣境，東北逕達海口，該縣民船，每歲駛往奉天一帶，購販糧食，春出秋還，以蘆臺爲必由之所，舊設抽厘卡局，因收數本微，卽由該縣抽收給照，所收厘金，亦卽留充地方公用。自光緒七年八月起，前督臣李鴻章清釐整頓，改派委員，專設船厘捐局，於海船進出口時，發給照票，填寫貨物及船户年貌、箕斗，視船之大小，分别捐數，其所載糧食進口，按照蘆臺單斗每石捐銀四厘，雜貨木植並按糧石抽收，此外一切雜費，悉予革除，既免匪類潛蹤，夾帶違禁物件，亦無藉端苛派，胥役中飽之虞。内除薪水、工食、房租、盤費等項撙節開支外，儘收儘解，以充地方公事要需。上年經前督臣李鴻章酌定，常年資助京都廣仁堂經費，即在四厘糧捐内撥解應用。半年以來，收數寥寥，堂中尚不敷用，現又推廣各屬，教養諸事，所費又加倍蓰，臣等往返函商，再四籌畫，蘆臺船捐、糧捐，本歸一局，與其彼此分注，均不見其充盈，何如歸併一途，或可程其功效。且地方各項公務，尚有別款可籌，不必專賴此款，而廣仁堂推廣教養，實於京畿地方大局相關，非從前一二善舉可比。擬將蘆臺船捐、糧捐，自上年七月開辦之日起，所收銀兩，除局中照章開支各項外，全數解交京都廣仁堂及順屬廣仁堂，分設義塾應用，如日後收數既旺，開支有餘，而天津廣仁堂經費或有不敷，仍應隨時酌撥，期於兩濟。此仍係以地方之款辦地方之事，該商民無不樂從，似於培養近畿，不無裨益。其逐年解到銀款，由臣衙門盈安庫專款存儲，屆時由堂董面見尹臣親給，一切收解開支，即由臣等會同詳切查核，並由督臣不拘年月，委派廉明之員，到堂稽查，務使涓滴歸公，以昭核實，仍請免其造册送部，以歸簡易。如至年久，辦理不實，漸成具文，即將此款停撥，另充他項要公之用。所有興辦教養事宜，酌撥常款各緣由，謹會同署直隸

總督臣張樹聲恭摺具奏。

廣育善堂，乾隆年設，久廢。光緒八年，府尹周家楣復設，在琉璃廠沙土園。采訪册。按：徐志導徵善錄：廣育堂與壽佛寺粥廠，並創始於乾隆年間，而歷年既久，經理乏人，近十年來已成虛設。光緒八年七月，周家楣官順天府尹，查明續辦，凡興辦順天各屬教養諸善舉，均歸廣育堂綜理。又據徵善錄：道光二十六年，浙江許乃釗捐埋小孩義地二畝有零，在彰義門内南煙閣中間路東後街，爲西城宣南坊四鋪地方。附載備考。

育嬰堂，康熙元年建，在廣渠門内夕照寺西，創始於大學士金之俊、學士胡兆龍，繼之者有馮溥、龔鼎孳、姚文然、趙之符、王熙，行之數十年。雍正二年，特宣恩旨，頒帑千金，賜功深保赤匾額，御製記文，以示獎勵。日下舊聞考。

世宗御製育嬰堂碑記：朕撫御寰瀛，子育兆庶，欲使溥天之下咸躋仁壽之域。粤稽周禮有慈幼之文，戴記有養孤之典，德意深厚，施及襁褓。蓋王政之仁，雖鳥獸之胎卵，草木之萌芽，皆爲之教令以愛護之，使至於生植，而況於人乎？國家太平日久，丁口蕃息，或有不能自鞠養者，朕惻

然念之。京師廣渠門內，舊有育嬰堂一區，以字遺穉，顧其規制未備，所存濟者尚少，朕用錫之題額，以重其事，又賜帑金，特諭府尹，重加經理。公卿士人，多有捐貲爲善者。凡乳保醫療之人，寒暑衾服之具，□設周詳，行之可久。孔子曰：大道之行也，人不獨親其親，不獨子其子。言孝慈之道廣也。詩云：商邑翼翼，四方之極。言京師者四方之表也。誠使九州之內，自通都大邑，至於市鎮繁富之所，郡縣長吏，各殫厥心，倣此而推行之，倡好義之士，宏恤孤之政，豈惟保抱攜持，幼得所養，而人人興起其仁心，喜於爲善，則老安少懷，風俗益臻醇茂，斯朕之所厚望也夫！

並敕各省督撫，募勸好善之人，照京師例行之。十三年，賜銀五百兩，由內務府給發，以助養贍之費。舊聞考。光緒元年，前順天府尹彭祖賢集資重修。采訪冊。

北育嬰堂，一、光緒三年，文錫設，在鼓樓東街路南；一、同治七年，由願學堂分撥經費設，在西安門外路南。采訪冊。

育嬰局，光緒元年設，在梁家園。采訪冊。

懷少局，光緒四年設，在梁家園。采訪冊。按：育嬰、懷少兩局，即百善煖廠，紳董捐設。

牛痘局，一、在小李紗帽胡同，同治初年設；一、在琉璃廠，同治年設。采訪冊。

忠義總局，在前門外大李紗帽胡同西口路北。同治三年四月，順天府尹卞寶第，據紳士户部主事俞恒治等呈請奏設。其經費由紳董捐募。凡順天、直隸人在外服官，隨任就幕殉難，與各省人在外殉難，原籍任所尚未肅清，而有戚族在京者，准其取同鄉印結到局呈報，由局彙送順天府奏請交部議卹。采訪册。

恤嫠所，在沙土園廣育堂。采訪册。按：徐志導徵善録：恤嫠所先由北城正指揮經理，以費不足，歸紳士接辦。道光十九年正月，由廣育堂合辦。

東城棲流所，舊坐落廣渠門内大街旁，房屋全行坍塌，僅存殘碑，上載雍正元年重建。嘉慶十五年，户部奏請五城同設。同治中，移至東河漕，共房八間。采訪册。

西城棲流東所，在宣武門外玉虛觀前；西所，在西便門内歪脖樹，現已坍塌。采訪册。

中城棲流所，在厨子營。采訪册。

南城棲流所，在高家營。采訪册。

北城棲流所，在正陽門外西河沿。采訪册。

收還魂字紙局，光緒八年秋新設，一、在西城白紙坊崇效寺；一、在東城廣渠門内大街南夕照寺。采訪册。

光緒八年十月十五日上諭：巡視中城給事中國秀等奏，請將入官房産變價生息，接濟公費一摺。五城設局收買字紙，經費不敷，著照所請，將此次查收倉匪張六入官房屋等項，由五城御史公同估計變價，發商生息，以備收買字紙之用。嗣後京城内外紙坊，概不准將字紙攙雜改造紙張，並不准各鋪户轉相售賣，各該地方官，務當隨時認真察查，嚴行禁止。欽此。

惜字會館，始於乾隆三十九年甲午，武進施韡等仿趙恭毅申喬法，建於梁家園。乾嘉中屢有修舉，歲久漸圮。咸豐七年，工部主事裴蔭森等，圖舉惜字會，求得其地，屬兵馬司正指揮程常憲，募捐修葺，重建文昌殿，增建至聖殿，拓旁地作學舍，延師以課窮無力者，稽其秀頑而董勸之，施粥施衣，及他善舉，以次推行，人以爲便。采訪冊。武進趙懷玉撰梁家園惜字會館碑記略：吾鄉惜字之會，康熙間先恭毅公創之，京師無有也。乾隆三十九年甲午，同里施君韡、瞿君雲魁、惲君鵬、惲君燮、袁君筠及族叔澧等，始於梁家園捐金購屋，凡文昌之殿，焚字之鑪，以至若門若廡，規制略備。越十六年，戈君昶、郁君希文、楊君德峻、程君宏緒等，復捐金買館後之屋十餘椽，欲鼎新之，以土木費繁而止。又四年壬子，徐君嚴、曹君浚明等，徧爲勸募，得白金千餘兩，鳩工庀材，次第修舉，於是輪奂既美，憩息有所矣。初，會中所焚殘字，大都傭人向各家收取，每月朔則會同人權其字之重輕，而給值焉。而於道路之遺棄者，往往不免蹂躪。甲寅春，曹君宫入都，欲仿里中拾遺之會，余與蔣君純毅實贊成之，乃廣延同志，量力輸助，有總捐，有月捐，而其事始集，因附於前會以行焉。然前之會，雖建室宇，尚無恒産，後會有恒産，而數亦未充，今將集議再捐，爲永永之計。詩云：靡不有初，鮮克有終。記云：有其舉之，莫敢廢也。夫爲善之道，豈有窮期！亦惟勉其力之所可逮，而其所不能逮者，則俟之人而已。吾願後之君子，皆以先恭毅公之心爲心，而無忘創始之囏也。嘉慶二年辛酉二月朔日。按：惜字善舉，近來官京師者，捐辦不止一處，亦迄無定所，而梁家園惜字會館實創始焉。録此以概其餘。

公議水局，道光二十八年七月設，在長巷下二巷高廟。采訪冊。

公義水局，咸豐三年煤市街、觀音寺兩街公議設立，在煤市街。采訪冊。

治平水局，同治元年十二月設，在正陽門外東月牆。以上隸中城。采訪冊。

同善水局，舊在大李紗帽胡同火神廟，同治十三年正月，遷移王廣福斜街，其水會佔用房間，作爲忠義、牛痘兩局。采訪冊。

崇東水局，咸豐十年設，在崇文門外花兒市大街火神廟。采訪冊。

坎濟水局，同治十二年設，在齊化門外大街馬公菴。以上隸東城。采訪冊。

保安水局，道光二十五年本街公設太平水局，咸豐三年添備團防，同治十年，改名保安。光緒六年，添募練勇，每夜巡緝，在打磨廠。采訪冊。

同義水局，咸豐三年設，十年又兼團防，稱團防水會總局，在三里河橋東。采訪冊。

普善水局，同治八年二月設，在新開路。以上隸南城。采訪冊。

同仁水局，咸豐十一年設，在廣安門内牛街口外廣安寺。采訪冊。

同心水局，同治十年十二月設，在宣武門外菜市口。采訪冊。

資善水局，向係煖廠，光緒三年十月始設水會，在廣安門内大街。以上隸西城。采訪冊。

與善水局，咸豐七年九月設，在騾馬市大街。采訪冊。

安平水局，咸豐八年設，在廠甸。從善水局捐建屋舍並設施。種牛痘局復練勇，每夜巡緝，改爲安平公所。采訪冊。

成善水局，同治十三年十二月設，在保安寺街關帝廟内。以上隸北城。采訪冊。按：五城練勇，三年由五城御史酌保一次。

蠶桑局，在大李紗帽胡同，桑園在轎子胡同，光緒七年設，十年，慈禧皇太后萬壽，進呈樣綢八端，蠶織著有成效矣。采訪冊。順天府尹周家楣奏：爲順天試辦蠶織，呈進樣綢，恭摺仰祈聖鑒事：竊維教養爲郅治之大端，耕織並斯民之本務，臣等同承恩命，俾尹畿疆，切籌生計於鱗編，難置緩圖於蠶事，遂於上年，由臣家楣躬督眷屬，飼蠶成繭，抽絲織綢，令附近官吏兵民家屬有願學習者，到署觀看。並派員前往山東，徧覓柔條，就栽隙地。本年踵行，漸堪成作。復據大興、宛平紳士，前户部主事四品銜俞恆治、候選通判馬珣、州同銜鄭魁善各爲捐資出力，兼由俞恆治分所居房屋，捐設公局，安置機坊，并收城鄉本屬各絲，一同試織。茲據呈交樣綢八端，分染兩色，自知技同初學，未能比錦於蜀，比綾於吴，竊幸成維其時，咸願計縷添籌，計絲添紀，所望竿頭日進，開羣生溫飽之原，更看

花樣新呈，效萬福來同之頌。所有試辦蠶織，呈進樣綢，敬繕摺具陳。謹奏。

坿五城糶米官廠

五城糶米官廠，雍正三年，因雨水過多，米價騰貴，將廒内成色米酌量平糶，將京通二倉二成至七成三色米一百餘萬石，本裕倉三成、四成米共三萬二千餘石，於京師東、南二城立廠一處，西、北二城立廠一處，照時價減糶，按成色覈收。又令五城各酌撥官房二所，以爲米廠，乾隆三年奏准。現今五城設立十廠平糶，六居城内，四居城外。今糶米加多，糶米人衆，應將原設六廠移於城外關廂，酌定地方分設，其米廠一切費用，悉照五城糶米之例，開銷正項。（會典事例七百七十五。）

中城米廠，一、在正陽門外鷂兒胡同，今已廢；一、在正陽門外糧食店，今存屋數椽。（采訪册。）

東城米廠，一、在崇文門外小市口，今存屋數間；一、在朝陽門外會芝樓東，今已廢。（采訪册。）

南城米廠，一、在崇文門外香串胡同，今房屋無損；一、在廣渠門内欄杆市街，今已廢。采訪册。

西城米廠，一、在宣武門外轎子胡同；一、在阜成門外關廂内，今俱廢。采訪册。

北城米廠，一、在宣武門外方壺齋，房屋現存三間；一、在德勝門外醬房胡同，今已廢。采訪册。

武進屠　寄校

京師志十三

坊巷上

義烏朱一新纂　江陰繆荃孫覆輯

周官之制，度地居民，九經九緯，經涂九軌，顜若畫一，所以建皇極而隆上儀也。京師衢巷，大氐襲元明之舊，瑣聞佚事，往往而在。若其規制之沿革，習俗之隆窳，民生之息耗，則又考古鏡今者之淵海矣。顧方志漏略，靡所取材，昔賢纂著，枝而無紀，爰鉤考其言之雅馴者，述爲斯篇，或里語流傳，著於衆口，而載籍無所徵者則闕之，辟不敏也。牙署、寺觀，各有顓門，標其綱要，補其闕遺，抑亦志地者所不廢。若閭巷叢祠，王侯甲第，郡國計車之所萃，寓公篇詠之所傳，閒涉繁蕪，要關掌故，略仿宋氏長安志例，悉加甄録，惟流連景光之作，概無取焉。大輅椎輪，事資創始，兼乏擘精之暇，愆辭弇陋之譏，匡謬拾遺，以俟來哲。志坊巷。

中西坊，隸中城。凡皇城自地安門以東，内城自東長安街以北，王府街以西，兵馬司衚衕、地安橋以南，外城自正陽門大街，西至西河沿、關帝廟、煤市橋、觀音寺、前石頭衚衕，南至西珠市口大街，又南至永定門西，皆屬焉。

中東坊，隸中城。凡皇城自地安門以西，內城自西長安街以北，西大市街以東，護國寺街、地安橋以南，外城自正陽門大街，東至打磨廠、蕭公堂、草廠二條衚衕、蘆草園，南至三里河大街，皆屬焉。

朝陽坊，隸東城。凡內城自東大市街以東，東直門街以南，皆屬焉。外廂則東便門、朝陽門、東直門外，其分地也。

崇南坊，隸東城。凡內城自崇文門街、王府街以東，交道口、北新橋以南，外城自崇文門外三轉橋以東，左安門以北，皆屬焉。

東南坊，隸南城。所屬皆外廂，南則永定門、左安門、右安門門外，東則廣渠門外，西則廣甯門外，其分地也。

正東坊，隸南城。凡內城東自崇文門街，西至太平湖城根，北至長安街，外城自崇文門外大街，西至打磨廠、蕭公堂，北至三里河大街西，南至永定門東，左安門西，皆屬焉。

關外坊，隸西城。凡內城自西大市街以西，阜成門街、護國寺街以北，德勝門街以東，皆屬焉。外廂則阜成門、西直門、西便門外，其分地也。

宣南坊，隸西城。凡內城自瞻雲坊大街以西，報子街以北，阜成門街以南，外城自宣武門外大街迤南，至半截衚衕以西，皆屬焉。

靈中坊，隸北城。凡內城自德勝門街以東，地安橋、兵馬司衚衕、交道口、東直門街以北，皆屬焉。外廂則安定門、德勝門外，其分地也。

日南坊，隸北城。所屬皆外城，自煤市橋、觀音寺、前石頭衚衕、板章衚衕以西，宣武門外大街、半截衚衕以東，皆屬焉。又靈中坊來屬三鋪，詳後。會典事例：參城册定制，內城轄於步軍統領，外城外廂則設城官以理之，而皆董於巡城御史。初以正指揮司命案、緝盜賊，副指揮掌鬬毆、賭竊諸細事，吏目駐外廂，職與副指揮同。康熙三十一年，移副指揮駐外廂，而令吏目分掌外城之事，惟中城正指揮、吏目皆駐外城。雍正五年，命五城地界諸犬牙相錯者，勘立界牌。十二年，定設木牌之令。乾隆二年，議凡街衢寬者建石碑，其狹巷仍釘木牌。

皇城周十八里有奇，一統志。前明悉爲禁地，民間不得出入。我朝建極宅中，四聽悉達，東安、西安、地安三門以內，紫禁城以外，牽車列闠，集止齊民，稽之古昔，前朝後市，規制允符。舊聞考。明張萱疑耀：京師人呼巷爲衚衕，世以爲俗字，不知山海經已有之：食囂鳥可以止衕。郭璞注：治洞下也。音洞。又獨衕字未經見。按：疑耀所引，見北山及中山經，然此特借字，非其本義。説文行部：衕，通街也。廣韻、玉篇義同，音徒東、徒弄二切。廣韻引蒼頡篇作衖，云巷道。今南方呼巷曰衖，北方呼巷曰衚衕，衚衕合音爲衖，衖見爾雅，衕見説文，皆古訓也。謝肇淛五雜俎引元經世大典，謂之火衖，衚衕即火衖之轉。元人有以衚衕字入詩者，其來已久。析津志言：京師二十九衖通，衖通字本方言，蓋緣飾以古義，非其實也。

皇城東中西坊。

東華門外南長街，俗稱南池子，井二，內務府所屬外養狗處在西，舊有管轄番役署，後移西華門外北長街，俱詳衙署。按：鷹房、狗房，舊俱在東華門內，其在南池子者，外署耳。嘉慶壬戌，復將內署移東華門外長房。見禮親王嘯亭續録。南河沿，井一。明劉若愚蕪史：自皇史宬東南，有門通河，河上有湧福閣，俗所謂騎馬河也。舊聞考：今普勝寺東北，有馬鞍橋，當即騎馬河舊址。菖蒲河，木橋二。蕪史：皇史宬再東，則追先閣、欽天閣，勅世廟欽天頌於碑，再南則御作也。按：今大院子地臨菖蒲河，即明之御作。冰窖，牛郎橋，橋一。東河沿，有馬鞍橋、平橋。蕪史：迤東沿河稍北，則吕梁洪、東安橋，再北，有亭居橋上，曰涵碧，又北，則迴龍觀止焉。其殿曰崇德。舊聞考：河東今爲南箭亭，北有平橋，在東安橋南，當即吕梁洪漾金亭舊址。東安橋北又有橋，橋上遺石礎二，相傳有樓騎河，今橋西街尚名騎河樓，則蕪史所云有亭居橋上曰涵碧者也。又北，今爲北箭亭，崇德殿舊基當在其地。吴長元宸垣識略：明南城宮殿額名無涵碧亭。崇德殿在河東，即迴龍觀，似與南內相接，爲今南箭亭地，未聞越東安門北而有別館也。據蕪史，有東安橋再北五字，因以騎河樓北箭亭當之。竊以東安橋，明稱皇恩橋，下云：水從御馬監東，東安門橋下，不直稱東安橋可知。疑吕梁洪、東安橋，即今馬鞍橋。有涵碧亭覆其上者，即今平橋。又西苑之水，從牛郎橋出湧福閣，所謂騎馬河，以閣跨水上也。南箭亭，有十鞬子廟。南灣子，井一。迤南爲皇史宬，尊藏實録、聖訓、玉牒，地因以名。詳宮禁衙署。南、北庫司衚衕，井一。官豆腐房，飛虹橋，虹俗訛龍，井一、橋一。明英宗實録：初，上在南內，悦其幽静，既復位，數幸焉，因增置殿宇，其正殿曰龍德。正殿之後，鑿石爲橋，橋南、北表以牌樓，曰飛虹，曰戴鼇。蕪史：飛虹、戴鼇二坊，姜立綱書。孫國敉燕都遊覽志：自東華門進至麗春門，凡里餘，經宏慶殿，歷皇史宬門，至龍德殿，隙地皆種瓜蔬，注水負甕，宛若邨舍。過此則飛虹橋，石刻羆虎、禽鳥狀，傳爲西洋僧載而來。按：麗春門，明南城中路門也，見春明夢餘録。蔣一葵長安客話引陶從政詩：中官三寶下西洋，載得仙橋白玉梁。則橋石爲三寶太監鄭和下西洋時所得。蕪史載其事亦同。遊覽志言西洋僧所獻，傳聞異詞耳。餘詳宮禁。南井兒衚衕，井一。冰窖衚衕，門神庫，工部製造庫所屬門神庫，在南池子西，因以名。按野獲編：世宗初建獻皇帝廟，既祔廟稱宗，遂閉舊廟不復祀。嘉靖四十四年，舊廟柱産芝，上大悦，改名玉芝宮。舊聞考：玉芝宮久廢，以大禮集議所記地界考之，當在南池子西北。今之門神庫，或即其地歟？燈籠庫，井一。

石頭縫衚衕，內務府北鞍庫所屬鞍作在焉。箭廠衚衕，內務府氈庫所屬箭廠在焉。緞疋庫，户部所屬緞疋庫在南池子東，與大庫、顔料庫通謂之三庫，詳衙署。南小衚衕曰鴨蛋井，井一。正白旗侍衛教場在小南城。見嘯亭雜録。嘯亭續録：睿忠親王府舊在明南宫，今爲緞疋庫。謹按：王諱多爾衮，太祖十四子，順治間，稱輔政皇叔父王，後以罪除。乾隆四十三年，特旨詔雪，復舊封，世襲，追謚忠。蕪史：重華宫之東，曰洪慶宫，供番佛之所也。又東，則内承運庫，再東，則崇質宫，俗云黑瓦殿，景泰間，英廟所居。舊聞考：明英宗北還，居崇質宫，謂之小南城。今緞疋庫庫神廟，有雍正九年重修碑，云：緞疋庫爲户部分司，建在東華門外小南城，名裏新庫，則裏新庫亦小南城也。東南爲普勝寺，寺前沿河，尚有城牆舊址。按：明南城本東苑舊地，英宗復辟後，大加修拓，遺址甚廣，今録取其涉坊巷者，餘詳宫禁。普勝寺詳寺觀。嗎噶喇廟，普度寺舊名嗎噶喇廟。國初爲睿親王府，詳寺觀。廟西井一。俞正燮癸巳存稿：墨爾根王爲睿親王，爲攝政王，當時稱爲台星可汗九王，見毛奇齡後鑒録。其舊府，據恩福堂筆記，在東安門内之南，明時南城，今嗎哈噶喇廟。吴偉業讀史偶述詩云云，與今地址悉合。按：吴詩詳寺觀。元史泰定帝紀：至治三年十二月，塑瑪哈噶拉佛像於延春閣之徽清亭，梵書言嗎哈喇佛有十二，皆文殊、觀音化身及護法神也。明南城有洪慶宫，供番佛之所。見夢餘録、明宫史諸書。嗎哈噶喇佛，蓋其遺製。瓷器庫，井一。内務府所屬瓷器庫，在南池子東，地因以名。蕪史：内承運庫在東下馬門，職掌庫藏。在宫内者曰東裕庫、寶藏庫，謂之裏庫，其會極門、寶善門迤東一帶，及南城瓷器等庫，則謂之外庫。舊聞考：緞疋庫庫神廟東，地名瓷器庫，巷口石獅二，臨河巷有南北兩汊，内有黑琉璃瓦房，蓋即庫房未毁者。葡萄園，御馬圈。井一。

東安門大街，有東安橋，亦稱皇恩橋。嘯亭續録：武英親王府在東華門，今爲光禄寺署。戴璐藤陰雜記：寺爲英親王故邸，規模宏敞，今半空閒。謹按：王諱阿濟格，太祖十二子，初封武英郡王，晉親王。順治八年，以罪除。蕪史：過東上北門，東中門，街北曰彈子房，曰學醫讀書處，曰光禄寺，曰篦頭房，曰東安裏門，過橋則東安門也。按：光禄寺在東安裏門，今仍明舊，餘無考。查嗣瑮查浦詩鈔：長連牆接短連牆，紫禁滄洲列兩廂。催取四時花釀酒，七層吹過竹風香。長連、短連兩街名，在仁智殿西南御酒房後，見蕪史及西河詩話。此大内之御酒房，非光禄寺御酒房也。查詩似未晰。藤陰雜記引西河詩話，系於光禄寺者誤。紫禁滄洲額，在光禄署中，明黎維敬所題。明黄佐翰林記：宣德中，賜楊溥第於東安門。明陳僖客窗偶談：中官初入選，進東華門，門内有橋曰皇恩，謂從此即受皇恩也。俗呼曰忘恩橋，以中官既富貴，必讐其所生也。按：東安門俗亦稱外東華門，偶談蓋仍俗稱。光禄寺東、西夾道，光禄寺後。

東華門外北長街，俗稱北池子，井二。宣仁廟祀風神，凝和廟祀雲神，俱在東，詳祠祀。内務府所屬武備院署、俄羅斯文館東，有小衚衕曰文書館、萬慶館，俱在西，詳衙署。頭條、二條、三條衚衕，二條衚衕井一。妞妞房，北河沿，橋二。箭杆衚衕，井一。騎河樓，舊有內務府所屬三旗參領署，後移白米斜街。南鞍庫所屬熟皮作，與樓相望。迤北曰城隍大院，亦作成侯大院。胡書農年譜：甲戌三月，移居東安門內成侯大院宅，宅爲英煦齋相國別業，宅止老屋數楹，庭前有丁香二株，甚茂。北箭亭，舊聞考：以騎河樓爲明涵碧亭遺址，北箭亭爲崇德殿遺址，見前。井兒衚衕，井一。五所衚衕，井一。鬬雞坑，廟兒衚衕，有關帝廟。煖閣廠衚衕，燕史：御馬監之南，向西者曰杆子房、北膳房、煖閣廠。廠東門可通河，河之南岸，榆柳成行，花畦分列，如田家也，曰南膳房，再南曰冥器廠、混堂司、內東廠。按：東廠爲明季弊藪，以燕史、春明夢餘録敍次考之，當與煖閣廠、騎河樓相近。餘詳宮禁。銀閘，神機營幼丁隊左廠在焉，詳兵制。燕史：御馬監聽事之南曰裏草闌草場。永樂初建，收料豆。宣德間，將中府草場之草分受，始立場，有倉廒也。舊聞考：今御馬圈南，地名銀閘，有真武廟，即明御馬監裏草闌舊址，廟內有天啟三年碑記可考。上駟院馬圈，井一。草垜衚衕，騾圈，春明夢餘録：內承運庫、外馬房，在御馬監南。燕史：過外馬房，餘宅數區，所謂河邊者也。按：今騾圈當即明外馬房遺址。椿樹衚衕，東沙灘，西沙灘，迤西爲三座門，又西北爲景山東門，詳宮禁。柳樹井，井一。紅門，官房，迤西少北爲孟家大院。馬神廟，井一。宸垣識略：一等忠勇公第在馬神廟。按：乾隆時大學士傅恒，封忠勇公，謚文忠。其子福隆安，尚高宗四女和嘉公主，賜第在舊宅東。今公果齊遜襲封，官散秩大臣，府西即其家廟也。乾隆間勑建。詳祠祀。燕史：又南曰尚膳監、御馬監。舊聞考：馬神廟即明御馬監馬神舊祠也，廟基舊在街之稍北，乾隆二十年移建，迤南爲御馬圈，其地蓋仍明舊。野獲編：內市在禁城之左，過光禄寺，入內門，自御馬監至西海子一帶皆是。每月初四、十四、二十四日，設場貿易。聞之內使云，此三日例令內中賤役輦糞穢出宮棄之，以故各門俱啟，因之陳列器物，借以博易焉。按：內市之制，亦見明徐克暖姝由筆。舊聞考云無考，以野獲編所言核之，御馬監今爲馬神廟，西海子即太液池，其地猶約略可稽也。下坡，嵩祝寺衚衕，嵩祝寺，章嘉胡圖克圖所居，東有法淵寺，西有智珠寺，又東爲三廠遺址，明置漢經廠、番經廠、道經廠於此。俱詳宮禁、寺觀。鐘鼓司衚衕，司亦作寺，有鐘鼓寺。詳寺觀。野獲編：內廷諸戲劇，俱隸鐘鼓司演習，相傳院本沿金、元之舊，故其事多與教場相通。按：明鐘鼓司職掌，見明史職官志，有水嬉、打稻諸戲。詳宮禁。椅子衚衕，井一。東高房衚衕，井一。燕史：新房之北，則司禮監也，南則御馬監也。東西一街，南北一連、二連、三連等連，連之十字路口各有井。按：高房衚衕當即新房遺址。燕史言，十字路口各有井，今東、西高房衚衕之間有二眼井、三眼井，當即一連、二連、三連之地。二眼井，井一。三眼井，井一。西高房衚衕，東老衚衕，中老衚衕，西老衚衕，井一。司禮監，燕史：再南曰新房，曰都知監，曰司禮監。司禮監第一層門向西，門內稍南有松十餘株者，內書堂也。公廳大門外，東、西有二井，遞封汲之。

西井之西一小門，東井之東一小門，其內皆提督監官、典簿文書房掌司所居。吉祥所，國朝宮史：凡宮眷薨逝，殯於此。碾兒衚衕，井一。東黃瓦門，朱彝尊曝書亭集：康熙癸亥，予入直南書房，賜居黃瓦門之東。又有賜居禁垣詩：講直華光殿，居移履道坊。經營倚將作，宛轉繞宮牆。對酒非無月，攤書亦有牀。承恩還自哂，報國只文章。按：茶餘客話謂彝尊賜第在西華門內，誤。蕪史：自北安門裏，街東曰黃瓦東門，門之東，街南曰尚衣監，街北曰司設監。舊聞考：黃瓦門之名，見於大佛堂碑刻，俗呼為東、西黃華門，音之訛也。尚衣監、司設監今廢。黃瓦門之東迤南，有玉皇廟，即尚衣監舊廨。迤北曰慈慧殿，稍東南為簾子庫，有真武廟，稍東為織染局，有華嚴寺，其碑文、碑額，皆有司設監名。按：尚衣監、司設監職掌，見明史職官志及蕪史。詳寺觀。內府庫，蕪史：火藥局再東稍南，曰內府供用庫，凡御用白蠟、黃蠟、沉香等香，皆取辦於此。蠟庫衚衕，井二。鐵匠營，酒醋局衚衕，神機營幼丁隊右廠在焉，詳兵制。有興隆寺，詳寺觀。蕪史：酒醋麪局，掌宮內食用酒、醋、糖、醬、麪、豆諸物，與御酒房不相統轄。妞妞房，東小衚衕曰悶葫蘆罐。織染局衚衕，橋一，有華嚴寺。詳寺觀。舊聞考：織染局原建嵩祝寺後，乾隆十六年移萬壽山之西，與稻田毗近，立石曰耕織圖。原機上織染局三字，今改為耕織圖。蕪史：內織染局，掌染造御用及宮內應用緞疋絹匹之類，有外廠，在朝陽門外，又有藍靛廠，在都城西，本局之外署。針工局衚衕，蕪史：針工局，掌內官長隨、內使小火者，冬、夏衣每年遞散一次，遇辰、戌年，各散鋪蓋銀一次。巾帽局衚衕，明職官志：巾帽局，掌內使帽、靴，駙馬冠、靴及藩王之國諸旗尉帽、靴。蕪史：署後臨河有梓潼廟。東板橋，橋一。火藥局衚衕，井一。河沿龍王廟井一。火神廟井一。迤東臨河有鑲黃旗侍衛教場。見嘯亭雜録。蕪史：火藥局即兵仗局之軍器庫也。按：火藥局互詳宮禁及寺觀。後局衚衕，井一。東、西吉祥衚衕，闖道衚衕，南月偃，北月偃，簾子庫衚衕，井二。慈慧殿，慧俗訛菇，井一。慈慧寺詳寺觀。明司設監舊廨在此。安樂堂衚衕。井一。春明夢餘録：安樂堂在地安門街東。蕪史：北安門街西曰安樂堂，內官有疾者徙此，山陵及外廠九門官則不送也。舊聞考：安樂堂在街東，蕪史作街西，誤。今堂額雖存，並非內官養病之所。地安門東夾道。迤西即地安門，明曰北安門，俗沿元稱曰厚載門，亦曰後門。內務府所屬三旗佐領、管領、檔册房及監造花爆處在街西。茶餘客話：勵文恪杜訥以編修賜第厚載門。

皇城西中東坊。

西華門外南長街，俗稱南池子，井三，小衚衕井一。內務府所屬管理三旗納銀莊署在東，掌內管領關防署在南，俱詳衙署。萬壽興隆寺，詳寺觀。王士禎香祖筆記：米紫來漢雯遷侍講，賜第西華門。茶餘客話：張文端英，以諭德賜第西華門。後蔣揚孫、查聲山皆賜第西華門內。蕪史：自西上北門，過西上南門，則御用監也。舊聞考：御用監今爲玉鉢菴，即明真武廟，西南有關帝廟，爲御用監南庫舊址，皆有碑。查慎行人海記：西華門外西南一里許，明御用監在焉。又南數十步，爲真武殿，庭前有老檜一株，下有元時玉酒海，承以石牀。按：玉鉢菴以玉甕得名，乾隆十年，移玉甕置承光殿。詳宮禁。蕪史：石作閣又西曰乾明門，迤南曰兵仗局，每年七月，兼供乞巧針，亦稱小御用監。曰舊監庫，曰尚膳外監，曰甜食房，造虎眼糖、松餅，曰西上北門，東則西下馬門矣。按：今街西興隆寺，即明兵仗局佛堂，其西直房，舊監庫、尚膳、外監、甜食房，皆當在北長街，遺蹟俱無考。吳長元謂今玉鉢菴西關帝廟，爲舊監庫餘址，蓋誤以御用監爲舊監庫也。關帝廟在西華門外西南，與蕪史所稱西上北門之北者不合。

南花園，高士奇金鼇退食筆記：南花園在西華門迤南，東向，明時曰灰池，種植瓜蔬，於炕洞內烘養新菜，以備春盤薦生之用。立春日進生蘿葡，名曰咬春。本朝改爲南花園，雜植花樹，凡江甯、蘇、松、杭州織造所進盆景，皆付灌植。秋時收養蟋蟀，至燈夜則置之鼇山燈內，樂罷忽聞蛩聲自鼇山出，其餘雜花奇樹，不可名言，按時舁送各宮殿安放。春明夢餘録：西苑門迤南向東，曰灰池。蕪史：寶鈔司造草紙，備宮人使用。祖宗時，造鈔印板及紅印，聞在庫中，其署左臨河，後倚河，有泡稻草池，池中石灰濾渣積成卧象形，名象山，作房七十二間，各具一竈突，名曰七十二兇神。舊聞考：織女橋南真武廟，有明萬曆八年重修寶鈔司真武廟碑，則廟即寶鈔司故址也。灰池、象山、作房、竈突久廢，今其地猶有七十二煙洞之名。

南府，東溝沿，北花園，大煙洞衚衕，洞俗訛筒。井二。九條灣，油漆作，明嘉靖癸丑修南庫碑記：御用監初立爲行在作房，次改御用司。宣德朝，更爲監，各庫作，東則外庫、大庫，西則花房庫作，南庫冰窨左、右四作，曰木漆，曰碾玉，曰燈作，曰佛作。按：油漆作，疑即明漆作遺址，餘諸作當亦在御用監左右，舊聞考以冰窨爲御用監之冰窨，恐誤，詳下。羊圈，西閘口，井一，橋一。織女橋。橋一。內務府所屬掌儀司署在橋南。明史：永樂二十二年十二月，作觀天臺於禁中。蕪史：御用監又南向西，則銀作局也。再南過橋，曰靈臺，亦有觀象臺。銅鑄渾天儀以測星度、觀雲氣，其占候書曰觀象玩占、流星撮要等，皆鈔録謄授，不敢傳布於外，教法極嚴，比司禮監書堂較勝。每年曆樣造曆，皆靈臺欽天監同管。按：明靈臺遺址，在織女橋南，今尚存，俗稱觀星臺，互詳衙署。

西華門外北長街，亦稱北池子，井二。西北有三座門，明之乾明門也，迤西爲承光殿，又西爲金鼇、玉蝀橋，詳苑囿。昭顯廟祀雷神，詳祠祀。又有福佑寺在東，聖祖沖齡時，避痘於此，見恩福堂筆記。南有靜默寺，俱詳寺觀。內務府所屬營造司署、管轄番役署在東，會計司署、慶豐司署、慎刑司署在西，奉宸苑署、都虞司署在北，內務府營造司所屬官房租庫在東，俱詳衙署。童槐今白華堂詩鈔：大庾師晉陟端揆招過其寓邸詩，自注：公賜第在西華門外北池子。程侍郎遺集：時余寓西華門外，入直退直，必過金鼇、玉蝀。內務府册：乾隆三十八年創置活字版，錫名聚珍，置局西華門外北長街之東，排印各書。明朱國楨湧幢小品：余過西華門，馬足恰恰有聲，俯視見石骨黑，南北可數十丈，此真龍過脈處。東、西翰林街，頭條、二條、三條、四條衚衕，頭條衚衕井一。大清沿，棗林龍王廟，三眼井，井一。妞妞房，盔頭作，漿家房，漿俗訛蔣。二里溝，朝陽洞，觀音堂，井兒衚衕，井一。四根旗杆，井一。東、西椅子衚衕、大石槽，井一。草廠，金鼇退食筆記：萬壽宮在西安門内迤南，大光明殿之東，明成祖潛邸也。或曰卽舊仁壽宮。明世宗晚年愛靜，常居西内。今朱垣隙地，雜居内府人役，間藝黍稷，及堆官柴草，南曰草廠，北曰柴闌。按：明萬壽宮互詳宮禁。琉璃井，井一。舊有内務府造辦處所屬玻璃廠，今移西安門外。舊聞考：蠶池口又西爲琉璃作，地名草廠。蠶池口，迤西有法國天主堂。按：西人祆祠録：其最初者，以志變始，餘不著。蔡升元紀恩集：移居蠶池養疾恭紀詩：豈特終身去宿疴，移家妻子盡歡歌。平分翠色瀛臺柳，依舊清光太液波。深院自驅塵騎少，廣庭偏受月明多。那知天上蓬萊島，長作人間安樂窩。茶餘客話：虞山蔣文肅廷錫，以庶吉士侍直内廷，賜第西華門蠶池西，御題扁曰揖翠堂。金鼇退食筆記：親蠶殿在萬壽宮西南，有齋宮、具服殿、蠶室、繭館，皆如古制。蕪史：櫺星門迤西街南，贓罰別庫之門也。門傍東迤南爲蠶池。舊聞考：贓罰庫在十庫極北。蕪史作櫺星門西街南，誤也。蠶池在三座門西街南。按：三座門卽明之櫺星門，蕪史言別庫，似當與贓罰庫異地。今蠶池口有門，疑卽蕪史所稱別庫之門也。明嘉靖九年，議行親蠶禮，初築壇於安定門外，禮部言皇后出郊親蠶不便，世宗召尚書李時與大學士張孚敬，視地仁壽宮側。十年三月乃改築蠶壇於此。事具明史及世宗實録。頭條、二條、三條、四條衚衕，新開路，毛家灣，巧機營，俗訛草雞營。井一。蔣景祁瑤華集箋：蠶池，明時宮人織錦之所，今止存雲機廟故基。永佑廟，廟祀城隍神，詳祠祀及寺觀。槐樹衚衕，拜斗殿，春明夢餘録：壽明殿，壽明門。按：殿爲前明遺址，乾隆三十九年重修，中奉斗母，地因以名。詳宮禁。嘯亭雜録：梁文定國治賜第在拜斗殿。兔兒山，旋磨臺，俗訛轉馬臺。春明夢餘録引明宮殿額名作旋波臺。日下舊聞引作旋坡臺。明嚴嵩鈐山堂集：小山在仁壽宮西，入清虛門，磴道盤屈，甃甓皆肖小龍文，疊石爲峰，巉巖森聳，元氏故物也。按：旋磨臺，嘉靖二十八年更名仙臺。明英宗實録：天順四年，作西苑亭軒成，苑中蓬萊山頂有廣寒殿，金所築也。西南有小山，亦建殿其上，規制尤巧，元所築也。蓬萊山卽萬歲山，西南之小山，疑卽兔兒山。明時爲重九登高之地，見蕪史。餘詳宮禁。餑餑房，井一，有内務府營造司所屬餑餑房，故名。紅門，火藥局，有火藥庫。詳廠局。韃子營，井一。光明殿衚衕，井二。大光明殿，互詳寺觀。明世宗實録：嘉靖三十六年十一月，大光明殿工成。金鼇退食筆記：大光明殿在西安門内，萬壽宮遺址之西，地極敞豁，中祀上帝。相傳明世宗與陶真人講内丹於此，卽大元都也。今仍設内監、道士守之。順治十八年正月，世祖章皇帝升遐，顧命大臣索尼、鼇拜、遏必隆、蘇克薩哈輔政，共來焚香盟心於此，各衙門亦次第設誓。余賜第在左側。高士奇江村集：賜居西苑自城北移家詩：客中陋巷爲家久，忽訝恩輝住苑西。牛背馱書千卷重，擔頭挑樹兩株齊。門前金碧瞻天闕，屋内鸞龍有御題。仲蔚蓬蒿十年事，一枝偏借上林棲。茶餘客話：高江村以侍講賜第西華門，其先以詹事主簿賜第。嘯亭續録：湯敦甫金釗官詞林時，寓光明殿左廊房，授讀蒙童，無異冬烘。**前大坑，後大坑，石板房，**井一。**菜園，**井一。**炭廠，**燕史：宫中用炭，皆易州産，按尺寸鋸截，編小圓荆筐，用黄土刷筐盛之，名曰紅籮炭。順天府歲供糯米十五石一斗，永平府歲供紅棗一萬五千五百七十斤，於紅籮廠交納，廠中香匠製香餅獸炭，造將軍等像，高三尺許，名曰彩粧。臘月二十四日安宫殿中旁，次年二月仍歸本司。**惜薪司衙衕。**井一。土地廟井一。迤南岐路曰西叉口，又南曰倒堂。有雙節寺，詳寺觀。燕史：南曰惜薪司，正西則西安門也。惜薪司管宫中所用柴炭，及二十四衙門山陵等處内官柴炭。金鼇退食筆記：我朝悉除明制，惟内廷柴炭，於此關支，荆筐亦不刷紅土。明武宗實録：正德三年八月，司禮監劉瑾傳旨：改惜薪司外薪廠爲辦事廠，營府舊倉地爲内辦事廠，京師謂之内行廠，比東、西二廠尤酷烈。

西安門大街，井一。迤東爲金鼇、玉蝀橋，南爲西苑福華門。詳苑囿。北爲陽澤門，門内傍北海，地名小馬圈，互詳後。金鼇退食筆記：土穀壇在陽澤門外西南數十步。明嘉靖間，因給事中王璣言，建壇於此，今廢。周賓所識小編：康熙辛酉，西安門内有内監治宅，掘地誤發古墓，中有瓦鑪一，瓦罌一，墓石二方，廣各一尺二寸，一刻卞氏墓誌四字，環列十二辰相，皆獸首人身；一刻誌銘，題曰：大唐故濮陽卞氏墓誌，銘文曰：貞元十五年，歲次己卯，七月癸卯朔，夫人寢疾，卒於幽州薊縣薊北坊，以其年權窆於幽州幽都東北五里禮賢鄉之平原。**鴿子房，**井一。春明夢餘録：十庫西曰鴿子房，曰西安門。舊聞考：鴿子房有二：聖廟即内府鴿子房，土地祠西安門内街北之極西地也。**西十庫衙衕，**井二。西十庫隸内府，丙、丁、戊三庫兼屬工部，詳衙署。有慈雲寺，詳寺觀。金鼇退食筆記：西十庫在西安門内，向南，舊設掌庫太監一員，貼庫數員，僉書數十員。本朝三十餘年，十庫封錮不開，塵土堆積，庫後古木叢茂，居人鮮少，衆鳥翔集作巢，以數萬計。上常遊幸至此，命内務清察，立檔案焉。會典事例：戊、丁二庫在西十庫内，收貯弓、刀、箭、弦、鳥鎗等項；丁字庫今貯硝黄。明會典：天財庫，凡正陽等九門並各鈔關本折錢，及皇城各門鎖鑰，俱送本庫收。舊聞考：今慈雲寺即明之天王殿，殿有修庫題名碑，所記十庫，與燕史合，而冠以司鑰庫之名，其修廟碑記云：禁城西北隅，有司鑰庫，天財庫亦屬焉。是司鑰庫乃十庫總理，天財庫其附焉者也。按：十庫互詳宫禁。明宫史言：司鑰庫俗名天財庫，凡寶源等局鑄出制錢，交本庫備御前賞賜。庫中積有歷代古錢，此天財庫之所由名也。又言：乾清、午門、東華等門鑰匙，皆本庫監工於五更三點時自宫中發出，分啟各門後，即繳回，其言與明會典合，是天財庫即司鑰庫無疑。舊聞考分爲二，似誤。**劉鑾塑，**俗訛琉璃塑，井一。天慶宫舊爲元都勝境，詳寺觀。金鼇退食筆記：元都勝境建於元，相傳爲劉元塑像。周篔析津日記：京師像設奇古者，曰劉鑾塑。説者疑鑾與元音近而誤。考郝伯常陵川集，燕有四賢祠，其像塑自劉鑾。則鑾别是一人，著名於正奉之先者也。按：劉元事見元史工藝傳，及陶宗儀輟耕録。鑾，退食筆記誤作蘭。**真如境，**井一。燕史：經廠又西曰洗白廠，曰果園廠，曰西安裏門，條作即洗白廠，造兜羅絨，各色五毒等條，兜羅絨傳自西域，無敢私造者。甜食房并此廠，皆屬御用監，最寒苦可憫。金鼇退食筆記：果園廠在欞星門之西，明永樂年製漆器，以金、銀、錫、木爲胎，有剔紅、填漆二種，皆稱廠製，世甚珍重之。其遺址今爲内務府人役所居。舊聞考：真如境廟内有隆慶戊辰御用監造廠碑云：本監洗白廠成造上用兜羅絨袍。公廨又有隆慶辛未修廠碑。稍西地名劉鑾塑。真武廟中有萬曆癸巳修洗白廠條作碑云：條作初置公廨於果園廠前，機作等房，俱聚於此，後擇果園廠隙地，建茲條作。則洗白廠、果園廠俱在此地。條作，井一。經板庫，井一。蕪史：大藏經廠，司禮監之經廠也。金鼇退食筆記：大藏經廠在玉熙宮遺址之西，貯經書典籍及釋藏諸經，今仍舊制。燕都遊覽志：藏經廠碑記言，廠隸司禮監，寫印上用書籍，造制勑龍箋，藏庫則堆貯經史文籍、三教番漢經典，及御製御書詩文印板，建自正統甲子，歷嘉靖戊午，世宗造元都宮殿，將本廠大門拆占。隆慶改元，元都拆毀，其後内監展拓舊基，重加修飭，始萬曆三年二月，落成於五月。按：庫今廢，其地尚仍舊名。扁擔衚衕，井一。酒醋局，井一。蕪史：欞星門迤西曰西酒房、西花房。金鼇退食筆記：西酒房、西花房、牲口房、舊虎城，皆在欞星門西北，今盡廢。舊聞考：酒醋局巷内有真武殿，至今稱爲酒房，蓋卽西酒房舊址。羊房夾道，羊房俗訛養蜂，井一。有延壽菴，詳寺觀。蕪史：由金海橋、玉熙宮迤西曰欞星門，迤北曰羊房夾道，牲口房、虎城在焉，内安樂堂在焉。凡宮人病、老，或有罪，先發此處，待年久再發外之浣衣局。成化間，萬貴妃專寵，孝穆紀皇后託疾居此，誕孝宗。牲口房收育異獸珍禽，有虎城、羊城。春明夢餘録：羊房夾道，舊有貞慶殿，萬曆三十一年八月拆去，爲大山子工所用。按：大山子卽萬歲山，餘詳宮禁、寺觀。小馬圈，井二。蕪史：金海橋之北，河之西岸，向南曰玉熙宮，神廟於此選近侍三百餘員學宮戲。金鼇退食筆記：玉熙宮在西安裏門街北，金鼇、玉蝀橋之西，康熙三十年五月於此設席殿，停仁孝皇后梓宮，集百官舉哀。今改爲内廄，豢養御馬。按：今小馬圈卽明玉熙宮遺址，詳宮禁。剪子衚衕，迤西曠地，曰八寶坑。口袋衚衕，毛窩衚衕，興盛街，東、西頭條、二條、三條、四條衚衕，栴檀寺西夾道，井一。栴檀寺卽宏仁寺，明清馥殿舊基也。寺有栴檀佛像，故名。東爲仁壽寺，俱詳寺觀。栴檀寺後，闡福寺西夾道，闡福寺在西苑中，詳寺觀。寺西門外爲通衢，南達陽澤門，曰西夾道。琉璃門，虎城，井一。燕都遊覽志：虎城在太液池西北隅，睥睨其上，而阱其下，阱南爲鐵門，關而竇其南爲小阱，小阱内有鐵柵如籠，以檻虎者。虎城西北隅有豹房，百獸房在虎城之後，連楹南向。明武宗實録：正德二年八月，造豹房。七年，添修豹房二百餘間。金鼇退食筆記：騰禧殿在栴檀寺西，明武宗以居晉王樂伎劉良女，俗呼爲黑老婆殿。傍有古井，曰王媽媽井。舊聞考：騰禧殿久廢，其地當與豹房毘連，稍南有北極廟，相傳亦明代古剎。按：明武宗實録言，建鎮國寺於豹房，今遺址亦無考。菜園，井二。妞妞房，井一。盒子衚衕，贓罰庫，井一。舊聞考：贓罰庫乃十庫之一。十庫周牆尚存，今栴檀寺西北衚衕，猶有贓罰庫之名。榆樹井，井一。繩子庫，教場。井二。小龍王廟井一。教場地極軒敞，迤東爲内官監衚衕，又東則地安門也。明世宗實録：嘉靖三十年，上更定營制，命更舊内教場，名曰内瀔營，欲以團操内使。次年二月，工部請營建祀所並營舍，中立一臺，備御視。舊聞考：内教場今名教軍場，在宏仁寺東北，其地有三聖祠，祀火神、水草神。碑云：禁旅之設，遴拔監局諸司内員精健者三千人，統以總提，分治以中軍，領以總牌，次設明甲、硬弓、隨伍等官，於大内西、北二處，分場訓練，後皆並練於此。野獲編：初，穆宗好觀武事，時江陵爲末相，遂於條陳疏中特列一欵曰實武備，請上每秋大閲，躬詣校肄，上大喜，褒美舉行，自是而内教場習射等事起矣。按：明武宗特設東、西兩官廳於禁中，視團營。又自領閹人善騎射者一營爲中軍，晨夕操練。事見實録，其教場當亦在此。

地安門西夾道， 迤西有響閘，在西天梵境後，詳苑囿。其外有西步糧橋，詳内城中城。 **大、小石作，** 井二。迤東爲大高元殿，詳壇廟。又東北爲景山西門，井一。與景山門相直者爲西苑陟山門，詳宮禁。稽察内務府衙門在焉。迤北有樂部公署，俱詳衙署。蕪史：大高元殿稍西曰石作，有閣。金鼇退食筆記：大高元殿之東，即北上西門，有橋，甃甓石各半，謂防車輪耳。 **冰窨，** 蕪史：内官監所管十作，曰木作、石作、瓦作、搭材作、東行、西行、油漆作、婚禮作、火藥作，並米鹽庫、營造庫、皇壇庫、裏冰窨、金海等處。按：舊聞考以冰窨爲御用監所屬之冰窨，據蕪史所言，則裏冰窨屬内官監，與御用監相去地頗遼闊，疑當時本有兩冰窨也。 **雪池衚衕，** 井一。藤陰雜記：西華門内雪池，康熙中賜蔡升元，飭内府司員冰雪施工，剋期告竣，令同直陳元龍送歸新第。見蔡紀恩詩。 **魏家衚衕，** 蕪史：過北中門，迤西則白石橋、萬法等殿。明世宗實録：嘉靖四十四年十二月，定新建萬法寶殿名，中曰壽憩，左曰福舍，右曰禄舍。春明夢餘録：萬法寶殿燬，萬曆二十九年，添蓋佛殿連房。三十年，佛殿添額，名祖師殿。舊聞考：今白石橋西魏家衚衕，有萬法殿，地基頗狹，似非其舊矣。 **西板橋，** 橋一。 **狗鷹衚衕，三座廂，** 井一。 **内官監衚衕，** 四眼井井一。巷口火神廟前橋二，曰鴛鴦橋，明之白石橋也。詳宮禁。蕪史：北安門内黄瓦西門之裏，則内官監也。舊聞考：監今廢，其地猶名内官監衚衕。内有大佛堂，其碑記備列黄華門、營造庫、米鹽庫、油漆作、外鐵作、婚禮作、東行、西行、西瓦廠、石廠、黑窑廠、神木廠、鑄鐘廠、供應廠、備用廠、金殿廠、稻田廠、蜂窩廠、東花房、馬鞍房、琉璃局、外冰窨等名目，與水部備考、明史所載多合。明蔣德璟慤書：紫禁城有護城河，河外即御溝也。河自北閘口分流，經内官監、白石橋、大高元殿之東，北上西門之外，至紫禁城下而東，而南，經太廟之東，玉芝宮、飛虹橋之西，而其在西一派，則自太社、太稷壇西至靈臺寶鈔司之東，合流於湧福河以出。王士禎池北偶談：金忠潔公鉉，甲申三月，以兵部主事巡視皇城，盡節玉河時，有中官吕胖子同死。二公骨不可辨，其家人遂同葬玉河之岸焉。李長祥天問閣集：鉉聞變，大呼號，痛哭拜母曰：兒職在皇城，死皇城爲正。遂冠袍束帶，帶牙牌，趨大内，宮女俱湧出，乃往皇城西北隅，臨海子河，即投。長班驚相挽，鉉搏長班，躍入死。李清三垣筆記：鉉初以駕部巡皇城，每過玉河，輒留連不能去，歸語其弟鋐曰：吾一見玉河，若依戀不忍舍，何也？竟投玉河死。按：金忠潔死節之所，明史云在金水河，據天問閣集，則在皇城西北隅，錢士馨甲申傳信録亦同，其地當去内官監不遠，日下舊聞敍於皇城外玉河橋者誤。 **太平街，** 井一。迤西曰獅子衙門。 **西黄瓦門，油漆作，**

井一。明内官監所屬油漆作當在此，互詳上。米糧庫。疑卽明之米鹽庫，又東北則地安門也。

内城周四十里，門九。一統志。定制分五城，而兼轄於步軍統領。會典事例。其街衢之大者，中曰棋盤街，南北曰崇文門街，宣武門街，大市街，王府街，地安門街，安定門街，德勝門街，南小街，北小街，錦什坊街；東西曰江米巷，長安街，丁字街，馬市街，朝陽門街，東直門街，阜成門街，西直門街，鼓樓東大街，鼓樓西斜街。會典參宸垣識略。析津志街制：自南以至於北，謂之經，自東至西謂之緯，大街二十四步闊，小街十二步闊，三百八十四火巷，二十九衖通。衖通二字本方言。又長街、千步廊、丁字街、十字街、鐘樓街、半邊街、棊盤街。五門街、三叉街，此二街在南城。按：析津志所舉街名，今多仍其舊，惟長街、五門街、三叉街遺址不可考，餘俱見後。

内城南城 城册：内城地址隸南城者，東至崇文門街，與東城界；南至城根，西逾宣武門街，迤西至城根，北至東西單牌樓，東、西長安街與中城界，迤西至舊刑部街，與西城界。按：明代以前，三門外爲南城，故内城祇分中、東、西、北四城。我朝規制，内外城各分五城。其皇城内，前明爲禁地者，今則悉隸中城，餘亦各有分並，惟正陽門爲嚮明出治之區，棋盤街在門内，地屬南城。今敍次先南城，而中城次之。

棋盤街，東、西井各一。舊聞考：大清門外，俗稱棋盤街，乾隆四十年修葺周圍石闌，以崇體制。東華録：順治六年五月癸巳，欽天監奏：宸居重地，負陰抱陽，陰宜歛藏，陽宜開廣，棋盤街房屋蔽塞，宜禁。文德、武功兩坊，左右相配，今文德坊已火，卽宜修建。從之。宸垣識略：棋盤街四圍列肆，長廊百貨雲集，又名千步廊。元歐陽原功詩：麗正門當千步街。則千步廊爲闤闠之所明矣。今大清門外，居人猶仍此名。舊聞考以門内朝房當之，蓋據金志而言。燕都遊覽志：棋盤街，直宮禁大明門之前，每朝會諸大典，京營將先期領營軍護衛，駐足其中，樹幟甚盛。若乃天街步月，雖城中多曠，觀乎此屬第一。長安客話：棋盤街府部對列，街之左右，天下士民工賈，各以牒至，雲集於斯，肩摩轂擊，竟日喧囂，此亦見國家豐豫之象。查嗣瑮查浦詩鈔雜詠詩：棋盤街闊靜無塵，百貨初收百戲陳。向夜月明真似海，參差宮殿湧金銀。析津志：崇文門正南，出周橋、靈星三門外，分三道，中千步廊街，出麗正門。又菜市在麗正門三橋。窮漢市一，在麗正門西。按：今之正陽門，元之麗正門也。明初築京城時，不言有所更改，第證以元一統志、析津志，則麗正門當與今長安街相近，所謂千步廊者，未必卽在今棋盤街之地，以他無可麗，姑附此。

正陽門内東城根，井一。太僕寺署在中心臺，迤西則會同四譯館、教習庶常館在焉，俱詳衙署。怡賢親王祠，詳祠祀。有毘盧菴、松雪菴、元明寺，東有武郡會館。禮部册：明會同館在玉河橋西，國朝改設會同四譯館。燕都遊覽志：四夷館在玉河橋西，永樂五年十一月始設。按：明四夷館隸翰林院，故其地與院相連。吴長元謂今庶常館東有高麗人所居館舍，殆即四夷館之别宇，是也。明太僕寺在萬寶坊，乃元兵部舊署，與今地異。張爵五城坊巷衚衕集：南薫坊八鋪，有金吾右衛。今無考。貂皮巷，巾帽衚衕，東江米巷，亦稱交民巷。西有坊曰敷交。井二。俄羅斯館，明會同館故址也，今爲俄國使館。又有美國、德國、法國、日國、比國、和國諸使館，東有武定會館。嘯亭續録：貝子博和託宅，在東交民巷。謹按：博和託，太祖孫，饒餘郡王阿巴泰次子，謚温良。明兵例：南會同館在東交民巷玉河橋西街北，正統六年蓋造，宏治五年改作，共房屋三百八十七間。明一統志：上林苑監在文德坊玉河橋西，典簿廳附焉，外有蕃育、嘉蔬、冰鑑、川衡、林衡、良牧、左典察、右典察、前典察、後典察十署。春明夢餘録：上林苑監在東江米巷，南向。永樂十四年諭：凡牧養、栽種地，東至白河，西至西山，南至武清，北至居庸，西南至渾河，禁不許圍獵。按：監久廢。明李詡戒菴漫筆：嘉靖六年六月十九日夜，京城雨雹交作，次早東江米巷南李學等家房上，有錢八十四文，一一壁立瓦壠中。御史張璠具奏，錢進入庫。富貴街，亦稱户部街。甘露菴井一。宗人府、吏部、户部、禮部諸署，俱在東，詳衙署。明胡應麟少室山房筆叢：燕中書肆，多在大明門右及禮部門外、拱宸門西，每會試舉子，則書肆列於場前，歲朝後三日，則移於燈市，朔望並下浣五日，則徙於城隍廟中。按：拱宸門即公生門，見菽園雜記。今内城書肆在隆福寺街，外城在琉璃廠，餘惟正陽門外西河沿間有之。擡頭菴，宗人府後衚衕，牛圈衚衕，井一。史家衚衕，户部北夾道，兵部街，井二。兵部、工部、鴻臚寺、欽天監、太醫院諸署，俱在東，詳衙署。韃子館，俄羅斯館也。會同館俗稱韃子館。雞鵝館，井一。藥庫，東、西河沿。橋三。在城根者曰南玉河橋，江米巷者曰中玉河橋，橋東路北有衚衕曰勾張衚衕，在長安街者曰北玉河橋。中河沿東、西井各一，北河沿井一。詹事府在東，詳衙署。河旁舊有坊二，曰東、西坊，久廢。又玉河新柳，昔人題詠甚夥，今兩岸垂楊亦殆盡矣。采訪册：肅親王府在御河橋東。嘯亭續録：惇親王府在御河橋西岸。謹按：肅王諱豪格，太宗長子，順治三年授靖遠大將軍，後爲睿王所陷，薨。世祖親政，復封，世襲，追謚武。惇王諱允祐，聖祖七子，謚曰度。裔孫奕梁降襲後，俗稱梁公府，今廢爲英國使館。萬曆沈志：元甯觀在南薫坊。按：觀在今南玉河橋，詳寺觀。明徐克暖姝由筆：京師井水多鹹苦，不可飲，惟詹事府井最佳，汲者甚衆。甲申傳信録：三月十九日城陷，中書舍人滕之所、阮文貴投御河死。

東長安街，中有坊曰長安街，井二。其南爲堂子，詳壇廟。翰林院、鑾儀衛、外駕庫俱在南，理藩院在北，詳衙署。嘯亭續録：温郡王府在理藩院大街。謹按：王諱猛峩，肅武親王支子，以恩推封，謚曰良。子延信，襲貝勒。雍正中，黨附阿其那，黜屬籍。俗謂肅府爲前府，温府爲後府，今後府盡圮，惟温良郡王祠僅存。池北偶談：孫可望降後，封義王，世襲，賜第東長安門外。可望死，其子徵灝襲封，康熙十二年臺省以爲言，下諸王大臣九卿會議，降封義公，改慕義公。按：徵灝，謚法考作徵湣，云徵一作澂。朱彝尊瀛洲道古録：孫承澤謂翰林院本元之鴻臚署。焦氏玉堂叢語載，宣德七年，以故鴻臚寺爲翰林院。考元史百官志，止有侍儀使，無鴻臚寺，當是永樂年間所建。舊聞考：元侍儀司署在都省之東，水門之西，南倉之前，見析津志。都省卽中書省，以尚書省改設，所謂南省也。南倉卽太倉，亦見析津志。其跡雖皆不可考，而以金水河水門按之，元時署在西，今則在西北，蓋明時展築南城，水門遂徙而南，而署廨之縈帶玉河，則自元迄今未改也。析津志：省東市在檢校司門前牆下，文籍市在省前東街，紙劄市在省前。按：諸市皆無考。菽園雜記：京師元日後，上自朝官，下至庶人，往來交錯道路者連日，謂之拜年。東、西長安街，朝官居住最多，至此者不問識與不識，望門投刺，有不下馬或不至其門，令人送名帖者，遇黠僕應門，則皆卻而不納，或有閉門不納者。崇文門內西城根，井一。

洪廠衚衕，水獺衚衕，臺基廠，亦稱台吉廠，井一。西有總稅務司署，迤北爲王府街，詳中城。嘯亭續録：裕親王府在台吉廠。采訪册：安郡王府在臺基廠南口。謹按：裕王諱福全，世祖次子，康熙二十九年授撫遠大將軍，謚曰憲。今爲榮公府。安郡王諱岳樂，饒餘郡王四子，襲封後改號安，晉親王，謚曰和，後追降郡王，雍正時爵除。乾隆四十三年，紹封輔國公，府今廢爲法國使館。其地猶存慶公府之名。明高道素明水軒日記：工部設五大廠，其一曰臺基廠，堆放柴薪及蘆葦。按：五大廠者，神木廠在崇文門外，大木廠在朝陽門外，琉璃廠、黑窰廠俱在外城，與臺基廠而五。萬曆沈志，有臺基廠草場官一員。明世宗實録：嘉靖元年，御史鄭本公請賑濟京師窮民。户部議：朝廷舊設養濟院，窮民各有記籍，無籍者收養蠟燭、旛竿二寺，遣光禄寺及大、宛二縣官以時更理其事，合用柴觔，令於臺基廠關支。明景帝實録：景泰中，欽天監奏：觀星臺在東城上，喧擾不便，而屋宇牆壁多壞，乞徙至東長安街臺基廠，則高與西長安街二塔相對，並爲青龍、白虎之象，於堪輿家所言，形勢相宜。帝允其請。六年三月，造內觀象臺簡儀成，八月，以勞費罷徙。北夾道，

柴火闌，薛家衚衕，三義菴，苕帚衚衕，白家栅欄，天問閣集：崇禎甲申三月十八日暮，愍帝帶親軍四百，騎馳正陽門，門者疑內變，反礮將擊之，帝震，返騎不得。上從白家衚衕遶出，乃得。上見守備單弱，下幸成國公朱純臣第，純臣言燕飲他處，帝竟不得見。小頭條、二條衚衕，花枝營，井一。經板庫，

黃土坑，井一。西小衕曰下坡。舊衙門，破府，井一。鐵門，牛角灣，井一。賣羊肉衚衕，井一。白家大門，

龍王廟，四王栅欄，迤西井一。昭忠祠在北，詳祠祀。嘯亭續録：饒餘親王府、廉親王府在王府大街，今皆爲昭忠祠。謹按：饒餘親王諱阿巴泰，太祖七子，以功封郡王，復以子岳樂晉親王，贈如其爵，追謚敏。三傳無嗣，爵除。廉王諱允禩，聖祖八子，雍正四年黜屬籍，乾隆四十三年詔復之。今昭忠祠在臺基廠東少半里。臺基廠本王府街，明中葉後置廠於此，故名。續録所稱，從其朔也。化成寺夾道，井一。化成寺詳寺觀，今圮。中街。右在正陽門東，長安街南，崇文門街西，與中城東城界。

正陽門内西城根，井一。西有花石橋，東溝水由此入護城河，巡視東城、南城御史署俱在北。有願學堂，有桐城試館。童槐今白華堂詩鈔：移寓正陽門西城根詩自注：昔爲謝金圃少宰邸第，芸臺師嘗居門下。張鑑雷塘盦主弟子記：丙午，公至京師，寓前門内西城根。陳用光太乙舟詩集，有和顧晴芬皋移居西城根東偏詩。高層雲改蟲齋雜疏：綠雨樓，陸文裕深舊邸也，在正陽、宣武二門之間，東曰素軒，北曰潛室，其中爲書窟，文裕記載集中，今已失其處。**頭甲巷，二甲巷，三甲巷，剪子巷，喜春衚衕，取燈衚衕，財神廟，高井，**井一。**捨飯寺，碾兒衚衕，**曾文正年譜：道光二十四年三月，移寓前門内碾兒衚衕西。**西江米巷，**東有坊曰振武，巡視中城御史署在北。**西皮市，**彭文敬自訂年譜：己卯住西皮市葦間公寓，寓中疊石爲山，頗多喬木。韓桂舲尚書顏曰疑野山房。**前府衚衕，左府衚衕，**井一。**大、小中府衚衕，右府衚衕，後府衚衕，**坊巷衚衕集：大時雍坊十八鋪，有府軍衛、羽林前衛。明英宗實録：正統七年，建五府於大明門之右，遂營武成王廟於後軍都督府。春明夢餘録：五軍都督府在闕西，皆東向。五軍營即團營，景泰初年，建立於安定、德勝兩關外之中。嘉靖二十九年罷團營，始更於此。南面建閲武門。閲武門起，至北土城止，長一千七百四十二步，設將臺一座，前設旗臺二座，石榜牌一座，鼓棚二座，石旗架二座，演武廳一座。按：五軍營久廢，其地猶存舊名。明吕本館閣類録：宣德六年正月朔，以纂修兩朝實録成，賜監修、總裁、纂修等官，太師英國公張輔等宴於行在中軍都督府。**掃帚衚衕，翠珠衚衕，四眼井，**井一。工部所屬製造庫在北，詳衙署。香祖筆記：工部四清吏司外，今增製造庫，滿洲司官外，惟設漢郎中一人，即宋之文思院也。**京畿道，**都察院河南道署在西，舊爲京畿道，故俗猶沿舊稱。又有禮部所屬會同館，俱詳衙署。**刑部街，**井一。大理寺、刑部、都察院、太常寺、鑾儀衛，俱在西，詳衙署。理藩院舊在刑部北，後移東長安街。舊聞考：今大理寺署傳爲明南鎮撫司故址。明通政司署，國朝改爲都察院。又鑾儀衛署，明錦衣衛也。刑部署亦相傳爲明錦衣衛故址，殆即其地而分建二署歟？**刑部後衚衕。**

西長安街，中有坊曰長安街，井一。街南曰河漕沿，下有枯渠，曰東溝，逕大川淀、受水塘，西南入護城河，明時亦稱舊溝，詳水道。通政司署、回人佐領事務處，俱在南，詳衙署。北有雙塔慶壽寺，金遺刹，詳寺觀。井一。南小衚衕曰回子營，夾道曰頭牛彔、二牛彔。春明夢餘録：行人司在西長安街朝房之西。按：明行人司署，順治間改建兵部督捕公署。康熙三十八年裁併刑部，詳衙署。茶餘客話：登聞鼓院在西長安門外街東舊設滿、漢科道各一員掌之。雍正二年統於通政司。嘯亭續録：儀親王府在長安街，係耿仲明宅。謹按：王諱永璇，高宗八子，謚曰慎。今其孫貝勒奕絪襲封，府在街北，院宇宏邃，林亭尤美。坊巷衚衕集：小時雍坊五鋪有武功左衛、中衛。按：二衛今無考。池北偶談：京師雙塔，乃安禄山、史思明所造，而劉侗景物略不載，元迺賢易之詩：安史開元日，千金搆塔基。按：迺賢詩詳外城西城。其所詠者，憫忠寺之甎塔也，偶談似誤爲慶壽寺之雙塔。孫承澤畿輔人物志：崇禎甲申三月十九日，都城破，工部尚書東閣大學士吴橋范公景文先已絶粒不食，至是見賊騎縱横，望闕哭於雙塔寺旁井中死之。按：昭忠録稱范死龍泉菴井中。明史與人物志同。互詳中城。明王世貞藝苑巵言：崔子鍾好劇飲，嘗五鼓踏月長安街，席地坐。李文正時以元相，朝天偶過早，遥望之曰：非子鍾耶？崔便趨至輿傍，拱曰：吾師得少住乎？李曰：佳。便脱衣行觴，火城漸繁，始分手别。明石珤熊峯集：翰林編修李宗易建亭於時雍坊居第之後，名曰午風，南城羅侍讀景鳴隷書其上。按：亭今無考。鑾儀衛夾道，律例館，井一。地在太常寺署後，有刑部律例館，故名。旗手衛，手俗訛所。明一統志：旗手衛在通政司後。按：旗手衛屬錦衣衛，今廢，其地猶仍舊名。耳朵眼，井一。草帽衚衕，井一。麻綫衚衕，綫亦作繩。長安客話：胡忠安濙賜第，在麻繩衚衕。花園衚衕，井一。迤南曰花園頭。五顯廟，萬曆沈志：五顯禪林在大時雍坊。人海記：張文忠居正賜第在五顯廟前張閣老衚衕。按：今東城亦有五顯廟，皆無張閣老衚衕之名，其遺蹟不可考矣。小四眼井，井一。紅井衚衕，巡視北城御史署在北。甲申傳信録：北城察院皁隷，亡其姓氏，三月十九日城陷，闔門悉焚死。後紅井，井一。高碑衚衕，井一。巡視西城御史署在北。羊毛衚衕，井一。扁擔衚衕，獅子口，兵部窪，火神廟井一，文殊菴前井一。石碑衚衕，馬神廟，井一。拴馬樁，文昌閣，大川淀，土地廟，中受水塘，帝京景物略：唐大士像，古銅身三尺，下刻大唐貞觀十四年尉遲敬德監造字，舊供宣武門外晉陽菴，菴廢，內侍朱移像受水塘，創古佛菴供之。菴今又廢，移置稽山會館。按：觀音像互詳外城、南城。賢孝牌，張相公廟，萬曆沈志：張老相公廟在大時雍坊。紀昀灤陽續録：京師有張相公廟，土人或以爲河神，然河神宜在沽水、瀠縣間，京師非所治也。余謂唐張守珪、張仲武，皆曾鎮平盧，高適燕歌行，實爲守珪作，一則曰：戰士軍前半死生，美人帳下猶歌舞。再則曰：君不見邊庭征戰苦，至今猶憶李將軍。於守珪大有微詞。仲武則摧破奚寇，有捍禦保障之功，其露布今尚載文苑英華，以理推之，或土人立廟祀仲武，未可知也。按：廟祀宋人張夏，碑記可徵，紀説傅會，未足據也。又紀氏筆記多寓言，今摭其徵實者著於篇，餘不取。東溝沿，明之舊溝也，時雨積潦，溝水由花石橋出水關，入護城河。板橋，井一，橋一。舊簾子衚衕，簾或作蓮，井一，橋一。新簾子衚衕，井一，橋一。前細瓦廠，井一，橋一。宛平王志：北極寺在細瓦廠。後細瓦廠，橋一。半壁街，橋一。中街，井二，橋一。横街，崇興衚衕。

宣武門內東城根，中心臺西井一。有天主堂，詳寺觀。燕都遊覽志：首善書院在宣武門內左方，對城。明葉向高蒼霞草：書院在大時雍坊十四鋪，貿自民間，爲金一百八十兩，皆五廳、十三道所輸。經紀其事者，司務吕克孝、御史周宗建，以天啟二年某月日開講。帝京景物略：鄒元標、馮從吾以泰昌初徵入京，尋總、副臺憲，公暇輒會講城隍廟百子堂，自紳衿氓隷，聽者數百人。始議建書院宣武門內城下，講堂三楹，後堂三楹，供先聖，陳經史典律。春明夢餘録：御史臺諸公搆書院於宣武門内東牆下，南皋、少墟兩先生朝退公餘，不通賓客，不赴宴會，輒入書院講學，一時士風爲之稍變。未幾逆璫用事，郭允厚、朱童蒙輩相繼論劾，以講學爲門户，及楊忠烈劾魏忠賢疏上，黨禍大作，善類一空，御史倪文焕遂奏請毁書院，棄先師木主於路。左、右壁有記，爲葉公向高文，董公其昌書，並碎焉。一統志：時憲書局在宣武門内天主堂西，即明之首善書院，後禮部尚書徐光啟，借院修歷，名曰歷局。本朝仍令西洋人居此，治理時憲書。按：其地今以局名，互詳衙署、寺觀。吴偉業讀史偶述詩：西洋館宇迫城陰，巧歷通元妙匠心。異物每邀天一笑，自鳴鐘應自鳴琴。明一統志：太極書院，元中書行省楊維中建。蘇天爵元名臣事略：中書楊忠肅公惟中，立周子祠，建太極書院，俾師儒趙復等講授。按：元郝經陵川集有周子祠堂碑、太極書院記，碑稱祠中以二程、張、楊、游、朱六子配食，今遺蹟無考。夢餘録敍述於首善書院條下，姑仍之。下窪，松樹衚衕，井一，橋一。苦水井，頭髮衚衕，井一。翠花街，土地廟前井一。石老娘衚衕，扁擔衚衕，西拴馬樁，井二。燈籠衚衕，高低衚衕，低或作底。象牙衚衕，安兒衚衕，餹坊衚衕，油坊衚衕，井一。背陰衚衕，口條衚衕，緯纓衚衕，俗訛未英，井一。宗稷辰躬恥齋詩鈔薈英集引：新居在薈英巷之南，因顔婿姪讀書之室曰薈英書屋，戲占絶句：北鎮氣來迴地脈，西洋談息聚人文。從今環堵英才萃，日下他年益緒聞。自注：薈英俗曰緯纓，余更之。穿堂衚衕，絨綫衚衕，井一。右翼宗學在北。嘯亭雜録謂在簾子衚衕，誤也。真武廟，詳寺觀。嘯亭續録：貝勒杜度宅在絨綫衚衕。謹按：杜度，太祖孫，廣畧貝勒褚英長子，今爲光公宅。采訪册：勳貝子第在絨綫衚衕北。謹按：貝子爲聖祖二十四子諴恪親王之後。成公府夾道，井一。大、小六部口，井一。按：八旗通志，絨綫衚衕之南，有抽屜衚衕，今無是名。後水泡，噶禮兒衚衕，相傳康熙時江督噶禮居此，後以罪誅，地仍其名。牛肉灣，新開路，安福衚衕，井一。橋一。安福寺，詳寺觀。關帝廟俗稱倒座廟，有明正德四年鼎，上鐫淨居寺僧云，廟爲寺舊址。又有萬曆四十九年鼎一。永順衚衕，大柵欄，右在宣武門街東，長安街南，正陽門西，與中城界。

宣武門大街，宣武門俗沿元稱曰順承門，北有坊曰瞻雲，井二。鑲藍旗蒙古都統署在西，詳衙署。右翼宗學，舊在瞻雲坊北，今移絨綫衚衕。嘯亭續録：貝子穆爾祐宅，在宣武門内。謹按：穆爾祐，太祖曾孫，安平貝勒杜度次子。順治間以鎮國將軍累功晉貝子，後以罪除，子降襲。析津志：窮漢市一在順承門裏草塔兒。慶元樓在順承門内街西。麗春樓在順承門内，與慶元樓相對，乃巴延太師之府第也。朝元樓在順承門内，近石橋，慶元樓北。按：今俱無考。元仁宗紀：皇慶五年十月，建帝師帕克斯巴殿於大興教寺。六年三月，賜寺僧齋食鈔二萬錠。英宗紀：至治二年十月，建太祖神御殿於興教寺。成宗紀：大德五年二月，賜興教寺地百頃。舊聞考：元大都圖册云：寺在順承門内街西，佛會甲於京師。明一統志已無此寺，殆久廢矣。坊巷衚衕集：阜財坊四牌二十鋪，過象房橋有王恭廠、燕山左衛、真如寺、承恩寺、圓洪寺、保安寺、望鄉臺。按：望鄉臺今無考，餘俱見後。

宣武門内西城根，井一。有象房橋，西溝沿水由此出水關入護城河。嘯亭續録：貝子準達宅在宣武門西城根，貝子蘇努宅在象房。又年大將軍羹堯賜第在宣武門内右隅，額書邦家之光。長安客話：象房在宣武門西城牆北，每歲六月初伏，官校用旗鼓迎象，出宣武門濠内洗濯。野獲編：象初至京，先於射所演習，故謂之演象所。而錦衣衛自有馴象所，專管象奴及象隻，特命錦衣指揮一員提督之。凡大朝會，役象甚多，常朝則止用六隻，所受祿秩，俱視武弁有等差。人有入觀者，能以鼻作觱栗、銅鼓聲，觀者持錢畀象奴，如教獻技，又必斜睨象奴，受錢滿數而後昂鼻、俯首，嗚嗚出聲。將病，耳中先有油出，名曰山性發，則預以巨絙縻縶之。管象房緹帥申報兵部，上疏得旨，始命再驗，發光祿寺。按：象房今隸鑾儀衛。馴象所互詳衙署。萬曆沈志：巡鹽察院在順承門西。按：明察院久廢。抄手衚衕，井一。西溝沿，西溝水，詳西城。頭髮衚衕，橋一。鑲紅旗官學在北。有真如寺，詳寺觀。燕都遊覽志：真如寺在元季爲定力院，南向，今之象房，是其山門，蓋象房初設於報國古松之畔，以隔城致稽赴闕，乃割定力院爲駐象所。小麻綫衚衕，承恩寺街，德功橋亦稱承恩橋，鑲紅旗覺羅學在北，詳學校。承恩寺，詳寺觀。萬曆沈志：巡倉察院在承恩寺前。按：今廢。趙吉士寄園寄所寄：王恭廠災時，承恩寺街有女轎八乘經過，女子轎夫都不見。有州吏目弟，在街與相識六人拜揖未完，頭忽飛去，其六人竟無恙。損房衚衕，光彩衚衕，太平街，温家街，前、後王恭廠，井一。采訪册：德公第在後王恭廠北。燕史：王恭廠，掌廠太監一員，管營造錢糧，與盔甲廠同署，在都城西南隅。天啟六年五月，忽大震，拔大樹二十餘株，根在上而梢在下。近廠房屋傾倒，木在上而瓦在下，殺數千人。乃改卜於西直街北建廠，賜名曰安民。其王恭廠舊址，兵部尚書馮嘉會改爲戎政署。明趙維寰雪廬焚餘稿：天啟丙寅五月六日，王恭廠忽震裂，響若轟雷，平地陷二坑，約長三十步，闊三五十步，深二丈許。明沈國元兩朝從信録：時塌屋一萬九百三十間，壓死男女五百三十七人。吴偉業綏寇紀略：自順承門大街北至刑部街，盡爲齏粉。劉侗帝京景物略：北自阜成門，東至刑部街，亙四里，闊十三里，宇坍地塌，木石人禽自天雨而下。按：諸書紀王恭廠災事甚夥，今取其涉坊巷者，餘詳災祥。明水軒日記：工部又有五小廠，曰營膳所，木工也；曰寶源局，金工也；曰文思院，曰王恭廠，俱絲工也；曰皮作局，革工也。天問閣集：申佳允，北直永平人，甲申三月十九日聞變，仰天號哭，謂僕曰：往吾拜客時，顧得僻處，可隨行。至王恭廠，見有井，疾趨投之。倉卒，僕挽袖，袖絶，遂死。永甯衚衕，橋一。圓洪寺街，舊有圓洪寺，今廢。寄園寄所寄：王恭廠災，宣府楊總兵行至圓洪寺街，隨從共七人，連人馬俱陷入地。豬尾坑，亦稱豬尾衚衕。石鐙菴，地以菴名，舊爲吉祥寺，詳寺觀，今圮。象來街，箭杆衚衕，陶家衚衕，鑱子衚衕，水仙菴，草廠，茄子衚衕，西小衚衕曰茄柄衚衕。四眼井，井一。太平湖，城隅積潦瀦爲湖，由角樓北水關入護城河。橋二：一在湖北，一在西南隅。迤北曰龍王堂。嘯亭續録：貝勒喀爾楚琿宅在太平湖，今爲榮親王府。謹按：喀爾楚琿一作哈爾出洪。太祖曾孫克勤郡王岳託三子，以功封，謚顯榮。榮王諱永琪，高宗五子，謚曰純，今爲醇親王府。王爲宣宗七子，世襲。陳文述頤道堂詩選：孫古雲雲繪園詩，爲同查伯揆作，自注：園在宣武門内太平湖之西，時海昌查伯揆、廣陵朱素人、丹徒嚴麗生同在賓館。槐抱椿菴，井一。寺院册：觀音菴在西南隅。槐抱椿菴街係舊剎，無碑碣可考，其南爲祇圓禪林，前後相屬。小護國寺，老萊街，井二。嘯亭續録：貝子薩弼宅在老萊街。謹按：薩弼，太祖曾孫安平貝勒杜度七子，謚懷愍。

中街，西太平街，東街井一，橋一，西街井一。扁擔衚衕，鮑家街，井一。采訪册：榮公第在鮑家街北。謹按：貝勒費揚古，顯祖孫莊親王八子，以功封，今公其後裔也。前後百户廟，永泉寺俗稱百户廟，復訛白虎。井一。狗尾衚衕，取燈衚衕，南鬧市口，迤北爲四道口，又北爲半截碑，其南接天仙菴。

天仙菴，寺院册：天仙廟明建，有隆慶二年銅鐘一，又明崇禎間重修碑。羅圈衚衕，東、西石駙馬大街，井二。鑲紅旗滿洲、蒙古、漢軍都統署，俱在北，詳衙署。嘯亭續録：公諾尼宅在石駙馬大街。采訪册：克勤郡王府在街北。謹按：王諱岳託，太祖孫禮烈親王長子，崇德元年封成親王，屢以罪降至貝子。五年，復封貝勒，追封克勤郡王，世襲。諾尼其分支，今慶公第是也。明金日升頌天臚筆：王恭廠震日，石駙馬街有石獅重五千觔，飛出順承門外。寄園寄所寄：嘉靖中，京師大盜朱國臣，居堂子衚衕，其黨數十人，官莫敢詰。一日，怒笞其妻，妻逸，告夜巡把總，擒獲十人，下法司，俱服。國臣自言：石駙馬街周皇親之殺，乃我也，而坐使女蕭荷花淩遲，家人斬，豈不寃乎！於是法司追問治荷花獄者，免侍郎翁大立爲民，謫郎中徐一忠於外。都統署夾道，通條衚衕，臭水河，或作楸樹河。嘯亭續録：貝子特爾祜宅在臭水河。謹按：特爾祜，太祖曾孫貝勒杜度三子，謚恪僖。石駙馬後宅，有武烈橋。回子營，東、中、西鐵匠衚衕，東衚衕橋一，迤東抵大街，俗稱穿堂門，井一。中、西衚衕井各一。嘯亭續録：敬謹親王府在東鐵匠衚衕。謹按：王諱尼堪，太祖孫廣略貝勒褚英三子，順治六年授定西大將軍，九年授定遠大將軍，征明桂王，戰殁於衡州，追謚莊。今爲桂公第。鐵箭營，口袋衚衕，手帕衚衕，井一。通條衚衕，姚斌廟，察院衚衕，井一。有文盛橋，文俗訛温。萬曆沈志：巡關察院在西城，或其遺址。保安寺街，保安寺，詳寺觀。明世宗實録：嘉靖二年五月，以江彬、錢甯入官房及故保安寺，爲燕山府軍等衛，凡十五所。按：坊巷衚衕集：阜財坊有燕山左衛，以實録所言核之，其遺址當在今保安寺街。集又言：燕山左衛在安富坊。蓋其始置之地也。嘉靖後移置於此。安達公街，亦作諳達。諳達，蒙古語，火伴也。櫻帽頭條、二條、三條、四條衚衕，二條衚衕井一。炕沿井，都土地廟，柳樹井，井一。筆管衚衕，褲子衚衕，井一。邱子衚衕。井一。談孺木金陵對泣録：崇禎帝后移東華門席舍，武選主事大足劉養貞，日侍側哀毀，被執，至李友家，友據邱字衚衕許錦衣宅。按：邱字疑即邱子。報子街，報或作泡，亦作豹，井二，橋一。鑲紅旗護軍統領署在南，詳衙署。右在宣武門西，其北與西城界。

内城中城

城册：内城地址隸中城者：中西坊自皇城外東，至王府街迄北，與東城界；南至東長安街，與南城界；北至兵馬司衚衕、帽兒衚衕，與北城界。中東坊自皇城外，南至西長安街，與南城界；西至大市街，與西城界；北至護國寺街、定府街，迄東逾十刹海，抵地安門橋，與北城界。

王府大街。元名丁字街，見析津志。明建十王邸於此，稱王府街，井二。兵部所屬會同館在東，掌驛政。明初燕臺驛故址也。詳衙署。嘯亭續録：饒餘親王、廉親王府俱在王府大街。按：互詳南城。析津志：菜市一在哈達門丁字街。按：今王府街旁有菜廠衚衕，疑沿元舊稱也。明成祖實録：永樂十五年六月，於東安門下東南，建十王邸，通爲屋八千三百五十楹。宣宗實録：宣德三年四月，新作公主府三所於諸王邸之南。燕都遊覽志：烏蠻市在王府街會同館。明會典：會同館，永樂初設，三年併烏蠻市，入本館。按：烏蠻市久廢。又金源之制，會同館、來甯館在宣陽門内。見周煇北轅録。燕山館、燕賓館見范成大石湖集。永平館在府南一里，一名碣石館，遼朝士宴集之所，見明一統志。其遺址皆當在南城外，今不可考矣。析津志：保大坊在樞府北。坊巷衚衕集：保大坊四鋪，有府軍前衞、左衞，羽林左衞、右衞，金吾左衞、前衞、後衞，虎賁左衞，迎禧觀，捨飯旛竿寺。萬曆沈志：有真武廟。按：羽林右衞，明一統志云，在明時坊，今諸衞及真武廟俱廢。迎禧觀在王府街，詳寺觀。旛竿寺見後。查慎行人海記：李文達賢賜第在王府街。明北平圖經志書：武成王廟在保大坊都指揮使司之西。元祭祀志：武成王立廟於樞密院公堂之西，以孫武、張良、管仲、樂毅、諸葛亮以下十人從祀，歲春、秋仲月上戊，樞密院遣官行禮。按：廟址今無考。析津志言：柴炭市集市，一在樞密院，今亦無考。

東安門外南夾道，關帝廟北井一。霞公府，即理藩院後衚衕，節孝祠在北，詳祠祀。空府夾道，温郡王府，俗稱空府。理藩院東夾道，大、小紗帽衚衕，小衚衕井一。口袋衚衕，梯子衚衕，小甜水井，井一。有鎮海、慈溪會館。康家衚衕，大甜水井，采訪册：倫貝子第在大甜水井北。謹按：貝子爲宣宗長子隱志郡王諱奕緯之子。大、小阮府衚衕，正藍旗覺羅學在大阮府衚衕。菜廠衚衕，嘯亭續録：公韜塞宅在菜廠衚衕。謹按：韜塞，太宗十子，初封鎮國將軍，康熙八年晉輔國公。蕪史：南海子總督太監一員，東安門外有菜廠，其在京之外署也，掌壽鹿、獐兔、菜蔬、西瓜、果子。凡收選内官，於禮部大堂同司禮監監官選定，由部之後門到廠，次晨點入東安門，赴内官監細選，無違礙者，方給烏木牌，候收畢，詣萬歲山撥散。南灣子。

東安門外大街，亦稱丁字街，井三。五聖菴井一。官馬圈井一。南小衚衕井一。北小衚衕曰老虎洞，井一。明史衍聖公傳：仁宗踐阼，孔彥縉來朝，賜宅東安門外。明宋端儀立齋閒録：永樂二十二年十一月，賜衍聖公孔彥縉宅于京師。彥縉數來朝，皆館於民家。上聞之，顧近臣曰：四夷朝貢之使，皆有公館，先聖子孫，乃寓宿於民家，何以稱崇儒之意？遂命工部賜宅。按：今宅在太僕寺街，乃明英宗所賜。其仁宗所賜者，據闕里文獻考云，在東安門北，遺址無考。明景帝實録：景泰三年八月，改造四夷館。先是，譯書子弟俱於東安門外廊房肄業，至是提督譯書郎中劉文等請建館於廊房南隙地，從之。按：明四夷館見前，互詳衙署。

東安門外北夾道，內務府武備院所屬亮鐵作、染氈作，俱在東。錫鑞衚衕，內務府武備院所屬帽作在南。扁擔衚衕，燒酒衚衕，井一。豐順衚衕，母豬衚衕，灌腸衚衕，嬭子府，南大院井一。花園井一。迤北曰關東店。嘯亭續録：公宏昇宅在嬭子府。采訪册：惠王府在路北。謹按：王諱綿愉，仁宗五子，咸豐三年授奉命大將軍，謚曰端，其府卽公宏昇舊第。明宮史：禮儀房署在都府草場之東，向南，提督太監一員，掌印或秉筆攝之，掌選婚吉禮。每年四仲月選乳婦，生男十口，生女十口，月給食料，在嬭子府居住。及報生皇子，則用生女嬭口，皇女則用生男嬭口。明沈榜宛署雜記：嬭子府隸錦衣衛。其制，每季精選各里良家婦年十五以上、二十以下四十名，養之內，曰坐季嬭口。別選八十名籍於官，曰點卯嬭口。季終則更之。後來夙戒嬭口，多不稱旨，臨時多別選城市婦人以應，有雇值之費，打點之費，上納之費，而嬭子遂爲奇貨。幸一見留，則終其身事所乳，得沾恩澤，無復出理，其食報特隆云。黃土坑，大、小草場衚衕，或場作廠，大衚衕井一。明宮史：中府草場卽舊都府草場，在東安門外嬭子街，永樂初創，收御馬草。傳云是勝國都督府，故名。天啟六年，舊都府草場火，魏忠賢督率內外官員軍士救撲，三日乃熄。東廠衚衕，井一。明宮史：東廠，永樂十八年置，其外署在東安門外迤北，其內署在東上北門之北，街東混堂之南。菽園雜記：京師東廠者，掌巡邏兵校之地也。宏治癸丑五月，忽風大作，地陷約深二三丈，廣亦如之。太平衚衕，黃麫衚衕，口袋衚衕，翠花衚衕，井二。花枝營，雙碾衚衕，碾或作輦，八旗通志誤作塔，井一。有捨飯旛竿寺、興福禪林，詳寺觀。明于慎行穀城山房筆麈：唐時，禁京城丐者，分置病坊於諸寺以廩之，亦謂之悲田院，卽今蠟燭、旛竿二寺也。按：蠟燭寺見西城。元袁桷清容居士集：興福院在都城保大坊北。按：今無考。弓弦衚衕，井一。萬曆沈志：延禧寺、迎禧觀俱有敕建碑，在明照坊。按：寺在弓弦衚衕，詳寺觀。據坊巷衚衕集，弓弦衚衕隸保大坊，萬曆沈志作明照坊，其後或有改並也。延禧觀見前。牛排子衚衕，麟慶鴻雪因緣圖說：半畝園在弓絃衚衕內，本賈中丞漢復宅，李笠翁客賈幕時，爲葺新園，壘石成山，引水作沼，平臺曲室，奥如曠如。乾隆初，楊韓蒡員外得之，又歸春馥園觀察。道光辛丑，始歸於余。黃米衚衕，晾果廠，俗訛亮穀廠，井一。蕪史：天壽山守備太監一員，轄十二陵，歲進松花、黃連、茶、核桃、榛、栗等，各陵皆有晾果廠在京。大覺、小覺衚衕，覺或作腳，迤北爲鄒家大院、王家大院。大、小取燈衚衕，井二。嘯亭續録：貝子宏旿宅在取燈衚衕。采訪册：森公府在取燈衚衕。謹按：貝子善書畫，自署瑶華道人，其宅後爲恭勤貝勒宏明所居。貝勒聖祖孫，恂勤郡王允禵之子，今輔國公載森，其後人也。

鐵匠營，草廠眉掠衚衕，明一統志：崇真萬壽宮在府南蓬萊坊，元至正中建，翰林學士王構爲記，真人張留孫、吴全節相繼居此，俗名天師菴。日下舊聞：天師菴，據坊巷衚衕集，在草廠眉掠衚衕，與惠民藥局連敍，今藥局遺址尚存，則天師菴疑與相近。明宮史：御馬監所轄有天師菴草場，舊都府草場。天師菴草場在皇城外東北角，正統間以張天師舊處改建，故名。有井，甘洌可用，不減十王府街之井也。析津志：杜康廟在舊城光禄寺内西偏，内有天師宮，禮部標撥道士一人，提點看經傳，專一焚修香火，蓋爲醖造御酒，每日於上位至押槽内支酒一瓶，以供杜康，提點者自行收貯。舊聞考：元崇真萬壽宮，俗名天師菴，亦曰天師宮。明圖經志書云在蓬萊坊，相傳今顯佑宮及步軍統領衙門即其地，此所稱光禄寺内之杜康廟、天師宮，以析津志所載北城道里計之，一云樞密院西爲玉山館，館西北爲蓬萊坊、天師宮。又云，樞密院南轉西爲宣徽院，院南轉西爲光禄寺酒坊橋，其方位似亦相合。按：顯佑宮、步軍統領衙門俱在帽兒衚衕，去此稍遠，俗語流傳，疑未足據。

小蘇州衚衕，寬街。宸垣識略：一等果毅繼勇公第在寬街。按：宏毅公額亦都，及其子果毅公圖爾格，皆開國勳臣也。後併爲果毅繼勇公，其賜第相傳爲明璫杜衡宅。今公寶全，前任散秩大臣。坊巷衚衕集：昭回坊、靖恭坊在北安門東，共十四鋪，有圓恩寺、福祥寺、裟衣寺。按：圓恩寺見北城。萬曆沈志云在昭回坊。福祥寺、裟衣寺俱見後。志又有慈善寺，今圮。

地安門外東城根，井一。有東步糧橋。宛平王志步作部。采訪册：澤公府在北皇城根。按：公以惠端親王支子推封。

炒豆衚衕，井一。采訪册：博多勒噶台親王府，在安定門内炒豆衚衕。按：科爾沁郡王索特那木多布齊尚仁宗三女莊敬公主，追贈親王銜。其子博多勒噶台親王僧格林沁，咸豐時以剿賊功，食雙親王俸，謚曰忠，配享太廟。今王伯彦訥謨祜嗣，府爲忠王所建，非公主賜第也。

板廠衚衕，棉花衚衕，井一。雨兒衚衕，雨或作魚，值年旗衙門在北。嘯亭續録：公布舒宅在雨兒衚衕。蓑衣衚衕，坊巷衚衕集有裟衣寺，其遺址疑當在此。蓑蓋裟之訛，地以寺名也。福祥寺衚衕，福祥寺，詳寺觀。萬曆沈志：寺在靖恭坊，有勑建碑。馬尾斜街，枴棒衚衕，兵將局衚衕，井一。叉子衚衕。

地安門外大街，井一。地安橋俗稱大橋，舊爲萬甯橋。橋南屬中城，北屬北城，橋下爲響閘，元之澄清閘也，亦稱越橋。下閘迤西有石小橋一，詳水道。火神廟在橋西，瀕十刹海，唐貞觀時火德真君廟遺址，詳祠祀。廟前井一。北有大覺寺，詳寺觀。茶餘客話：高安朱文端軾，丙辰賜第地安門外。胡承珙求是堂詩集：己巳四月，寓地安門外一室，客言：此宅前臺灣道永福所居，林爽文之變，永被逮，妻張氏與訣，泣解其夫所佩刀及帶一條曰：君此去得生幸甚，脱不幸，請以此殉。後永論絞，西市獄成，張遂以是日縊於所居，即此室也。坊巷衚衕集：日中坊在北安門西二十二鋪。元一統志：自至元三十年後，通惠河成，遂建澄清閘於海子之東，有橋南直御園。淥水亭雜識：元時，海子岸有萬春園，進士登第恩榮宴後，會同年於此。宋顯夫詩所云，臨水亭臺似曲江也。舊聞考：其地當近火神廟後亭。右在地安門街東，王府街西，東長安街北，與南城、東城、北城界。隸中西坊。

皇城西城根，井二。春明夢餘録：古雲山房，米太僕萬鍾之居也。太僕好奇石，蓄置其中，令閩人吴文仲繪爲一卷。董思白、李本甯爲之跋尾。燕都遊覽志：湛園在米仲詔宅左，其自敘曰：歲丁酉，居長安之苑西，爲園曰湛，有石文齋、石林、仙籟館、茶寮、書畫船、繡佛居、竹渚、敲雲亭、曲水繞亭，可以流觴，即以灌竹。竹外轉而松關，又轉而花徑，則飲光樓在望，衆香國蓋其下也。別徑十數級，可以達臺，是爲猗臺，俯瞰蔬圃。米萬鍾勺園集：自題湛園詩：主人心本湛，以湛名其園。有時成坐隱，爲客開清樽。閒雲歸竹渚，落日深松門。登臺候山月，流輝如晤言。燕都遊覽志：袁伯修寓近西長安門，有小亭曰抱甕，伯修所自名也。亭外多花木，隙地皆種蔬，宛似邨莊，小奴負甕注水，日夜不休。按：湛園、抱甕亭遺址，皆無考。王府東夾道，段家坑，荷包巷，錢棹衚衕，甘井衚衕，井一。李閣老衚衕，井一。大悲寺俗稱高麗廟，碑已泐。長安客話：李文正東陽賜第在灰廠小巷李閣老衚衕。帝京景物略：李文正祠近皇城迤西，孝宗賜第也。第久析爲民居。嘉靖乙酉，麻城耿定向首議贖還爲公祠，傳雙履，履二寸許絆繫之，一粗紵小衫。公舉奇童時，著以見景帝者。耿爲具篋，撰文鏤篋蓋，藏之祠。舊聞考：祠久廢，中有耿氏房園，雖頹圮，地甚寬敞，應即其遺址。按：法式善存素堂文集，引彭元瑞之言，謂李閣老衚衕，由李賢賜第得名，疑未足據，互詳北城。灰廠，井一。春明夢餘録：初，燕邸因元故宮，即今之西苑，開朝門於前，元人重佛，朝門外有大慈恩寺，即今之射所，東爲灰廠，中有夾道，故皇牆西南一角獨缺。至永樂十五年，改建皇城於東，去舊宮可一里許。湧幢小品：既遷大內東華門之外，逼近民居，喧囂之聲至徹禁籞。宣德七年，始加恢擴，移東華門於河東，遷民居於灰廠西隙地。羅圈衚衕，煙筒衚衕，新豐衚衕，松樹衚衕，三府衚衕，新開路，大、小東嶽廟，井各一。秀女衚衕，前、後王爺廟，大悲寺，國初鄭親王建，俗稱王爺廟，有徐乾學碑，八旗通志誤作岱北寺。西夾道，官馬市，市或作司。八旗通志作官磨房。大柵欄，有觀音寺、圓通觀，迤西有鄭王府所置義塾，俗亦稱官學。馬館，演象所，湧幢小品：嘉靖初，廢大慈恩寺，從錦衣衛之請，即其地改爲射所。上以金鼓聲徹大內，擬改建元明宮，別以大興隆地爲射所。都督陸炳言：大興隆地亦逼禁城，惟安定門外有廢官廳，宜將宣武門外民兵教場移此，而移射所於民兵教場，射所舊地改爲演象所。得旨允行。野獲編：今京城內西長安街射所，亦名演象所，故大慈恩寺也。嘉靖間毀於火，後詔，遂廢之，爲點視軍士及演馬教射之地。象以非時來，偶一演之耳。按：大慈恩寺卽雙塔寺，詳寺觀。甲申傳信録：三月十九日城陷，内閣大學士范景文至演象所，聞賊已入宮，或言駕崩，或言南巡，歎曰：不知聖駕所在，惟一死以報陛下耳！步至夾巷後，投井死。井在龍泉菴之南。無名氏甲申小紀：景文賦詩二章，潛赴龍泉菴古井死。寬街，鑲藍旗漢軍都統署在焉，詳衙署。迤西爲菜園。燕都遊覽志：朝爽樓在雙塔寺後，呂氏園中樓也。舊聞考：今寺後有名菜園者，或卽呂氏園歟？頭條、二條、三條衚衕，二條衚衕井一。油房衚衕，前、後吳公衞衚衕，八旗通志作蜈蚣街。石虎衚衕，井一。嘯亭續録：公敬文宅、貝子緜德宅，俱在石虎衚衕。謹按：緜德高宗孫定安親王諱永璜子，今爲毓公宅。嘯亭續録：裘文達曰修賜第在石虎衚衕。錢大昕潛研堂集：題裘漫士少宰苑東寓直圖：趯臺西畔有新廬，履道坊南宅不如。應爲城居少花竹，天教銷夏此閒居。自注：公賜第在長安右門西。弇山畢公年譜：甲申，公寓石虎街裘文達公第。宸垣識略：二等敦惠伯第在石虎衚衕。按：康熙時大學士馬齊，封敦惠伯。大、小秤鉤衚衕，八旗通志作正溝。堂子衚衕，鐵子衚衕，嘯亭續録：公巴圖堪宅在鐵子衚衕。狗尾衚衕，茶葉衚衕，興隆街，井一。嘯亭續録：公德普宅在興隆街。太僕寺街，井二。鑲藍旗蒙古都統署在北，詳衙署。西有衍聖公第。明史衍聖公傳：英宗復辟，孔宏緒入賀，朝見便殿，帝握其手置膝上，語良久。宏緒纔十歲，進止有儀。帝甚悅，每歲入賀聖壽，帝聞其賜第湫隘，以大第易之。按：衍聖公第，舊在東安門外，今第在太僕寺街者，卽明英宗所賜。揅經室四集：己未，借寓京師衍聖公邸，曾栽竹三叢，藤花兩本。庚午再寓，添栽槐、柳、桃、海棠、欒枝、丁香，並舊有古槐、榆、椿、棗共三十餘株，記以一律，授之館人。陳文述頤道堂詩集：重至太僕寺街舊寓：飛鴻蹤跡又重來，疲馬衝泥太僕街。澹墨尚留曾畫壁，苦吟猶認舊書齋。明一統志：太僕寺在萬寶坊，主簿廳附焉。春明夢餘録：太僕寺乃元兵部舊署。楊士聰玉堂薈記：太僕寺石刻畫馬二，一史道碩畫，一趙孟頫畫，皆王世貞官太僕時摹勒。道碩，五代時人。舊聞考：兵部夾道今仍稱太僕寺衚衕，卽舊署址也。按：萬寶坊元舊名，據元一統志，在大内前右千步廊，坊門在西，明五軍都督府所屬彭城衞在萬寶坊，見明一統志。今太僕署，雍正三年，移建正陽門東城根，詳衙署。查氏烈女編：崇禎甲申三月十七日，太僕寺街查氏，一門九女子投繯死。十九日，流賊破城，入其室，顔如生，賊曰：僞死也。引刀試之，駭而去。是日繩絶，二女復蘇，一度爲尼，一壽終。陳儀子翽集：七烈者，查氏三女子、兩娣姒、一黄氏女子、一廉氏母，皆以明甲申三月城破之前一日致命於查氏之廬者也。按：姜宸英西溟集亦有傳，杭世駿道古堂集，有宛平查氏七烈詩。背陰衚衕，嘯亭續録：貝子傅喇塔宅，在背陰衚衕。謹按：傅喇塔顯祖曾孫貝勒芬古四子，以功封，謚惠獻。乾隆間，孫德霈襲簡親王，贈如其爵。今爲奎公宅。心尖衚衕，口袋衚衕，井一。牛角衚衕，擔杖衚衕，細米衚衕。嘯亭續録：公門度宅在細米衚衕。

西安門外南夾道，井一。馬尾衚衕，靈清宮，井一。明成祖實録：永樂十五年三月，建洪恩靈濟宮，祀徐知證及其弟知諤。明陳鳴鶴晉安逸志：男子曾甲，世居閩縣金鼇峰下灌園，園中有破祠，其神嘗棲箕，自稱兄弟二人，南唐徐知誥之弟，知證、知諤也。晉開運二年，率師入閩，秋毫無犯，閩人祀我於此。自是書符療病，驗若影響。永樂間，成祖北征，不豫，詔曾甲入侍，運箕有驗，遂封知證清微洞元真人，知諤宏靖高明真人，勑有司建廟。帝京景物略：文皇有疾，夢二真人授藥，疾頓瘳，乃勑建靈濟宮祀之，封玉闕、金闕真人，配曰仙妃。十六年，改封真君。成化二十二年，改封上帝。歲元旦日、短至、及真人誕辰，遣太常寺堂上官行禮。萬曆二十二年，大學士王錫爵病，上特發帑五十兩，命道官白昭忻建醮三日夜，病尋愈。春明夢餘録：崇禎十五年，給事中左懋第言：二真人乃叛臣之子，不宜受朝臣拜跪，請以帳幕隔之。報可。按：靈清宮卽靈濟宮，濟呼爲清，聲之轉也。明代凡大朝會，百官習儀於此。宣德間，移朝天宮。詳西城。據懋第疏言，則明季猶有在此習儀者。又崇禎十四年，正一真人張應京應召至都，賜宴靈濟宮，事見明史方技傳。明徐學謨世廟識餘録：靈濟宮講學，莫盛於癸丑、甲寅間，是時大學士徐階、禮部尚書歐陽德、兵部尚書聶豹、吏部侍郎程文德主會，皆有氣勢，搢紳可攀附得顯官，故學徒雲集至千人。丙辰而後，諸公或歿或去，惟階尚在，而講壇一空矣。戊午歲，太僕少卿何遷自南京來，復推階爲主盟，仍爲靈濟宮之會，然遷名位未可恃，號召諸少年，多無應者。明黄瑜雙槐歲鈔：成化間，山西妄男子侯得權，詭姓名李子龍，謀入内爲逆，伏誅。乃開西廠於靈濟宮前，詔太監汪直領官校百餘人刺事。燕都遊覽志：宣城第園在靈濟宮前，府第中園也，衆木參天，夾竹桃二大樹，層臺高館，不下數十，張席者日無虚地。按：園久廢。

井兒衚衕，井一。八寶坑，井一。乾石橋東斜街，舊有鑲藍旗官學，今移西斜街紅廟，見後。嘯亭續録：恆親王府在東斜街，今爲惇親王府。謹按：恆王諱允祺，聖祖五子，謚曰温。惇王諱綿愷，仁宗三子，謚曰恪。

南、中、北醬房衚衕，井一。宛平王志：有崇甯菴、觀音寺。嘯亭續録：貝勒尚善宅在醬家衚衕，今廢爲木廠。采訪册：禮親王府在東斜街醬房衚衕口，普恩寺東。謹按：王諱代善，太祖次子，時稱大貝勒，追謚烈，世襲。萬曆沈志：普恩寺在安富坊。

宴樂衚衕，八寶衚衕，板廠衚衕，井一。北小衚衕曰小草廠。背陰衚衕，廊房衚衕。

西安門外大街，井二。宸垣識略：固山恆愍貝子府在西安門外南街西。嘯亭續録：公巴布泰宅在西安門大街。謹按：巴布泰，太祖九子，以功封鎮國公，謚恪僖。明史外戚傳：陳萬言，肅皇后父也。嘉靖元年，賜第黄華坊，明年，詔復營第於西安門外，費帑金數十萬。工部尚書趙璜以西安門近大内，治第毋過高，帝怒，逮營繕郎翟璘下獄。

西馬市街。馬市街，元舊名，亦稱東大街，井一。羊市，井一。右翼税署在北，詳衙署。析津志：安富坊在順承門羊角市，鳴玉坊在羊市北。又羊市、馬市、牛市、駱駝市俱在羊角市一帶。人市在羊角市，至今樓子尚存，此是至元後有司禁約，姑存此以爲鑒戒。坊巷衚衕集：安富坊六鋪，有燕山左衛。按：衛久廢。

西安門外北夾道，迤北井一。大、小枒棒衚衕，大衚衕井一。公儀衚衕，井兒衚衕，井一。大、小餹坊衚衕，西枒棒衚衕，小栒檀寺衚衕，栒檀寺，明嘉靖時建，有萬曆間御史蘇惟霖碑。大、小紅羅廠，井二。宛平王志：有真武廟。坊巷衚衕集：積慶坊四鋪，有紅羅廠、戰車廠、太平倉、惜薪司、嘉興寺、半藏寺、興化寺。按：戰車廠、惜薪司無考，餘俱見後。口袋衚衕，太平倉，井一。明太平倉遺址，互詳西城。嘯亭續録：承澤親王府在太平倉。謹按：王諱碩塞，太宗五子，以功封，世襲，追謚裕。子博果鐸襲封，後改號莊，薨，無嗣。聖祖以十六子莊恪親王允禄爲後。宸垣識略：三等誠毅伯第在太平倉衚衕。按：乾隆時，大學士伍彌泰襲誠毅伯。宛平王志：崇善寺在太平倉大街。前毛家灣，井一。中毛家灣，後毛家灣，井一，橋一。鎗廠，井一。鐵匠營。井一。

地安門外西城根，井一。西步糧橋，俗稱西壓橋，以皇城跨其上也。玉河水由此入西苑。宛平縣署在北，迤東有白馬關帝廟，隋舊基也。藥王廟東瀕十刹海，俗稱南藥王廟，井一。旌勇祠，祀將軍明瑞等；賢良祠，祀怡賢親王等；俱詳祠祀。嘉興寺、半藏寺，詳寺觀。宸垣識略：一等忠達公第，在地安門外西城根，一等恭誠侯第在地安門外西北。按：康熙時，大學士定西將軍撫遠大將軍圖海，追封忠達公，謚文襄。順治時，二等伯烏拉忒，貝勒明安，追封恭誠侯，謚忠順。今侯啟泰，官散秩大臣。黃富民禮部遺稿先勤敏公賜第在地安門外。按：黃富民，黃左田鉞之子。萬曆沈志：宛平縣在積慶坊。護國寺街，寺創元至元間，名崇國。元有南、北二崇國寺，南寺爲金遺刹，今無考。此爲元丞相託克託故宅，今爲蒙古喇嘛所居，月之七、八日有廟市，詳寺觀。嘯亭續録：張文和廷玉賜第護國寺街。藤陰雜記：寺西先爲張文和第，後改西華門內。賜史文靖貽直，文靖薨，賜王文莊際華，文莊出文靖門下，師生接住，亦是佳話。沈初西清筆記：王文莊際華，住護國寺，有二十四福堂。坊巷衚衕集：發祥坊七鋪，有大興左衛、崇國寺、正覺寺、宏善寺、白米寺。按：正覺寺、宏善寺見後，餘無考。馬狀元衚衕，按：明初廷對第一者有馬麒、馬愉。國朝順治壬辰科，分滿、漢兩榜，滿榜則麻勒吉首選，時稱麻狀元。嘯亭續録謂其宅尚存，人呼狀元街，疑卽在此，馬蓋麻之轉也。興化寺街，井一。興化寺，詳寺觀。嘯亭續録：公永瞰宅在興化寺街。藤陰雜記：興化寺街，于文襄敏中第，雨梧書屋後賃蔡小霞廷衡。韋約軒謙恆重過見藤花有感詩：東閣當年未敢窺，年來頻見紫雲垂。不知醉涴車茵者，誰向花前酹一卮？鬼門關，箭杆衚衕，馬神廟斜街，大、小羊角燈衚衕，白米斜街。井一。觀音堂井一。內務府所屬三旗參領署在北，詳衙署。按：坊巷衚衕集有白米寺，今無考，豈地以寺名歟？右在大市街東，地安門街西，長安街北，與南城、西城、北城界。隸中東坊。

內城東城城册：內城地址隸東城者，東南俱至城根，西至崇文門街，與南城界，又西至王府街，迤北至交道口，與中城界，北至東直門街，與北城界。

崇文門大街。崇文門俗沿元稱曰哈達門，或訛海岱。迤北有坊，曰就日。井一。化成寺在西，詳寺觀。又有關帝廟。析津志：文明門卽哈達門，哈達大王府在門內，因名。人海記：康熙甲子秋九月，海岱門內地中忽作聲，有光如電，初以爲地震也，已知其地舊埋火藥，覆大石板，上土厚尺餘，不知何故忽發，飛石所中，凡傷二百餘人。甲申小紀：吴三桂子應熊爲額駙，賜第海岱門內。按：應熊以康熙十三年伏誅，三桂父襄居江米巷，闖賊自山海關敗回，襄妻及家屬三十餘人皆爲所殺。居民有譌傳三桂挾故明太子回京者，資具櫬斂之。事見甲申傳信録。萬曆沈志：般若菴有勅建碑，在明時坊。按：菴今無考。周篔析津日記：吴匏菴園居有海月菴、玉延亭、春草池、醉眠橋、冷澹泉、養鶴闌，今訪其遺蹟，已不可得。舊聞考：河南彭氏所藏張見陽補畫玉延亭圖，有趙寬賦，序云：春坊先生所居崇文街第，有園一區，名亦樂，中有亭曰玉延。賦首又云：並東郭之青陽，則斯亭應在東城。又毛澄重建玉延亭記云：園中别有菴，曰海月，玉延爲菴之輔，則海月菴與玉延亭毗連也。按：海月菴，夢餘録云在皇牆西，誤也。今從舊聞考。吴寬匏翁家藏集，有海月菴冬日賞菊圖序。

崇文門內東城根，井二。迤東有大石橋。神仙洞，井一。孝順衚衕，船板衚衕，井一。真武廟，小報房衚衕，八寶衚衕，三元菴，茄子衚衕，丁香衚衕，鎮江衚衕，後坑，范子平衚衕，建昌衚衕，鮮魚巷，井二。有雲澂試館。觀音堂，釣兒衚衕，井一。江擦衚衕，井一。官帽司，井一。五老衚衕，火神廟，箭杆白衚衕，四眼井，井一。柳罐衚衕，井一。銀絲衚衕，井兒衚衕。井一。溝沿頭，南有小石橋，西小衚衕井一。後井兒衚衕，井一。毛家灣，林檀衚衕，二眼井，井一。臊達子衚衕，紗帽翅衚衕，馬匹廠，匹或作皮，北小衚衕曰馬尾衚衕。果公府馬圈，井一。製鈔局，舊有工部寶源局新廠。錢局後，銅廠，井一。金鉤衚衕，井一。礮廠，廟前井一。快子衚衕，盔甲廠，井一。會典事例：盔甲廠在崇文門內之東，今貯廢礮。蕪史：盔甲廠卽鞍轡局，掌廠太監一員，署建於都城東南隅，掌營造盔甲、銃砲、弓矢、火藥之類。萬曆年間，火藥忽燃者再，崇禎甲戌九月初七日又震，損人屋甚多，將製火藥石碾遠抛於泡子河城牆下。東褲子衚衕，大、小羊毛衚衕，靈官廟，泡子河，坊巷衚衕集作泡作河，井二，橋一。迤西有吕公堂，明爲永安宮，今設電報局於此。少南有太清宮，景物略之玉皇閣也。又南有華嚴禪林，明萬曆間重修。北有關帝廟，明碑二，皆磨泐。燕都遊覽志：泡子河在崇文門東城角，前有長溪，後有廣淀，高堞環其東，天臺峙其北，兩岸多高槐垂柳，空水澄鮮，林木明秀，不獨秋冬之際難爲懷也。河上諸招提，苦無廣大者。水濱之頹園廢圃，多置不葺，城内自德勝河外，惟此二三里間無車塵市囂，惜命駕者少耳。舊聞考：泡子河在今觀象臺前，河身尚存，經吕公祠南石橋，出南水門，入通惠河。萬曆沈志：吕公祠在明時坊。帝京景物略：泡子河南岸方家園、張家園、房家園，以房園最，北岸張家園、傅家東西園，以東園最，中吕公堂，西楊氏泌園，東玉皇閣，北去貢院里許。按：諸園今皆廢。查嗣瑮查浦詩鈔雜詠詩：張園酒罷傅園詩，泡子河邊馬去遲。踏遍槐花黄滿路，秋來祈夢吕公祠。帝京景物略：祠後有物，白氣竟丈，夜游水面，人或見之，則倒入水，作鼓槳聲，或曰水掛也。藤陰雜記：吕仙祠祈夢頗靈，姜西溟宸英鄉、會試寓祠，及第後有詩。吕公堂上坡，有慈雲寺，俗稱十方院，詳寺觀。蘇州衚衕，巷東口曰八寶樓。飯瓶衚衕，梯子衚衕，麻線衚衕，井一。明郎瑛七修類稿：蘇州衚衕有苦井，宏治間，正月朔日晨，有術士汲其水，往甜井中易水而來，向井呪咀而下之，遂變爲甜水。舊聞考：井在蘇州衚衕内，麻線衚衕三元菴前，居民至今資以汲飲。查浦詩鈔雜詠詩：枘鑿流傳事不侔，誰分涇渭定千秋。移將苦水成甜水，喚作蘇州是薊州。延壽菴，猴兒衚衕，土地廟下坡，火神廟下坡，芝麻衚衕，八寶衚衕，喜鵲衚衕，嘯亭續録：公宏曣宅在喜鵲衚衕。褋背衚衕，井一。總督倉場署在北，詳衙署。春明夢餘録：于少保祠額曰忠節，在崇文門内東褋褙巷，公故賜宅也。祠三楹，中塑公像，歲春、秋遣太常寺官致祭。人海記：崇文門内舊有于忠肅祠，萬曆乙未二月己未勅建。順治中，公像被毀，吾邑人談孺木作弔于太傅祠文以憫之。今相傳爲京師城隍神。舊聞考：謙本傳載，謙自奉儉約，所居僅蔽風雨，帝賜第西華門，固辭。夢餘録言祠在崇文門内，其非西華賜第可知。今祠亦廢。褋背衚衕内有福德祠，地甚狹，相傳即其舊址。按：祠今重修，旁爲杭郡試館。南銀盌衚衕，羊肉衚衕，彌勒菴井一。官帽衚衕，井一。觀音寺衚衕，井一。靈藏觀音寺，詳寺觀。有廬州試館。甲申傳信録：毛百户，遺其名，住觀音寺衚衕，三月十九日賊入，舉家三十餘口悉入井死。扁擔衚衕，象鼻子坑，井一。鑲白旗官學在焉。衣包衚衕，北銀盌衚衕，棲鳳樓，棲或作騎。小頭條、二條、三條衚衕，舊名十八半截，頭條、三條衚衕，井各一。娘娘廟，大、小土地廟，小土地廟井一。北極閣，黄壽醫衚衕，火神廟，新開路，井一。正藍旗官學在北。嘯亭續録：甯郡王府在新開路。謹按：王諱宏晈，謚曰良。總鋪衚衕。鋪俗訛捕，或訛布。井二，有元貞觀。燕都遊覽志：東院在總鋪衚衕東城畔，昔時歌舞地，今寥寥數家如郵舍，兼之人掘土爲坯，滿目坑塹，從寒煙衰草中，想走馬章臺之盛，邈不可復尋，猶記舊遊有陳家園、郝家亭子，樹石楚楚，並無存矣。

南鬧市口，宸垣識略：一等順義侯第在南鬧市口。按：順治時田雄以明福王降，封順義侯，今侯錫光，官散秩大臣。方巾巷，井一。蘇州衚衕下坡，牛角灣，箭杆衚衕，寬街，豆腐巷，雙栅欄，鐵匠營，八根旗杆，井一。東裱背衚衕，井一。水磨衚衕，采訪册：意公第在舉場西水磨衚衕。謹按：公爲太祖七子饒餘敏郡王諱阿巴泰之後。嵩柱衚衕，舉場南夾道，觀象臺，觀象臺隸欽天監，詳衙署。地以臺名。明一統志：欽天監設司天臺於朝陽門城上。藤陰雜記：觀象臺在城東南隅，登高俯視，通州城市可接之眉睫間。日下舊聞：元都城在東北，白馬廟、柴市、瓊華島皆在南城，今之觀象臺則在南城外。讀吴師道城外紀遊作，可信已。析津志：明時坊在太史院東。坊巷衚衕集：明時坊西四牌十六鋪，東四牌二十六鋪，有羽林右衛、武功左衛、右衛中衛。按：坊沿元舊稱，蓋取治曆明時之義。今之觀象臺，元之司天臺也。太史院當與相近。明諸衛久廢。羽林右衛又見保大坊，當是後來移置。明史外戚傳：與鞏永固射賊楊光陛者，駙馬都尉子也，被甲馳突，左右射，與永固相失，矢盡，投觀象臺下井中死。鯉魚衚衕，有山東試館。筆管衚衕，驢蹏衚衕，大牌坊衚衕，井一。舉場東西甎門外，春明夢餘録：貢院在城東隅，元禮部舊基也。永樂乙未，改爲貢院，制甚偪隘。嘉靖中，議改刱西北隙地，卒未果。至萬曆二年，因故址拓旁近地益之。按：今貢院仍明舊址，明改元禮部爲貢院。據湧幢小品，乃正統間事，與夢餘録異。明武宗實録：正德六年四月改建工部文思院於東城明時坊，以舊置地卑沮洳，不便改作故也。長安客話：文思院在舉場衚衕，屬工部屯田司，官有大使、副使。頂銀衚衕，小衚衕内井一。錦衣營，福建司營，井一。牛角灣，草廠衚衕，前、中、後椅子衚衕，井一。乾石橋，東總鋪衚衕。

石大人衚衕，井三。東北第一小衚衕曰大衚衕，井一。曰問源井。工部寶源局在北，詳衙署。雙忠祠亦在北，祀傅清、拉布敦，詳祠祀。春明夢餘録：寶源局在石大人衚衕石亨舊宅。亨誅，宅没入官，嘉靖中，以賜仇鸞，鸞敗，復没入官，因改爲鼓鑄公署。嘯亭續録：睿親王新府在石大人衚衕。宸垣識略：有饒餘親王府。謹按：睿邸舊在皇城内，王得罪後，嗣子多爾博歸本宗，府久廢。乾隆四十三年，以多爾博六世孫淳穎嗣世襲，即今府也。舊爲饒餘親王府。帝京景物略：冉駙馬宜園在石大人衚衕，堂三楹，階墀朗朗，老樹森立，堂後有臺，臺前有池，山前有石，數百萬碎石結成也。園創自正德中咸甯侯仇鸞，後歸成國公朱庚，今歸冉。石有名曰萬年聚。燕都遊覽志：園亭之在東城者曰梁氏園、曰楊舍人泌園、曰張氏陸舟、曰恭順侯吴國華園、曰英國公張園、成國公適景園，後歸武清侯李，曰萬駙馬曲水園、曰冉駙馬宜園。按：泌園見泡子河，適景園見後，餘無考。蝎虎衚衕，堂子衚衕，總理通商事務衙門在北，舊爲鐵錢局，同文館附焉，詳衙署。宸垣識略：一等超武公第在東堂子衚衕。無量大衚衕，井二。元危素説學集：京師寅賓里，有無量壽菴者，居士屠君所建也。君名文正，山陽人，事親至孝。至元元年，大兵驅至開平，日夕思念其母，南望悲泣，因禮佛，絶葷酒十有一年，還至大都，師事華滿禪師於慶壽寺，滿號之曰居士。時宋已內附，疆宇混一，私喜可見其母，亟馳書候之。母已歿，居士躃踊號慟，若不欲生。二十一年，出己資七百貫，買地十畝於太廟之西，作無量壽菴。皇慶二年遇災，菴燬。子覺興裒金於好施者，復謀營建。舊聞考：今無量大衚衕相傳卽無量菴故址，而地界不合，以坊巷衚衕集考之，蓋名吳良大人衚衕，而後人附會之耳。按：元太廟在齊化門北，詳後。井兒衚衕，井一。遂安伯衚衕，或作歲柏衚衕。明史功臣世表：遂安伯陳志，永樂元年五月丁亥封，世襲，國亡迺絶，此或其故居也。宸垣識略：一等延恩侯第在歲柏衚衕。按：雍正二年，以明太祖十三子代簡王之裔、正定府知府朱之棟爲延恩侯，今侯誠端，官散秩大臣。東、西石槽衚衕，崇甯菴井一。東石槽小衚衕井一。乾麪衚衕，井一。小衚衕井一。正藍旗護軍統領署在北，詳衙署。嘯亭續録：貝子吳達海宅在乾麪衚衕。謹按：吳達海或作務大海，顯祖孫誠毅貝勒穆爾哈齊四子，以功封，追謚襄敏。采訪册：喀拉沁王府在乾麪衚衕，非賜第也，不常居。蕺園雜記：天順間，太監曹吉祥、忠國公石亨用事，勢焰炙手可熱。乾麪衚衕一賣餅小家女，美而艶。都督石彪欲娶爲妾，父母樂從之，女獨不肯，乃已。未幾石氏敗，彪棄市。東、西羅圈衚衕，井一。史家衚衕，東、西大院井各一。迤東焦家大院井一。左翼宗學在北，詳學校。藤陰雜記：德定圃第在史家衚衕。公自東粵還京，歲集諸門生宴集樂賢堂內。勾闌衚衕，宸垣識略：一等誠嘉毅勇公第在勾闌衚衕。按：乾隆時，定邊右副將軍明瑞，封誠嘉毅勇公，今公景壽，尚宣宗六女壽恩公主。析津日記：京師黃華坊有東院，有本司衚衕，本司者，教坊司也。又有勾闌衚衕，演樂衚衕，相近復有馬姑娘衚衕、宋姑娘衚衕、粉子衚衕，出城則有南院，皆舊日之北里也。按：馬姑娘衚衕，舊聞考云有之，今無是名。野獲編：穆宗仁儉性成，嘗思食果餅，詢之近侍，俄頃尚膳監及甜食房各開買辦松、榛、粻餭等物，值數十金以進。上笑曰：此餅只需銀五錢，便於東長安大街勾闌衚衕買一大盒矣，何用多金？內臣俱縮頸退，蓋上在潛邸久，稔知其價也。八寶衚衕，本司衚衕，井三。正藍旗滿洲、蒙古、漢軍都統署，左翼前鋒統領衙門，俱在北，詳衙署。穀城山房筆麈：正德中，樂長臧賢甚，被寵遇，曾給一品服色。相傳教坊司門，曾改方向，形家見之，曰：此當出玉帶數條。聞者笑之。未幾，上有所幸伶兒入內不便，詔盡宮之，使入爲鐘鼓司官，後皆賜玉。西花園，演樂衚衕，俗訛眼藥，井一。下窪子，燈草衚衕，鑲白旗漢軍都統署在北，詳衙署。宸垣識略：一等誠謀英勇公第在燈草衚衕。按：乾隆時大學士定西將軍阿桂封誠謀英勇公，謚文成。今公繼勳，官散秩大臣。驢市衚衕，亦稱騾市，井一。鑲白旗護軍統領署在南，詳衙署。報恩寺舊爲昭甯寺，詳寺觀。今白華堂詩録詠懷：海岱瞻門高，風塵苦身賤。飄蓬欣有託，恍如竹林院。自注：海岱高門第，御賜劉文正句也，時寓驢市衚衕劉氏之北宅。前、後拐棒衚衕，後衚衕井一。花廳衚衕，井二。萬曆橋，煙筒衚衕，石碑衚衕，前、後炒麪衚衕，康熙橋。

朝陽門南小街。井一。大、小羊儀賓衚衕，大衚衕井一。宏道寺，趙家樓，羊尾衚衕，井一。趙堂子衚衕，扁擔衚衕，黄寶蓋，城隍廟衚衕，井一。牛角灣，有宜荆試館。小城隍廟，板橋，小椿樹衚衕，羊圈衚衕，東、西龍鳳口，十方院，大院井一，小衚衕井一。小牌坊衚衕，大、小雅寶衚衕，雅寶本作啞巴，大衚衕井一。有清泰寺。萬曆沈志：靖恭寺、維摩菴，俱在黄華坊，有勑建碑。按：寺久廢，維摩菴在小雅寶衚衕，地以菴名。高井，井一。禄米倉，詳倉庫，井一。有智化寺，明璫王振建。英宗復辟，爲振建祠於寺北，曰旌忠。乾隆八年，御史沈廷芳奏毀，詳寺觀。坊巷衚衕集：黄華坊四牌二十一鋪，有武學、王府倉、禄米倉、武德衛、興武衛、豹韜衛、神策衛、龍虎衛、智化寺、二郎廟。按：諸衛久廢，武學、二郎廟見後。徐懋賢忠貞軼紀：甲申三月十九日城陷，布衣楊國震，聚妻子，積薪舉火，鄰人救止。震遂移居黄華坊，與妻鄭氏、子德申自焚。其同居田氏三女一男，亦同投火死。東、西倉夾道，武學衚衕，井一。匏翁家藏集：京師有武學，所以教諸衛武臣之子孫將世其官者，始建于正統癸亥，制尚弗稱，後朝廷以城東舊第賜故太平侯張公，辭焉，有詔改爲學。宛平王志：京衛武學，明時屬兵部考試。康熙三年四月，改屬順天府，其殿廡衙舍，鼎革後圮壞不堪，惟存基址。按：智化寺西，民居存石獅二，云即明武學遺址。舊聞考言，雍正十年改爲順天府武學，與宛平志異。餘詳學校。大、小方家衚衕，大衚衕井二，小衚衕井一，東方家園井一。有火神廟。析津日記：東院之東，舊有方家園，園廢，建淨業菴於其址，殿左廡有鎮陽林潮書許魯齋先生演千字文字，以萬曆十一年八月刻石，刊於壁。按：菴今廢，林書亦無考。新鮮衚衕，井一。正白旗官學在北，又有正白旗覺羅學。俱詳學校。苦水井，井一。有官房大院。二神廟，土地廟，林駙馬衚衕，井一。八大人衚衕，井一。竹竿巷，井二，橋一。火器營衙門在焉，有證因寺。扁擔衚衕，老君堂，井一，橋一。正白旗滿洲都統署在南，詳衙署。神機營所屬左翼漢軍排鎗隊、礮隊均置廠於此，詳兵制。坊巷衚衕集：思城坊五牌二十一鋪，有忠義前衛蕃牧所、東城兵馬司、百萬倉、老君堂、延福宮、水月寺。明一統志：有燕山右衛。萬曆沈志：有延祐觀。按：百萬倉、水月寺見後，餘無考。南水關，朝陽門内南城根，井一。右在就日坊街東，朝陽門街南，其西南與南城界。

就日坊北大街，俗稱東單牌樓大街，井二。南接崇文門街，迤北有米市，東小衚衕曰七間樓，井一。采訪册：怡親王府在東單牌樓大街東。謹按：怡邸捨爲賢良寺，後移朝陽門内北小街。咸豐十一年，嗣怡王載垣獲罪，以甯王裔孫鎮國公某襲，故甯府今爲怡府。甯良郡王宏晈，怡賢親王次子也。頭條衚衕，二條衚衕，井一。三條衚衕，采訪册：豫親王府在東單牌樓三條衚衕。謹按：王諱多鐸，太祖十五子，順治時稱輔政叔德豫親王，謚曰通。世襲。大、小灌腸衚衕，帥府衚衕，新開路，煤渣衚衕，渣亦作炸。神機營衙門在焉，詳兵制。嘯亭續録：怡親王舊府在煤炸衚衕，今爲賢良寺。謹按：王諱允祥，聖祖十三子，雍正時任議政，謚曰賢，世襲。賢良寺詳寺觀。校尉營，帥府園，神機營所屬威遠營捷字步隊，置廠於此，詳兵制。禮敬衚衕，氷盞衚衕，一統志：賢良寺在帥府衚衕，本怡賢親王故邸，後移氷盞衚衕。金魚衚衕，魚或作銀。神機營所屬震字馬隊，置廠於此，又有軍器庫，詳兵制。嘯亭雜録云：左翼宗學今在史家衚衕。宸垣識略：一等褒績公第在金銀衚衕。按：康熙時，都統平南大將軍賚塔封褒績公，謚襄毅。賚一作賴。西堂子衚衕，乾魚衚衕，亦作甘雨。鑲白旗蒙古都統署在焉，詳衙署。北有天主堂。坊巷衚衕集：澄清坊九鋪，有成壽寺、元極觀。按：觀今在乾魚衚衕。椿樹衚衕，有成壽寺，詳寺觀。萬曆沈志：寺在澄清坊，有勅建碑。燈市口大街，井三。關帝廟前井一。鑲白旗滿洲都統署在北，詳衙署。北小衚衕曰一間樓。宸垣識略：張貝子府在燈市東。采訪册：熙貝勒府在燈市口，傳爲明相嚴嵩故宅。燕都遊覽志：燈市在東華門王府街東，崇文街西，亘二里許，南北兩廛，凡珠玉寶器，以逮日用微物，無不悉具。衢中列市，棊置數行相望，俱高樓，樓設氍毹簾幕，爲宴飲地，一樓日賃直有至數百緡者。夜則然燈於上，望如星衢。市自正月初八日起，至十八日始罷。鬻燈在市西南，有冰燈，細翦百綵，澆水成之。帝京景物略：永樂七年，令元宵節賜百官假十日，今市十日，賜百官假五日，内臣自秉筆篆近侍，朝臣自閣部正，外臣自計吏，不得過市，猶存古罰絺幕蓋帷意，其他例得與吏士軍民等過市。又内市者，東華門内，月三日市，今移燈市張矣，猶稱内市也。按：明燈市最繁盛，范景文詩所謂文貝珊瑚看不盡，東華門外市三條也。今燈市、内市俱廢，其地猶存燈市口之名。互詳風俗。春明夢餘録：燈市大街，嘉靖二十九年立戎政府，統以勳臣一員，曰總督京營戎政，佐以文臣一員，曰協理京營戎政。營制有三：中曰五軍，東曰神樞，西曰神機。五軍營析爲營十六，神樞營析爲營十，神機營析爲營九。崇禎十六年八月，以襄城伯李國楨總督京營戎政，請上御書營額，上爲親書共武堂賜之。佟府夾道，順治時孝康章皇后之弟安北將軍佟國綱，康熙時孝懿仁皇后之父内大臣佟國維，皆封一等承恩公，後并襲，其賜第在此，故名。傳云：前明嚴世蕃故宅也。藤陰雜記：介少宗伯福第，在燈市口，有野園，汪文端由敦題野園詩：數竿修竹静生香，猶記開軒六月涼。多少樓臺圖畫裏，吟情不較野園長。按：介爲佟氏後人，野園今尚存。蕪史：寶和等店，管商販雜貨，歲徵銀數萬兩，除正項進御外，餘皆提督内臣公用。店有六，曰寶和、和遠、順甯、福德、福吉、寶延，俱在戎府街。傳云：起自嘉靖年間，裕邸差官徵神廟時，屬慈甯宮李太后徵用。按：今佟府夾道有明碑一，列大璫劉瑾名，結銜稱欽差提督寶和店，則非始自嘉靖也。其地明稱戎府街，今鮮能舉其名矣。大、小鵓鴿市，大鵓鴿市井一。按：元時鵓鴿市在喜雲樓下，樓今無考，或當在此。油坊衚衕，箭廠衚衕，弓箭大院，亦稱帽行大院，井一。西有福家大院。大、小報房衚衕，報或作豹，井一。北大院井一。正白旗蒙古、漢軍都統署俱在大報房衚衕，詳衙署。坊巷衚衕集：明照坊六鋪。萬曆沈志：法華寺在明照坊，有敕建碑。按：寺在大報房衚衕，明景泰中，太監劉通捨宅爲寺，詳寺觀。元宋褧燕石集，有明照坊對雨詩。油勺衚衕，五石井衚衕，無量菴，大、小豆腐巷，小巷井一。小衚衕曰鬼門關。狗尾衚衕，井一。東馬市街，亦稱西大街，見舊聞考，井三。有馬市、豬市、羊市、百鳥市、左翼税署、火器營。迤北長和大院，井一。鹽店大院，井一。衙門俱在北，詳衙署。右在王府街東，馬市街南，就日坊大街西，長安街北，與中城南城界。

神路街，路或作道。隆福寺街，隆福寺互詳寺觀，井二，寺後井一。坊巷衚衕集：仁壽坊八鋪。有府軍後衛、隆福寺、仰山寺。明一統志：中城兵馬司在仁壽坊，又有金吾右衛。萬曆沈志：有境靈寺。按：今皆廢。惟隆福寺存。衚衕集云，仰山寺有前後街，今亦無考。野獲編：大隆福寺爲景帝所建，至撤英宗南内木石助之，未幾，又從山西巡撫都御史朱鑑言，謂風水當有所避忌，乃命閉正門不開，禁鐘鼓聲，又拆寺門牌坊，所謂第一叢林者，而無救於禍難。菽園雜記：京師巨刹大興隆、大隆福二寺，爲朝廷香火院，餘皆中官所建。藤陰雜記：廟市惟東城隆福、西城護國二寺，百貨具陳，目迷五色，王公亦復步行評玩。鮑西岡鉁有句云：三市金銀氣，五侯車馬塵。足括廟市之勝。按：市期在月之九、十日。崔府夾道，烏鎗衚衕，東廊下，井一。西廊下，井一。大溝巷，銅鐘衚衕，轎子衚衕，孫家頭，井一。筆管衚衕，箭杆衚衕，錢糧衚衕，寶泉局南作廠在北，俗稱錢糧局。采訪册：帛公第在錢糧衚衕。按：帛公爲怡賢親王次子甯良郡王諱宏晈之後。南兵馬司衚衕，鋼叉衚衕，小紅廟，羊尾衚衕，喇叭營，井二。山老兒衚衕，大佛寺後，井一。寺前迤南爲王府街，迤西轉北爲安定門街。嘯亭續録：誠親王府在大佛寺。采訪册：芸公第在大佛寺北。按：王諱允祕，聖祖二十四子，謚曰恪。芸公爲高宗五子榮純親王諱永琪之後。析津日記：普德寺俗呼大佛寺，建置歲月無碑記可考。牆兒衚衕，十景花園，帝京景物略：成國公園有三堂，皆蔭高柳老榆。左堂盤松數十株，右堂池三四畝，堂後一槐，四五百歲矣，樹旁有臺，臺東有閣，榆柳夾而營之，中可以射，園曰適景，都人呼十景園。又英國公張□賜第之堂，曲折東入一高樓，南臨街，北臨深樹，有亭立雜樹中，海棠族而居，二石奇質，元内府國鎮也，上刻元年月，下刻元璽。臺之望，古柴市也。按：十景園久廢，其地猶沿舊稱，張園今無考，以地近柴市，故附此。八條灣，牛角衚衕，戲館衚衕，黄土坑，馬大人衚衚衕，井一，迤北善家大院井一。扁擔衚衕，順天學政衙門在東。剪子巷，井一。魏家衚衕，汪芝麻衚衕，嘎嘎衚衕，八旗通志作賈家衚衕。宸垣識略：一等襄勇伯第在嘎嘎衚衕。按：嘉慶時，大學士明亮，封襄勇伯，後贈三等侯。中剪子巷，井一。采訪册：棍公第在中剪子巷。鐵獅子衚衕，井一。嘯亭續録：恭親王府、貝子允禔宅，俱在鐵獅子衚衕。貝子宅今爲和親王府。謹按：恭王諱常穎，世祖五子，今爲承公第。貝子允禔，聖祖九子，雍正四年黜屬籍。乾隆四十三年，詔復之。和王諱宏晝，世宗五子，謚曰恭，今爲廉公第。采訪册：那公第在鐵獅子衚衕。按：科爾沁親王色布騰巴爾珠爾，尚高宗三女和敬公主，賜第在此。那公其後人也。府學衚衕，井一。有坊曰育賢。順天府學在焉，互詳學校。萬曆沈志：洪武初，以元太和觀地爲大興縣學，國子監爲府學。永樂中，以府學爲國子監，因以大興學爲府學。春明夢餘録：順天府學，故報恩寺也。元末有僧遊湘潭，募造報恩寺，尚未安像，明師下燕，戒士卒毋得入孔聖廟，僧倉皇借宣聖木主置殿中，後不敢去，遂以爲學。其地元之柴市也。明一統志：北城兵馬司，在教忠坊。坊巷衚衕集：教忠坊十鋪，元殺宋文丞相於此，故名。元王惲中堂事紀：至元十六年，帥臣張宏範執文天祥至大都，因之，上屢欲赦出相之，不從。十九年十二月初九，見戮於燕南城柴市。帝京景物略：江南十義士，舁公藁葬都城小南門外五里道傍。大德二年，繼子陞至都順承門內，見石橋織綾人婦，公舊婢緑荷也，爲陞語，劉牢子乃歸葬廬陵。按：府學旁有文丞相祠，明洪武九年按察司副使劉崧建。其西爲江右懷忠會館，見春明夢餘録。今館廢，祠存，互詳祠祀。許重熙甲乙彙略：明崇禎十七年三月戊申，左都御史李邦華縊於文丞相祠。邵長蘅青門旅稿李邦華傳：十八日，賊破外城，公移宿吉安館文信公祠下，烹賜家，祀信公，徧餉所知。詰朝，內城陷，公亟奔大內，闕門閉，不得入。歸館沐浴，整衣冠拜信公曰：邦華鄉邦後學，當死國難，請從先生於九原。取白縑書贊曰：堂堂丈夫，聖賢爲徒。忠孝大節，誓死靡渝。臨危授命，庶無愧吾。君恩莫報，鑒此癡愚。縑尾書人生自古誰無死，留取丹心照汗青句。持采帛繫文信公坐楣，投繯而絕。明胡侍真珠船：無錫茹文中，居京師之高坡衚衕，百有十歲。英皇復辟之年，召見便殿，予冠服帶履，宴順天府。又命公卿造其居賀之。按：今府學衚衕有地名高坡，疑胡氏所稱高坡衚衕也。巴兒衚衕，細鑵衚衕，北剪子巷，錢局坑，白米倉，井一。桃條衚衕，梯子衚衕，井一。寶泉局衚衕，户部置局於此，東臨大街，有坊曰寶泉局，其後爲濟陽倉，詳衙署、倉庫。水獺衚衕，井一。馬將軍衚衕，大興縣署衚衕，井一。有坊曰大興縣，詳治所。北小衚衕曰臊韃子衚衕。明曹學佺名勝志：大興縣治在北城教忠坊。帝京景物略：駙馬萬公曲水家園，新寧伯之故園也，燕不饒水與竹，而園饒之。畿輔唐志：曲水園在大興縣東，明駙馬萬煒建，園中有松化石。按：園今無考。花枝衚衕，北小衚衕曰花梗衚衕。香兒衚衕，鑲黄旗覺羅學在北，詳學校。宸垣識略：一等續順公第，在香兒衚衕。按：國初沈志祥封續順公。扁擔衚衕，土兒衚衕。

東大市街。有坊四：東曰履仁，西曰行義，南北曰大市街，俗稱東四牌樓大街，南接就日坊大街，迤北午達東直門者曰十字街，元舊稱也，見析津志。井五。北有估衣市，井一。迤南小衚衕，井一。西小衚衕曰老虎洞，井一。左翼宗學舊在街東，後移史家衚衕，詳學校。東有二郎廟，西有回人清真寺。嘯亭續録：劉文正統勳賜第東四牌樓。明兵例：北會同館在澄清坊大街東，正統六年建，宏治五年改作，凡屋三百七十六間。按：館久廢。析津志：雜貨市在十市口，北有柴草市。此地若集市，近年俱於此街西爲貿易所。紀昀灤陽續録：燈市口二郎神廟，其廟面西，而曉日初出輒有金光射室中，似返照，或曰是廟基址與中和殿東西相值，殿上火珠映日，回光耳。

右在安定門街東，北新橋街南，大市街西，馬市街北，與中城北城界。

朝陽門大街，朝陽門俗沿元稱曰齊化門，井三，橋二。大慈延福宮在北，俗稱三官廟，詳寺觀。南小衚衕，井一。析津志：車市在齊化門。按：市今尚存。元一統志：太廟在齊化門北。元祭祀志：門外馳道抵齊化門之通衢。日下舊聞：無量菴在太廟西，昔之寅賓里，當在今之思城坊也。按：無量菴見前。元田忠良傳：少府爲諸王昌通建宅於太廟南，忠良往仆其柱，少府奏之。帝問，忠良對曰：太廟前豈諸王建宅所耶？帝曰：卿言是也。元文宗紀：天曆元年九月，帝出齊化門。又列傳：明兵入京師，大將召丁好禮，不肯行，舁至齊化門，抗詞不屈而死。天問閣集：王氏，市人吴信妻，信世居齊化門東偏，貨繒物，張市。崇禎甲申，賊至，縛信拷掠，王自經。賊釋信救之活。迫污之，王氏切齒賊舌，舌斷，賊昏亂刺，王裂腹死。羣賊至，賊狂叫噴血，問之，指顧不能言，羣賊以爲信家有祟也，棄去。信以是活，家且全焉。萬曆沈志：大慈延福宮、延壽觀，俱在思城坊，有勑建碑。按：觀今無考。元耶律楚材湛然居士集：遼重熙、清甯間，築義井精舍於開陽門之郭，傍有古井，清涼滑甘，因以名焉。金天德二年，展築京城，仍開陽之名爲其里。大定中，僧善祖營寺，朝廷嘉之，賜額大覺。舊聞考：寺久廢。據析津志：義井一，在思城坊洞陽觀前，今大覺寺既廢，義井亦不能確指其處矣。頭條衚衕，井一。驢蹏衚衕，井一。二條衚衕，宸垣識略：協辦大學士吏部尚書一等嘉勇公第在二條衚衕。按：乾隆時福康安封嘉勇公，後晉忠鋭嘉勇貝子，贈郡王，謚文襄。三條衚衕，四條衚衕，井一。寶泉局東作廠在焉，詳衙署。石槽衚衕，東廠衚衕，水車衚衕，班大人衚衕，宸垣識略：一等誠勇公第在六條衚衕。按：乾隆間，定北將軍班第，封誠勇公，居此，故名。五條衚衕，井一。采訪冊：麟公第在五條衚衕。按：公爲饒餘敏親王次子温良貝子博和託之後。舊聞考：五條衚衕有水月寺，舊碑剥落，惟篆額水月菴三字可辨。胳膊肘衚衕，流水溝，鐵匠營，牛圈，月牙衚衕，後泥窪，半道衚衕，六條衚衕，井一。有日本國使館。采訪冊：元公第在六條衚衕。謹按：公爲聖祖三子誠隱郡王諱允祉之後。宸垣識略：襲三等信勇公第在六條衚衕。按：雍正時，振武將軍靖邊大將軍傅爾丹，襲信勇公，其曾祖直義公費英東封爵也。今公定昌，官散秩大臣。王姑園衚衕，亦作皇姑院，井一，橋一。舊聞考：聖姑寺見坊巷衚衕集。今北小街有衚衕，名王姑園，或即其地歟？八寶衚衕，板橋，娘娘廟，七條衚衕，井二。采訪册：燦公第在七條衚衕。謹按：公爲聖祖十五子愉恪郡王諱允禑之後。宸垣識略：一等超勇公第在七條衚衕。按：乾隆時，領侍衛內大臣海蘭察，封超勇公，謚武壯。八條衚衕，井四。有承恩寺、正覺寺，俱詳寺觀。舊志：承恩寺有勅建碑。九條衚衕，井。按：王彥泓疑雨集：有蕭疏客從纔三騎，曲折衚衕到九條之句。蓋明時北里也。采訪册：諆貝子府在九條衚衕。按：貝子以惠端親王支子推封。宸垣識略：襲一等昭信伯第在九條衚衕。按：乾隆時，大學士李侍堯襲昭信伯，其祖李永芳封爵也。十條衚衕，井二。正白旗覺羅學在南，詳官學。護軍統領署，詳衙署。舊有五嶽菴，明宣德元年建。內供玉續五嶽真形圖，故名。鈔手衚衕，十一條、十二條衚衕，新寺衚衕，井一。舊志：觀音寺在南居賢坊。按：今名廣慈，詳寺觀。老君堂，坊巷衚衕集：南居賢坊有老君堂，云即洞陽觀舊址也，元時觀前有義井，見上。門樓衚衕，慧照寺衚衕，井一。萬曆沈志：慧照寺有勅建碑。按：寺碑言成化間僧庭佑得永甯伯譚氏故宅，闢爲焚修之所。椿樹衚衕，汪家衚衕，藤陰雜記：汪文端由敦第在東城十三條衚衕，今名汪家，有黼黻宣勤、六典持衡賜額。五顯廟，雙栅欄，新太倉衚衕，羅刹坑，八寶坑，井一。褡連坑，大廟衚衕，關帝廟俗稱大廟。大廟後，井一。九條灣，小衚衕曰西廠門，曰四眼井。駱駝衚衕，井一。船板衚衕，井一。小局衚衕，井一。財神廟，石雀衚衕，井一。南釣魚臺，瓦叉衚衕。叉俗作岔。有福安寺，詳寺觀。萬曆沈志：寺有勅建碑。

右在大市街東，東直門街南，北小街西，其北與北城界。

朝陽門北小街。井二。舊有雲南會館，今廢。嘯亭續録：怡親王新府在朝陽門內北小街。采訪册：澍貝勒府在北小街。謹按：怡府今廢。貝勒爲宣宗孫孚敬郡王諱奕譓之子，舊爲誠貝勒允祁府。

東直門南小街。南接朝陽門北小街。

東、西燒酒衚衕，井各一。有永豐禪林，舊名永豐觀，詳寺觀。宸垣識略：恆親王府在燒酒衚衕。嘯亭續録：貝勒宏昌宅、公賴布宅，俱在燒酒衚衕。采訪册：惇親王府在燒酒衚衕。謹案：恆王諱允祺，聖祖五子，謚曰溫。宏昌，聖祖孫怡賢親王之子，乾隆間封貝勒，後以罪黜，復封。惇王諱綿愷，仁宗三子，謚曰恪，無嗣。宣宗以五子繼之。坊巷衚衕集：南居賢坊六牌三十六鋪，有海運倉、永豐觀、洞陽觀、正覺寺、福安寺、聖姑寺、慧照寺。官房大院，雞爪衚衕，弓匠營，小衚衕井一。北釣魚臺，北水關，花園衚衕，井一。空府大院，新開路，箭道，南、北豆芽菜衚衕，小衚衕曰豆瓣衚衕，曰豆嘴衚衕，曰豆身衚衕。舊太倉街，南新倉、舊太倉、富新倉、興平倉在北，俱詳倉庫。富新、興平兩倉井各一。南新倉井二。宸垣識略：多羅恭勤貝勒府在北小街舊太倉南。謹按：貝勒諱允祜，聖祖二十二子，恭勤其謚也。今府移取燈衚衕。倉東門，小衚衕井一。倉北夾道，王駙馬衚衕，八旗通志作王家衚衕。小衚衕井一。蔣家衚衕，嘯亭續録：公宏曉宅在蔣家衚衕。北弓匠營，何家口，東、西宋姑娘衚衕，宋或訛送。西衚衕北大院井二。龍泉菴，井一。扇子市，口袋衚衕，褲子衚衕，堂子衚衕，南、北倉夾道，海運倉、北新倉在焉。詳倉庫。明英宗實録：正統十年五月，以在京居賢、崇教二坊草場，築倉收糧。南水關。右在小街東，東直門街南，朝陽門街北，其北與北城界。

内城西城城册：内城地址，隸西城者，西、北俱至城根，南至報子街，與南城界，東至大市街，迤北至護國寺街，與中城界，又東至德勝門街，與北城界。

瞻雲坊北大街。俗稱西單牌樓大街，井二。南接宣武門街，互詳南城。迤北乾石橋井一，缸瓦市井一。舊有右翼宗學，後移絨綫衚衕，詳學校。顯應觀，詳寺觀。嘯亭續録：巽親王府在缸瓦市，今爲定親王府。公屯齊宅，在乾石橋。謹按：禮烈親王七子滿達海襲封後，順治八年改號巽，謚曰簡。十六年，以罪追削。定王諱永璜，高宗長子，乾隆十五年追封，謚曰安。屯齊，顯祖曾孫貝勒圖倫次子，順治六年以功封貝勒，後削，十二年復封鎮國公。

舊刑部街，井二，橋一。明英宗實録：正統七年十一月，建刑部、都察院、大理寺於宣武門街西。彭惠安集：國初，比部之制分爲十二。雲南隸陝西部，永樂間，安南内屬，置交趾司，析雲南、四川之交爲貴州，置貴州司。方定都之初，庶務草創，率皆權寓莅事，今城隍廟西惜薪司，俗呼舊刑部是也。陸啟浤客燕雜記：嘉靖間，李攀龍、王世貞、徐中行輩，俱官西曹，相聚論詩，建白雲樓於四川司中，榜諸君詩，李詩警句云：諸山城上出，落日署中寒。時人目刑部爲外翰林。明王同軌耳談：刑部福建司，軒曰甘露，貴溪江以潮爲郎時，甘露降於軒柏，作記刻碑。按：三法司署，國朝移建西長安門外，詳衙署。白雲樓、甘露軒久廢。明一統志謂刑部街在貫城坊，考明代坊名無貫城，貫疑金之訛也。白廟衚衕，胡家灣，磨盤大院，京畿道衚衕，明置京畿道御史署於此，今署廢，而猶仍其名。井二。大院井一。有禮部會同館，舊爲步軍統領衙門，乾隆間改設，詳衙署。萬曆沈志：京畿察院在三法司門北。前、後京畿道夾道，上坡，下坡，下岡，橋一。溝頭，橋一。溝沿見後。大、小沙鍋琉璃衚衕，大衖衕官房前井一，巷口橋一。大口袋衚衕，井一，橋一。安元衚衕，北鬧市口，井一。迤東有太平橋，迤北爲錦什坊街，見後。磨豆腐坊，小口袋衚衕，高井衚衕，井一。變驢衚衕，上岡，井一，橋一。揅經室集：蝶夢園記：辛未、壬申間，余在京師，賃屋於西城阜成門內之上岡，有通溝自北而南，至岡折而東，岡臨溝上，門多古槐，屋後小園，不足十畝，而亭館花木之盛，爲城中佳境矣。松、柏、桑、榆、槐、柳、棠、梨、桃、杏、棗、奈、丁香、荼䕷、藤蘿之屬，交柯接蔭，玲峯石井，嵚奇其間，有一軒、一亭、一臺，花晨月夕，不知門外有緇塵也。堆子衚衕，臊達子營，小衚衕井一。菜幫衚衕，捨飯寺衚衕。巷內外井各一。捨飯寺今稱法光寺，互詳寺觀。坊巷衚衕集：捨飯蠟燭寺，日給貧人粟米，病者有醫，死者有棺。按：明制於蠟燭、幡竿二寺捨飯，幡竿寺在雙碾衚衕，詳中城。又天順元年五月，令順天府於大、宛二縣各設養濟院一所，事見實録，今無考。榛子所，榛或作釘。皮庫衚衕，庫或作褲，神機營所屬威遠營勝字步隊置廠於此，詳兵制。大木廠，廠俗訛倉。八旗通志作打磨廠。有真武廟。宛平王志：有石佛寺。嘯亭續録：鄭親王府在西城大木廠。謹按：王諱濟爾哈朗，顯祖孫莊親王舒爾哈齊六子，順治間，與睿王同輔政，稱信義輔政叔王，授定遠大將軍，追謚獻，世襲。一龍坑，王府東，西夾道，口袋衚衕，西南有螞蜂橋，俗稱馬糞橋。牛圈，高井，井一。鬼門關，豬尾大坑，花園宮，井一。梯子衚衕，劈柴衚衕，井三，橋一。坊巷衚衕集：咸宜坊二牌十鋪，有大、小石佛寺、能仁寺、通妙宅顯靈宮。按：石佛寺在劈柴衚衕，詳寺觀。能仁寺、顯靈宮俱詳後。萬曆沈志謂石佛寺、能仁寺在鳴玉坊，餘無考。高麗史世家：忠宣王五年九月，王至大都，十月，帝下王於刑部，既而祝髮，置之石佛寺。明一統志：西城兵馬司，府軍右衛，俱在咸宜坊。析津志：崇文監在咸宜坊北一小巷內。按：元崇文監，明司衛，俱無考。頭條、二條、三條、四條、五條、六條衚衕，二條、六條衚衕井各一。乾石橋西斜街，宛平王志有顯應宮。嘯亭續録：公札爾塔齊宅在西斜街。玉帶衚衕，鑲藍旗覺羅學在西，近紅廟，詳學校。玉皇閣，井一。紅廟，關帝廟俗稱紅廟，鑲藍旗官學在西，詳學校。椿樹衚衕，豆芽菜衚衕，花枝衚衕，褲子衚衕，陰涼衚衕，南、北駱駝灣，南、中、北半壁街，南、中、北太常寺，小衚衕曰枕頭衚衕。南、中、北寬街，南、中、北千張衚衕，南、中、北沈篦子衚衕，井一。迤南曰高叉拉大院，井一。八旗通志有乾魚衚衕，今無是名。榆錢衚衕，十八半截，迤西溝沿橋一。自駱駝灣以下，皆在十八半截內。跨車衚衕，八旗通志作車子衚衕，井一。馬杓衚衕，油房衚衕，〔橋一。〕牛角衚衕，賢孝牌，石缸衚衕，前、後纓子衚衕，〔井各一。〕粉子衚衕，〔井一。〕豐盛衚衕，〔井二。嘯亭續録：公宏眺宅在豐盛衚衕。〕前、後泥窪，〔橋各一。〕狗尾衚衕，兵馬司衚衕，〔橋一。嘯亭續録：貝子羅託宅在兵馬司衚衕。〕大、小阮兒衚衕，〔八旗通志阮作燕。〕豬尾衚衕，瞎子衚衕，元寶衚衕，沙井衚衕，〔井一。〕井兒衚衕，〔井一。〕三道柵欄，玉帶衚衕，口條衚衕，南、北錢串衚衕，〔井二。〕褲子衚衕，牛犄角衚衕，〔井一，橋一。〕單獅子府，南、北褡褳衚衕，四眼井衚衕，〔井一，橋一。〕能仁寺衚衕，〔寺在兵馬司衚衕北，詳寺觀。〕顯靈宮，〔井一。顯靈宮在四眼井南，其舊門亦在兵馬司衚衕，相去半里許，詳寺觀。〕甎塔衚衕，〔井一。神機營所轄右翼漢軍排鎗隊置廠於此，詳兵制。帝京景物略：金、元間有僧自稱萬松野老，居燕京從容菴。耶律楚材見之，參學三年，僧以湛然目之，著有從容録。今乾石橋北甎塔七級，高丈五尺，草縈其頂，人倚塔造屋，爲酒食店。萬曆三十四年，僧樂菴入而周視，有石額五字曰萬松老人塔，乃募貲贖而居守之。淥水亭雜識：萬松老人，耶律文正王之師也，其語文正王曰：以儒治國，以佛治心。王亟稱之。老人有萬壽語録，釋氏新聞。又善撫琴，嘗從文正王索琴，王以承華殿春雷及種玉翁悲風譜贈之。見湛然居士集。按：塔在今大市街西，乾隆間重修，其北則甎塔衚衕也。互詳寺觀。〕核桃釀衚衕，羊肉衚衕，〔井二，橋一。小衚衕曰炭廠衚衕。〕真武廟，陰涼衚衕，〔井一。〕西溝沿，〔亦稱河沿，井一。正紅旗箭廠在東，井一。溝沿小橋甚多，俱見後。〕丁章衚衕，大、小麻綫衚衕，〔小衚衕橋一。嘯亭續録：順承郡王府在麻綫衚衕。謹按：王諱勒克德渾，太祖曾孫穎親王薩哈璘三子，順治間授平南大將軍，追謚恭惠，世襲。〕烙鐵衚衕，扁擔衚衕，〔嘯亭續録：貝勒杜蘭宅在扁擔衚衕。按：今爲文公宅。〕轆轤把衚衕，〔井一，橋一。嘯亭續録：貝子固爾瑪琿宅在轆轤把衚衕。謹按：固爾瑪琿，顯祖曾孫貝勒阿敏次子，以功封，謚温簡。固一作顧，又作姑，琿一作洪。〕鴨子廟，〔關帝廟俗稱鴨子廟。元天曆二年建，有明萬曆間碑，廟前有太平橋。〕

錦什坊街。〔正紅旗滿洲都統署在西，詳衙署。普壽寺有勑建額，回人禮拜寺也。按：元於平則門內置金城坊，明因之。今錦什坊街，南接鬧市口，北抵平則門，疑即金城坊街之訛。明一統志：元世祖廟在金城坊，明洪武十年建。按：明代歲以二仲遣順天府致祭。嘉靖二十四年，給事中陳棐奏罷之。見明會典及春明夢餘録。今遺址無考。〕

鷲峰寺街，俗稱卧佛寺街。寺有卧佛，故名。東接舊刑部街。正紅旗漢軍都統署在北，詳衙署。鷲峰寺，唐之淤泥寺也，中有旃檀佛像。康熙四年，移奉宏仁寺。其東有圓通菴，明爲水雲菴，俱詳寺觀。破大門，藤牌營，柳樹井，城隍廟街，井一。都城隍廟在北，元遺址也，五月朔至望日有廟市。其西有關帝廟，俱詳祠祀。燕都遊覽志：廟市者，以市於城西之都城隍而名也。西至廟，東至刑部街，亙三里許，大略與燈市同，第每月以初一、十五、二十五開市，較多燈市一日耳。野獲編：城隍廟市，陳設甚夥，人生日用所需，精粗畢備，羈旅之客，但持阿堵入市，頃刻富有完美，以至書畫骨董，真僞錯陳，剔紅填漆舊物自内廷闌出者，尤精好，往時所索甚微，今其價十倍矣。析津志：東、西二感聖廟，在城隍廟南，泥像石佛寺。又西轉北，則城隍廟。自廟前巷口轉北，爲金城坊，内有楊國公寺，楊總統之父也。坊東爲金玉府，内有琉璃碧瓦，所蓋八座，藏藏經版甚精，文宗敕印造三十六部，散施諸禪刹，江南亦有賜者。坊内有軍鐵庫，帝師有大佛殿，在坊之東，翬飛棟宇，甲於他寺。按：石佛寺見後。感聖廟、金玉府、鐵庫、大佛殿皆無考。據析津志言，阜財坊在順承門内，金玉局巷口，金玉局即金玉府也，其地當在今城隍廟街之東南。城隍廟夾道，鐵匠營，礟廠衚衕，井一。鑲紅、鑲藍兩旗礟廠在焉。詳兵制。

按院衚衕，井一。萬曆沈志：巡按察院在西河漕。法式善西涯考：李文正東陽賜第，在今按院衚衕。按：此條見藤陰雜記所引，今存素堂文集無之，疑未確。學院衚衕，井二。萬曆沈志：提學察院在按院後。按：明按院、學院皆久廢，其地猶仍舊稱。又萬曆沈志，有屯馬察院，在學院北，其舊址疑當在屯絹衚衕，絹蓋院之訛也。松鶴衚衕，井一。有松鶴菴。二眼井，井一。尤家寺衚衕，半箭衚衕，狗尾衚衕，高方衚衕，屯絹衚衕，鑲藍旗護軍統領署在北，詳衙署。棗林街，井一。真武廟，遊擊衚衕，蔣祥墀散樗老人自訂年譜：辛巳抵内城遊擊衚衕。廣甯伯街，明史功臣世表：廣甯伯劉榮，永樂十九年七月封，追進侯，其故居當在此。扁方衚衕，機織衛衚衕，駱駝灣，南煙筒衚衕，半截衚衕，四眼井，井一。坊巷衚衕集：金城坊五牌二十二鋪。有普照寺、鐵佛寺。明一統志，有濟州衛。萬曆沈志有三元菴、地藏菴。按：鐵佛寺在四眼井，詳寺觀。餘皆無考。南、北養馬營，俗訛羊毛營。井一。後樓，雙栅欄，瓦叉衚衕，叉俗作岔。牛八寶衚衕，撒袋衚衕，或訛賽帶。韃子廟，孟端衚衕，采訪册：卓公第在孟端衚衕。謹按：聖祖十七子果毅親王，無嗣，世宗以六子果恭郡王宏瞻繼之，卓公其後人也。大、小盆兒衚衕。大衚衕井一。

王府夾道，唐帽衚衕，武定侯衚衕，定或作安，井一。宛平王志，有慶甯寺。按：明史功臣世表：武定侯郭英，洪武十七年封，傳爵至培民，崇禎甲申城陷，死，其居第疑當在此。華嘉寺衚衕，華嘉寺詳寺觀。俗訛花椒寺。北小衚衕井一。鑲藍旗滿洲都統署在焉，詳衙署。宛平王志，有崇甯菴。武衣庫，武或作烏。嘯亭雜録：公某宅在烏衣庫。大成寺衚衕，北小衚衕曰幹麪杖衚衕。喜雀衚衕，井一。向家園，向或作香，小衚衕井一。東驢蹏衚衕，羊腸衚衕，井一。月牙衚衕，王府倉衚衕，嘯亭續録：貝勒允禕宅在王府倉衚衕。謹按：允禕，聖祖二十子，謚簡靖，今爲賀公宅。東、西水車衚衕，東衚衕井一。正紅旗蒙古都統署在東水車衚衕之東，詳衙署。巡捕廳衚衕，右翼前鋒統領衙門在北，詳衙署。正紅旗蒙古都統署舊在此，今移水車衚衕，舊有正紅旗官學，今移雹子衚衕，見後。北煙筒衚衕，錐子衚衕，或作追賊。南順城街。井二，鐵佛寺井一。右在大市街東，阜成門街南，報子街北，與中城南城界。

西大市街，有坊四：東曰行仁，西曰履義，南、北曰大市街，俗稱西四牌樓大街。南接瞻雲坊大街，井七。西有雙關帝廟，街心有小廟，俗稱當街廟，井一。迤北曰新街口，井一。有龍王廟，俱詳祠祀。又北曰丁字街，井二。祝壽寺，卽坊巷衚衕集之響鈴寺，詳寺觀。嘯亭續録：董太保誥賜第新街口。又謙郡王府在羊肉大街。謹按：王諱瓦克達，太祖孫禮烈親王四子，順治間授征西大將軍，預議政，追謚襄，府在五王侯衚衕口。阜成門大街，阜成門俗沿元稱曰平則門，井二。馬市橋東、西井各一。迤東爲馬市街，詳中城。歷代帝王廟在北，故保安寺址也。東、西有坊，曰景德，亦稱景德街。詳祠祀。神機營所屬中營步隊置廠於此，詳兵制。宏慈廣濟寺，在廟東，臨大市街，舊爲西劉邨寺。白塔寺在廟西，元爲聖壽萬安寺，明爲妙應寺，俱詳寺觀。北小衚衕曰白塔寺夾道，曰老虎洞，井一。曰六合大院，井二。宸垣識略：禮多羅貝勒府在阜成門大街北。又二等宣義伯第在阜成門大街。按：伊勒德依封宣義伯。嘯亭續録：劉文定綸賜第阜成門大街。析津志：福田坊在西白塔寺。燕都遊覽志：成化元年，於塔座周圍甎造燈龕一百八座，相傳西方屬金，故建白塔鎮之。然同時元創有五色塔，而今僅黑塔在其後，餘湮没莫考矣。帝京景物略：元初有童謡曰：塔兒紅，北人來作主人翁。塔兒白，南人作主北人客。事見草木子古今諺。元世祖時，塔色淡赤。及明太祖兵起淮陽，塔白如故。歲元旦，士女繞塔，履屣相躡，至燈市盛乃歇。甲申傳信録：田太監，亡其名，住白塔寺後。三月十九日自縊，命僕捲其橐以逃，餘書籍、花盆在焉。後楊士聰居之，覽其中書多寫册，亦有手録者。坊巷衚衕集：河漕西三牌十三鋪，有廣平庫、阜城廠、揀果廠、永清左衛、北新草場、普度堂、白塔寺、翊教寺。萬曆沈志：有鷲峯寺、正法寺、寶禪寺、普安寺、妙應寺、祝壽寺。按：阜城廠、永清左衛、普度堂、鷲峯寺今無考，餘見後。

大、小羅圈衚衕，姚家衚衕，帝王廟東、西夾道，驢肉衚衕，橋一。宸垣識略：三等威靖伯第在驢肉衚衕。按：車爾布封威靖伯。帥府衚衕，井一，橋一。藤陰雜記：西城帥府衚衕，爲西林鄂文端爾泰第，海内名士，多出其門。明憲宗實録：成化二十二年冬十月，復建大永昌寺。先是，寺建於西市，已有成緒，及國師繼曉以星變被譴，寺亦隨廢。至是，太監梁芳等請更擇地建之，乃命工部左侍郎杜謙等，相度地基，得故廣平侯袁瑄宅，時瑄家已失侯，瑄妻固請以宅獻，而託芳請襲侯，芳言於上而許之。既又市其傍民居數十家，大興工役。武宗實録：正德五年六月，户部言：永昌寺舊址改建爲倉，未有名。乃賜名太平倉。六年十一月，以太平倉賜永壽伯朱德爲私第。八年三月，改太平倉爲鎮國府。又欲毀廒口爲府廳，工部奏：祖宗稽古建官，府部具有定制，今改倉爲府，有乖舊典。況位屬乾方，乾天門也，且此地初爲永昌寺，再爲新石廠，又爲太平倉，屢改屢廢，推之地理，察之人事，俱未便。上曰：既以此地爲天門，宜當通達，前此閉塞，何以不聞？其以實陳。工部再請罪，乃宥之。世宗實録：嘉靖元年五月，改鎮國府仍爲太平倉，命總督倉場官管理。明朱茂曙兩京求舊録：康陵先立鎮國府，後乃自封鎮國公，府在鳴玉坊。嘉靖初，仍改太平倉，都人至今猶呼西帥府衚衕。按：今大市街東有太平倉，互詳中城。第北去帥府衚衕稍遠，疑非其舊址也。坊巷衚衕集：鳴玉坊三牌一十四鋪，有燕山前衛、神武後衛、淨妙菴、古燈菴、寶禪寺、普度寺、響鈴寺。萬曆沈志：有松樹、觀音菴、常明菴、龍華菴、龍泉菴、萬壽菴、碧雲菴、廣慧菴、玉環菴、極樂菴、古赤腳李菴、龍鳳菴。按：響鈴寺見中城，寶禪寺見後，餘無考。神武後衛，明一統志無之，蓋置自天順後也。帥府菴，井一。井兒衚衕，井一。大、小絨綫衚衕，大衚衕橋一。雹子衚衕，雹或作報，今從宛平王志，井一，橋一。正紅旗官學在北，有聖祚隆長寺。明漢經廠，外廠也，詳寺觀。臭皮衚衕，有王公橋。正紅旗護軍統領署在北，詳衙署。石老娘衚衕，橋一。彭文敬公自訂年譜：己未移寓阜成門内石老娘衚衕。衛兒衚衕，衛亦作魏，兒或作衣。井一，橋一。泰安侯衚衕，井一，四甲喇堆子前井一，橋一。五王侯衚衕，橋一。北下坑，前、後車兒衚衕，橋各一，前衚衕井一，官房東北井一。石碑衚衕，井二，橋一。神機營、鎗礮廠在焉，詳兵制。宛平王志，有西方寺。下窪衚衕，寶禪寺衚衕，禪或訛善，橋一。寶禪寺，元爲承華普慶寺，明改名寶禪，亦稱祝壽寺。西有正法寺，乾隆間改名正覺，俱詳寺觀。大、小帽兒衚衕，大衚衕井三，橋一，小衚衕橋一。宛平王志，有威靈廟。四根柏衚衕，橋一。神機營所屬驍字馬隊置廠於此，詳兵制。前、後宮衣庫，亦稱公用庫，井一，橋一。神機營所屬右前護軍馬隊及右驍騎營擡鎗隊均置廠於此，詳兵制。八條灣，西溝沿，井一。西直門橫橋南有枯渠，曰河漕，直達宣武門西城根，入護城河，俗稱曰臭溝，明於此置河漕西坊。酥蘿蔔衚衕，亦作蘇羅卜。南小衚衕曰招子衚衕。回子營，火神廟，井一。小塔院，葡萄園，宸垣識略：果親王府在宮門口葡萄園。謹按：果親王諱允禮，聖祖十七子，雍正初，任議政，謚曰毅。今府在孟端衚衕。觀音菴，井一。草廠，坊巷衚衕集有北新草廠遺址，疑當在此。宮門口，西叉路井一。正紅旗覺羅學在巷口東南，詳學校。春明夢餘録：朝天宮在皇城西北，元之天師府也。帝京景物略：宣宗倣南都之制，建朝天宮，有三清殿，以奉上清、太清、玉清，通明殿以奉上帝。普濟、景德、總制、寶藏、佑聖、靖應、崇眞、文昌、玄應九殿，以奉諸神。東西建具服殿，以備車駕臨幸。宮成於宣德八年，御製詩文，勒碑紀事。成化十七年重修，亦有御製詩文碑。天啟六年六月廿夜，十三殿齊災。宮後天師府有趙孟頫張天師像贊碑，大道歌碑，虞集黄籙大醮碑。長安客話：凡大朝會，習儀二日，國初或在慶壽寺，或在靈濟宮。宣德間，建朝天宮於白塔寺西，始爲定所。舊聞考：朝天宮本元代舊址，盛於明嘉靖時，齋醮之及無虛日。考名山藏所紀，其崇奉與大高玄殿相埒。今阜成門東北，雖有宮門口東廊下、西廊下之名，周迴數里，大半爲民居矣。西廊下有關帝廟，乃土人因餘址而葺之者，止大殿三楹，殿前甬道緜亘數百武，砌石斷續，猶見當時規制。東廊下，中廊下，西廊下，井一。前、後鈔手衚衕，前衚衕井一。茶葉衚衕，井一。吉祥衚衕，有吉祥寺。興隆街，小翠花街，宸垣識略：一等英誠公第在翠花街。按：國初揚古利封武勳王，加號英誠，世襲，子塔瞻降襲。今公明勳，官散秩大臣。牛蹏衚衕，大園衚衕，小半壁街，小太平街，苦水井，井二。玉皇閣，獅子府，井一。舊聞考：朝天宮後，向存舊殿三重，土人呼爲獅子府，蓋元天師府也。今廢。官園，嘯亭續録：誠親王舊府在官園，今爲質親王府。謹按：誠王諱允祉，聖祖三子，雍正中以罪除。乾隆二年追復，諡曰隱。質王諱永瑢，高宗六子，嗣慎靖郡王允禧後，諡曰莊。今爲齡公宅。菜園，西官園口，官園、菜園，疑卽坊巷衚衕集所稱官菜園遺址。下坡，翠花横街，狗尾衚衕，沙喇衚衕，井一。祖家街，正黄旗官學在西，傳爲祖大壽故宅。翊教寺衚衕，橋一，小衚衕井一。翊教寺，宋遺刹，明重修。其西有普安寺，俱詳寺觀。揀果廠衚衕，井一。明置揀果廠於此，隸河漕西坊。今廠廢而猶存其名。或訛鹹廠，八旗通志作堅廠。豬毛廠，井一。雙柵欄，小衚衕曰雙土地廟。柵欄衚衕，王府夾道，前、後廣平庫衚衕，明置廣平庫於此。宛平王志，有永祥菴。宸垣識略：打磨蘇王府在廣平庫。丁家井，井二。正黄旗漢軍都統署在焉，詳衙署。嘯亭續録：直郡王府在丁家井。大角衚衕，井一。門樓衚衕，井一。大、小陳綫衚衕，大衚衕井一。鉤兒衚衕，宸垣識略：多羅恭勤貝勒府在南小街鉤兒衚衕。謹按：貝勒諱永祐，聖祖二十二子，恭勤其諡也。東觀音寺衚衕，有彌勒菴，唐北留菴遺址也，詳寺觀。宛平王志，有觀音寺。燕都遊覽志：皁成門迤北三里許，爲正義坊，坊北數武有十方禪院，相傳爲唐北留菴。柳樹井，井一。北衞兒衚衕，井一。正黄旗覺羅學在北，詳學校。北口袋衚衕，井一。柳巷，井三。明徐善泠然志：笑巖德寶禪師生長都下，受法於玉泉明聰，萬曆初居西城之柳巷，人罕知者。一日，有梵僧來參，亞身翹袖，作種種相，師以杖畫地，隨方答之，僧作禮騰空而去。弟子問：適來僧問何法？師曰：此阿羅漢西天秘密語也。宛平王志：明僧德寶，京師人，錦衣世家，吳氏子，披薙於都門廣慧寺，其傳燈弟子有天童、磬山。世祖章皇帝詔：舉天下高僧，如報恩目澄、昂溪者，皆其法裔也，著有南北集行世。草廠衚衕，井一。嘯亭續録：果親王府在草廠衚衕，今爲瑞親王府。謹按：果毅親王已見前。瑞王諱綿忻，仁宗四子，謚曰懷。子敏郡王奕襲，無嗣，以今惇親王子貝勒載漪嗣。後倉，南草廠口，半壁街，按：析津志有半邊街，疑此沿其舊稱。永祥寺，井一。前、中、後毛家灣，老虎廟，箭杆衚衕，井一。頭條衚衕，井一。二條衚衕，北小衚衕井一。藤陰雜記：平則門二條衚衕，爲武進劉文定綸第。三條衚衕，四條、五條衚衕，井各一。青塔寺衚衕，寺在四條衚衕西北，元爲大永福寺，詳寺觀。坊巷衚衕集：朝天宮西三牌十五鋪。有椒園廠、菊子園、官菜園、西城草廠、青塔寺、立禪廟、朝陽菴，秀頭菴、妙清觀。按：官菜園、西城草廠、朝陽庵、妙清觀俱見後，餘無考。弓匠營，井一。西小衚衕井一。鞍匠營，冰窖衚衕，井一。有黑塔寺，明改名宏慶，詳寺觀。春明夢餘録：白塔寺附近有黑塔寺、青塔寺，然寺存而無塔。櫻帽衚衕，西小衚衕井一。前、中、後秀才衚衕，椿樹衚衕，井兒衚衕，井一。魚眼衚衕，安成衚衕，宛平王志有華嚴菴。觀音寺衚衕，井一。陰涼衚衕，報恩寺街，弓弦衚衕，弓背衚衕，喇叭衚衕，鷂兒衚衕，永清寺衚衕，鑰匙衚衕，南、中、北扒兒衚衕。扒亦作笆。南北衚衕井各一。妙清觀，明瓚陳日新故宅也，詳寺觀。嘯亭續録：泰郡王府在扒兒衚衕。

西直門南小街。井一。嘯亭續録：貝勒允祁宅、惇親王府俱在北小街。謹按：允祁，聖祖二十三子，乾隆四十九年加郡王銜，謚曰誠。惇王諱綿愷，仁宗四子，道光七年降郡王，謚曰恪。

西直門南順城街。井二，中心臺井一，馬圈井一。燕都遊覽志：月張園在阜成門内，傍城垣下。堂後枕一池，甚修廣，倒影入屋楹，周遭菜畦，今屬冉都尉。又宣家園，在阜成門内，舊爲宣城伯衛公別業，傍多宅宇，外有菜圃百塍。後屬焦鴻臚，稱焦園；又屬毛户部，稱毛園。舊有射堂，爲習武地，今廢矣。牡丹數種，向爲京師第一。初創時，多奇石，石皆有名，曰隅虎、曰佇鵠、曰鷺羽、曰奮距，今不知所之矣。按：月張園有謂在下斜街者，疑未足據，互詳外城、西城。宣園今無考。右在西直門街南，大市街西，阜成門街北，其東與中城界。

西直門大街。井四。橫橋一，名洪橋，俗稱紅橋，井一。橋南有枯渠，直達宣武門西城根，明之河漕也。神機營所轄驤字馬隊置廠於此，詳兵制。有菜市。崇元觀在街北數十武，明瓚曹化淳建，俗稱曹老公觀。歲元旦至上元日，有廟市。少東爲廣濟寺，俱詳寺觀。西有崇壽菴、萬甯寺。嘯亭續録：恂郡王府、惠郡王府、貝勒永堪宅，俱在西直門大街。謹按：恂王諱允禵，聖祖十四子，康熙時以貝子授撫遠大將軍，謚曰勤。今爲壽莊公主府，公主宣宗九女也，同治二年，下嫁額駙德徵。惠王諱綿愉，仁宗五子，道光十九年晉親王，咸豐時授奉命大將軍，謚曰端。貝勒永堪，高宗十二子，蚤薨。嘉慶四年，追封，以嗣子綿偲襲貝勒，今爲歧公第。析津志：金城坊在平則門内。坊巷衚衕集：日中坊四牌十九鋪。有永泰寺、廣濟寺、延壽寺。明一統志有永清右衞。萬曆沈志有廣化寺、瑞聖寺、慈恩寺、彌陀寺、佑聖寺、延壽寺、永泰寺、永祥寺、萬壽寺、慈善寺、華嚴寺、彌陀菴、佑聖菴、延壽菴、三官廟、三清廟、天仙廟、三義廟、城隍廟、延福廟、藥王廟。按：永泰寺見後，延壽寺詳中城，餘無考。元吴黼丹墀獨封：至元二十九年，始用御史中丞崔彧言，以明年正月，營社稷於和義門内少南，以春秋仲月上戊致祀。按：事具元史祭祀志。今西直門，元之和義門也。社稷壇遺址無考。析津志：牐河水門在和義門北，金水河水門在和義門南。又安濟橋在鐵平章宅後，高梁河由鐵平章橋流入元武池。元宋褧燕石集：安濟橋瀕危，俗呼捨命橋。按：元大内在今禁城西北，安濟橋、鐵平章宅當在西直、阜成二門間，褧有渡安濟橋入史局詩，今遺蹟不可考矣。鐵平章者，舊聞考以爲特爾格，其賜第在大明宮左，見元史列傳。

頭條衚衕，二條、三條、四條衚衕，（井各一。）五條衚衕，六條、七條衚衕，（井各一。）大銅井，（迤東有太平橋。）小井衚衕，（菜園井一。）板橋頭條、二條、三條衚衕，菜園，（六條衚衕菜園井一，七條衚衕菜園井一。）雙栅欄，新開路，香條衚衕中四條、五條、六條、七條衚衕，寬街，（正黄旗漢軍都統署在北，詳衙署。）小四條、五條、六條、七條衚衕，（六、七條衚衕井各一。）東教場，前棹子衚衕，羊牀衚衕，張秃子衚衕，甎瓦衚衕，松樹菴，柳樹大門，（井一。）教場中街，張公園，彭家樓衚衕，槐樹衚衕，三官廟，（井二。）玉皇廟，教子衚衕，（教亦作轎，井一。）高井衚衕，（井一。有永泰寺，元舊刹，明天順間重建。）黑塔寺衚衕，（萬佛寺亦稱黑塔寺，詳寺觀。）前、後牛犄角衚衕，西教場，前、後營房，北草廠口，（井一。）觀音菴衚衕，石碑大院，（井一。）馬香衚衕，（井一。）永慶菴，（井一。）八王子衚衕，（井一。）捨飯堂，（亦稱捨孤堂，井一。）前、後桃園，樺皮廠衚衕，（樺或訛化，井一。）右翼正黄、正紅兩旗礮廠在西北，地以廠名。迤南有火藥局，明安民廠故址也。蕪史：王恭廠災後，移建於西直門街北，賜名安民。會典事例：安民廠在西直門内之北，收貯礮位，今尚貯廢礮。又八旗火藥廠，鑲黄、正黄二旗十有二間，在安民廠，今裁，廠亦廢。綏寇紀略：崇禎十一年六月二日，安民廠災，貼廠太監王甫、局官張之秀俱斃。

西直門北順城街。

西直門北城根。井一。中心臺井一。神機營所屬右翼漢軍礮隊置廠於此，詳兵制。右在大市街西，西直門街北。

北嘎嘎衚衕，正覺寺衚衕，官房井一。寺爲明璫韓諒賜宅，成化間捨宅爲寺，詳寺觀。百花深處衚衕，井一。棉花衚衕，井一。

狗尾衚衕，井一。劉海衚衕，神機營所屬右驍騎隊置廠於此，詳兵制。門樓衚衕，三不老衚衕，神機營所屬威遠營精字步隊置廠於此，詳兵制。

麻花衚衕，羅圈衚衕，廊房衚衕，草廠大坑，坊巷衚衕集：朝天宫有西城草場。舊聞考：今蔣養房衚衕有隙地，猶有是名，或卽其遺址。葦坑，

漿家房衚衕，漿或訛蔣，俗訛蔣養房。宛平王志：有叢林寺。嘯亭續録：誠親王新府在蔣家房。宸垣識略：固山貝子宏景府在蔣養房衚衕。謹按：宏景，聖祖孫誠親王次子，王以雍正八年五月獲譴，是月，宏景由輔國公晉貝子，卽新府也。其舊府在官園，已見前。采訪册：土默特貝子第在蔣家房。按：貝子瑪尼巴達拉，尚仁宗四女莊静公主，道光八年賞郡王銜，舊引玉河水入府中，云係當年賜公主者，城中引水，獨此及成邸耳。蕪史：浣衣局在德勝門西，俗稱漿家房。凡宫人年老及有罪退廢者，發此居住。天啟七年十一月，客氏笞死於此。西河詩話：張南士宫詞：牆邊漿酒漱花綺。注云：漿家房在皇城外，卽浣花局也。水車衚衕，豆腐巷，官房井一。鈔手衚衕，燕都遊覽志：金剛寺在興德寺東，有石勒金剛經。前小閣，後静室，紙窗棐几，殊有幽趣，後乃改創大殿高閣，左、右翼樓數十楹，往昔清涼幽趣之致，盡化於沙礫間矣。按：寺在鈔手衚衕，又名般若菴、興德寺，今改名興隆寺。宛平王志云：寺在德勝橋灣。俱詳寺觀。水罐兒衚衕，見會典事例，云在德勝門街西。玉皇廟，高廟，井一。普濟寺俗稱高廟，有正德間重修碑。頭條、二條、三條衚衕，半截衚衕，石板橋，小銅井，井一。天仙菴，西水關，井一，橋一。迤東有太平菴，又東有淨業寺，舊爲智光寺，詳寺觀。燕都游覽志：水關在德勝門西里許，水自西山經高梁橋來，穴城址而入，有關爲之限，下置石螭，迎水倒噴，旁分左右，既噏復吐，淙淙然自螭口中出。長安可游記：水口爲石犀以當之，遏衝突，緩水勢也。而菴在其上，曰鎮水觀音菴。按：石犀卽石螭，舊聞考分爲二，似誤。觀音菴舊名法華寺，乾隆間改名匯通祠，詳寺觀。祠據高阜，俗名積水灘，水木明瑟，消夏尤宜。高珩水關竹枝詞：德勝門前菡萏鋪，漫誇江上有西湖。阿誰更作長隄主，與種垂楊一萬株。酒家亭畔喚漁船，萬頃玻璃萬頃天。便欲過溪東渡去，笙歌直到鼓樓前。元史河渠志：海子岸上接龍王堂，以石甃其四周。海子一名積水潭。燕都遊覽

志：積水潭東西亙二里餘，南北半之，或因内多植蓮，名蓮花池，或因水陽有淨業寺，名淨業湖。内官監向今稍弛矣。每年三伏日，錦衣衛率御馬監官校，浴馬湖干，如濯雲錦。陸啟浤北京歲華記：六月十二日，御廄洗馬於積水湖，導以紅仗，中有數頭，錦帕覆之，最後獨角青牛至，諸馬莫能先也。一統志：元時既開通惠河，運船直至積水潭。自明初改築京城，與運河截而爲二，積土日高，舟楫不至，是潭之寬廣已非舊觀。故今指近德勝橋者爲積水潭，稍東南爲十刹海，又東南者爲蓮花泡子。高宗純皇帝御製匯通祠詩注：河流分牐灌輸，紆餘豬蓄，前人經理實善，旗民夾岸而居，人煙輻輳，因築牆爲之限制，以禁污穢。按：積水潭亦稱北湖，互詳水道。元、明以來，環湖古蹟甚多，附著於後。燕都遊覽志：舊城歸然傑構，云是元時舊址。中作鐵溝，昔時以車運冰上流者，今尚堅緻，寒蘚荒苔，遥映林泉翠蒨，殊可憑高弔古。帝京景物略：立淨業寺門，目存水南，坐太師圃、晾馬廠、鏡園、蓮花菴、劉茂才園，目存水北。東望之方園也，宜夕；西望之漫園、湜園、王園也，望西山，宜朝。燕都遊覽志：定國徐公別業，從德勝橋下，右折而入，顏曰太師圃，前有堂，堂後紆折至一沼，地頗疏曠，沼北廣榭，後擁全湖，高城如帶，堂左、右書室，西築高臺，目望最遠，濱湖園爲第一。又孝廉劉百世別業，堂三楹，南有廣除，眺湖光如鏡，故名鏡園。下有路委折臨湖，門作一臺，臺下地最卑，眺湖較遠，今屬冉都尉。從興德寺折北而西，爲蓮花菴，疏林朗樾，含吐餘清。後一臺，瞰湖陽諸寺，若列眉案。鄰有火神祠，可眺遠。劉茂才園創三楹，北向，無南榮，東纍層級而降，下作朱欄小徑，北軒二楹，南有小沼，種蓮。北扉當湖，東有書室，上作平臺，地居湖中，乃南北最修處，所以獨勝。漫園在積水潭東，米仲詔萬鍾所構，中有閣三層。湜園，太守苗君頴別業，西面望湖。楊園，在湜園稍南，楊侍御新創。蓮花社有亭，在水關西，今傾圮。蝦菜亭在蓮花社西，一藩隔之，水部戴大圓建。相國方公園，在水關西。春明夢餘録：元石湖寺在德勝門北，湖旁。後爲方閣老園。按：諸園亭及石湖寺，俱無考。惟蝦菜亭，居人頗能言其遺蹟，亦與游覽志所云在水關西者不合。方園在太平菴東，見明崇禎間碑記。舊聞考謂蓮花菴即今地安橋北之火神廟，蓋據游覽志菴鄰火神廟語，然相隔遼遠，核以景物略所言，方址殊未足據。又元好問集，有臨錦堂記，爲幕府從事劉公子作，云在御苑之西，其地當亦與積水潭相近。

德勝門大街， 井三。有德勝橋。玉河水由積水潭至橋下合流，南逕李廣橋，東迤爲十刹海。有耍貨市。正黄旗滿洲都統署在橋南，詳衙署。橋東有永泉菴，北有佑聖寺，唐遺刹也。少東爲壽明寺，俱詳寺觀。宛平王志，有真武廟、地藏菴。燕都遊覽志：積水潭水從德勝橋東下，橋東偏有公田若干頃，中貴引水爲池，以灌禾黍，緑楊毿毿，一望無際。客燕雜記：德勝門水次，稻田八百畝，以供御用，内監四十人領之。昭忠録：王家彦字尊五，福建莆田人，協理京營兵部右侍郎。崇禎甲申三月，守德勝門，城陷，自投城下，不死，折臂及足，其僕扶入民舍，自縊死。按：甲申傳信録作安定門，或傳聞之誤。　右在大市街東，德勝門街西，護國寺街北，與中城北城界。

内城北城 城册：内城地址，隸北城者，東北俱至城根，南至東直門街、交道口，與東城界，又南至兵馬司衚衕、帽兒衚衕、地安橋，迤西踰三轉橋、定府街，與中城界，西至德勝門街，與西城界。

定府大街，采訪册：慶郡王府在定府大街。謹按：慶親王諱永璘，高宗十七子，謚曰僖。今王奕劻初襲貝勒，光緒十年晉郡王。府爲道光時大學士琦善故宅。扁擔衚衕，製磁局，堂子衚衕，銅鐵廠，皦子衚衕，張皇親衚衕，劉海衚衕，宏善寺街，宏善寺，詳寺觀。萬曆沈志：寺有勑建碑。石虎衚衕，正黃旗蒙古都統署在北，詳衙署。龍頭井，井一。嘯亭續録：愉郡王府在三座橋西。宸垣識略云在龍頭井。采訪册：瀅貝勒府在三轉橋西。謹按：愉王諱允禑，聖祖十五子，謚曰恪。後爲鍾郡王府，鍾王諱奕詥，宣宗八子，謚曰端。無嗣，以恭親王子貝勒載瀅爲後。松樹街，宛平王志有興福寺。新開路，口袋衚衕，羊房衚衕，大、小翔鳳衚衕，西小衚衕曰藥酒葫蘆，井一。迤西曰上坡。李廣橋，亦作藜光橋。翁方綱復初齋集：錢蘀石詩序：己卯春，蘀石自藜光橋移居宣南坊。法式善存素堂文集：煤廠爲李西涯故居，西則李廣橋，宏治時太監李廣以符籙獲幸，橋或廣所造。奸璫遺穢，橋亦蒙羞。後人易名藜光，又嫌文飾，不如直名李公橋。余居距橋不數武，門外即楊柳灣，西涯屢至其地。嘯亭續録：蒙古法祭酒式善，居淨業湖畔，築詩龕三間，凡投贈詩句，皆懸龕中。洪亮吉卷施閣集：法式善學士招飲詩龕，並至西直門看荷花詩：東頭詞宗百菊溪，宗伯宅復連街西。自注謂：百侍御齡、鐵侍郎保。藤陰雜記：蔣文肅廷錫第在李廣橋，枕淨業湖。御賜秀寫蓬壺額。燕都游覽志：德勝橋下，泛舟東行，轉而南，得藜光橋，徑僻，岸無行人，古槐濃樾，覆陰如罨畫。東、西煤廠衚衕，東煤廠井一。宸垣識略：一等武毅謀勇公第在煤廠衚衕。按：乾隆時，定邊將軍兆惠所封，謚文襄。采訪册：阿拉善王府在煤廠衚衕。非賜第也，不常居。淥水亭雜識：李長沙別業在北安門北，集中西涯十二詠，程篁墩和之，有桔槔亭、楊柳灣、稻田、菜園、蓮池，而響牐、鐘鼓樓、慈恩寺、廣福觀，皆在十二詠中，今遺址不可問，當在越橋相近。舊聞考：東海集誥命碑陰記云：曾祖洪武初，以兵籍隸燕山右衛，始居白石橋旁，後廓禁城，其地已入北安門之内，則移於慈恩寺之東，海子之北。又云：遷居海子之西涯。集中重經西涯詩甚多，蓋其幼時所居之地也。湯右曾懷清堂集：喬莊簡跋文衡山西涯圖云：慈恩寺後曰西涯。又云：西涯公嶽降地，公詩有淚痕應共水俱流，慟哭兒童釣游地等句。今法華菴意即當時之西涯。存素堂文集：余綜諸説，與地址印證，蓋廣福觀之南，響閘之西，月橋之北，海潮寺之東，地名煤廠，文正故第當在是。按：法華菴即今匯通祠，湯説似未核。西涯十二詠，見懷麓堂集，淥水亭所舉九題外，尚有海子、西山、飲馬池三首。三座橋，越橋俗稱三座橋。越或作月，座或作轉，舊名海子橋。見燕都游覽志。嘯亭續録：慶親王府在三轉橋，係和珅宅。又云：慶僖親王諱永璘，純廟十七子，乾隆末年或有私議儲位者，王曰：天下至重，何敢妄覬？惟冀他日將和珅邸第賜居，則願足矣。故睿廟籍没和珅，即將其宅賜王，以酬昔言。謹按：慶王府今爲恭親王府，王爲宣宗六子，同治初任議政，後復任軍機大臣。宛平王志：真武廟在三座橋，供用廠内。燕史：織染所掌内承運庫，所用色絹。德勝門三座橋有空地，堪爲園圃。此所工部亦有監庫，有所大使，不隸内織染局。金絲套衚衕，南、北官房，官房一作關防。南官房口西小衚衕井一。嘯亭續録：貝子允禟宅在關防口。謹按：允禟，聖祖十子，初封郡王，雍正二年以罪除，乾隆二年封輔國公，六年薨，以貝子禮葬。井兒衚衕，井一。銀錠橋，橋以形名。海潮觀音寺在南灣，有明趙用賢碑。帝京景物略：寺旁有英國公新園。今無考。燕都遊覽志：銀錠橋在三座橋北，城中水際看西山第一絶勝處，橋東西皆水，荷、芰、菰、蒲不掩淪漪之色，南望宮闕，北望琳宮碧落，西望城外千萬峯，遠體畢露，不似淨業湖之迫且障也。宋犖西陂類稿：過銀錠橋舊居詩：鼓樓西接後湖灣，銀錠橋横夕照間。不盡滄波連太液，依然晴翠送遥山。舊時院落松槐在，仙境笙簧歲月閒。白首鍊師茶話久，春風料峭暮鴉還。鴨兒衚衕，鴨或作鴉。井一。有廣化寺、萬善寺、海會菴、興善寺，俱詳寺觀。義留衚衕，煙袋斜街，井一。有廣福觀。宛平王志：觀在鼓樓東斜街口。石碑衚衕，煙兒衚衕，河沿，井一。前河沿井一。長可亘二里許。宛平王志：有十刹海菴，在稻地西。詳寺觀。嘯亭續録：成親王府在淨業湖北，係明珠宅。謹按：王諱永瑆，高宗十一子，嘉慶初任軍機大臣，謚曰哲。府中有恩波亭，以恩賜引玉河水入宅也。今爲檽貝子府。侯位衚衕，史家樓，南八步口，簪兒衚衕，龍華寺，明建，康熙間改名瑞應，西有心華寺，又西舊有三聖菴，其前則十刹海也。俱詳寺觀。燕都遊覽志：三聖菴後築觀稻亭，北爲内官監地，南人於此藝水田，稉秔分塍，夏日桔槔聲，不減江南。四眼井。井一。

鼓樓西斜街。井三。乾水橋井一。迤南乾石橋井一。有果子市。國史安親王岳樂傳：康熙十二年冬，京師有自稱三太子朱慈璊者，僞署廣德元年，糾衆京城内外，舉火作亂，擒其黨於鼓樓西斜街，及燈市口，詰以朱慈璊，云卽楊起隆，已遁矣。瀛州道古録：元時翰林院以金烏珠第爲之。歐陽楚公祠：翰林老屋勢深雄，猶是金家兀朮宮。是也。舊聞考：元翰林國史院屢經遷徙，至順間，賜居北中書省舊署。析津志稱，院内古木繁陰，蔚然深樾者，是也。其地在鳳池坊北，鐘樓之西，鐘樓又在中心閣西，俱見析津志。志又云：南省、北省，乃金時二税賦宰相之莊，曰南相莊、北相莊。據此，則元之北省，後改翰林院者，爲金時北相莊。烏珠亦稱北相，可互證也。元虞集道園學古録：鼇峯者，國史院庭中石名也。伯甯御史爲僕言，自其先公時，與諸老名勝賦詩者蓋數百篇，今玉堂無本，而御史家具有之。析津志：玉鉉坊在中書省前，相近鳳池坊，在斜街北。燕史：馮保之弟佑宅，在果子市街南，惠安伯張元善住街北，拜爲義父。果市地租從街心分南北，佑憐元善貧，以街南租並歸之，且爲新其居。又客氏私第在正街迤西，席市街北。魏忠賢亦有第，在街南，斜對不遠。按：席市街今無考，其地當在後門外，姑附此。

右在德勝門街東，鼓樓斜街南，地安門街西，定府街、三座橋、白米斜街北，與中城西城界。

西條兒衚衕，井一。城根井一。北藥王廟，半壁街，八步口，北有拈花寺，明璫趙明揚故宅也。舊名千佛寺，雍正間改今名。詳寺觀。八步口内小衚衕甚夥，不悉書。妙緣觀衚衕，井一。舊有真武廟，明景泰間改名妙緣。詳寺觀。廟前井一。八條灣，大坑，果子觀，鐵影背衚衕，井一。井兒衚衕，井一。大石橋，井一。有雙寺，東曰嘉慈，西曰廣濟，明成化時建。小石橋，南有碧峯寺，詳寺觀。萬曆沈志：寺在日中坊，有勑建碑。鑄鐘廠，井一。碧霞元君廟後井一。又有真武廟。春明夢餘録：華嚴鐘廠在德勝門内，舊鑄，高二丈餘，闊一丈餘者，尚有十數，仆地上，皆楷書佛經。按：鐘僅存其一，舊懸萬壽寺，今移德勝門外覺生寺，俗稱大鐘寺。前、後馬家廠，井各一。長安客話：海子橋北舊有海印寺，宣德四年重建，改名慈恩，今廢爲廠。舊聞考：今海潮寺碑云：海印寺東爲廣福觀，西爲海潮寺。又龍華寺碑云：輔碧峯與海印，則今之馬公廠，殆即長安客話所云寺廢爲廠者歟？按：海印寺舊有鏡光閣，明人題詠甚夥。宸垣識略云：海印在廣福、海潮之間，今銀錠橋東南沿湖隙地，疑即海印廢址，故有鏡光閣以臨水，若碧峯寺，在今小石橋衚衕，與銀錠橋相去約二里，前後無水，未可以馬家廠證長安客話所云也。

舊鼓樓街，井一。有清虚觀，明景泰間建。萬曆沈志：清虚觀、廣福觀，俱勑建，在日中坊。明一統志：中心閣在府西，元建，以其適都城中，故名。析津志：中心臺在中心閣東十五步，其臺方幅一畝，以牆繚繞，正面有石碑，刻中心臺。又雙青楊樹大井，關帝廟，北去則昭回坊矣。前有大十字街，轉西，大都府巡警二院，直西則崇仁倒鈔庫，西中心閣，閣之西，齊政樓也，更鼓譙樓，樓之正北，乃鐘樓也。明北平圖經志書：中心臺敵樓一十二座，窩鋪三百四十三座。舊聞考：今舊鼓樓大街北城牆有中心臺之名，蓋元時都城偏北，以鼓樓大街之中心臺爲東西南北之中也。東條兒衚衕，井三。玉皇閣衚衕，玉皇閣明建，有順治間鼎一。酒醋局衚衕，井三。明酒醋局外廠也，見寄園寄所寄録。張帽衚衕，帽或訛旺，又訛望。娘娘廟，湯鍋衚衕，鈴璫衚衕。

鼓樓大街，地安門街迤北，近鼓樓者，亦稱鼓樓大街，元稱十字街。鼓樓北爲鐘樓，互詳城池。鐘樓後井一。街東有慈善寺，詳寺觀。存素堂文集：嘉慶四年秋，余自楊柳灣移家鐘鼓樓間，朱壽人爲作移居圖。自移居後，遠近以詩龕圖寄余者，又得十餘家，爰附移居圖後，裝聯成卷。元一統志：九年二月，改號大都，遷居民以實之，建鐘鼓樓於城中。圖經志書：鐘樓在金臺坊東，即萬寗寺之中心閣。萬曆沈志：慈善寺、文昌宫，俱在靖恭坊，有勑建碑。析津志：米市、麪市，在鐘樓前十字街西南角，緞子市、皮帽市在鐘樓街西南，帽子市在鐘樓，窮漢市一在鐘樓後，爲最。鵝鴨市在鐘樓西，珠子市在鐘樓前街西第一巷。靴市在翰林院東，就賣底皮、西甸皮諸靴材，都出在一處，柴炭市，集市一在鐘樓，鐵器市，鐘樓後。明劉績霏雪録：危素爲翰林學士，居鐘樓街，會稽王山農冕游大都，嘗見其文，而不相識。一日，危騎而過山農所，與之坐，不問其姓名。徐曰：君非鐘樓街住耶？危曰：然。不出他語而罷。人問之，山農曰：吾觀其文有詭氣，目其人舉止亦然，料知必危太僕也。燕都遊覽志：張公海棠二株，在鐘鼓樓東中貴張宅，元時遺物，叢本數十圍，修幹直上，高數丈，下以朱欄陪之，參差敷陰，猶垂數畝。近易主不知其幾矣。三官廟，北醋兒衚衕，東、西草廠衚衕，東井一，西井二。豆腐池衚衕，池或作匙，井一。趙府街，王佐衚衕，佐或作座，井一。高公菴衚衕，公或訛古，井一。有慈隆寺，明瓓高勳建。互詳寺觀。寄園寄所寄録：慈隆寺在金臺坊，酒醋局外廠東。國祥衚衕，井一。碾兒衚衕，寶鈔衚衕，神機營所屬左驍騎營擡鎗隊置廠於此，詳兵制。采訪册：超勇親王府在寶鈔衚衕。按：王諱策淩，尚純慤公主，聖祖十女額駙也，謚曰襄，配享太廟。千佛寺衚衕，井一。寶泉局西作廠在東北，詳衙署。俗稱其地爲錢局。坊巷衚衕集：金臺坊九鋪。有萬甯寺、法通寺、淨土寺、千佛寺。按：諸寺俱見後，千佛寺，元遺刹，明正統間改名吉祥，俗仍舊稱，後因八步口別建千佛寺，乃稱小千佛寺以別之，互詳寺觀。郎家衚衕，淨土寺衚衕，寺有明嘉靖碑。琉璃寺衚衕，井一。法通寺衚衕，井一。寺爲元遺刹，明曰淨業，康熙間改名淨因，詳寺觀。沙拉衚衕，井一。析津志：沙剌市，一巷皆賣金銀珍珠寶貝，在鐘樓前。按：沙剌卽沙拉，國語珊瑚也。舊聞考譯改作舒嚕。今沙拉衚衕疑沿元時舊稱。扁擔廠，井一。大佛寺衚衕，北鑼鼓巷，財神廟，大、小經廠，大經廠井一。其東爲順天府署。分司廳衚衕，或作粉子亭。謝家衚衕，井一。伽藍殿衚衕，俗訛車輦店。輦或作碾，或作簾，井一。柴棒衚衕，井一。北花園衚衕，井二。姑姑寺衚衕，靈官廟，鬧營衚衕。

安定門大街。井四。關帝廟俗稱紅廟，井一。迤南午達東直門街者，曰交道口，井二。鑲黃旗滿洲都統署在焉。其北爲漢軍都統署，俱詳衙署。采訪册：諴親王府在安定門大街東，今爲榮壽公主府。謹按：諴王諱允祕，聖祖二十四子，謚曰恪。公主，恭親王長女也。元史程鉅夫傳：賜地京師安貞門，以築室。按：安定門，元曰安貞，其地當在今城東隅。析津志：靈椿坊在都府北，丹桂坊在靈椿北。坊巷衚衕集：靈椿坊八鋪。淥水亭雜識：竇十郎故居，或云在城西，或云在昌平，或云在涿州，或云在薊州，當時馮瀛王贈詩，有靈椿一株老之句。今北城有靈椿坊，疑是十郎舊里。元張翥蛻菴集：買屋靈椿坊詩：五槐濃緑蔭門前，東宇西房十數椽。不是衰翁買屋住，歸時留作雇船錢。萬曆沈志：八蜡廟在府治東北。按：廟今無考，惟府治中有劉猛將軍祠，雍正二年敕建。傳云，神主蝗蝻。甲申傳信録：李姓磨坊住安定門內，亡其名，賊入，語曰：我薄治産業，皆明人物也，豈有留與逆賊乎？遂集大小男女及牲畜資財，焚滅無遺。

鼓樓東大街。井六。順天府署在東北，元大都路總管舊署遺址建，署內外井三，西有天壽萬甯寺，詳寺觀。東華録：乾隆九年十月，以京師錢價昂貴，令各當鋪官借本銀收錢，發市流轉，以正陽門外布巷市房一所，地安門外鼓樓東官房一所爲錢局，其收錢發銀，造册文票，俱用順天府治中印。陸繼輅崇百藥齋續集：黄壚感舊詩自注：完顔曙墀太守舊宅，在鼓樓東街，合歡作花特盛，花下小齋，余及潔士、于丕、中耆、孟慈、曾容、保緒醉眠處也。右在德勝門街東，安定門街西，鼓樓東大街西，斜街北。

南醋兒衚衕，前、後鼓樓院，大、小方甎廠，臭溝沿，黑芝蔴衚衕，沙井衚衕，井一，作家。井兒衚衕，井一。前、後馬圈衚衕，前馬圈井一。真武廟衚衕，顯佑宫祀真武，詳祠祀。萬曆沈志：廟在靖恭坊，有勑建碑。帽兒衚衕，步軍統領署在西北，舊爲禮部會同館，詳衙署。東有文昌宫、斗姥宫，詳祠祀。嘯亭續録：湯敦甫金釗任祭酒時，尚居地安門外文昌宫，無安宅也。萬曆沈志：梓潼帝君廟在靖恭坊，有勑建碑。南鑼鼓巷，井一。北兵馬司衚衕，秦老衚衕，前、後圓恩寺衚衕，鑲黄旗官學在焉，詳學校。萬曆沈志：關王廟有勑建碑，今無考。圓恩寺在昭回坊，又有廣慈菴，俱詳寺觀。大、小局兒衚衕，局或作橘，小衚衕井一。肅甯府，臭皮廠。右在地安門街東，鼓樓東大街南，安定門街交道口西，兵馬司衚衕、帽兒衚衕北，與中城東城界。

東直門大街，井六。關帝廟俗稱白廟，井一。迆西曰北新橋街，南屬東城，北屬北城。蒙古都統署在焉。橋東教場有上三旗及正藍旗礮廠，俱詳衙署。北有慈壽寺，舊名開元，傳云創自唐開元間，明爲惠明寺，乾隆間改今名。少東有寶公寺，萬曆沈志云在崇教南坊。又東有東藥王廟，俱詳寺觀。宸垣識略：和親王府在北新橋南，一等昭毅伯第在白廟前。按：和王府，據嘯亭續録云，在鐵獅子衚衕，已見前。巴都禮封昭毅伯。明一統志：武驤左衛、右衛、龍驤左衛、右衛，俱在崇教坊。按：今無考。

梁家灣，頭條衚衕，井一。二條衚衕，有范家大院。三條衚衕，井一。寶泉局北作廠在焉，詳衙署。小三條衚衕，坊巷衚衕集：崇教坊十四鋪。有天聖寺、淨居寺、極樂寺、崇興菴。按：天聖寺在小三條衚衕，極樂寺見後，餘無考。扁擔衚衕，方家衚衕，神機營所屬内火器營馬隊置廠於此，詳兵制。嘯亭續録：循郡王府在方家衚衕。謹按：王諱永璋，高宗三子，追封，今其後人鎮國公載遷居之。地藏菴。

成賢街，東、西有坊曰成賢街。文廟、國子監在焉，俗稱國子監衚衕。街南爲南學，雍正九年增建，互詳衙署。神機營所屬左驍馬隊、左前護軍馬隊置廠於此，詳兵制。宸垣識略：三等忠勤伯第在國子監成賢街。按：乾隆時，大學士陝甘總督黃廷桂，封忠勤伯，謚文襄。今伯永安，官散秩大臣。帝京景物略：都城東北隅坊曰崇教，街曰成賢，國子監在焉。國初本北平府學，永樂二年改國子監，左廟、右學，規制大備。彝倫堂之松，元許衡手植也。明宣宗實録：宣德四年四月，國子監請以監之東金吾等三衛草場二所爲諸生構房舍，其地給本監種蔬，以供會饌。從之。明太學志：櫺星門前舊有小巷，橫溝積穢，乃買劉福、姚浩等地，東西闊七丈五尺，深入四丈，高築屏牆。又學舍之制，外東號在廟左，大東號在北，居賢坊、賽百萬倉、西門街、新南號在北城二條衚衕東口，小北號在居賢坊衚衕，交趾號在監南，西號在成賢街西北，去監五十步，舊雲間寺址也。長安客話：國初，高麗遣金濤等四人來入太學，洪武四年，濤登進士歸國。其後各國及土官亦皆遣子入監，監前别造房百間居之，名王子書房。明一統志：崇文閣在國子監，元建，吳澄撰碑，今彝倫堂地是也。查浦輯聞：虞文靖謂許文正歿後，國子監始立官府，刻印章。蓋文正爲祭酒時，尚在舊學，所謂王宣撫宅也。今國學彝倫堂前樹，傳是文正手植，殆未必然。按：元初以金樞密院爲聖廟，至元二十四年，既遷都燕京，乃改爲大都路學，而立國子監於城東，卽今學也。事見元史王檝傳。大溝巷，俗訛打狗巷，井一。箭廠，井一。慈悲衚衕，極樂寺，萬曆沈志：極樂寺有勅建碑，在崇教坊北。又有天仙菴，今無考。前、後蕭家衚衕，豬毛衚衕，五道營，口袋衚衕，湯家衚衕，官書院衚衕，甎兒衚衕。右在安定門街東，大市街西，東直門街新橋北，其南與東城界。

金太監寺衚衕，寺今廢，其地猶仍舊名，井一。鑲黃旗護軍統領署在北，詳衙署。坊巷衚衕集：北居賢坊五牌三十八鋪，有濟陽衛、大甯衛、燕山右衛、義勇左衛、北新倉、大軍倉、五岳觀、圓甯觀、報恩寺、柏林寺、金太監寺。按：諸衛今無考。燕山右衛，明一統志云在思誠坊，大甯衛、義勇左衛，一統志無之，蓋置自天順後也。大軍倉疑卽海運倉。北新倉詳東城。餘俱見後。鼓手衚衕，亦作鼓哨，俗訛作籮篩。宸垣識略：三等義烈公第在鼓手衚衕。按：乾隆時靖逆將軍尚書那木札爾，追封義烈公。今公德鑑，前官副都統、散秩大臣。駱駝脖衚衕，脖或作背，井一。賢孝牌，草廠衚衕，報恩寺衚衕，井一。報恩寺，詳寺觀。明何孟春餘冬序録：洪武元年八月，天兵定燕都，危學士素走報恩寺，俯身入井。寺僧大梓挽出之，謂曰：國史非公莫知，公死是死國之史也。危由是不死。翰林待制黃殷士尋投居賢坊井中，從人張午負以出，曰：君小臣而死社稷耶？黃曰：齊太史兄弟皆死小官，彼何人哉！午使家人環守，至日昃，會大將軍徐達下令曰：勝國之臣，皆輸告身。黃紿午取告身還，午出，還求勿得，亟往視井，則黃已死。午買棺以殮，且營葬焉。王大人衚衕，井二。嘯亭續録：理郡王府在王大人衚衕。謹按：王諱宏晹，聖祖孫廢太子理密親王允礽次子，謚曰恪。密王舊府在德勝門外鄭家莊，俗稱平西府，王得罪後，長子宏晳降襲郡王，晉親王，仍居鄭家莊。乾隆四年，黜屬籍，以宏昢紹封。今爲豐公第。輔國公奕梁，淳度親王之後，舊府在玉河橋西，同治初遷此。王大人坑，井一。後井兒衚衕，井一。觀音寺衚衕，寺有石觀音像，明天順間改名靈藏，乾隆間敕改廣慈。前、後永康衚衕，龍王廟衚衕，井一。柏林寺衚衕，柏林寺元遺刹，詳寺觀。其西爲雍和宮，世宗潛邸也，地以宮名，詳宮禁。校場，礮局，會典事例：條兒衚衕局、安定門局，收貯礮位及軍器，今皆貯廢礮。頭條、二條、三條、四條、五條、六條、七條衚衕，太保街，八旗通志圖有之。四眼井衚衕，井一。椿樹衚衕。

東直門內北小街。井一。宸垣識略：固山襄敏貝子府在北小街。銅廠，手帕衚衕，王院衚衕，羊館衚衕，館或訛管，東、西井各一。元甯寺，元遺刹也。本圓甯觀，以僧圓甯得名。又有萬善寺，俱詳寺觀。萬曆沈志：萬善寺在北居賢坊，有敕建碑。極樂菴，鍼線衚衕，東、西各井一。駱駝圈，昂邦章京衚衕，昂邦章京，國語子爵也，俗訛按班張。十根旗杆，胡家圈，家俗訛椒。清涼菴，頭條、二條、三條衚衕，五岳觀，地以觀名，觀有碑，云創自宋、元間。馬棚衚衕，東西寬街，宸垣識略：履親王府、固山誠貝子府，俱在東角樓寬街。謹按：王諱允祹，聖祖十二子，乾隆間任議政，謚曰懿，再傳無嗣。高宗以四子履端親王永城繼之。今爲懋公第，在後海南。嘯亭續録云：府在北小街。樺皮廠，關帝廟，北水關，北城根。井一。迤西近安定門，有大石橋。右在大市街東，東直門街北，其南與東城界。

八旗界址：順治元年，定鼎燕京，分列八旗，拱衛皇居。鑲黃居安定門內，正黃居德勝門內，在北，正白居東直門內，鑲白居朝陽門內，在東，正紅居西直門內，鑲紅居阜城門內，在西，正藍居崇文門內，鑲藍居宣武門內，在南。蓋八旗方位相勝之義。八旗通志。會典事例：鑲黃、正黃二旗前鋒參領、侍衛前鋒校、前鋒等，以地安門爲會集處；正白、鑲白二旗，以東安門爲會集處；正紅、鑲紅二旗以西安門爲會集處；正藍、鑲藍二旗以天安門爲會集處。其八旗滿洲五參領、蒙古二參領下之護軍參領、護軍校、護軍等，各按甲喇，鑲黃旗自地安門東至草廠衚衕之西，爲會集處。正白旗自草廠衚衕南，至東廠衚衕之西，爲會集處。鑲白旗自東廠衚衕南，循皇城至口袋衚衕之西，爲會集處。正藍旗自口袋衚衕南至長安門金水橋，爲會集處。正黃旗自地安門西至皇城西北角，爲會集處。正紅旗自皇城西北角，南循皇城至西安門，爲會集處。鑲紅旗自西安門南，循皇城至灰廠之東，爲會集處。鑲藍旗自灰廠南，至長安門金水橋，爲會集處。雍正三年六月十三日，八旗都統、前鋒統領、護軍統領等，議定八旗界址。鑲黃旗滿洲、蒙古、漢軍，各按參領，自鼓樓東至新橋，自新橋大街北至城根，南至府學衚衕之東，與正白旗界。滿洲官兵：自鼓樓東循大街至經廠，第一參領下十七佐領居之；自經廠循交道口南，至棉花衚衕之東，二參領下十七佐領居之；南鑼鼓巷左右諸衚衕，三參領下十八佐領居之；自交道口大街，東循新橋折而南，至香兒衚衕之東，四參領下十七佐領居之；自香兒衚衕之東，南至府學衚衕、馬將軍衚衕、環錢局諸小衚衕，五參領下十七佐領居之。蒙古官兵：自交道口大街北至安定門，第一參領下十四佐領居之；北鑼鼓巷左右諸衚衕，二參領下十四佐領居之。漢軍官兵：自新橋大街北至方家衚衕，第一參領下十佐領居之；自方家衚衕北至城根，二參領下十一佐領居之；國子監前後，自頭條衚衕北至蕭家衚衕，三參領下十一佐領居之；柏林寺前自鼓哨衚衕，北至柏林寺，四參領下十一佐領居之；自北小街口東北至城根，五參領下十四佐領居之。正白旗滿洲、蒙古、漢軍居址，自府學衚衕南至大市街報房衚衕之東，與鑲黃旗界，自皇城根東至城根，與鑲白旗界。滿洲官兵：自棉花衚衕東循大街而南，至大佛寺西北角，第一參領下十七佐領居之；自大佛寺西北角，南至報房衚衕西，二參領下十六佐領居之；自皇城東寬街，南至雙碾衚衕，三參領下十六佐領居之；自鐵獅子衚衕南，至馬大人衚衕、大佛寺衚衕，四參領下十六佐領居之；自馬市口東至大市街，環隆福寺小衚衕，五參領下十六佐領居之。蒙古官兵：自府學衚衕之東，循大街至二條衚衕，第一參領下十五佐領居之；自五條衚衕至東大市坊，二參領下十四佐領居之。漢軍官兵：自新橋大街至東直門，第一參領下十佐領居之。北新倉、海運倉、興平倉、南新倉、舊太倉、富新倉，諸近倉門之地，二參領下十佐領居之。自王駙馬衚衕、慧照寺衚衕，北至東直門大街，三參領下十一佐領居之；北新橋大街六條衚衕至十條衚衕，四參領下九佐領居之；北小街頭條衚衕，至五條衚衕，五參領下九佐領居之。鑲白旗滿洲、蒙古、漢軍居址，自報房衚衕南至單牌樓，與正白旗界。自皇城根東至城根，與正藍旗界。滿洲官兵：自東廠衚衕之東，循大街至阮府衚衕東，第一參領十七佐領居之；自阮府衚衕之東，至東長安坊，第二參領下十六佐領居之；自翠花衚衕南至理藩院後衚衕，三參領下十八佐領居之；自東長安坊東至就日坊，四參領下十七佐領居之；自燈市口大街南至頭條衚衕，五參領下十七佐領居之。蒙古官兵：自大市街南至堂子衚衕，第一參領下十二佐領居之；自堂子衚衕南至就日，二參領下十二佐領居之。漢軍官兵：自大市街東至小街，第一參領下五佐領居之；自小街東至朝陽門，二參領下四佐領居之；環禄米倉南至雅寶衚衕，北至方家衚衕，三參領下四佐領居之；小街、史家衚衕、乾麪衚衕、小雅寶衚衕，四參領下四佐領居之；自堂子衚衕、羊儀賓衚衕，南至總捕衚衕，五參領下五佐領居之。正藍旗滿洲、蒙古、漢軍居址，自就日坊至崇文門，自金水橋東至城根，與鑲白旗界。滿洲官兵：自長安坊西至長安左門，第一參領下十六佐領居之；自新街口南至北，二參領下十七佐領居之；自宗人府東，南至中玉河橋，三參領下十七佐領居之；自中玉河橋至洪廠衚衕之北，四參領下十七佐領居之；自洪廠衚衕口北至長安街，五參領下十七佐領居之。蒙古官兵：自就日坊至崇文門，第一參領下十五佐領居之；自江米巷之東至洪廠衚衕，二參領下十四佐領居之。漢軍官兵：自觀音寺衚衕東至舉場西門，第一參領下六佐領居之；自羊肉衚衕之西，東至水磨衚衕，二參領下六佐領居之；裱背衚衕西至東，三參領下五佐領居之；自蘇州衚衕之西，東至馬皮廠北，四參領下六佐領居之；自船板衚衕之西，東至馬皮廠南，五參領下七佐領居之。正黃旗滿洲、蒙古、漢軍居址，自鼓樓西至新街大街，北至城根，南至馬狀元衚衕之西，與正紅旗界。滿洲官兵：自鼓樓大街迤西至北藥王廟，又北大城根，第一參領下十九佐領居之；自北藥王廟之南，西循大街至八條灣南，二參領下十九佐領居之；自八條灣之南，西循大街至德勝門，自德勝門折而南至德勝橋，三參領下十八佐領居之；自鼓樓斜街循銀錠橋西，逾李廣橋，至德勝橋大街，四參領下十八佐領居之；自松樹街之北，至南藥王廟，五參領下十八佐領居之。蒙古官兵：自松樹街之南，至宏善寺街西，第一參領下十二佐領居之；自宏善寺街之西，至德勝橋，二參領下十二佐領居之。漢軍官兵：自護國寺街至棉花衚衕、羅圈衚衕之西，第一參領下十佐領居之；自羅圈衚衕之西，及棉花衚衕、廊房衚衕、草廠衚衕，二參領下十佐領居之；漿家房東至西，三參領下十一佐領居之；自新街口北至四條衚衕，四參領下十佐領居之；自四條衚衕之東至城根，及銅井，五參領下九佐領居之。正紅旗滿洲、蒙古、漢軍居址，自馬狀元衚衕之東，與正黃旗界。自皇城根西至城根，與鑲紅旗界。滿洲官兵：自西直門大街曹老公觀之東，至新街口迤南，至石老娘衚衕之東，第一參領下十二佐領居之；自石老娘衚衕之東，南至大市街迤東至馬市，二參領下十六佐領居之；自馬狀元衚衕南至柺棒衚衕，三參領下十五佐領居之；自大街西之驢肉衚衕北至石老娘衚衕，四參領下十二佐領居之；自衛衣衚衕北至宮衣庫衚衕，五參領下十四佐領居之。蒙古官兵：自西直門大街南之草廠衚衕至大覺寺衚衕，第一參領下十一佐領居之；自大覺寺衚衕南至苦水井，二參領下十一佐領居之。漢軍官兵：自阜成門循大街至宮門口，第一參領下四佐領居之；自宮門口東至馬市橋，二參領下四佐領居之；馬市橋北之酥蘿蔔衚衕、回子營，三參領下四佐領居之；自回子營北至茶葉衚衕、翠花街，四參領下四佐領居之；自宮門口北至葡萄園之東，五參領下三佐領居之。鑲紅旗滿洲、蒙古、漢軍居址，自羊肉衚衕南至瞻雲坊，與正紅旗界。自皇城根西至城根，與鑲藍旗界。滿洲官兵：自大市街南至瞻雲坊折而東，至西長安坊，第一參領下十三佐領居之；自西安門街南至細米衚衕，二參領下十七佐領居之；自細米衚衕南至李閣老衚衕，三參領下十佐領居之；自李閣老衚衕南至官馬市，四參領下十八佐領居之；自鐵子衚衕南至秤鈎衚衕，五參領下十七佐領居之。蒙古官兵：自粉子衚衕北至豐盛衚衕，第一參領下十佐領居之；自豐盛衚衕北至羊肉衚衕，二參領下十二佐領居之。漢軍官兵：自白廟衚衕至半壁街，第一參領下二佐領居之；自白廟衚衕西北至跨車衚衕，又東至千張衚衕，二參領下六佐領居之；自千張衚衕南至大木廠、牛圈、高井、口袋衚衕，三參領下四佐領居之；自口袋衚衕南至東夾道，四參領下六佐領居之；白廟衚衕、刑部街，五參領下四佐領居之。鑲藍旗滿洲、蒙古、漢軍居址，自瞻雲坊至宣武門，自金水橋西至城根，與鑲紅旗界。滿洲官兵：自西長安坊東至長安右門，第一參領下十八佐領居之；自西江米巷北至長安街，南至四眼井，二參領下十八佐領居之；自河漕沿東至拴馬椿、馬神廟，三參領下十八佐領居之；自獅子口東至皮市迤北，至掃帚衚衕之西，四參領下十七佐領居之；自瞻雲坊南之絨綫衚衕，東至河漕沿之南牛肉灣，五參領下十七佐領居之。蒙古官兵：自宣武門北至絨綫衚衕迤東，至翠花街、棗樹衚衕，第一參領下十三佐領居之；自中街東至細瓦廠、新舊簾子衚衕，二參領下十二佐領居之。漢軍官兵：報子街東至西，第一參領下五個半佐領居之；手帕衚衕東至西，二參領下四佐領居之；鐵匠衚衕東至西，三參領下四佐領居之；自石駙馬大街西至棕毛衚衕，四參領下五佐領居之；自頭髮衚衕西至臭水河，五參領下四佐領居之。據八旗通志、參會典事例。按：此國初定制也。八旗驍騎營汛地同此，後頗有改並，近則生齒日繁，多錯處矣。

宜興李棣林校　如皋戴應泰覆校

京師志十四

坊巷下

義烏朱一新纂　江陰繆荃孫覆輯

外城亦曰羅城，明嘉靖三十一年築，周二十八里有奇，門九。一統志。明世宗實録。其街衢之大者，南北曰正陽門街、永定門街、崇文門街、宣武門街、東便門街、西便門街，東西曰南大街、自廣渠門直達廣甯門，亙十餘里，隨地異名，具詳於後。南横街、打磨廠、西河沿、花兒市街。會典事例。參宸垣識略。

外城中城 城册：外城地址，隸中城者，中東坊第一鋪：東至長巷上二條衚衕，南至鮮魚口小橋，西至正陽門街，北至城根；二鋪：東至東河沿、蕭公堂、深溝口，南至三里河橋、珠市口街、鐵山寺，與南城界，西至長巷下頭條衚衕、後營，北至鮮魚口、梯子衚衕；三鋪：東至小蔣家衚衕、抄手衚衕，南至珠市口街，與南城界，西至正陽門街，北至豆腐巷、十間樓、北蘆草園。中西坊第一鋪：東至正陽門大街，南至珠寶市，北至城根，西至西河沿、關帝廟、觀音寺、楊梅竹斜街，與北城界；二鋪：東至正陽門大街，南至珠市口大街，與南城界，西至觀音寺前，與北城界，北至珠寶市；三鋪：東至永定門大街，南至永定門口，西至石頭衚衕，與北城界，北至清風巷、火神廟，西與北城界。

正陽門外大街。俗稱前門大街。跨護城河，有橋，甃以文石，中爲馳道，南有坊，顔曰正陽橋。迤南直達永定門街，其北傍月牆者，東曰荷包巷，西曰帽巷。高承埏鴻一亭筆記：正陽門前，搭蓋棚房，居之爲肆，其來久矣。崇禎七年，成國公朱純臣家燈夕被火，於是司城毁民居之侵占官街、棚房壅塞衢路者。金侍御光宸上言：窮民僦居無資，藉片席以棲身，假貿易以餬口，其業甚薄，其情可哀。皇城原因火變，恐延燒以傷民，今所司奉行之過，概行拆卸，是未罹焚烈之慘，而先受離析之苦也。且棚房半設中途，非盡接棟連楹，若以火延棚房，即毁棚房，則火延内室，亦將並毁内室乎？疏入，有旨停止。吴偉業讀史偶述詩：布棚攤子滿前門，舊物官窯無一存。

王府近來新發出，剔紅香盒豆青盆。香祖筆記：燈市初在靈佑宮，稍列書攤，自移於正陽門大街之南，則無書矣。燕石集：四方進士來試南官者，率僦居麗正門外。明一統志：南城兵馬司在城外正陽街。

東河沿，井一。步軍統領所屬南營守備署在南，詳兵制。有奉新、浮梁、句容諸會館。迤東隸南城，逾河爲正陽門外東城根，有朝陽閣，明建，乾隆間重修，置粥廠於此。東有橋，玉河水出水關後，逕橋下入護城河，詳水道。坊巷衚衕集：正東坊自正陽門東河沿至崇文門外西河沿，八牌四十鋪，有蕭公堂、崇真觀、天慶寺、慈源寺、清化寺、西三里河、東三里河、蘆葦園。按：三里河、蘆草園見後，蕭公堂以下諸寺觀俱詳南城。戥子市，迤東岐爲東河沿、打磨廠二衚衕，打磨廠詳南城。肉市，北小衚衕井一。宸垣識略：查樓在肉市，明巨室查氏所建戲樓，巷口有小木坊，書查樓字。乾隆庚子燬於火，今重建。藤陰雜記：京師戲館惟太平園、四宜園最久，其次則查家樓、月明樓，比年如方壺齋、蓬萊軒、昇平軒最著。語見亞谷叢書。此康熙末年酒園也。查樓木榜尚存，餘皆改名，大約在前門左右。鮮魚口，有帽市。迤東有小橋，北小衚衕井一。迤西抵大街，有布市。布巷，井一，有布市。抄手衚衕，西有吉安二忠祠，爲吉安會館。藤陰雜記：二忠祠在鮮魚口，吉水人祀文信國、李忠肅邦華。忠肅甲申殉節於吉安會館，即此。舊聞考稱在城內。文信國祠未確。柴市一祠，未聞作吉安會館。此祠又名懷忠會館。丞相祠堂邊華泉聯句：花外子規燕市月，柳邊精衛浙江潮。趙甌北翼有謁祠詩，今兩遭回禄，門榜徒存。按：祠今已重修，忠肅殉節，當在內城，舊聞考之言不誤。邵長蘅作忠肅傳，言十八日賊破外城，公移宿吉安會館文信公祠下，詰朝，外城陷，亟奔大內，門閉不得入，歸館投繯而絶。考甲申小紀：十八日薄暮，賊蟻傅正陽、崇文二門，十九黎明，守城璫開正陽門迎賊。是時寇騎充斥，忠肅如寓外城，安能奔至大內？況懷忠會館在信國祠旁，夢餘録載其地甚明。信國祠在柴市，不聞在外城也。郡邑會館例祀鄉賢，二忠祠蓋景慕遺徽而作，不必定爲殉節之區，戴説固矣。南、北孝順衚衕，北衚衕井一。有長沙會館。羅篩衚衕，長巷上、下頭條衚衕，下衚衕井一。有涇縣、南昌、汀州、江右、豐城諸會館。舊有武林會館，今廢。上、下二條衚衕，有臨江、汀州、浦城、武陵諸會館。舊有廣豐會館，今廢。梯子衚衕，上、下三條衚衕，有長吴、金溪、臨江、南城諸會館。舊有元甯、涇縣會館，今廢。扁擔衚衕，翅膀衚衕，上、下四條衚衕，有岳陽、上新、新城、樂平、休甯、金谿、南昌諸會館。舊有貴池、德興、南雄諸會館，今廢。高廟，關帝廟俗稱高廟。廟有嘉靖間鼎一，蓋建自明代也。有常德會館。舊有蕪湖會館，今廢。鸞慶衚衕，鸞或作鑾。有襄陽、粵西會館。高井衚衕，井一。舊有武甯、義甯、進賢、武河諸會館，今多廢。大、小始興衚衕，始或訛爲施。深溝口，巷西隸中城，東隸南城。舊有江山會館，今廢。花園，紅佛寺，堂子大院，翔鳳衚衕，或作牆縫。舊有瀘溪會館，今廢。大、小崇真觀，崇真觀，明璫張政故宅也，詳寺觀。今其地以觀名。迤東爲興隆街，詳南城。慶雲庵，北蘆草園，井一。中城吏目署在北，詳衙署。有火神廟。元帝廟，東蘆草園，靠山衚衕，北橋灣，井一。巷西隸中城，東隸南城，有安國寺，詳寺觀。中蘆草園，蘆草園，坊巷衚衕集之蘆葦園也，蓋前代積草之地，故其北草廠諸衚衕，皆以是名。宸垣識略：吳越王錢鏐祠在蘆草園，雍正二年勅封誠應吳越武肅王，其裔孫世章創建。明桂萼文襄集：正陽門外東偏，有古三里河一道，東有南泉寺，西有玉泉庵，今天壇北蘆葦園、草場九條巷，其地下者俱河身也。按：南泉寺見南城，三里河、玉泉庵，互詳後。又元世祖於文明門外東五里立葦場，歲收葦百萬以蓑城。至文宗有警，用諫者言，因廢，此葦止供內廚之需，歲役市民修補，事見析津志。蓋元築都城以土，不以甎也。文明門今之崇文門，志言場在門東五里，其遺址固未必在此，然可知南城之有葦場，其來久矣。明時亦於臺基廠收蘆葦，神木廠收蘆席，見明水軒日記。南蘆草園，有武甯、京江會館。南趺子衚衕，大、小西竺庵，驢尾衚衕，大、小席兒衚衕，大衚衕井一。有玉泉庵，有石埭、德化、廬陵會館。冰窖衚衕，有乾泰寺，康熙三十九年重修。有唐縣、漳州、浙甌、建甯、平鎮諸會館。前營，後營，十間樓，花鹹衚衕，炕洞衚衕，豆腐巷，大蔣家衚衕，井一。有旌德、松江、吉安、貴州諸會館。舊有韶州會館，今廢。冰窖廠，井一。小蔣家衚衕，有河東、平陽、晉翼、旌德諸會館。西河營，弔打衚衕，井一。羅家井，井一。高跳衚衕，瓜子店，有估衣市。果子市。東珠市口大街。即南大街，珠或作豬，井三。管理街道御史署、步軍統領所屬中營守備署，俱在南，詳衙署。乾隆初，中營遊擊駐此，後省。有天津、南康會館。迤東爲三里河，詳南城。右在正陽門街東，三里河、北橋灣、深溝口西，東珠市口、三里河北，其東南皆與南城界。

西河沿，南小衚衕井一。迤西有萬壽關帝廟。廟東隸中城。西隸北城，井二。正乙祠，康熙五十一年建。關帝廟，明建，俗稱粗旗杆廟，井一。有蕭山、渭南、代州諸會館，皆在北城界內。舊有如泰會館，今廢。西河沿之北爲南河沿。又北，逾河抵城根，爲北河沿，俱詳北城。北河沿近正陽門者曰貫市。汪琬鈍吟續稿：京師豐臺、西河沿，皆與同人習游者，病中追賦：病懷衰骨兩支吾，記得年時卧酒壚。借問河邊攀賸柳，也應憔悴似人無？漁洋集：同人集河樓下詩：下直經旬髮不梳，河樓高會翦春蔬。已喜緑蒲藏睡鴨，更燒紅燭射游魚。玉河楊柳見飛花，露葉煙條拂狹斜。十五年前曾繫馬，數株初種不勝鴉。今白華堂詩録：公讌諸同年詩自注：西河沿之禄壽堂，虎坊橋之浙紹鄉祠，戲席最盛。坊巷衚衕集：正西坊，自正陽門外西河沿，至宣武門響閘橋東，六牌二十四鋪。有延壽寺、雲峯寺、觀音寺、雲居寺、萬善寺、擡頭庵。按：雲峯寺無寺，延壽寺今屬北城，餘見後。排子衚衕，有江夏、鳳陽會館，小廟二。三府菜園，井一。小衚衕一。珠寶市，廊房頭條衚衕，路南小衚衕曰高家衚衕，井一。人海記：永樂初，北京四門、鐘鼓樓等處，各蓋鋪房、店房，召民居住，召商居貸，總謂之廊房。視衝僻，分三等，納鈔若干貫，洪武錢若干文，選廊房内居民之有力者一人，僉爲廊頭，計庸納錢鈔，斂銀收買本色，解内府天財庫交納，以備宴賞支用。今正陽門外廊房衚衕，猶仍此名。二條衚衕，有小衚衕一。三條衚衕，有臨汾會館。大柵欄，有小衚衕曰門框衚衕。大齊家衚衕，小齊家衚衕，王皮衚衕，有仙城會館。蔡家衚衕，施家衚衕，有青陽、廣德會館，井一。掌扇衚衕，井一。雲居寺衚衕，有雲居寺。涇井衚衕，井一，有真武廟。甘井衚衕，井二，有贛甯會館。潛研堂集：柬曹習庵詩：甘井汲泉宜勿幕，官園種菜自爲鄉。自注：予寓官菜園上街，習庵寓甘井衚衕。車輦店，今名教子衚衕，有觀音寺。糧食店，井一。有火德真君廟。右在正陽門大街西，煤市街東，西珠市口大街北，其西與北城界。

煤市街，有漳郡、贛州會館、公善水局。井一。藤陰雜記：高安朱文端公第在煤市街，今爲旅店。查禮銅鼓書堂集：移居宣南坊詩注：今歲夏就任農曹，正陽門煤市街舊有老屋數椽，湫隘不能容足。煤市橋，無橋。楊梅竹斜街，有和含、西西會館，井一。藤陰雜記：楊梅竹斜街梁文莊公第，清勤堂前藤花，汪文端公有詩，萬柘坡光泰館此，修三通。又嚴海珊刺史遂成貽詩云：滿架藤陰史局中，讓君一手定三通。又青乳軒以厲王中書穀原又曾，文莊告養歸里，又曾送詩：藤陰假館年華晚，潞水抽帆別思頻。文莊終養來京，於此宣麻，旋卒於位。今久改旅店，藤花尚茂，車過時，猶及見之。觀音寺街，有寺。小李紗帽衚衕，朱家衚衕，豬毛衚衕，石頭衚衕，有望江、龍巖會館、天仙宮、準提庵。王廣福斜街，有汾陽、新建會館，井一。大李紗帽衚衕，有蠶桑局、忠義局。火神廟夾道，留守尉，小衚衕曰羊毛衚衕，有高安會館。清風巷，栢興衚衕，有同善煖廠。小椿樹衚衕，有漳浦會館。小馬神廟，有六聖祠。大馬神廟。井一。有廟。右在煤市街西，石頭衚衕路東，西珠市口大街北，其西與北城界。

西珠市口大街，卽南大街，井三。中城副指揮署在南，詳衙署。有珠市汛。迤西爲西柳樹井，井一。北有萬善給孤寺，傳云，創自唐貞觀間，疑卽坊巷衚衕集之萬善寺也。東偏爲關帝祠，詳寺觀。有津南、潞安、贛甯、奉天、九江、平定、翼城、仁錢、廬州、盂縣諸會館。又有越中先賢祠。北小衚衕曰給孤寺夾道。京城古蹟考：晉陽庵有古銅大士像，下有欵識云：大唐貞觀四年，尉遲敬德監造。後移受水塘古佛庵，庵壞，移嵇山會館，今浙紹鄉祠是也。內有眼藥庵，供銅大士，左、右列善才、龍女，亦銅像，然並無尉遲監造字，而銅質古潤，法像端嚴，洵是舊物。閱微草堂筆記：京師花木最古者，呂氏藤花。宅後售與高太守兆煌，又售程主事振甲。藤今猶在，其架用梁棟之材始能支拄，其陰覆聽事一院，其蔓旁引，又覆西偏書室一院，花時如紫雲垂地，香氣襲衣。藤陰雜記：給孤寺東，呂家藤花，刻元大德四年字，商寶意詩：萬善寺旁呂氏宅，滿架古藤翠如織。鐵幹誰鐫大德年，模糊辨是元朝植。今屢易其主，藤尚無恙。又李文貞光地第，在西珠市口，有夾輔高風賜額，賃宅尚是後人。又陳澤州廷敬，初寓宣武門東街，與湘北少宰比鄰。乙丑除夕，移青藤館新居詩：五春三度移居日，桃梗椒花總閉關。新齋詩：莫道幽居小，樓頭十萬家。青藤館晝睡詩：汗簡紛難就，青藤蔓許長。又有六友齋玩月詩，簡西鄰給孤寺主詩，定在珠市口西，今莫考矣。板章衕衕，井一。有平定會館，舊有分宜、西安、同安諸會館。蔣祥墀散樗老人自記年譜：乙丑遷板章衕衕。養羊衕衕，花椒營，椒或作枝，亦作棉花營。九曲灣，牛血衕衕，血或作油，井一。高爵街，俗訛高臺階，有巴陵會館。前、後校尉營，井二。靈佑宮，佑或訛聖，靈佑宮舊爲十方道院，互詳寺觀，旁爲天仙廟。人海記：燈市舊在東華門外，今移正陽門外靈佑宮旁，至期，結席舍，懸燈高下，聽游人縱觀，蓋京師坊巷元夕不放燈也。查慎行敬業堂集：鳳城新年詞：纔了歌場便買燈，三條五劇一層層。東華舊市名空在，靈佑宮前另結棚。藤陰雜記：今宮前絕無燈市。陳澤州有至日陪祀，同王阮亭靈佑宮早起詩，今天橋宮觀悉爲諸王齋宿之所。又陳其年有同人集靈佑宮會飲詩。按：施閏章學餘堂集，有天仙宮尋徐善長詩。般若寺衕衕，鷂兒衕衕，中城正指揮署在北，詳衙署。有浮山、平介會館，舊有徽州會館，今廢。大、小燕翦衕衕，燕翦亦作演箭。趙錐子衕衕，蓮花玉河，廚子營，斗姥宮，康熙三十四年建，地以宮名，東有真武廟，西有仁壽寺，舊爲昭顯廟，俱詳寺觀。任家頭衕衕，大、小喇叭衕衕，小衕衕曰明開夜合衕衕，井一。韭菜衕衕，窮漢市。亦稱補拆市，拆或作陳，井三。小衕衕曰大、小眼鏡衕衕。

永定門大街，北接正陽門大街，井三。有橋曰天橋，橋西南井二，街東井五。東南則天壇在焉，西則先農壇在焉。俱詳壇廟。農壇之南，觀音寺，井一。明崇禎時王應魁所鑿，以濟道暍者。又南里許，有佑聖庵，俱詳寺觀。春明夢餘録：神樂觀在天壇內之西。藤陰雜記：天壇道院，卽神樂署，昔爲讌游之地。馮大木廷櫆神樂觀送同年之官詩：尺五天邊春晝晴，同游南陌麴塵生。客來彌勒龕中坐，詩向桃花潭上成。胡南苕會恩道院看牡丹詩：碧落清虛人罕到，春林詰屈馬偏諳。又有道院祈雨詩，齋宿卽事詩。乾隆七年，因游人雜沓，奏禁栽花，拆毁酒肆，至今不植花卉，惟古松尚存。卷葹閣集：偕同人飲天橋酒樓詩：過橋春五里，登閣樹三重。風轉鬧聲沸，塵將游騎衝。鶯花憐震蕩，衣袂競纖穠。咫尺郊壇外，春雲總似龍。孫爾準泰雲堂詞集：小寒食宿雨初霽，蹋青至天橋，登酒樓小飲，稺柳清波，漪空皺緑，渺渺予懷，如在江南村店矣。樓額曰杏花天，因倚聲書壁。野獲編：京師最重午節，天壇游人極盛，聯鑣飛鞚，豪門大估之外，則中官輩競以騎射爲娛，蓋皆賜沐請假而出者。

右在西珠市口大街南，板章衚衕東，永定門大街西，東與南城界，西與北城界。

外城東城

城册：外城地址，隸東城者崇南坊第一鋪：東至東便門，南至東河漕，西至崇文門大街，與南城交界，北至城根；二鋪：東至城根，南至廣渠門大街，西至崇文門大街，與南城界，北至上四條衚衕；三鋪：東至廣渠門口，南至萬柳堂，西至瓜市，與南城界，北至東河漕；四鋪：東至廣渠門，北至麻繩市，西至天壇，與南城界，南至右安門。按：會典，東城分七鋪，與今制異。

崇文門東夾道，井一，東城根井一。坊巷衚衕集：崇北坊在新城廣渠門東北角，崇文門外東河沿往東，至都城東北角，七牌三十七鋪，有天仙廟、崇恩觀、卧雲菴、無量菴、崇恩寺、卧佛寺、增福廟、白雲寺、積穀寺、萬福寺。按：無量菴、崇恩寺、積穀寺今無考，餘見後。人海記：崇文門東南有淨度寺，元張中丞養浩作，其子雁奴壙銘有云：權厝文明門外淨度寺之南。原寺蓋元時有之矣。宸垣識略：水木清華亭，元侍御史王儼別業，在文明門外東南里許，園池構築，甲諸邸第。許有壬記云：北瞻閶闔，五雲沓靄，西望舳艫，汎汎於煙波浩渺、雲樹參差之間。虞道園有詩。按：淨度寺、水木清華亭，遺址皆無考，核其地望，當與今花兒市街相近，姑附此。上、中、下河沿，井二。有聖泉寺。上頭條衚衕，井一。上二條衚衕，有薊州試館。上三條衚衕，井一。步軍統領所屬東營守備署在北。有天仙廟、五聖祠。洪北江年譜：乾隆庚戌抵都，居仲弟海岱門三條衚衕寓齋。上四條衚衕，井四。崇恩寺本名崇恩福元寺，元刹也，詳寺觀。又有卧雲菴。東口小衚衕曰曹家店，通花兒市。曰穿心店，曰罐兒衚衕，曰西罐兒衚衕。元一統志：遂初亭在施仁門北，崇恩福元寺西門西，街北舊隆禧院，正廳後乃張子有平章別墅也。明一統志：遂初堂在府南，元詹事張九思別業也。道園學古録：張九思墓誌：治園於南門外，作堂曰遂初，花木水石之勝，甲于京師。按：施仁門，金都城東北門也。元築新城後，以遼、金故城爲南城，其遺址在今外城西南隅。遂初亭、隆禧院，皆與崇恩寺相近，今不可考矣。趙孟頫松雪齋集、王惲秋澗集，均有宴遂初亭詩。南、北火扇衚衕，井一，小衚衕曰水店衚衕。北羊肉口，中頭條衚衕，井一。有白衣襌林，火神廟。中二條衚衕，中三條衚衕，井一。有觀音庵。藤陰雜記：崇文門外三條衚衕，有查氏園，施培叔朝幹賃住時頻訪，林木蔥蒨，池館清幽，後無京官居住，恐鞠爲茂草久矣。中四條衚衕，井一。有關帝廟、壽佛寺、無量庵。北小市口，有關帝廟。下頭條衚衕，井一。有關帝廟、三元寺。下二條衚衕，井二。有彌陀庵。下三條衚衕，井一。有觀音庵。下四條衚衕，井一。南夾道井一。户部拉口，或訛虎叭喇口，井一。下下頭條衚衕，狗尾衚衕，下下二條衚衕衕，有藥王廟。下下三條衕衕，下下四條衕衕。井一。

東便門大街。井一。有橋曰便門橋，護城河逕橋下，迤東北出水關，入通惠河。普陀寺在橋北，太平宫在橋南，俗稱蟠桃宫道觀也，明建，有吴達禮碑。歲三月朔至三日，有廟市，又有關帝廟、觀音庵。萬曆沈志：普陀寺、金山寺，在崇北坊，俱有勑建碑。按：金山寺久廢。宸垣識略：觀音庵舊名雲深處，康熙間建，室宇精雅，傳爲宦家别業所改。河坻下。右在崇文門街東，東便門南，花兒市街北，其西與南城界。

花兒市大街，東城正指揮署在北，詳衙署。有花兒市汛。火神廟，明隆慶二年建，有李琦、崔應階二碑，旬四日有市。竈君廟，明建，有孫岳、馮雲驌二碑，歲八月朔至三日有廟市。又有回人禮拜寺。張祥河小重山房集，有花兒市歌。鐵轆轤耙，井一。有崇興寺、觀音庵，迤東曰板橋。史家衕衕，井一。東南里許，有隆安寺，土人傳云唐刹也。宸垣識略謂殿前二柏，乃四五百年物，爲元刹無疑。餘詳寺觀。井二。西有三官廟，迤西曰白橋，井一。西南半里許爲卧佛寺，一名妙音寺，詳寺觀。井一。又有忠義觀。孫廷銓有隆安寺訪山曉上人，時自天童應召入都詩。四棵樹衕衕，牛角灣，有土地祠、財神廟，卽坊巷集之增福寺，迤東曰佘家營。上堂子衕衕，井一。有關帝廟。旋馬上灣，雷家衕衕，南小市口，井五。有地藏庵。迤北曰中小市。下堂子衕衕，上寶慶衕衕，井二。棗子營，有寶慶寺。下寶慶衕衕，上餹刀衕衕，井一。下餹刀衕衕，炕兒衕衕，有白雲寺。上鍋腔衕衕，井二。有觀音庵。下鍋腔衕衕，井一。有觀家庵。迤東曰四川營，有三清觀、法域寺、天龍寺，明萬曆間建，金華會館也，今爲義園。南羊肉口，樓灣，井一。有三聖庵、觀音堂。東河漕，井二。東城吏目署在北，詳衙署。有大慈庵。北河漕，朱家營，舊聞考作東瀦營，井一。有萬福寺，井一。手帕衕衕，井三。倉場總督署在北，詳衙署，有齊魯會館。寶子衕衕，有九泉積善寺。纓子衕衕，有觀音庵，有延邵會館。井兒衕衕，井一。汪太醫衕衕，井一。小衕衕曰扁擔衕衕，有福喜庵。抽分廠。井一。步軍統領所屬中營參將署在焉，詳兵制。有五聖禪林。右在崇文門街東，花兒市街南，廣渠門街北，其西與南城界。

廣渠門大街，卽南大街，俗稱沙窩門大街。迤西直崇文門街者，曰纜竿市，俗稱闌干市，井一。迤東曰麻繩市，曰米市，曰柴市。又東曰大石橋，曰斜橋，橋各一。自纜竿市以東，當城未築時，皆三里河所經也。又東曰元寶市，井二。城根井二。迤南菜園井五。石鼓齋雜録：李奭棠，大興人，歷官少宗伯，其父方懋，世居沙窩門，久困諸生，著説部六百餘卷，名曰雅薈。魏柏鄉稱爲光怪陸離。今不獨書不多得，並沙窩門故第亦莫可考。坊巷衚衕集：崇南坊在新城廣渠門、左安門東南角，七牌三十三鋪。有地藏寺、法藏寺、妙音寺、寶應寺、崇教寺、安化寺、吉祥寺。萬曆沈志：大悲寺在崇南坊，有勅建碑。按：舊聞考：地藏寺、法藏寺、妙音寺俱存，餘無考。今法藏寺塔尚修整，地藏寺街名存而寺廢矣，妙音寺亦廢，安化寺見後。爐聖庵，井一。庵爲山西冶工所建，明刹也，有孫嘉淦、戴章甫二碑，旁爲潞安會館，又有彌勒庵。石板衚衕，

東、西馬尾衚衕，俗稱馬尾帽東衚衕，井一。地藏寺街，井一。東、西利市營，東利市營井一。有關帝廟。管家樓，標桿衚衕，鐵香爐，井一。舊有山右、宣城、嘉應諸會館。黃河沿，三轉橋，井一。無橋。華嚴寺俗名槐寺，金天會五年經幢稱其地爲魏村社大市莊，少西景福寺，舊名石佛寺，有明正德間費宏、陳天祥二碑，互詳寺觀。日下舊聞：張爵紀五城坊巷：崇南坊有南河漕、于家灣、遞運所、纜竿市，又有三轉橋、紀家橋、板橋、雙馬莊、八里莊、十里河，皆三里河入張家灣故道，今其名雖存，而深谷爲陵，遺蹟漸不可考矣。按：于家灣、遞運所，今並無是名。半步街，俗稱唐四寶街。局章衚衕，井一。八聖廟，井一。有南極觀。迤南曰放生池，寺旁井四，曰四眼井，井八。池北偶談：沙窩門有放生池，順治中浙人范思敬實創始焉。廳兒衚衕，井一。關王廟街，井兒衚衕，井一。南河漕，井三。楞棒衚衕，半壁街，井一。迤南里許曰法華寺，又南曰四塊玉，東南曰五虎廟，明刹也，五或訛石。宸垣識略：五虎廟殿前古松二株，二百餘年物也。寺僧云：昔時塐關、張、趙、馬、黃西蜀五將，得名後，燬於火，今前殿祇奉關帝，而五虎之名仍舊。趙家莊，迤東曰魏家口，曰紀家橋。霍家橋，井二。法藏寺俗稱白塔寺，金之彌陀寺也，詳寺觀。西有太陽宮，順治初建，道流居之，迤南里許有三義廟，井三。又南曰呂家窰，井二。曰潘家窰。藍旗小營房，大營房，順治十八年，改設正藍旗教場於此。見八旗通志。中有頭條、二條、三條、四條衚衕。南岡子頭。華嚴寺，詳寺觀。雲集觀，康熙時建，後有斗姥閣，今改名玉清觀，又有文昌宮。

左安門大街，左安門俗稱江擦門，街左右亙四五里，皆曠地也，義園外，多蔬圃，城根菜園井十一。火神廟街，廟建自明成化間，有建昌侯張延齡碑，又有延慶寺。米市口，亦名細米廠頭條衚衕。細米廠，迤東曰八條坑。板廠，井一，有雙龍庵。興隆街。井一。有關帝廟、興隆庵、彌勒庵、福甯禪林，明天順間建，有工部主事翁洪碑。東爲安化寺，明天順八年賜額，有景泰間三衢釋大善、宏治間光禄卿張天駿二碑，井二。少南曰南臺寺，康熙間重建，井一。迤東曰義學，雍正時韓城甯永禄創始，有莊存與、朱珪二碑，詳學校。其旁曠地曰楊家馬圈、陳家馬圈、劉家馬圈、高家馬圈、張

家馬圈，井一。迤南里許爲育嬰堂，康熙時建，有世宗賜額，詳廠局。少西曰夕照寺，雍正間文覺禪師元信嘗退居於此，殿壁左爲王安昆書高松賦，右爲陳壽山畫松，餘詳寺觀。井一。又南里許曰萬柳堂，今爲拈花禪寺，互詳寺觀。萬曆沈志：安化寺在崇南坊，有勅建碑。宸垣識略：東南寺院，多停旅櫬，故舊址重新，頗爲宏敞，夕照、南臺其最著者。魏之琇過夕照寺詩：鐘磬不聞林鳥寂，鮑家詩唱古先生。京城古蹟考：萬柳堂在廣渠門内，爲國朝大學士益都馮溥别業。康熙時開博學鴻詞科，待詔者嘗雅集於此。藤陰雜記：益都相國馮文毅，仿廉孟子萬柳堂遺制，既建育嬰會，於夕照寺傍買隙地，種柳萬株，亦名萬柳堂。毛西河奇齡、喬石林萊作賦，陳其年序，朱竹垞記。西河詩話：壬戌上巳，益都夫子率門下士二十二人修禊萬柳堂，首唱二詩，有水萍風約故沿留句，似有寄，及閲和詩，每遇是韻，輒沈吟良久，最後至潘稼堂末，東山身爲草堂留，拍案而起，稱爲第一。蓋其年七月，將致政歸也。藤陰雜記：高念東珩亦園記：萬縷將披細柳，知濃陰行埒蘇隄，數尺自出清泉，是神力驅成香海。是萬柳堂又名亦園。春興詩：小築城隅柳滿隄，緑雲低護草初齊。亂飄柳絮鋪新徑，細數桃花過野塘。是園即萬柳堂。王横雲和詩，嚴存庵我斯有題亦園三律。毛西河有亦園修禊詩。按：元廉希憲萬柳堂，在今右安門外，與此異地，詳村鎮。朱筠笥河詩集：康熙中，堂歸石氏，時邸貴欲得之，石召工建大悲閣，一夕成，以家祠謝，乃已，自此遂爲拈花寺。端木國瑚太鶴山人集：道光戊子七月五日，胡竹村培翬祀鄭康成於萬柳堂，以是日康成生日也，繪圖徵詩。按：徦欲亭集亦有詩。右在天壇東，廣渠門街南，其西與南城界。

外城南城

城册：外城地址隸南城者，正東坊第一鋪：東至崇文門大街，與東城界，南至北官園南口，西至新開路北口，北至城根；二鋪：東至喜鵲衚衕東口，南至平樂園、草廠二條衚衕，與中城界，西至閻王廟前街、蕭公堂，與中城界，北至巾帽衚衕、東河沿城根；三鋪：東至崇文門大街，與東城界，南至石板衚衕，與東城界，西至磁器口，北至五老衚衕；四鋪：東至平樂園北口，南至三里河橋，西至草廠七條衚衕南口，北至北官園南口；五鋪：東至火藥局，與東城界，南至何家莊，與東城界，西至鞭子巷三條衚衕，北至柳樹井；六鋪：東至鞭子巷二條衚衕，南至天壇，西至永定門大街，與中城界，北至三里河大街，與中城界。

崇文門外大街。俗稱哈噠門大街，跨護城河，有橋，曰崇文門橋。街東隸東城，崇文門稅務署在焉，詳衙署。有鎮海寺，有山東會館。查浦詩鈔雜詠詩：九門征課一門專，馬跡車塵互接連。内使自收花擔稅，朝朝插鬢掠雙錢。

崇文門西夾道，後河沿，即東河沿，見中城，井二。打磨廠，井二。南城吏目署在北，詳衙署。有玉皇廟、關帝廟，有粵東、潮郡、臨汾、甯浦、應山、鍾祥諸會館，舊有郢中會館，今廢。鐵柱宫本名靈佑宫，明嘉靖間建，祀許旌陽真人。蕭公堂，明萬曆間建，祀鄱陽湖神蕭公，均江西公所。堂以西隸中城。魏貞庵年譜：時有打磨廠菜園圈占，公肩輿行南城察院公署，有百姓數百，號泣云：廠南菜園空地，住有千家，今大興縣票傳，奉户部堂牌，云係嘉蔬署官地，百姓無棲。公曰：勿啼，爲爾請命也。即具疏以聞。上欣然從之，免圈至今。洪北江年譜：乾隆乙亥，開四庫館，座師董公誥爲總裁，屬總校江甯孫舍人溶延先生至打磨廠寓齋，總司其事。王崇簡青箱堂集：打磨廠，金忠潔公鉉故居。馬氏日鈔：正統己巳春，打磨廠西，軍人王勝家，井中有五色氣。喜鵲衚衕，有楊氏園，近設電報商局於此。打狗巷，巾帽衚衕，井一。粉綫衚衕，蓮子衚衕，送姑娘衚衕，清風營，臭水塘，東豆腐巷衚衕，翟家口，三川柳，小衚衕曰鴨子店。打雀衚衕，板井衚衕，細米巷，北官園，舊有介休會館。按：明桂萼疏言：三里河附近，勢家莊園，成化間，楊茂嘗議修濬，竟阻不行。吴長元謂今草場衚衕東有平樂園，南、北官園，賈家花園等名，皆昔時園亭遺址也。新開路，有常山、曲沃、安陸諸會館。賈家花園。藤陰雜記：陳澤州三晉會館記：尚書賈公，治第崇文門外，東偏作客舍，以館曲沃人，曰喬山書院。又割宅南爲三晉會館。右在深溝口東，崇文門街西，興隆街北，其東與東城界，西與中城界。

興隆街，井一。有準提庵、藥行會館。章學誠實齋文集：任幼植別傳：乙巳之冬，余在保定，暫至京師，館同年潘編修庭筠家，時潘居興隆寺街，與君居衡宇相望，談晏流連，互爲主客。大溝沿，八角衚衕，草廠頭條衚衕，有歸德、廣州、興國、麻城、金箔諸會館。二條衚衕，有邵武、黄岡、臨江、應城諸會館。三條衚衕，有南陵、臨江、太平會館。四條衚衕，李長祥天問閣集：甲申賤者傳：顧懿，北京蘆草園四條衚衕妓也，賊破城掠去。一日，乘賊醉，解己繫紅絲帶縊死，即自縊，縊不得即死，他賊至，執之，見巨賊劉宗敏。宗敏曰：妓何如此？顧氏曰：本不過妓，只是見京師忽然改變，不見舊時朝廷，甚憤不能平，故死耳。又問：欲死，死耳，何殺我人？曰：實欲取快，不思後矣。宗敏怒，命支解之。按：蘆草園無四條衚衕，當是草廠四條衚衕，與蘆草園相近耳。五條衚衕，有寶慶、仙谿、黄梅諸會館。六條衚衕，上、下七條衚衕，有孝感、南安、袁州、惠州諸會館。八條衚衕，有辰沅、漢陽會館。九條衚衕，有蘄州會館。井一。十條衚衕，有上湖南、湘潭、長沙、湘鄉、京山會館。井一。野獲編：今京師全楚會館，故江陵張相第也，壯麗不減王公，然特分宜嚴相舊第四之一耳。會館之右一小房，雖不及大第十之一，然亦軒敞，先人以價廉僦居，不意其有祟也。遷寓不數月，妖魔百出。時龍虎山真人在都，面請手畫一符，懸中堂鎮之。是夜魔投瓦石，專投符上，比明，則糜爛無存。先人尋大病，給假南旋。此房爲京師富人徐性善所得，重搆華覺，以餽吏部侍郎徐檢菴，侍郎先與先人比鄰，至是拓爲大第，未久亦以白簡告歸。不數年，性善坐他事籍沒，此房亦爲官物矣。木廠衚衕，北五老衚衚衕，有甯波、嚴州會館。井一。閻王廟前、後街，有三晉、宜黃、雲夢諸會館。南官園衚衕，有湘潭會館。薛家灣，有鄞縣會館。井一。元真觀，平樂園，有荊州會館。南五老衚衕，石虎衚衕，有嚴陵會館。井一。高家衚衕，香串衚衕，石板衚衕，殺豬營，雙關帝廟，茶食衚衕。井一。右在崇文門大街西，東柳樹井北，蘆草園東，東與東城界，西與中城界。

草市，亦稱柴火市，井一。迤南爲六間房。半壁街，南小衚衕曰過街樓。狗尾衚衕，刷子市，草帽店，馬夫嘴，山澗口，小衚衕曰老虎洞。精忠廟，廟祀岳忠武，康熙時建，有大學士劉統勳碑。藤陰雜記：金魚池西精忠廟，自靈佑宫燈市罷後，廟設煙火，人競往觀。土塑秦檜，以煤炭燔之至盡，名曰燒秦檜，蓋仿火判之製也。按：廟有鐵鑄秦檜夫婦像跪門外。旁有喜神廟，伶人所祀也，有龔鼎孳、劉躍雲二碑。新房口，紫竹林，俗稱擔子市，舊有趙城、孟縣會館，今廢。小衚衕曰五間房。褲襠衚衕，新店，井一。估衣市，亦稱南小市，小橋二。乾隆初，步軍統領所屬南營東南一守備署在此，後省。有慈谿、山西會館。舊有蘭溪會館。今廢。宸垣識略：東小市在半壁街南，隙地十餘畝，每日寅、卯二時，貨舊物者萃焉，惟估衣最多。中有慈谿會館，每科舉之期，直隸學政録取遺才於此。按：今在順天學政署。帝京景物略：三里河故道，已成陸矣，時雨則停潦，泱泱然河也。武清侯李公疏之，入園中，園遂以水勝，可汎舟。周廊過亭，其東梅花亭，砌亭爲瓣五，鏤爲門，爲牕，繪爲壁，甃爲池，范爲器，皆以梅。又有漚臺、梟樓、船橋、魚龍亭諸勝。按：李園今無考。吳長元謂東小市有平橋渠水，傳是故家園地，疑卽其遺址。然考吳維英遊園泛舟詩云：背城特地又新莊，村店青帘帶夕陽。劉同升李園小集詩云：小橋行過柳溪灣，出郭已知依緑水。其地當在今東城外三里河故道，逕城外八里莊等處，直抵張家灣，固不得以城中囿之。園爲武清侯李偉所築，已在嘉靖築新城之後，吳劉詩中所云出郭背城者，亦不得以外城當之。舊聞既已誤録，吳氏之説則更無確據也。獅子館，疊道衚衕，蘇家坡，有金華會館。井一。溝沿，卧牛衚衕，南橋灣，安國寺中街，安國寺，詳寺觀。碑已毀，其東有普賢禪林，比邱尼居之。西有關帝廟，明隆慶鼎一。鞭子巷頭條、二條、三條、四條衚衕，四條衚衕井一。有山西會館。嬭子衚衕，東小市，橋一，小橋二。其東北亦稱黑市。鐵香爐，舊有山右、宣城、海昌、正定、嘉應諸會館，今多廢。金臺書院夾道，金臺書院互詳學校。東有永濟橋，乾隆四十七年重修，有碑。葉名澧橋西雜記：洪莊者，文襄公承疇賜園也。康熙庚辰，錢大京兆晉錫設大、宛二義學，宛平寄長椿寺，大興僦屋於洪莊，後宛平之學並歸大興，延王源主其事，從遊日衆，京兆欲市莊内隙地構堂，文襄孫奕沔不可。乃上疏，託言奕沔願割地以建學。聖祖嘉其請，書廣育羣材額以賜，奕沔聞之大驚，而無可如何。王源爲之記，乾隆十五年改名金臺書院。

金魚衚衕，有金魚池，橋二。迤東有水道，抵大街，蓋三里河故道也。東有慈源寺，成化二年，指揮朱善建。行國録云，有正統初太常少卿括蒼潘辰碑，今已泐。惟康熙間大學士衛周祚碑尚可讀。迤東數百武，有姚斌闕王廟，元崇恩萬壽宮遺址。又有天慶寺，互詳寺觀。迤北有真武廟、海潮寺，今皆圮。明一統志：魚藻池在宣武門外西南燕京城内，金時所鑿，池上舊有瑤池殿。帝京景物略：殿址今不可尋，池泓然也。居人界地爲塘，柳垂覆之，歲種金魚以爲業。池陰一帶，園亭多於人家，南抵天壇，一望空闊，歲午日走馬於此，蓋金元躤柳遺意也。躤柳今名射柳。按：園亭今無存者，惟種魚、走馬，俗尚猶然。朱筠金魚池賦序言：池廣數十畝，分百餘池。燕石集：天慶寺僧舍有雅致亭。孫承澤天府廣記：元天慶寺，遼永泰寺也，成化二年，飭右指揮朱善重修。春明夢餘録：寺後有高閣，可望天壇。僧舍有李龍眠畫羅漢十六軸。按：雅致亭羅漢像，今已無存。孫承澤言天慶卽遼之永泰，考元王惲撰寺碑略云：永泰寺肇基自遼，彌陀者永泰之別院，至元乙西重建是院，闕地得廢鐘，刻天慶二字，卽以名額。據此，則天慶爲永泰別院也。又明蹇英修寺碑，謂三里河之濱，地名魏村社，幽曠闃寂，林木叢茂。今社名亦湮没矣。行國録：圓覺寺在魏村社，明景泰中建，有嘉靖四十二年重修碑，雲南道御史趙鏜撰文。舊聞考：寺在三里河橋東，已廢，其地猶仍寺名。明一統志：金井在府南魏村社，永樂間嘗駐蹕於此，飲而甘之，遂命甃焉。按：今無考。

後池，藥王廟街，井一。藥王廟詳寺觀。朔望有廟市。六街花事：藥王廟有花市。

神路街二條衚衕，明因寺街，明因寺舊爲三聖寺，詳寺觀。寺有貫休畫十六阿羅漢像。景物畧云，贋本也。

清化寺街，有崇善煖廠。南城正指揮在北，詳衙署。清化寺故保安寺基也，詳寺觀。舊志：寺在正東坊，有勑建碑。洪北江年譜：乾隆五十五年秋，與仲弟移寓三里河清化寺街，饒有竹木之勝，查給事瑩舊宅也。按：明程敏政篁墩集，有宿清化寺詩。

磁器口，井一。紅橋，井一。彌陀寺溝，何家莊，牟家園，井一。火藥局，豬頭衚衕。

三里河大街，三里河詳水道。有橋，曰三里河橋。西隸中城，東隸南城，井一。有三官廟，迤東爲東柳樹井，井一。又東爲蒜市，井一。瓜市，井一。南有泰山行宮，祀碧霞元君，明天順間建，徐富庶、姜逢元二碑。北有雙關帝廟，迤西有鐵山寺，屬中城。舊有南泉寺。藤陰雜記：朱竹垞康熙戊午入都，舍於三里河之南泉寺，與李武曾同寓，撰惜字林記。見竹垞年譜。今圮。俱詳寺觀。宸垣識畧：三官廟，羽士居之，雙槐甚古。衎石齋紀事稿：杭大宗蒜市雜記序：蒜市在京師海岱門南二里。

右在永定門大街東，東珠市大街南，天壇北，東與東城界，西北與中城界。

外城西城

城册：外城地址隸西城者，宣南坊，第一鋪：東至宣武門街之西，與北城界，南至廣甯門街夾道居，西至老牆根柴廠，北至宣武門西城根；二鋪：東至菜市口，與北城界，南至廣甯門街之北，西至廣甯門街韋駄庵，北至宣武門西城根；三鋪：東至半截衚衕，與北城界，南至白帽衚衕，西至牛街，北至廣甯門街之南；四鋪：東至牛街，南至棗林街，西至廣甯門城根，北至廣甯門街之南；五鋪：東至小川淀，迤南至姚家坑，與北城界，南至右安門城根，西至廣甯門城根，北至南橫街大川淀之北；六鋪：東至土地廟斜街，南至廣甯門街韋駄庵，西至西便門，北至宣武門城根；七鋪：東至竇家坑，南至廣甯門街，西至廣甯門，北至城根。

宣武門外大街。

俗稱順承門大街，街東屬北城，西屬西城。跨護城河有橋，曰宣武門橋。井三。全閩會館，井一。又有直隸、關中、翼城、天門、歙縣、韓城、靈石、咸長、善化、永濟、南通州諸會館。舊有四川、永豐、建昌、撫臨諸會館，今廢。西小衚衕曰花枝衚衕，曰堂子衚衕，東小衚衕曰球子巷，屬北城，有太倉會館。香祖筆記：韓宗伯菼所居，與胡侍講任輿爲鄰，韓逝未浹月，胡亦卒。藤陰雜記：宣武門街右爲陳少宗伯邦彥第，堂曰春暉，屋有藤花。文簡丙午自粵還朝，見花盛放，賦詩。今屋歸全浙會館，藤花尚盛。又龔芝麓尚書寓宣武門左，有香嚴齋，海内文人，延致門下，歲暮各贈炭資。又吴少司空應棻，寓順承門街東井書屋，常以秋日召客，名曰秋盤，酒具曰犀槎，張太史映斗有犀槎歌，又得墨紗蕉幅，張之齋牖，因名蕉窗，賦詩。後歸紀太僕復亨、費學士南英。今屋已成墟，東井亦枯。曝書亭集：汪蛟門懋麟僦寓宣武門之右，窮巷蕭然，饎炊不繼，久病，夢入廣庭，得石硯十二枚，寤而作歌，因名其齋。全祖望鮚埼亭集：雍正癸丑，予春試報罷，束裝欲歸，前侍郎臨川李公固留予應制科。其時侍郎居宣武門南，故合肥李相國邸也。西有紫藤軒，割以居萬公孺廬，又割其東以居予。潛研堂集：自珠巢街移居宣武門外題壁：真似山僧慣打包，桑根三宿等閒抛。勞如車軸無停轉，拙比林鳩未定巢。市近米鹽喧耳畔，客疏塵土積堂坳。年來學得安心訣，容膝三間即樂郊。析津志：窮漢市一在順承門南街邊，柴炭市、果市，俱順承門外。按：柴炭市今尚有之，在菜市西。坊巷衚衕集：宣北坊在新城廣甯門裏，宣武門迤東，響閘迤西，至都城西南角，便門西北角，七牌四十五鋪，有海波寺、永光寺、永興寺、圓通寺、玉虚觀、接待寺、竹林寺、老君堂、報國寺、紫金寺、昊天寺、善果寺、歸義寺、宏法寺。舊聞考：宏法寺無考，惟憫忠寺遼時石匣上，有提點、宏法、竹林之名，似遼時已有之。按：日下舊聞引金國文具録云：秘書省今在燕宏法寺。析津志：寺在舊城，金大定十八年潞州崔進之女法珍印經一藏，進於朝，命聖安寺設壇，爲法珍受戒爲比邱尼。二十三年，賜紫衣宏教大師，有明昌四年趙渢碑，党懷英篆額，蓋即此寺也。海波以下四寺，今改隸北城，餘俱見後。明楊士聰玉堂薈記：崇禎丁丑九月，車駕閲城。總督京營成國公朱純臣、協理陸完學，以營兵屯宣武門外，上臨視，大加稱奬，於西南城樓召二人，各賜以酒三金椀，便以椀賜之。元劉崧槎翁集：順承門送别詩：送客出城秋已涼，太行南上楚天長。順承門外斜陽裏，蕎麥花開似故鄉。

上斜街，

井一。靈官廟，井一。關帝廟有三，其在東者俗稱頭廟，井一。北有山右三忠祠，明天啟四年勑建，祀張銓、高邦佐、何廷樞等，乾隆間重修，有朱筠碑記，詳祠祀。今爲山西會館。又有中州鄉祠、番禺會館。街北臨護城河，有響閘，明正統間，侍講劉球請於宣武門西作減水河，此其故蹟也。逾河爲宣武門外西城根，橋一。内城溝沿水出水關後，逕橋下入護城河，詳水道。藤陰雜記：宣武門外，河名銀灣，王文安鐸所題孫松坪中秋詩：碧漲銀灣類影娥。池北偶談：明時六月十二日，御廐洗馬於積水潭，導以紅仗。今三伏日洗象，亦導以紅仗，在宣武門外響水閘上。按：漁洋集有洗象行。又有竹枝詞：玉水輕陰夾緑槐，香車筍轎錦成堆。千錢更賃樓窗坐，都爲河邊洗象來。曝書亭集：喬侍讀萊嘗闢一峰草堂於宣武門斜街之南，暇與布衣紉履之士詩篇酬和。查慎行酒人集自注：已巳寓居上斜街，與孫愷似致彌近，僅一垣。又槐簃集小序：去宣武門西半里，有陋室十餘間，從馬上望見老槐二樹，亭亭出屋，遂僦居焉。有移居詩二十韻。又有周桐野、王樓村過槐簃看菊留飲詩：老瓦盆中花十本，上槐街裏屋三間。藤陰雜記：朱竹垞曹贊善鑑倫移居詩：後園虚閣壓城壕，濺瀑跳珠插口牢。正好憑闌看洗象，玉河新水一時高。今洗象在宣武門西河内，其居必是上斜街。又查他山同園看花詩：結鄰真喜近斜街，步屧尋春又一回。五日重來光景换，早花零落晚花開。復有同園修禊詩，今無考矣。徐司寇乾學集，有飲李將軍園亭詩：宣武門西別業幽，羣公載酒共銷憂。今亦無考。又顧俠君嗣立家吴中，有秀野堂，京寓宣武門壕上，背郭環流，雜蒔花藥，查查浦顔曰小秀野，並繫以詩。俠君自題云：數間小屋傍城西，紙閣屏風新品題。堪笑生涯同燕子，春深到處好添泥。草堂春柳正鬖鬖，芍藥紅蘭漸著花。生怕夢歸難識路，卻教移得到京華。壕上，今上斜街，寓址莫考。余賃官廨七年，藤蘿成陰，丁香花放，滿院濃香，不得已而遷去，賦留别詩。按：汪沆槐廬詩話：顧俠君入都，寓宣武門三忠祠内，小屋數椽，顔曰小秀野，自題二絶句，一時名流和者甚衆。又道光時，平定張穆嘗屬祁文端雋藻補題小秀野三字，懸之祠偏老屋。事見穆所編閻潛邱年譜。[illegible]亭集有題小秀野圖詩，自注：圖爲康熙三十五年禹鴻臚之鼎所作，圖首竹垞分書小秀野，題詩者十九人。又云：魏坤水村第二圖，新城、秀水皆有題詩。

炸子橋，松筠菴在南，楊忠愍繼盛故宅也。西偏爲諫草堂。互詳寺觀。又有接待寺、朝慶庵，有河南會館，顔曰嵩雲草堂。嘯亭雜録：松鶴庵在宣武門外響閘。乾隆丁未，胡司寇季堂會諸僚友，醵金立祠，繪公像及同事諸公神位，有古槐一株，忠愍手植。池北偶談：康熙庚申，高念東侍郎珩，以老病得請，移居松雲禪舍。馮益都溥過之，流連竟日。高賦詩云：户倚雙藤梵宇開，無人知是相公來。相看一笑忘朝市，風味依然兩秀才。馮有答詩，予和之。按：偶談筠作雲，蠶尾續集仍作筠，嘯亭續録作鶴，誤也。

教場口，井一。迤北曰駱駝灣。迤西曰轆轤耙，井一。

將軍教場衚衕，潛研堂集：壬午冬移寓詩：玉虚道院南鄰近，時有天風度碧笙。自注：陶晚聞、阮裴園、沈欽伯諸前輩，俱曾寓此。又過將軍教場舊寓，庭前槐大半已枯，感賦詩：廿六年前僦此廛，槐陰如繖一庭圓。

教場上、下頭條衚衕，有雲南、山左、宜荆、永新諸會館。下二條衚衕，有貴州會館。上、下三條衚衕，有川西、廣西會館。上、下四條衚衕，芝蔴街，巷西井一。尚絅堂集：偕琴南移寓芝蔴街，地有花圃，閒曠特甚。教場五條衚衕，井二。有仙遊、蒲城、涇陽、温州諸會館。小五條衚衕，炭墼庫，教場六條衚衕，南北井各一。有貴州會館。七條衚衕，皮庫營，有太原、四川會館。閻先生若璩祠，在太原館西偏。金井衚衕，老牆根，井二。工部所屬惜薪廠在北，俗訛七星廠，舊設監督，今改隸內務府營造司，廠後井一。迤南曰蔥廠，井一。迤西抵下斜街回子營，舊有藍旗營分居於北，今廢。司家坑，司或作史，井三。菜園井一。西有廣慧寺，詳寺觀，慧今作惠。廣慧寺夾道，車子營，井三。北小衚衕曰三合店，井一。栜子店，栜或訛獅，井二。迤北曰趙家園。鑵兒衚衕，北有小石橋一，又西曰過街溝，曰瓜市。玉虛觀，地以觀名，比邱尼居之，互詳寺觀。元一統志：玉虛觀在仙露坊。元史文宗紀：天歷二年十一月，命道士建醮於玉虛、天寶、太一、萬壽四宮。明胡濙玉虛觀碑記：觀自昔奉佑聖之所，歲久爲風雨所壞，遺址爲錦衣千户吕儀別墅。正統丁巳秋，吕偕法師吳元真、處士劉泰遊其地，泰年老，能言其舊蹟，法師欲復之，吕慨然捨其地，總戎石亨弟石貴捐貲以建。按：析津日記，疑玉虛觀卽玉虛宮。考析津志，玉虛宮在析津府都總管署西，元李蓑玉虛宮詞，有金水河邊蓮欲花之語，則地當在今德勝門內，與玉虛觀無涉也。元一統志言，觀中有梁忠烈王宗弼祠，今遺址不可問矣。四眼井。井一。䜩䜩亭集：自園還城詩：斜街老屋孰爲鄰，井冽泉甘意倍親。東海到今誇戚里，西山隨我入城闉。退朝且喜寒窗共，送客無端別緒新。惜取圍爐好時節，天口還待欲歸人。自注：城居下斜街四眼井，舊題曰東海戚里。何紹基東洲草堂集：壽陽相國招集慈仁寺，出長夏勘書圖命題詩：草堂小秀野，花市下斜街。涼院雙藤合，奇書萬軸排。雲煙看世事，風雨記吾齋。難得清尊滿，論詩四叟偕。自注：壽陽相國所居四眼井屋，先文安曾寓此，今日客屋，卽余讀書處也。首二句公昔年自占語，屬余篆書，懸壁間。

下斜街亦稱槐樹斜街，俗稱土地廟斜街，井一。迤北曰興隆街，毛廠，井二。廠西南菜園，井三。都土地廟在西，坊巷衚衕集之老君堂也，廟前井一。旬三日有廟市。少北爲長椿寺，互詳寺觀。又有畿輔先哲祠、全浙會館在，迤西曰竇家坑，俗訛鬥雞坑，有廣誼園，爲浙江義地。又西曰黄土坑，井一。人海記：槐樹斜街舊時古樹夾路，今每月逢三日爲市集，槐亦僅有存者。馮勗六街花事：豐臺種花人，都中目爲花兒匠，每月初三、十三、二十三日，以車載雜花至槐樹斜街市之。葉名澧橋西雜記：自首善書院廢，七八十年京師無復立有書院，康熙庚辰，錢京兆晉錫設大、宛二義學，宛平寄宣武門外長椿寺，大興僦屋於洪莊。張怡謏聞續筆：長椿寺，慈孝皇后建，以居水齋禪師，其大弟子爲神廟替僧，賜千佛衣及姑絨衣各八百件，米麥等物動千石，有二庫，監以二中官，專貯三宮布施金錢。王士禎居易録：予過長椿寺，見慈聖李太后及田妃像，皆白皙豐美，田像有怨容。按：周在浚燕舟客話，但言寺藏像二，一爲明神宗母李太后，一爲烈皇生母劉太后，未聞有妃像也。徐嘉炎亦有展田妃像詩云：先擕茂陵盌，後傍鼎湖弓。然考舊聞考，言今止存其一，無九蓮菩薩字，亦無崇禎年標題，與燕舟客話所記又異。豈王氏、徐氏所見卽此歟？蔣士銓有詩，專詠李太后，似未深考。藤陰雜記：寄園爲高陽李文勤公別墅，其西墅又名李園，狄立人億於此設宴，見姜西溟詩。其後歸趙恆夫給諫吉士，改名寄園。沈心齋、胡南苕、查他山皆有詩。給諫休甯人，子占浙籍中式，被劾，謫助教，久住京師，以園捐作全浙會館。孫宮允人龍記稱，爲明冉駙馬月張園故址，後捐作會館，浙人建景賢祠以祀。張匠門大受，有同顧俠君、王玉衡上巳載酒月張園詩，王樓村有匠門邀過寄園小集詩，是匠門曾寓於此。園有梨一株，踰常味。高陽居時嗜之，後艾司寇元徵、徐漕帥旭齡及恆夫接住，餽以爲常。癸亥，梨大熟，甲子，高陽薨，梨隨枯。事見寄園寄所寄。按：館旁有紫藤。端木國瑚太鶴山人集：住寄園精舍詩：朝隱頻年未放還，寄園今寄我清閒。看花西寺逢三市，視草東垣隔八班。爐焙茶香人短榻，佛燈書味夜空山。紫藤老惜生涯薄，每倚春風借酒顏。自注：中供觀音佛龕。又有宣南藤舍注易成夜坐詩。吴錫麒亦常寓此，見有正味齋日記。月張園，見内城西城。燕都遊覽志載其地甚明，孫記所稱，蓋傳聞之誤。教子衚衕亦有寄園遺址，互詳後。曝書亭集：自古藤書屋移寓槐市斜街詩：莎衫桐帽海椶鞵，隨分琴書占小齋。老去逢春心倍惜，爲貪花市駐斜街。屠門菜市費贏驂，地僻長稀過客談。一事新來差勝舊，昊天寺近井泉甘。查慎行飲朱竹垞槐市斜街新寓詩：槐街舊與一峯鄰，酒甕重開爲洗塵。最愛今年春帶閏，遲來猶作看花人。藤陰雜記：沈心齋閣學涵，避暑阮氏園亭，用少陵遊何將軍山林十首韻詩：莓苔行匼匝，紺宇聳雲霄。自注：園在長椿寺左，今則荒壟，空地盡蓋官房。阮氏未識何人。道古堂集：金文淳十五日復雪再過紅泉館呈堇浦先生詩：先生招我飲羊羔，滑澾斜街屐齒折，三分著樹眼乍明，一尺平階路幾滅。鮑桂星覺生詩鈔：光栗園聽諧移居有作和詩：計日趁墟花滿市，賣花聲裏泮春冰。注：地有花市，旬日一集。吴嵩梁香蘇山館詩：家人將至，移居下斜街作：古寺清游偏，幽居此閉關。春愁無著處，獨夜不勝聞。出谷鶯聲暖，營巢燕力孱。杜鵑紅十里，昨夢又京山。按：集中簡比鄰同好詩，爲錢金粟學士林、顧南雅編修蒓、潘芸閣侍講錫恩、謝向亭學士階樹諸先生，中有移家同住寺門前句，是諸先生均寓斜街。吴清皋壺園詩：憶昔曾夫子，斜街有草堂。指賓谷先生也。元史劉秉忠傳：賜第奉先坊。秋澗集：真常真人李居壽召赴闕下，特旨於奉先坊創太一廣福萬壽宮，中建齋壇，繼太保劉秉忠，禋六丁神將。按：析津志言：都土地廟在奉先坊，坊在南城清怡門。明北平圖經則云，奉先坊在舊城通元門内。通元，金之北門也。見大金國志。清怡當卽通元之別稱。劉太保第及廣福宮，皆近今下斜街，然無可考矣。

長椿寺南夾道，龔鼎孶定山堂集：清明同古古、伯紫、仲調、兔牀諸子登妙光閣詩二律，自注：閣爲善持君所建。按：龔詩詳寺觀。陳廷敬、馮溥、湯右曾、陳維崧、張大受、徐嘉炎皆有遊妙光閣詩。王士禎有與鄭山公登九蓮閣詩。查慎行有步入一莖庵登妙光閣詩，過一莖庵飲香林亭下詩，自注：亭爲合肥宗伯所葺。蓋皆在長椿寺後，今盡圮，惟妙光閣圮而復建，爲浙人旅殯之所，其北浙江義園也。

新開路，大、小合道口，合或訛火，井二。迤西曠地，井六。廣西義園，井一。

大耳衚衕，井一。南接下斜街，北抵城根，居民寥落。

孔雀衚衕，舊有孔雀寺，故名。今亦稱二廟衚衕。關帝廟已頹敝，中祀三皇，門額書古蹟軒轅，關帝廟無碑碣可考。

筆管衚衕，井一。舊有法林寺，金之竹林寺也，今廢爲菜園。舊聞考：竹林寺在筆管衚衕。宛平王志云，在長營。金臺集：竹林寺詩：城南天尺五，祇樹給孤園。甲第王侯去，精藍帝釋尊。老僧誇塔影，稚子斲松根。何日天台路，相從一問源？自注：竹林寺，金熙宗駙馬宮也，寺僧云，一塔無影。按：寺建于遼道宗清甯八年，楚國大長公主捨第爲寺，見日下舊聞引奉福寺尊勝陀羅尼幢。又明呂原法林寺記：宣武門西南二里，有故址焉，其先竹林禪寺也。正統中，釋惠灝訪得其地，景泰中，司禮太監興覺滿等修之，賜今額。趙子砥燕雲録：戊申三月，劉彥宗搜索舉人赴燕山就試，于竹林寺作試院，南北同院異場引試。二月十七日引試北人，詩賦一場，二十八日引試南人三場，至三月二十七日開院，北四百人取六分，南六千人取五百七十一人。彥宗云：第一番進士，須寬取誘之。西河詩話：竹林寺旁有酒家，名頂泉居，酒名蓟酒，嘗騎馬詣益都相公第，必造飲，同官張毅文鴻烈往酤詩云：竹林寺旁頂泉居，井洌泉甘新醉餘。按：康熙時益都馮溥也，時居下斜街。今筆管衚衕，寥寥數家，土人幾不能舉其名，何論酒肆？惟竹林寺名猶著。

東、西長營，東南距下斜街里許，井一。廣西義園，井一。迤西曰融脖樹，井一。迤南曰悶葫蘆罐。

范家衚衕。東距下斜街半里許，有西晉會館。

報國寺東、西夾道。寺在廣甯門街北百餘武，互詳寺觀。有顧先生炎武祠，井二。析津日記：慈仁寺亦呼報國寺，蓋先有報國寺，在寺之西北隅也。僧院中尚存遼乾統三年尊勝陀羅尼石幢。舊聞考：今報國寺西北隅，有寺無額，土人呼小報國寺，遼幢今無之。程世楷排悶録：慈仁寺本爲周太后弟吉祥建，而寺有成化二年御製碑，止云爲太后祝釐，不及吉祥，蓋當時尚諱言其事。唐應德詩云：同行更説前朝事，繡蟒銀魚有故僧。至歸熙甫作記，始詳言之。春明夢餘録引蔣德璟記：初入東廊，憩禪悦庵，少遲入寺後總聖門，兩旁名畫百二十軸，皆天堂地獄變相。僧云：宫内送至寺者。登大毘盧閣，三十六級，閣外通廊，環行一周，俯視西山，若在襟袖。王士禎香祖筆記：每月朔、望及下浣五日，百貨集慈仁寺，書攤只五六，往間有秘本，二十年來絶無之。池北偶談：己亥，於慈仁市上見客氏拜三字敞刺，朱克生以三錢得之，賦客氏行。人海記：報國寺舊有矮松二株，其右尤奇，幹長不過數尺，而枝横數丈，人往往觴詠其旁。自内城城隍廟市移於此，每月三度，爲繫馬之具，數年無復存矣。藤陰雜記：廟市久廢，前歲復興，未幾仍止，蓋百貨全資城中大户，寺距城遠，鮮有至者。國初，諸大第宅皆在城西，往遊甚便，自地震後，六十年來，荒涼已極。按：慈仁廟市，國初最盛，屢見名流篇詠。六街花事言，寺有花市，今亦無之。雙松後竟舁入木廠，見茶餘客話，今所存僅孫枝耳。居易録：戊戌觀政兵部，寓慈仁寺，梁曰緝熙，爲乙未同年，本不相識，時以咸甯令行取入都，亦寓寺中，遂與定交。按：漁洋蠶尾集，有詢劉公[illegible]慈仁寺寓詩，蓋體仁嘗寓此也。高念東珩亦寓此，有詩。張穆編顧亭林年譜：康熙七年，先生在都，寓慈仁寺。聞萊州黄培詩獄牽連，卽星馳赴鞫。三月，下濟南府獄，十月，獄解得釋。考李因篤受祺堂集，答先生贈詩，有云：憶折前津柳，同炊古寺虀。自注：前年與先生同客慈仁寺，予先別去，蓋卽此年春事也。道光二十三年夏，何太史紹基，匃貲爲先生建祠於寺西偏，隙地一區，架屋三楹，几筵禮器悉備，歲春秋致饗祀焉。按：何紹基顧祠詩云：亭林先生祠，小子始營繕。緊維城西偏，慈仁森佛殿。又有春禊、秋禊二圖，見東洲草堂詞自注。同治時，復祠閻潛邱若璩於寺中，今移皮庫營太原會館。曾文正年譜：道光二十六年，夏秋之交，病肺熱，僦居報國寺，閉門静坐，攜金壇段氏所注説文解字一書，以供披覽。漢陽劉傳瑩精考據之學，每從於寺舍，兀坐相對竟日。燕都遊覽志：槐樓在報國寺左，武清侯李偉別業，置三層閣於上層，級□之碧梯赤欄，隱見蒼霞碧露間，望之勝於登焉。按：今無考。藤陰雜記：宋牧仲犖登毘盧閣飲樵沙道院詩：更從別巷訪樵沙，道院幽幽愜微尚。院似在西城。按：查慎行敬業堂亦有詩，樵沙古道院，風氣清瀏瀏。入門樹干霄，檜柏榆槐楸。云云。今遺址無考。

善果寺東、西夾道。西距北燕角少半里，寺内井一。菜園井六。迤西勉善堂井一。善果寺互詳寺觀。歲以六月六日作齋，有廟市。寺之西爲明瑺塋地，俗稱老公墳，今尚存内官監劉成等四碑。其東舊有紫金寺，宋遺刹也。西有歸義寺，唐遺刹也。皆久廢。歸義寺之名猶著，俗訛歸依。北曰核桃園。潛研堂集：遊善果寺詩：白紙坊前青豆房，當年賜額乞貂璫。修廊搏換鬢眉古，老幹支離柏檜涼。豐碣未磨禮部劄，荒原誰認故侯牆？山桃一樹開旋落，瞥眼春光有底忙！自注：東、西廊塑五百羅漢，明孝宗時内官監太監姚訓所造。又碑載四至，東至官路，西至歸依寺，南至慈仁牆，北至太平侯牆。按：太平侯第今無考。歸義之訛歸依，蓋自明已然矣。人海記：紫金寺寺門西向，有嘉靖二十三年尚寶卿河間李圻碑記。析津志：歸義寺在舊城時和坊。舊聞考：善果寺西半里許菜圃中，有遼彌陀邑特建起院碑。倚晴閣雜鈔謂其地即歸義寺，以碑考之，似別爲一寺，而歸義寺乃其寺之北至也。按：遼碑詳金石。又有遼幢二，移置善果寺，今僅存其一，亦詳金石。幢記言：建法幢於灝村之墳，京東之墓。考歸義寺近燕角，在遼都城東北隅，此幢從他處移置，非歸義寺中舊物。第灝村既在京東，要去歸義不遠，蓋亦今南城内之地。錢大昕過歸義廢寺詩：一泓古井兩株槐，券尾比鄰署字皆。輭⿰巾登模糊埋碧蘚，古幢剥落卧空階。老僧持鉢身全病，過客尋碑眼獨揩。聽話閒坊宣化事，刹那興廢漫牽懷。自注：寺有彌陀邑特建起院碑，載咸雍元年賣地券云：今賣自己在京宣化坊門裏面街西小巷子内空閒地，内有井一眼，槐樹兩株。末有東鄰、南鄰、西北鄰人姓名，又載寺所藏畫像，大小硬⿰巾登九壇，輭⿰巾登四壇云云。宣化坊當亦在元舊城中，其名不見於元一統志，蓋遼時舊名也。

西便門大街，井二。有華嚴庵，詳寺觀。迤東四川義園，井一。藤陰雜記：顧俠君嗣立寓，有晚翠閣，查他山詩云：依稀宣北坊西角，鴻爪留泥我亦曾。似在西便門街，今無存。元一統志：大昊天寺在舊城，寺建於遼，乾文閣待制孟初撰妙行大師碑，言道宗清甯五年，秦越大長公主捨棠陰坊第爲寺，道宗施五萬緡以助，額與碑皆御書，殿後建寶塔高二百尺，有神光飛繞如火輪，清信施財者沓至。又有咸雍三年翰林學士王觀撰御筆寺碑。王圻續文獻通考：大定二十四年二月，大長公主降錢三百萬，建昊天寺，給田百頃，歲度僧尼十人。中統三年十二月，作佛事於昊天寺七晝夜，賜銀一萬五千兩。析津日記：昊天寺塔址，已爲居民所侵，寺門一井，泉特清冽，不減天壇夾道水也。按：寺故基在西便門街之西，宋徽、欽二帝曾會於此，見燕雲録。元郝經陵川集、王惲秋澗集，皆有登昊天寺寶嚴塔詩。王士禎有同施愚山、陳藹公集王山史昊天寺寓觀唐子華水仙圖詩，又有柬陳藹公於昊天寺詩：重來依老衲，蘭若倚西城。白日一何遠？青山無世情。冢中王輔嗣，林下古先生。好共蟬連語，甯論世上名？自注：寺旁多古冢，知寺在國初尚未廢也。今徧爲菜圃，遺蹟不可問矣。元一統志：大開泰寺在昊天寺西北，寺之故基，遼統軍鄴王宅也。始於樞密史魏王漢甯所置，賜名聖壽。聖宗開泰六年，改名開泰。殿宇樓觀雄壯，冠於全燕。至金國，又增之，後毁於兵，獨存大殿。壬子春，海雲諸大老請雲山珍公開堂演法，遂爲此寺之五代祖。憲宗彌加崇重，賜以金帛。遼史遊幸表：開泰八年十二月，幸開泰寺宴飲。興宗本紀：重熙二十三年冬，以開泰寺鑄銀佛像，曲赦在京囚。洪忠宣行狀：永祐陵諱聞，皓北鄉泣血，旦夕臨，後遇諱日，即開泰寺爲文以薦，有云：

故宮爲禾黍，改館徒饋於秦牢；新廟游衣冠，招魂徒歌於楚些。故臣讀之，無不掩涕。按：寺在明時已廢，據志言，在昊天寺西北，新城築後，其限於城外與否，莫可考也。

南、中、北興隆街，西城吏目署在南，詳衙署。染坊衚衕，前、後觀音堂，井一。北燕角，燕角，遼舊名也，俗訛煙閣，煙或作綫，辨見後，井四。迤東抵城根，菜園井四。土坯坑井一。四川義地，井五。羅家園或稱四維園，井二。寬街。西北距便門半里許，鑲藍旗營房在焉。康熙間，自內城徙此，中有頭條、二條、三條、四條、五條衚衕，各分東、西、南、北，凡小衚衕二十，今僅存大半矣。迤東曰高八釭，井一。曰狗尾衚衕，井一。迤南里許曰土坯坑，井一。五聖庵，井一。右在宣武門街西，廣甯門街北，其東與北城界。

廣甯門大街，俗稱彰義門大街，義或譌儀。彰義，金之正西門也，詳城池。井十一。韋馱庵，井一。老君廟，井一。迤東直宣武門街，有市曰菜市口，刑人之所。井一。菜市汛在焉。少西曰柴炭市，曰灰市，曰草市，曰糧食店，西城正指揮署、步軍統領所屬南營遊擊署俱在南，詳衙署。北有增壽寺，西至斜街口，有廣恩寺，元之大悲閣也。又西爲廣德寺，俱詳寺觀。有洪洞、西晉、河東、貴西、揚州諸會館。南小衚衕曰南馬道，曰雙馬市，曰鏟子衚衕，曰南胳膊園。北小衚衕曰北馬道，曰連連房，曰鈴璫衚衕，曰王子墳，明宗人塋地在其後，井二。曰嘴吧衚衕，井一，曰靴子衚衕，曰北胳膊園，井一。曰口袋衚衕，曰石虎衚衕，曰增壽寺西夾道，井一。曰夾道居，曰活樹林，曰芝蔴店，井一。藤陰雜記：王樓村式丹慈仁寺東揚州會館移居詩：大地鄰虛總一塵，冷官隨處可容身。栽花樹柵閒中事，愛酒憐詩我輩人。桑下定惟三宿戀，槐陰也作兩家春。卻思舊雨東西路，千萬還應更買鄰。揚館今在菜市口，離慈仁幾二里。劉大山巖贈樓村移居詩：碧山堂裏老尚書，二十年前此卜廬。按：揚館舊爲江甘儀館，徐乾學碧山堂見北城，館蓋其舊宅也。萬曆沈志：增壽寺在宣北坊，有勑建碑。藤陰雜記：西城飯廠設增壽寺，錢飲光澄之到京寓寺詩：一路風塵滿鬢華，解鞍便宿老僧家。房留官坐監施飯，店與人開帶賣茶。庭樹午餘時繫馬，鐘樓日落亂棲鴉。五更不睡騾車過，鐸響鈴聲枕畔譁。知康熙初年捨飯即在此寺。宸垣識略：懺園在增壽寺夾道，貴撫王燕別業，今尚存。毛奇齡有遊王大中丞園林詩。按：燕爲國初大學士王熙之弟，萬光泰遊懺園詩：小巷大街東，園居近佛宮。殘蟬斜照後，獨鳥亂煙中。樹老藤全白，籬荒棗半紅。曲池無寸水，彈入雍門桐。近更鞠爲茂草矣。析津志：聖恩寺即大悲閣，閣祠大悲觀音菩薩，寺後有方石甃八角塔。窮漢市在大悲閣東南巷內。蒸餅市在大悲閣後，披雲樓在大悲閣東南，臙粉市在披雲樓南。金臺集：大悲閣榜，虞世南所書。遼史：太祖援石晉，自潞州迴入幽州，幸大悲閣，指白衣觀音像曰：我夢神人，令送石郎爲中國帝，即此也。因移木葉山，建興王寺，春秋告賽，尊爲家神。金史五行志：大安二年十一月，大悲閣幡竿下，石隙中火出高二三尺，近之即滅，凡十餘日，自是都城連夜燔爇二三十處。三月，閣灾，延燒萬餘家，火五日不絕。春明夢餘録：披雲樓題額是金章宗手書，上有遠樹影，雖風雨晦冥皆見。按：大悲閣在金、元時最爲名刹。宋張甫嘗使窩羅虎紿元將俚呰奴飲於此，推使投閣，幾斃。又元至正間，京師大疫，宦官扑不花於此設醮，事各具本傳。舊聞考尚稱爲聖恩寺，近復改作廣恩，門額書道光十一年重修，或即其時改名也。寺已頹敝，舊碑無一存者，閣與塔皆久廢。披雲樓，據志言當在今右安門内，舊蹟無可徵矣。蔡絛北狩行録：太上北至燕京，寓延壽寺，嗣濮王仲理以下，別居仙露僧舍。燕雲録：嗣濮王以下宗女等千八百口，至燕山仙露寺，日給米一升半，月支鹽一升，二聖同聖眷起發中京，金人納絹萬疋，道君分賜百五十疋與仙露寺宗室，作冬衣。按：仙露寺在菜市西，諸志皆失載。國初，居民治地，得遼天禄三年藏舍利石匣，旁有釋志愿記，始知此地卽寺遺址。記後千人邑三字，蓋社名也。事見析津日記，詳寺觀、金石。又元王惲有商鼎歌，其序謂：仙露寺僧藏商鼎有年，燕士張文季好求古器，不惜百金，易而得之。見惲所著秋澗集。曹學佺名勝志：婆娑亭在彰儀門内，元馬文友別墅也。春明夢餘録：文友又築飲山亭。七人聯句詩集：陳一夔贈趙栗夫詩：菜市街西新卜居，豆棚瓜蔓共蕭疏。胸中富有書千卷，誰笑家無儋石儲。按：馬文友、趙栗夫故居，今皆無考。

爛麪衚衕，亦作孄眠，井一。西有水月庵，詳寺觀，井一。東有廣仁堂，乾隆間大學士史貽直故宅也，舊額猶存。有濟南、元甯、常昭諸會館。東小衚衕曰紅羅廠，井一。西小衚衕曰九間房，曰水月庵夾道。寄園寄所寄録：京師二月淘溝，穢氣觸人，爛麪衚衕尤甚，深廣各二丈，開時不通車馬。此地在憫忠寺東，唐碑稱寺在燕城東南隅，疑爲幽州節度使城之故壕也。按：唐釆師倫書重藏舍利記，稱智泉寺在子城東門東百餘步，大衢之北。智泉寺卽大雲寺，今已廢。據夢餘録言，在憫忠寺前，此地有唐時故壕，説宜近是。躬恥齋詩鈔：道光二十年，始以山陰、會稽別館爲越中忠義祠，建閣其上，曰正氣閣。明年春稷辰，始集同人春祭，爲詩紀事。自注：閣在宣南坊孄眠衚衕，自建閣後，忠義之靈甚赫。有居之者，其人不潔，見古衣冠滿庭，斥令移出。人相戒不敢慢。藤陰雜記：接葉亭在爛麪衚衕中間，湯西崖少宰居焉，賦詩云：中丞宰木拱，大令宿草深。注：四十年前傅雨臣感丁中丞居此，沈磵房大令嘗寓云。西崖詠齋中草木至五十二首，可謂蕃矣。雍正時，張南華鵬翀居之，賦小集，牛字韻八首。乾隆丙辰，鴻博徵士來京，若杭堇浦、周蘭坡、申笏珊，恒集於此。周送翁朗夫照詩：孄眠古巷聯裙屐，接葉高亭發嘯歌。丁巳，沈椒園侍郎寓，吴少司馬應棻招同人讌集，首倡徐恕齋以升贈侍郎詩：牀休論上下，廨各占西東。又有感懷次吴少司馬韵詩。周西隒天度感懷云：青棠如綫草如煙，閲世真成浩刼前。日下林皋皆若此，人間壇坫益淒然。蝸行蠹壁餘殘壘，蟲網疏窗罷輥絃。熟客不來賓從散，春風夜雨落苔錢。極寫荒涼之景。後爲查中丞禮、祝芷塘德麟寓，稍葺治，請王蓬心宸繪圖徵詩，李羹堂調元八叠和韻，今歸吴漪園太史裕德。笏山詩集自注：丙辰秋冬之間，厲樊榭、沈東甫、沈幼牧、迮耕石、汪槐塘諸君，同寓於接葉亭。按：蔣士銓有查恂叔太守招飲接葉亭看丁香詩。查氏銅鼓書堂集言，移居宣南坊，庭多雜樹，古藤數本，蔭屋二三間，足供憩息，復有接葉亭詩。碧玉山房詩自注：山房在東城。今莫知其處矣。又朱筠河集，有書祝芷塘接葉亭卷後詩，歷舉前後寓公，足補藤陰雜記之遺。詩畧云：前輩懷清公，掌院事初攝。文光果詩奏，宸什和密葉。黄公序其集，清絶心所愜。曰卉木竹石，所居勝洛鄴。嘗自詠齋中，五十二首捷。大椿歌頻見，嘉樹筆亦涉。感嘆傅中丞，宰木隔郊堞。四十年，儵去，彈指不堪捻。又云徐氏園，壬癸逐遊屧。歲六十重居，旁舍新拓輒。如何華屋處，零落又在睫？人傳爛麪衕，卽公跡所躡。後來張詹事，憩吟鬢如鬣。寶愛著六吟，一亭笛更擫。松江張氏住，花樹手整擸。地古山精藏，黑夜人卧魘。妙正真人符，驅之行蹀躞。擲繩空中步，姍姍露珠衱。久之亦絶怪，㦗慌疑電曄。少選查太守，丁香春捲絶。時從粤西歸，葉唱詹低接。工詩趙舍人，拈鬚坐妥帖。早歲翰林祝，渺焉停履屧。湖山繼前輩，香草此争拾。煙雲忽無端，良會殊鶼鰈。翰林移居去，東鄰謝舊業。王住畢行行，分陜山之俠。迢迢沓與趙，西南邈天脅。此圖又何常？過眼吹浩刼。畢沅靈巖山人詩集自注：祝芷塘移居接葉亭，距余寓樓相去數武。翁方綱復初齋集：移居詩：半幅寒林借鬱然，繩牀北際竈西偏。巢鶯漫報東橋訊，判乙曾來長史顛。四壁磬懸雙石在，比鄰茶話一瓶緣。街坊爛麪名元好，不敢隨人作嬾眠。注：王無咎書水月庵扁，在嬾眠衚衕水月庵，予舊居在庵南也。潘奕儁三松堂集，歲暮懷人詩注：乙丑三月，與羅臺山有高同寓水月庵，七月別去。藤陰雜記：接葉亭對門大宅，爲華亭王文恭頊齡舊第，堂曰錫壽。公孫祖庚，以保定太守謁選，癸未宴丙辰同徵鴻博八人於此。劉文定綸詩：人間盛事傳衣鉢，天上榮光屬斗台。謂太守繼文恭舉詞科時，惟朱稼翁稻孫亦繼竹垞而舉，海内惟此二人。錢宮庶載繪七清圖。太守補任宣州，袁隨園枚亦同舉者，因題尾云：酒置平津閣，燈明錫壽堂。風前懷祖德，雨後對花光。人老衣冠古，園深水石蒼。分箋賡白雪，還似詠霓裳。復初齋集：習庵宮允新寓槐雲吟舫詩：堂名錫壽舊傳聞，菊借深杯勸客醺。此夕團圝追舊雨，當年倡和並橫雲。王芑孫淵雅堂集：同年何工部道生劄宅見處，其地在宣南坊之爛麪衚衕。陳用光雙藤書屋詩集序：雙藤書屋者，余友蘭士顔其齋名也。何道生雙藤書屋集：楊六士比部夢符移居巷南，以詩賀之。亦有生齋集：移居詩注：六士近居雙槐堂，麓臺司農宅也。[illegible][illegible]亭集：和陶移居詩：自我官京師，十年四徙宅。自注：今移居嬾眠衚衕。陳用光太乙舟集：移居詩：西頭有屋計安便，壓擔書多策蹇先。吉宅從人誇故相，浮家笑我迫中年。詩吟家具孟東野，畫寫蘿雲葛稚川。菜圃花畦料理處，解嘲與客説芝田。又詩注：壬申移居嬾眠衚衕，稽文恭公故宅也，北鄰藤花甚盛，蓋地本在此，宅今已售爲濟南會館矣。

七井衚衕，井一。蓮花寺灣，蓮花寺，詳寺觀，井一。北曰七聖廟，有蘄州會館。洪北江年譜：嘉慶四年九月二十四日，移寓蓮花寺待罪，與知交相别。按：亮吉是時以上書下獄，謫戍伊犂。王芑孫淵雅堂集：蓮花寺讀書圖記：予外弟宋廷弼試京兆，居蓮花寺，去余居數十武，步屧相過從，甚樂也。王蘇試畯堂集：上元移居蓮花寺灣有作。

箭杆衚衕，井一。有宏衍庵。王士禎帶經堂集：施愚山侍講過宏衍庵看海棠，柬梅耦長詩：韋杜城南十萬家，東風處處酒旗斜。不知冷節悤悤過，猶見僧樓一樹花。又有庚午重過感懷愚山詩，詳寺觀。藤陰雜記云：紀太僕復亨寓此賦詩：平陽池館亞枝紅，移入香匳便不同。莫爲蕺殘自憐惜，梅家詩體擅江東。自注：耦長先有三絶句。

醋張衚衕，金井衚衕，西甎兒衚衕，西有法源寺。有處州會館。唐之憫忠寺也，明正統間改崇福，國朝雍正間，賜今名，寺前門在白帽衚衕，互詳寺觀。尚絅堂集：秋日黄霽青編修偕潘農部移寓西甎兒衚衕宅，奉訪，占此以贈：秋至剛驚白露瀼，青騾載具鶴移裝。行來共説潘郎璧，徙後休嗤陸氏裝。當院閉門先種竹，兩家掃徑合分楊。鯉魚風起無邊信，早晚鄉書自魏塘。池北偶談：憫忠寺有貫休畫羅漢十八軸。世祖末，吴人持以進御者。會崩，遂粥寺中。又見宋犖筠廊偶筆。翁方綱復初齋集：過王述庵法源寺寓齋，即送其南歸詩注：述庵昔居此，曰蒲褐山房。又錢湘舲移居聽鐘山房，與法源寺比鄰，訂今春看花小集和香樹老人舊韵詩。錢大昕潛研堂集：移寓珠曹街詩注：乙亥二月寓憫忠寺街。黄景仁兩當軒集：惱花篇，時寓法源寺。卷葹閣集：法源寺訪黄二景仁病，因同看花詩，有法源寺近稱海棠，崇效寺遠繁丁香之句，今寺中丁香亦盛。又有獨遊法源寺，值馮户部敏昌，同過寺旁亡友黄二寓室，已傾圮，不可入，載賦詩。坊巷衚衕集：宣南坊在新城右安門裏東，宣武門大街南，五牌二十七鋪，有碧霞元君廟、新寺、憫忠寺。按：廟今無考。新寺卽静甯寺，詳寺觀。平致美薊門紀亂：史思明僭位於范陽，建元順天，國號大燕，六月於開元寺造塔，改寺名爲順天。按：憫忠寺東、西兩甎塔，安禄山、史思明所造，見文維簡塞北事實。元納延金臺集：題雙塔寺：安史開元日，千金搆塔基。世尊甯妄福？天道自無私。寶鐸游絲罥，銅輪碧蘚滋。停驂指遺迹，含憤立多時。塔在前明時已毁，或指爲慶壽寺之雙塔，誤也。而開元、順天之名不著，殆後人以安、史所更，諱言之歟？王偁東都事畧：宋真宗崩，仁宗遣使告哀。遼主集蕃漢臣舉哀，令燕京憫忠寺置真宗靈御，建道場百日。遼史興宗紀：重熙十一年十二月，以宣獻皇后忌日，上與太后素服飯僧於憫忠寺。燕雲録：淵聖至自雲中，駐蹕憫忠寺。岳珂桯史：徽祖上賓，洪忠宣皓嘗於憫忠寺肆筵以奠。張養浩歸田類稿：天會五年，迎栴檀瑞像到燕京，奉安於憫忠寺。元一統志：大延壽寺在舊城憫忠閣之東，起自東魏元象，幽州刺史尉長命爲大雲，後爲智泉，隋爲普覺，唐爲龍興，大中時賜額曰延壽，遼、金益加完葺，海陵天德三年爲宫。元史泰定帝紀：泰定四年正月，皇子雲丹藏布受佛戒於智泉寺。春明夢餘録：尉使君寺，尉長命造，後改爲智泉，則天后時改大雲，開元中改龍興。寺在憫忠寺前，隋造塔藏舍利處。按：智泉寺久廢，互詳寺觀。夢餘録之言，本諸唐會昌六年采師倫書重藏舍利記，記稱：寺在子城東門東百餘步，大衢之北面也。舍利塔移憫忠寺以是年。景福元年，僧知常書重藏舍利記，有云：大燕城内地東南隅，有憫忠寺，門臨康衢，知兹地爲唐幽州城之東南隅，少南有子城，其東北則限諸城外矣。遼、金都城，因唐鎮城之舊，如琉璃廠，今隸北城，而遼李内貞墓誌，謂京東燕下鄉海王村。聖安寺，在今右安門東。元時雖在舊城中，而地名東湖柳村，蓋已僻在城隅。今宣武門當元順承門南，而劉崧送客詩，有順承門外、蕎麥花開之語，其地限於舊城外可知。蓋遼、金都城在今城之西，明嘉靖時築入外羅城者，特其東南一隅也。延壽寺在金、元時爲名刹，北狩行録、燕雲録皆云：宋徽宗至燕，館於寺中。析津日記謂在今延壽寺街，以明正統六年開渠得斷碑，上有大金延壽寺字爲據。考延壽寺街，西鄰琉璃廠，遼、金時當爲海王村地。金人俘宋宗室，置仙露寺，欽宗憫忠寺。徽、欽二宗相見於昊天寺，皆在城中，相去二三里許。而獨置道君於城外海王村之延壽寺，恐不若是之疏也。燕雲録言：鄭后體違和，淵聖諸后同來延壽寺候問。其地當與憫忠寺相近。元一統志所云，大延壽寺在憫忠寺之東者，疑卽徽宗寓居之地。析津日記考之未審也。遼聖宗、興宗屢經臨幸。遼史本紀及游幸表亦當在此。今以遼、金遺事仍系諸北城，而著其辨於此。析津志：綿山寺在憫忠閣西，今已廢之甚矣。興禪寺在燕聖安寺之東，憫忠閣之西。元史禮樂志：國史院進先朝實録儀，命左三部、太常寺、少府監於興禪寺置局。元一統志：靈虚觀在憫忠寺前蝦蟆北岸，内有大古槐一株。按：寺與觀遺址，皆無考，蝦蟆北岸，今亦無是名。

譬兒衚衕，北有謝文節祠。宋史謝枋得傳：福建行省參政魏天祐見時方以求才爲急，欲薦枋得爲功，枋得見天祐，傲岸不爲禮。與之言，坐而不對。天祐怒，强之而北。至元二十六年四月至京師，問謝太后攢所，及瀛國公所在，向之再拜，慟哭，已而病，遷憫忠寺，見壁間曹娥碑，泣曰：小女子猶爾，吾豈不汝若哉！不食而死。明景帝實録：景泰七年九月，以巡撫江西右僉都御史韓雍之請，令原籍所司，歲舉祀事，仍與文天祥同賜謚，天祥曰忠烈，枋得曰文節。藤陰雜記：近見卜硯集，知公建甯橋亭賣卜，一歙硯，程文海銘，永樂中出土，三百年流傳至天津，周月東焯寶藏，臨終贈查中丞禮，攜之至京，遍徵名輩題詠，畢秋帆制府爲刊行。

扁擔衚衕，史家衚

衕，小井衚衕，門樓衚衕，舊有青州會館，今廢。藤陰雜記：陳紫瀾宮詹浩移居門樓衚衕詩：數卷殘書一酒瓢，移家東去尚西郊。畧無根柢萍浮水，不費經營鵲有巢。知已忽成千里別，歸期久媿北山嘲。右安門近尋芳路，且喜春風上柳梢。紫兒衚衕，教子衚衕，教或作轎，井三。迤南石溝，小橋一，西有永慶寺，詳寺觀。東小衚衕曰龍鳳坑，井一。東北有南營箭廠，迤西有米廠，乾隆三年設西城平糶局於此，今廠廢而猶存其名。自教子衚衕以西，多回人所居。宋犖筠廊偶筆：永慶寺最爲卑陋，僧又然居祖師殿，余寓北鄰，時過訪。曝書亭集：趙恆夫所居寄園，濬池累石，分布亭館，種花木，海內名士入都，恆流連不忍去。按：園在教子衚衕，今圮。沈德潛歸愚詩鈔：移居寄園詩：屋角時聞噪晚鴉，土牆一帶任周遮。行人欲認詩人寓，老樹村邊第二家。苔垣舊賸玲瓏句，土室新安曲盝牀。莫語寄園全盛事，酒旗歌扇已蒼涼。笥河文集：趙給事吉士，居城西古憫忠寺側，爲寄園，嘗以名其所著説部，後園益圮，剥其一角，老樹十餘株尚存，前輩名流多居此。今爲余及門宣城張侍講燾慕青所僑寓，取古詩庭中有奇樹之義，以嘉樹名其屋。復初齋集：蔣香涇蓮花寺寓齋分飲詩自注：寺西爲寄園舊址，吾師沈榕溪舊居也。又心餘、穀人、瘦銅同日移居詩自注：趙氏寄園舊址，庚辰、辛巳間，予與諸桐嶼、王述庵比鄰居，時有三家邨之目。穀人新居，即張涵齋侍講舊居，其先王述庵居之。穀人齋名煙夢舫。又甌北詩集序：己卯、庚辰，予與款松鄰，居寄園舊址，日夕過從。吳錫麒有正味齋詩集：辛丑十月，移居蒲褐山房，即趙天羽寄園故址。麻刀衚衕，井一。馬張家衚衕，井二。熟肉衚衕，熟亦作瘦。栅欄衚衕，或作沙拉，井二。白帽衚衕，大悲院在法源寺前，同治初建，有雲南會館、湖廣義園，井一。毛廠，井一。天問閣集：甲申諸臣傳：趙譔字鎮所，昆明人，舉人，官御史，城陷被獲，大罵賊，賊憤極，諸賊齊奮刀亂斫，在白帽衚衕死。嘯亭雜録：趙忠愍譔，崇禎時巡視南城，爲流賊害於白帽衚衕，時黨人氣盛，公以邊遠士，未及攀躋清流，故南中祭享及本朝賜謚，皆未之及。乾隆初，同鄉侍御傅某爲之表白，始補謚忠愍，立專祠祀之。今爲雲南會館。藤陰雜記：憫忠寺旁，明末侍御趙譔殉節葬此。乾隆二年，御史傅爲詝奏請賜謚，建景忠庵。按：甲申傳信録載趙忠愍事，與天問閣集畧同。小菜街，菜或作寺，井一。聖安寺街，聖安寺，金遺刹也，詳寺觀。井一。湛然居士集：聖安寺庭前有怪柏數株。日下舊聞：宋顯夫南城俚歌十首，其四云：停驂惆悵聖安寺，後堂空祀李宸妃。則寺中留像，不獨世宗、章宗二帝也。析津日記：寺中金、元舊碑無一存者，殿前明碑二，怪柏已盡，惟有兩楸樹而已。其地名東湖柳村，匪獨湖湮，柳亦不見。西陂類稿：夏日柳湖僧舍詩：長楸落晚花。又自注云：寺在柳湖村，栴檀佛嘗飛至寺中，元學士程鉅夫有記。燕舟客話：聖安寺一名柳湖，中有佛像，諸天像四，以藤爲胎，泥金裝飾，瓔絡甲胄，俱嵌珊瑚、青金諸寶石。寺僧云，崇禎時大內賜出。池北偶談：寺殿有商喜畫壁。藤陰雜記：聖安寺，竹垞在寺餞曹檢討，稱寺藏金、元帝后及栴檀佛像詩，有畫壁商喜留，吳裝何詭麗。絶筆追顧陸，纓絡雜佩璲等句。田樂園需有同孫子未過寺觀畫壁，慧明上人出王文安所遺飲器貫酒相餉詩。按：栴檀像自乾隆間移奉甯壽宮，諸像及楸柏皆無存矣。茶餘客話：聖恩寺舊有雙楸樹及古槐，乃金時物，馬櫻花一株，宋牧仲手植。聖恩似即聖安之譌，今俗亦有是稱，非斜街口之聖恩寺也。金臺集：聖安寺懷古詩：蘭若城幽處，聯鑣八月來。知元時寺在舊城東南隅矣。元史世祖紀：中統三年十一月，勅聖安寺作佛頂輪會。又王磐傳：磐以年老乞骸骨，行之日，公卿百官皆設宴以餞。明日，皇太子賜宴聖安寺，公卿百官出送麗澤門外。

牛街，井二。南花園井一。迤南有吴家橋。步軍統領所屬南營守備署在西，詳兵制。又南有回人禮拜寺，詳寺觀。北小衚衕曰香兒衚衕，南小衚衕曰巴家衚衕，目家衚衕，舊有吴家橋頭條、二條、三條衚衕，賈家衚衕，王老衚衕，今皆廢。其西南隙地，荒塚外多蔬圃。少東曰三間房，井一。曰大明園，井五。迤西曰老君地，井一。其北有峩眉禪林，康熙初建。西南曰道士觀，元之長生觀也，井四。曰道士墳，明之官園也。又西南曰望遠村，城南道院在焉。國初游詠之地，今廢。敬業堂集：移寓城南道院納涼詩：不信人間有鬱蒸，好風來處晚涼增。滿城鐘磬初生月，隔水簾櫳漸吐燈。書少只宜高閣庋，牆低聊當曲欄憑。白鬚道士休相避，我已身如退院僧。元一統志：長生觀，長春邱仙翁門弟崇德宋真人所創建，在舊都豐宜關，有崇德祠堂記，長春宫元學講經宣義大師史志經撰。按：長生觀爲元十四道觀之一。日下舊聞已不能指其處，今道士觀，西有明道士單重亭碑，稱葬於長生觀之西，南官園之原，旁又有朱升暘等三碑，俗稱其地爲道士墳。則今之道士觀爲長生觀遺址無疑。元一統志言觀在舊都豐宜關。考豐宜門，金之正南門，見大金國志。茲地當城南關廂，與憫忠寺記門臨康衢之言，足資參證。羊肉衚衕，井一。餔房衚衕，井一。乾麪衚衕，井一。南有寶應寺，詳寺觀。井二。寺旁爲明瑠王安墓，其外山左義園也。井一。雲兒衚衕，花枝衚衕，井一。南燕角，俗訛煙閣，井二。西有竹林寺，比邱尼居之。少南曰燕藁兒，藁卽角之誤也。迤東曰大門口，曰藁上，井三。坊巷衚衕集：燕角兒在廣甯門、右安門內西南角。明一統志：燕角樓在府西南一十五里，遼建，今其地猶名燕角。日下舊聞：遼史言燕角樓在東北隅，不知何據。稱在府西南一十五里，未敢信也。舊聞考：今土地廟西猶有燕角兒之名，角讀如槀。按：燕角兒今在南燕閣東南，與一統志、坊巷衚衕集所記地望正合。舊聞考云在土地廟西者，蓋約舉之辭。今南北煙閣，徑三里許，皆以燕角樓得名，北煙閣直抵便門，正遼史所云東北隅也。朱彝尊據史言以駁明一統志，舊聞考已辨其非矣。絨綫衚衕，大川淀，龍王廟，井一。朱處士野雲建閣其上，朱爲弼榜之曰涵秋。迤南葦塘數十頃，東小衚衕曰小川淀，井一。盆兒衚衕，井二。華嚴寺俗稱聖賢庵，井一。南有玉皇廟，道光間重修，改名三教寺，詳寺觀。井一。西爲天仙庵，比邱尼居之。迤南有關帝廟，俗稱金頂廟，已圮，井一。盆兒衚衕之西，皆曠地也。舊有丁家穿店、鄒家穿店，今皆廢。南曰紅水坑，井二。前有火神廟，明宣德四年建，碑稱其地爲元之火燄營，近廟燬，重建，僅三楹，碑亦毁。少西曰萬壽東宮，明之宏仁萬壽宮也。曰白馬寺坑，地以寺名，皆久廢。宸垣識畧言，寺在天官保，今罕能舉其名矣。曰雙槐樹，曰萬壽西宮，明萬曆間建，尚完整，額書關帝廟，有神宗御製封號碑，井一。廟旁舊有松樹頭條、二條、三條衚衕，今廢爲蔬圃，井二。藤陰雜記：玉皇閣在盆兒衚衕，嚴宗伯我斯登玉皇閣詩：雙闕煙生縹緲外，萬山青在有無中。閣在盆兒衚衕。析津日記：宣南坊白馬寺，隋刹也，殿後尊勝陀羅尼幢，上刻仁壽四年正月上旬造，寺重建於洪熙元年。正統八年賜額，有張元楨、張文憲二碑。其東僧塔，前有古碑，爲侵占者所毁矣。曝書亭集：白馬寺詩：仁壽千年寺，今存半畝宮。落鐘橫道北，瓦塔限牆東。客至愁嗥犬，僧寒似蟄蟲。夕陽留未去，雙樹鳥呼風。行國録：宏仁萬壽宮，萬曆四十三年勑建，中爲文昌殿，額曰崇真保運；左以祀諸葛孔明，封號曰天樞上相；右以祀文信國，封號曰天樞左相；皆目之曰真君。祀雷神於後殿，設禮斗臺，最後高閣十三楹，曰太極造運寶閣，以安昊天上帝，有神宗御製碑文，督工者司設監林潮。内官不學，神號無稽，知禮者當議輟也。按：萬壽宮久廢，神像移奉玉皇廟，今廟亦頹敝矣。

里仁街。在右安門東北，距盆兒衚衕一里許，井九。宛平王志：仁作神，云有寶塔寺，今圮。迤西曰半步橋，井二。又西曰椿樹坑，井三。

右安門大街，右安門俗稱南西門，井一。宛平王志：有右安寺，今圮，旁小衚衕曰東馬道、西馬道，曰東衚衕、西衚衕。迤北有雙橋，歧分二道。橋之北曰極樂院，已圮，井凡十。又北曰高廟，祀關帝，今僅存土阜，井六。少西曰豆兒屯，少東曰櫻桃園，井四。右安門西半里許曰三聖觀，井一。又西南曰火藥局，工部所屬濯靈廠在焉，詳衙署，井一。廠地亙二里許，抵城根，其外多蔬圃，井凡十八。會典事例：火藥局一在廣甯門南白紙坊西南，又濯靈廠在右安門内，收貯火藥、烘藥、鉛子，西南曰趙家井。**廟兒衚衕，**在右安門東迤北竇家坑。**毛家衚衕，**此下皆在右安門西迤西曠地，井九。**劉家衚衕，**

白紙坊。東南距右安門二里許，有呂仙祠，菜園，井十九。迤北崇效寺，互詳寺觀，井三。古林院祀關帝，蓋里社也，井六。又北有聖壽寺，傳云唐刹，無碑碣可考，井三。少西爲曇花寺，明建，井一。又西爲廣甯門中心臺，井九。坊巷衚衕集：白紙坊在廣甯門内西南角，五牌二十一鋪，有小聖安寺、大聖安寺、寶應寺、禮拜寺、相國寺、崇效寺。張遠陝志：南城諸坊，白紙坊最大，元於此設税副使，北自善果寺，南至萬壽宮，西極於天甯寺，皆是也。自嘉靖築新城，以城牆界之，坊劃而爲兩矣。按：小聖安寺、相國寺，今無考。天甯寺，詳城外寺觀。白紙坊，元時在舊城中，而元一統志列舊城坊名六十二，獨無此名。夢餘録載明南城坊名亦無之。至坊巷衚衕集，始列於宣南坊後，然考成化間嚴理安重修善果寺碑，已稱宣武關外三里許，地志曰白紙坊，則其名固沿元舊也。今居民尚以造紙爲業。析津日記：元至正初，以唐貞觀元年所建佛寺賜額崇效。嘉靖辛亥，太監李朗於寺中央建藏經閣，閣東北有臺，臺後有僧塔三，環植棗樹千株。按：臺今圮。藤陰雜記：寺在柳湖村西，名流競游，如朱竹垞、宋牧仲、陳澤州、王樓村式丹、吴荆山士玉、繆湘芷沅、郭于宫元釪皆有詩。王漁洋改名棗花寺，寺藏拙庵和尚紅杏青松照，時康熙庚午，漁洋、竹垞、王昊廬、查他山、陳香泉、孫松坪俱有題句。按：紅杏青松卷今尚存藏經閣，後臺已圮。元一統志言，唐劉總捨宅爲崇孝寺，在析津志都總管公署左，或謂崇孝即崇效，以地望準之，其説近是，然無碑碣可證，未敢遽信也。明北平圖經志書：石經文碑在舊南城白紙坊，乃金舊國子學，殿堂門廡皆毁，惟餘石碑二通，上刻春秋經傳及禮記，文多磨滅不完。按：明一統志與圖經志書畧同，石經舊在汴梁，金人移置於此。元王惲秋澗集，有修理大都南京石經事狀，詳金石。其後日就湮没，至明季已不復存矣。白紙坊自嘉靖築新城後，畫而爲兩，金國學之遺址限於城外與否，亦莫可考也。

棗林街，東距牛街半里許，井三。西有三官廟，井五。藤陰雜記：張黄門維赤字螺浮，有新園在棗林街，龔合肥過飲詩：柳市城闉百尺居，棗林街裏一囊書。螺浮有十年霜雪老黄門之句，一時名流争和。

後

營，東距牛街半里許，井二。黑紙坊。北距南煙閣半里許，迤西曰萬人坑，東南曰四門口。北有千佛寺，明嘉靖間重建，井九。右在廣甯門街南，大川淀、半截衚衕西，其東與北城界。

外城北城 城册：外城地址隸北城者，曰南坊，第一鋪：東至西河沿關帝廟前，與中城界，南至延壽寺街之中，西至西河沿響閘，北至護城河，二鋪：東至觀音寺街寺前，與中城界，南至觀音寺，西至琉璃廠橋，北至廊房頭條衚衕內之蘽薦衚衕；三鋪：東至琉璃廠橋，南至東南園，西至永光寺中街，北至宣武門城根；四鋪：東至石頭衚衕之南，南至香廠永安橋之東，皆與中城界，西至菜市口；五鋪：東至大保吉巷，與中城界，南至南橫街迤南，西至果子巷，北至騾馬市；六鋪：東至閻王廟街之西，南至姚家井之西，西至半截衚衕，與西城界，北至菜市口。又靈椿坊來屬三鋪，第一鋪：東至陝西巷，南至虎坊橋，皆與四鋪界，西至山西街，北至臧家橋；二鋪：東至琉璃廠橋，南至沙土園，西至宣武門大街，與西城界，北至西南園之北；三鋪：東至臧家橋，南至魏染衚衕之北，西至菜市口，與西城界，北至南柳巷之北。

五斗齋衚衕，齋或作麪。大耳衚衕，井一。有婺源會館二。石猴街，汾州營，大宏廟，康熙三十六年僧明渤重建，有大學士張玉書碑。胰子巷，三眼井，井一。取燈衚衕，蝎子廟，七聖廟，俗稱蝎子廟，井一。北火扇，南火扇，羊尾衚衕，羊肉衚衕，西有回人禮拜寺，有惠安會館。柴兒衚衕，井一。有鄱陽會館。笤帚衚衕，井一。復初齋文集：跋班馬字類：曩日僦居琉璃廠北笤帚衚衕，篝燈孜孜，掇拾兩漢字義，今三十有二年矣。炭兒衚衕，東小衚衕曰穿堂門。延壽寺街，延壽寺，互詳寺觀。析津日記言，宋徽宗北來寓此，疑非也，詳西城。有平樂、潮州、長元吳諸會館。西小衚衕曰泰山巷。遼史游幸表：聖宗統和六年四月，幸延壽、延洪二寺，十五年四月幸延壽寺。宋洪皓松漠紀聞：燕京蘭若相望，大者三十有六，然皆律院，自南僧至，始立四禪寺，曰大覺、招提、竹林、瑞像。延壽院主有質坊二十八所，僧職有正、副判録，或呼司空。佘家衚衕，井一。有襄陵會館。東北園，井一。舊有當塗會館，今廢。百花園，櫻桃斜街，井一。有貴州會館二。藤陰雜記：櫻桃斜街，阮都諫應商寓，姪學浩入翰林，吳文簡襄贈詩：斜街舊雨憶黃門，六十年來老弟昆。皈子廟，李鐵拐斜街，有襄陵、延定會館，又有肇慶會館二。藤陰雜記：靈椿坊李鐵拐斜街，黃侍郎叔琳父卜居，夢祖授以小鉞，侍郎果巡撫浙江。韓泰華無事爲福齋隨筆：黃叔琳宅有萬卷樓。朱筠笥河文鈔：蔣編修秦樹爲余辛巳分校所得士，官中書，與余居同巷，余家在日南坊李鐵拐斜街之北，君居在南。按：宅中有椒華吟舫，屢招名流觴詠，其弟珪爲兄墓誌，言珪與公同官翰林，同車馬者七年，乙未，珪自山西歸，乃比鄰居，宅後可通往來，而伯兄居老屋對門，珪自名所居曰鄂不草廬。笥河詩集：壬申歲王介眉先生住余宅，即今椒華吟舫。程晉芳三長物齋記：壬辰居房師朱先生第，篋中有東井硯，項子京臧鐫坡公名而不字，一爲北宋搨聖教序，一元人畫達摩象，錢籜石名之曰三長物齋。燕家衚衕，陝西巷，大、小外廊營，井各一。有潮州、瓊州會館，舊有涇陽、涼州會館，今廢。藤陰雜記：外廊營爲徐文穆本第，後歸王文莊際華，甫興作而賜第護國寺街，因售作全浙公産，懷存堂額尚在。陳句山年譜：庚寅八月至京，借寓汪芍陂給諫新宅，九月杪移歸外廊營舊宅。韓家潭，有上虞、廣州會館。宸垣識畧：芥子園在韓家潭。康熙初，錢唐李笠翁漁寓居，今爲廣東會館。藤陰雜記：王文莊初寓韓家潭，每於中秋前後張樂邸第，燕乙丑同年及門生，堂曰寶言，書室曰夢舫。後河，井一。百順衚衕，井一。舊有太平、晉太會館，今廢。李文藻遊琉璃廠記：乾隆己丑，予以謁選至京師，寓百順衚衕。東、西皮條營，萬佛寺灣，臙脂衚衕，五道廟，井一。自觀音寺前分櫻桃、李鐵拐二斜街，復并於五道廟，有三原、襄陵會館。明王象乾建玉帝殿碑記：正陽門西，由臧家橋至宣武門乃龍脈，交通車馬輻輳之地，舊有五道廟鎮焉。其址廣不數武，天中羽士揭真誠者見而喟然曰：衝衢應建玉帝行宮，率諸威神鎮之斯可也。經始於萬曆三十五年七月，次年告成，乞言於余，文成卽以交龍名碑。梁家園，井二。橋一，今已圮。壽佛寺設粥廠於此，有惜字會館。一統志：梁家園，明時都人梁氏建，今廢。春明夢餘録：梁園在京城之西南廢城邊，引涼水河入其中，亭榭花木，極一時之盛。明劉定之呆齋集：梁氏園外有舊城，舊城者唐藩鎮、遼、金別都之城也。元遷都稍東，於是舊城東半遂入於朝市間，全無跡可見。而西半猶存，號爲蕭太后城，卽梁氏園所在。或謂此雖遼、金都城，而非唐藩鎮城，不然也。唐時此爲范陽藩鎮，安、史反後，改名盧龍，而所治幽州、薊縣不改，惡得非唐藩鎮舊城乎？遼、金不因藩鎮以爲都，而曷因乎？且稽諸載記，遼、金亦何嘗創建都城乎？今其城僅存土耳，甓皆爲人取去，其土皆真黄土，人取之和煤炭以燒，亦有卽之作墓者，以其高堅也。按：涼水河今流逕南苑，由張家灣入白河。夢餘録所稱梁園引水故道，久湮廢矣。考明正統間，以劉忠愍球言，命欽天監正皇甫仲和審視：宣武門西作減水河利否？仲和言：門西舊有涼水河，可疏通以洩水勢。此明時河水逕宣武門外之確證也。嘉靖築新城後，並未斷流，故梁園得引入其中。今虎坊橋下有枯渠，直抵南下窪，蓋其故道之僅存者，餘皆不可考矣。元築新城於遼、金故都東北，而以故都城爲舊城，元一統志載舊城坊名頗悉，似新舊兩城本不相屬，呆齋集言東半入朝市間，以梁園廢城爲西半遺蹟者，核其地望，疑未足據。茶餘客話：黄蘭巖民部，寓梁家園，積水到門，顏其堂曰半房山。後有疑野亭、朝爽樓，前對西山，後繞清波，極亭臺花木之盛。池之南北，旗亭歌榭不斷，遊人泛舟，竟夜忘返，賦詩者甚多，惟張文端一首尤傳誦。藤陰雜記：康熙中龔尚書鼎孳招董玉虬文驥，梁園李家莊泛舟觀燈詩云：此地足煙水，當年幾溯遊。王橫雲有宋荔裳招飲梁家園詩：半頃湖光摇畫艇，一簾香氣撲新荷。沈心齋有陳以樹招飲梁家園警露軒詩：野曠天高敞八窗，門前一碧響淙淙。舊聞考稱南極於魏村似在右安門外，今莫知其址，但知北城有梁家園，空曠平原，並無煙水。余己卯入都，但見堆積糞土，後築官房，李吏部調元寓焉，築看雲樓，有檻外遠山排闥繞，樓前積水當湖看之聯，今有僧募蓋壽佛寺，設義學。有正味齋日記：二十七日過候羅碧泉修源於梁家園，昔王阮亭與宋荔裳諸君曾泛舟於此。明程敏政篁墩集：京師賣花人聯住小南城，古遼城之麓，其中最盛者曰梁氏園，園之牡丹、芍藥幾十畝，花時雲錦布地，香冉冉聞里餘。匏翁家藏集：小南城梁家園，往時芍藥最盛，人多攜酒賞之。後其家廢，無一本在者。梁家園東、西夾道，麻綫衚衕，井一。有淮安、安陸、郢中諸會館。鐵老鸛廟，廟祀關帝，鴟吻上安鐵鸛，隨風旋轉以驅鳥雀，故名，詳寺觀。井一。有大荔、蒲城會館。陳句山年譜：乾隆辛未十二月，移居鐵老鸛廟。十間房，有沔陽會館。姚元之竹葉亭雜記：步軍統領俗稱九門提督，舊秩三品，嘉慶己未六月二日，皇后關防出神武門，有恆謹者不之避，兵部罪步軍統領不能稽察。時定親王攝此職，上以布彥達賚代之，定職從一品，設左、右總兵，秩正二品，其巡撫五營，改中營爲提標副將，爲提督南左二營參將以下，並所轄之十汛，歸左翼總兵管，是年十月，定總兵每人在南城外輪住半月，以十間房鄭源壽抄官房爲公所。六年，改左翼總兵駐外城，右翼總兵駐圓明園。前孫公園，有錫金、泉郡會館。查慎行敬業堂集：宮友鹿寓孫公園，與唐實君、趙蒙泉、楊耑木同巷，僕及姜西溟、家聲山相距稍遠，友鹿作比鄰詩索和：便與中央成鼎足，姜居西舍我東鄰。自注：時余居琉璃廠東。董潮東皋雜鈔：錢唐洪昉思昇著長生殿傳奇，一時名士，張酒治具，大會孫公園，名優內聚，班演是劇，主之者爲真定梁相國清標，具柬者爲益都趙贊善執信。虞山趙星瞻徵介館給諫王某所，不得與會，因怒，乃促給諫入奏，謂是日皇太后忌辰，爲大不敬。上先發刑部拏人，賴相國挽回。後發吏部，除名者五十餘人。按：劾趙者爲黃給事六鴻，是時值孝懿仁皇后國卹，非忌辰也。董説多誤。翁方綱復初齋集：壬辰春還都，賃孫公園居，以屋中有合歡一株，因名青棠書屋。孫淵如年譜：癸丑，移居孫公園，宅故多變怪，扃户數年無人敢居者，君與主人約，減租改宅，君以天罡塞鬼户，時杜寅方後户，宅遂甯，有枯松復生，同人繪圖爲詩，以紀其事。興勝寺，井一。大興張志作興聖，誤。行國録：永興寺折而東，有興仁寺，南向，其建置年月無考。宸垣識畧：今十間房有興勝寺，疑爲興仁之譌。寺有明天啟二年銅鐘，康熙辛巳長洲汪士鋐書禪林清閟額。藤陰雜記：興聖寺在琉璃廠南，胡南苕會恩有大雪步至興聖寺訪沈存田一揆詩，用東坡聚星堂雪韻。近潘榕堂司馬汝誠寓寺，雪中召客，亦用聚星堂韻。後孫公園，有台州、安徽會館。藤陰雜記：孫公園後相傳爲孫退谷別業，前爲安州陳尚書第，後有晚紅堂。吳白華官翰林時賃住，爲茶陵彭大司馬維新舊宅，宅後一第，有林木亭榭，沈雲椒侍郎寓焉。有蘭韻堂詩云：市地清陰三伏候，參天老樹百年餘。葉繼雯祢林館詩集：移居詩注：庚申冬，移居後孫公園，卽退谷研山堂也。吳清鵬笏庵集：李氏園詩注：卽孫少宰承澤故園之一隅也。按：孫氏別業今爲安徽會館。曝書亭集有集孫侍郎研山齋詩。其旁餘屋，道光時劉侍御位坦居之，東洲集有宴集詩。玉皇廟，井一。有富平東、西二會館。章家橋，章或作臧，有渭南、朝邑會館。日下舊聞：海波寺街南有清廠潭，上有龍王堂，又南東爲章家橋，又南爲虎坊橋，西南爲潘家河沿，計新城未築時，無地無水，今故道皆不可考矣。大、小安南營，小安南營井一。東南園，井一。桶子衚衕，大、小沙土園，有廣育堂，崑新會館。琉璃廠南夾道，井一。吳玉綸香亭文稿：壬午夏遷於琉璃廠南夾道王漁洋之舊寓，藤爲漁洋手植。潛研堂集：題吳香亭鴻臚古藤詩思圖：海王之村近書市，新城尚書曾卜廬。藤花一本手所植，歲久翦敗惟枯株。又云：比鄰更續程舍人。自注：謂程魚門。按：漁洋舊寓，宸垣識畧言在火神廟西夾道，與藤陰雜記合。吴氏所云，疑傳聞之誤。**八角琉璃井，**井一。有渭南會館。洪北江年譜：嘉慶元年八月，移寓八角琉璃井官房，有亭池樹石之勝。亦有生齋集：方比部體移居八角琉璃井，招集蘧園祭詩，即洪大舊居也。**西南園，琉璃廠，**橋一。工部所屬琉璃窰在北，互詳衙署。其前隙地曰廠甸，有吕仙祠。廠東門有觀音閣，北爲火神廟。歲正有廟市。迤西有仁威觀、真武廟、延壽庵，俱詳寺觀。南小衚衕曰鐵胳膊衚衕，北小衚衕曰火神廟西夾道，曰雙魚衚衕，亦稱門牙衚衕，曰仁威觀夾道，曰小香廠。會典事例：康熙四十年議：琉璃亮瓦廠房屋，例徵地租，今改爲按間收租，交大興縣徵解户部。凡官員有力之家徵銀，貧窮小民准按季徵錢。四十一年議：徵錢者量免其半，隻身貧寒之人免徵房租，仍以官地起租。雍正三年諭：嗣後止徵地租，免其按間計檁，逐月輸納。藤陰雜記：廠東門内一宅，相傳王漁洋曾寓，手植藤花尚存。近程魚門晉芳移居，以詩寄袁太史枚，有勢家歇馬評珍玩，冷客攤錢問故書之句。袁笑曰：此必琉璃廠也。孫淵如年譜：歲己酉，居琉璃廠，校刊晏子春秋。高麗使臣朴齊家爲書問字堂額。洪北江年譜：乾隆五十四年二月，應禮部試，居孫君星衍琉璃廠寓齋。復初齋詩集：自注：乾隆癸巳開四庫館，即於翰林院藏書之所分三處，凡内府秘書發出到院爲一處，院中舊藏永樂大典，内有摘鈔成卷、彙編成部者爲一處，各省采進民間藏書爲一處，每日清晨，諸臣入院，設大厨，供茶飯，午後歸寓，各以所校閲某書，應考某典，詳列書目，至琉璃廠書肆訪之。是時，江浙書賈，奔輳輦下，書坊以五柳居、文粹堂爲最。李文藻琉璃廠書肆記畧：廠東西可二里許，廠東書肆凡二十家，中有二酉堂，或曰前明即有之，謂之老二酉。其畧有舊書者，惟京兆堂、積秀堂二家。又西而南轉，沙土園北口路西，有文粹堂，肆賈謝姓，頗深於書。又北轉至正街有橋，橋居廠中間，北與窰對，橋以東路狹，多參以賣眼鏡、煙筒、日用雜物者，橋西街闊，書肆外惟骨董、法帖、裝潢字畫、鐫刻碑版耳。橋西賣書者才七家，五柳居在路北，舊書甚多。多璜川吴舍人企晉家藏書。又西爲延慶堂，肆賈韋姓，頗曉事而好持高價。有曹楝亭家書數十部，多宋槧本。又西爲廠西門，門外無鬻書者。按：琉璃廠書肆，蓋盛自雍、乾以後，李氏所舉諸肆，今皆易名矣。兹録其著者，餘不取。宸垣識畧：燈市向在東安門外，今散置正陽門外、花兒市、琉璃廠、豬市、菜市諸處，而琉璃廠尤盛。廠前陳設雜技，鉦鼓聒耳，遊人雜沓，市肆玩好、書畫、時果、耍具，無不畢集，自正月十四、五至十六、七而罷，名曰逛廠。有正味齋日記：新年朝元會罷，士大夫聯裾接襼以縱遊觀，至收燈而止，謂之光廠。百戲之屬，則有演書、跳蹤、料虎、馴熊、幻技、喬妝，窮變盡巧。倚晴閣雜鈔：琉璃廠瓦有黄、碧二種。明代各廠俱有内官司之。殿瓦之外，所置一曰魚瓶，貯紅魚，雜翠藻於中；一曰琉璃片，以五色渲染人物花草煉成，嵌入牕户；一曰葫蘆，大或至徑尺，其色紫者居多；一曰響葫蘆，小兒口銜，嘘吸成聲，俗名倒掖氣；一曰鐵馬，懸之簷以受風戛者也。鮑鈐春遊詞：車駐雕輪馬駐鞭，手拈瓜子步差肩。排門盡啟君平肆，趁賺癡兒問福錢。叢脞書多卷帙殘，幾人著眼笑寒酸。南沙畫片香泉字，幅幅裝他骨董攤。料絲羊角燦成行，簇帛堆紗錦繡裝。歲歲燈棚變新式，鼇山結撰到西洋。像生花草捻泥人，鼓板笙簫小店陳。風景不殊笑語雜，句人情緒武邱春。明水軒日記：工部設五大廠，其一曰琉璃廠，燒作甎瓦，及内府器用。按：吴偉業讀史偶述詩：琉璃舊廠虎房西，月斧修成五色泥。遍插御花安鳳吻，絳繩扶上廣寒梯。潛研堂集：乾隆庚寅三月，琉璃廠窰户掘土得古墓，棺槨不具，而骨節異常人。旁有一石，眡其文，則遼銀青崇祿大夫、檢校司空行太子左衛率府率兼御史大夫、上柱國、隴西李公墓誌銘也。督廠工部郎中孟澔，募人改葬於故兆東二十步，別買石書李公官位表於道，而誌石則仍瘞之，其文駢麗頗可誦，畧云：公諱內貞，字吉美，嬀汭人，以保甯十年六月一日薨於盧龍坊私第，以八月八日葬於京東燕下鄉海王村。按：墓誌詳金石。此石當時仍瘞墓中，世無拓本。潛研堂集、筲河文鈔均有記，具錄世系官閥，而錢記加詳。舊聞考所錄與筲河文鈔同，錢又有詩，見本集。南柳巷，有建甯、晉江、華州諸會館。舊有江震會館，今廢。行國錄：永興寺在宣北坊柳巷之南，寺東向。按：寺今尚存，有正德十五年鐘一。藤陰雜記：廠西門外爲南、北柳巷，徐惰園出都，韓慕廬、王橫雲送至柳巷，口占賦贈：柳市涼吹送客颸，高談二妙有新辭。二公乃司寇壬子所取士。北柳巷，有南豐會館。西北園，井一。鐵廠，南小衚衕曰鬼門關。洪北江年譜：嘉慶四年三月抵都，寓同年戴刑部敦元鐵廠寓齋。前鐵廠，步軍統領所屬南營守備署在此。後鐵廠，有敘州會館。北抵西河沿，有大隱庵，餘姚鄉祠也，明嘉靖間建，有康熙六十年重修碑。亦有生齋集：自海波寺街移寓鐵廠，用竹垞韻詩：閉門隨意著巾輮，坐擁陳編蕭字齋。絕似三家村裏住，寺鐘隱隱出前街。注：巷內居人只三家，前爲大隱禪林。大溝沿，南河沿，井一。迤東屬中城。逾河爲北河沿，宣武門外東城根也，橋一。內城東溝水出水關後，逕橋下，入護城河。橋西井四。有響閘。湯右曾懷清堂集：宣武門東城下曉行詩：老去應官有底忙？未明先起攬衣裳。人從鴉鵲聲中出，路入輪蹄影裏長。牐下已添秋水勢，城陰初散曉煙光。隔河樓上花枝好，尚護重衾半篆香。香爐營頭條衚衕，有撫州會館。舊有江山會館，今廢。商盤質園詩集：我從弱冠游神京，僦居曾記香爐營。密通往還潘太史，恢諧跌宕倪先生。自注：潘謂允敏。香爐營上、下二條衚衕，井一。上、下三條衚衕，上、下四條、五條衚衕，有廣西會館。茶食衚衕，六條衚衕，香爐營夾道，海波寺街，井一。海波寺，見坊巷衚衕集，久廢。有廣西、潁州、澧州、順德、潮州會館。曝書亭集：僦宅宣武門外，庭有藤二本，槿柳一株，旁帖湖石三五，可以坐客賦詩。又自禁垣移居宣武門外詩：詔許移家具，書難定客蹤。誰憐春夢斷，猶聽隔城鐘。按：此康熙甲子，彝尊初罷禁職，自黃瓦門移居詩也。在此纂日下舊聞，見自敘。集中如古藤書屋送人詩云：我攜家具海波寺，九月未槁青藤苗。夕陽倒景射槿柳，此時孤坐不自聊。遲湯右曾詩云：槿葉綠如織，藤花紅滿擔。復有紫藤花下作花下醉歌，送吳魏二子聯句，槿聯句，坐青藤下燒竹火鑪試武彝茶聯句，至己巳二月，乃移下斜街，詩云：不道衰翁無倚著，藤花又讓別人看。當移居時，查慎行贈詩，有僦居會向春明宅，好借君家善本書之句。又有閏夏共飲古藤書屋，限藤槿二字詩，王士禎有戊辰來京，竹垞邀飲古藤書屋，食鮑魚半翅，觀米海岳研山圖詩。趙吉士寄園集：甲戌元夕，飲于章雲中翰漢翔古藤書屋詩：坐嘯三休叢桂老，居停五易古藤留。自注：寓爲金文通之俊甲午舊邸，遞傳龔芝麓、何蕤音、朱竹垞以及中翰，五易主矣。藤陰雜記：何蕤音元英寓此，名丹臺書屋。王橫雲未遇時，飲屋中詩云：龍門百尺邈難登，喜到高齋對古藤。汪蛟門詩：護持勞太傅，燕賞愜尚書。留得清陰在，重爲水部居。康熙丙辰，竹垞有飲何少卿藤花下詩。東舍詩評：曲阜孔東塘尚任燕臺雜興詩：藤花不是梧桐樹，却得年年引鳳凰。自箋：宜興蔣京少景祁寓古藤書屋，予與阮亭先生數過談，朱竹垞、黄俞邰、周青士諸公先後寓此。藤陰雜記：孫松坪致彌移居詩：一枝許借卽吾廬，莫笑生涯瑣詰如。時與王雲岡同寓，管青村掄詩：王猷與共孫登嘯，宋玉堂爲庾信居。是爲康熙，庚辰。今古藤靠壁，鐵幹蒼堅，古色班剥，洵百餘年物。特屋未宏敞，大第已析爲三四，宅西偏賃施小鐵冏卿朝幹，移居時，余贈有依稀詩老留題處，想像賓筵載酒餘之句。繼而知古藤在東鄰，余往屋内訪之，主人繪圖示客。又閱竹垞集，有馮檢討勗招諸同年集六枳園對菊詩，可怪南鄰馮檢討，則似在海波寺街。趙懷玉亦有生齋集：移居詩小序：癸丑八月，自青廠移居海波寺之古藤書屋，朱竹垞檢討舊寓也。再按：騰笑集序：庭有藤二本，樫柳一株，旁帖湖石三五，可以坐客，賦詩。余寓舍藤止一本，而樫柳、湖石皆在右鄰，余氏有藤一本，而距此頗遠，豈余氏別一本，所謂二本者，僅存其一耶？既屬李君秉德作圖，且乞同人賦詩紀事。

永光寺中街，永光寺，元爲萬壽寺，互詳寺觀。國初設粥廠於此，今仍之。有重慶會館。藤陰雜記：梁藥亭佩蘭寓永光寺，與朱悔人、宋山言醉後放歌。吴鑑南璜隨父璞庭寓寺側，生子，商寶意盤寄詩：原是釋迦親抱送，永光古寺翠微僧。庚辰成進士，由農部任知州，徇木果木難。吴超亭興宗題其遺集云：朱邸賜蓮宵禁肅，永光擊鉢曉鐘寒。元納延金臺集：萬壽寺懷古詩：皇唐開寶搆，歷刼抵金時。絶妙青松幛，清涼白玉池。長廊秋屧響，高閣夜鐘遲。獨有乘間客，扶藜讀古碑。自注：寺有許道甯畫屏。

方壺齋，乾隆三年置北城平糶局於此，今廢。藤陰雜記：傅謹齋副憲移寓方壺齋，相傳爲田山薑故寓。吴白華贈詩云：夾巷笙歌喧北里，殘年冰雪愛南榮。詩翁倒作鴻臚長，乾隟論才價未豐。田時官大鴻臚，傅爾時亦長鴻臚云。亞谷叢書言：京師戲館，比年如方壺齋、蓬萊軒、昇平軒最著。今諸園皆廢，惟方壺齋屢易新名，人尚稱爲方壺齋，城西僅此一館，春初尚盛，在永光寺西街。按：今亦廢，其地猶仍舊稱。

永光寺西街，有四川、新會、順德諸會館。西小衚衕曰八寶甸，曰棗林。

北極庵，庵祀元帝，有明萬曆間朱之蕃碑。有鳳翔會館。

前、後清廠，清或作青。前清廠，井一。有武陽、四川、廣西、鳳翔、漢中、榆林諸會館。舊有順德會館，今廢。迤東曰鹿角衚衕。日下舊聞：永光寺東清廠有巨潭，元果洛易之萬壽寺懷古詩云：清涼白玉池。疑卽是也。孫淵如先生年譜：乾隆五十二年丁未，會試中式。殿試一甲二名，授編修，時寓清廠，卽今武陽會館。張問陶船山詩草，有過清廠舊宅詩。

椿樹衚衕，小椿樹衚衕，汪沆小眠齋稿集：堇浦寓齋看丁香詩：頗憶前年上巳後，小椿樹巷經旬棲。殿春花好壓擔買，花光浮動銀留犂。

椿樹上、下頭條衚衕，井一。有績谿、龍谿、新城會館。錢辛楣年譜：乾隆癸酉秋，移寓椿樹頭條衚衕。張祥河小重山房集：移居椿樹衚衕詩：聊從後巷遷前巷，爲卜今年勝舊年。

上、下二條衚衕，井一。有永春、郃陽會館。陳用光太乙舟詩集：先君官京師時，買宅椿樹衚衕，庭中植藤花甚盛，及余來居，而藤無存，因買藤種之，作補藤篇，以記其事。又家大人以椿樹二條衚衕宅作藜川新館，所供像及記文，自家大人出守後，皆佚去，予既補作後記，又購得聖像供奉前堂，敬題絶句。

上、下三條衚衕，北城吏目署在下三條衚衕北。又有絳山會館。藤陰雜記：椿樹三條衚衕汪文端由敦寓，以所藏快雪時晴帖顔齋，曰時晴。公後賜第東城，申拂珊副憲甫接住，賦詩，沈雲椒初和作，有小齋數典紀時晴之句。笏山詩集注：椿樹寓舍，本汪文端公別宅，西偏屋數椽，雅有樹石，公自署曰時晴齋，舊割以居他姓，近始並僦之。又題吴香亭銀臺古藤詩思圖注：我時僦居時晴齋，花前置酒招朋儕。紫藤傳是匠門植，晴香撲撲紫襟懷。注：舊爲張匠門先生寓居，紫藤一株，即其手植，花時甚盛。**西草廠衖衕。**井一。有正覺庵，有安福會館。藤陰雜記：姜西溟、湯西厓移居詩：椿樹前頭巷，先生卜宅成。似今之西草廠衖衕。又吴突煙通舍，查溝水過灣。謂吴元郎璟、查聲山昇皆鄰，並又云：吾老欣同巷，歸休願息關。潛研堂集移寓詩，自注：壬申十二月，寓草廠衖衕僧舍。

魏染衖衕，井一。有南城會館。畢沅靈巖山人詩集：梁瑤峯移居魏染衖衕，相傳爲吴梅村舊寓詩：清華江右盡聞聲，祭酒當年最擅名。故國鵑啼餘舊痛，畫梁燕壘又新營。敦槃乍啟思前輩，花木重栽悵隔生。我是婁東吟社客，瓣香私淑不勝情。敬業堂集：庚寅秋，以槐簃湫隘不能容，遷居魏染衖衕，西鄰棗樹一本，已纍纍垂實矣。余下榻於東偏，故名棗東書屋。藤陰雜記：張匠門、繆湘芷於此餞飲，又吴文簡襄舊宅，賜額蘭藻尚存。沈東田方伯寓此，東有飼鶴軒，後祝芷堂德麟、曹劍亭錫寶俱居之。湯西厓亦寓此，有旁人錯比揚雄宅，異代應教庾信居之聯。迤南大宅，金檜門總憲瑛第，有一經齋。復初齋集：史胄司夔亦曾寓此。**四川營，**井一。有延安、四川諸會館。藤陰雜記：四川營四川會館，相傳秦良玉勤王至京，駐師於此。後改石芝庵，旋作會館，王樓村集有石芝庵四律，而不及奏事，京師亦別無石芝庵也。**敫家坑，**井一。有海昌、正定會館。**棉花頭條衖衕，**步軍統領所屬南營都司署在北，舊有協中、川東會館。**上、下二條、三條衖衕，上、下四條衖衕，**有惜字會館。**上、下五條衖衕，**有圓通庵，詳寺觀。**六條衖衕，**曾文正年譜：道光二十年十二月，移寓棉花六條衖衕路北。**上、下七條衖衕，**有貴州會館。蔣祥墀自訂年譜：壬戌寓棉花七條衖衕。**八條衖衕，九條衖衕，**有天仙庵，詳寺觀。**裘家街，**裘或作仇，井一。有臨川、雷陽會館。**山西街，**山或作陝。有甘肅、四川會館。**棉花五條衖衕，鐵門。**井一。北城正指揮署在東，有宣城、廣信會館。程迓亭箕城雜綴：虎坊橋在琉璃廠東南，其西有鐵門，前朝虎圈地也。漁洋詩集：過宣城館有感詩：暮天黃葉落，一過西州門。無復高人迹，空聞宿鳥喧。新阡思挂劍，舊館憶開尊。南望澄江水，誰招屈宋魂？自注：施愚山故居。愚山集：移寓寄宋牧仲詩：書聲不敵市聲喧，恨少蓬蒿且閉門。此地棲遲曾宋玉，薜墻零落舊題痕。姚文田邃雅堂集：乙丑正月，卜居鐵門詩，自注：宅南爲北城指揮宅。稷欲亭集，和陶移居詩自注：嘉慶己卯，居鐵門，先君舊寓也，余生於是，年十三始歸里。

右在宣武門街東，煤市橋、觀音寺街、石頭衖衕西，虎坊橋、騾馬市街北，其東與中城界，西與西城界。

騾馬市大街。即南大街。井一。黎明市曰西小市。元帝廟，明建，前室祀馬神，亦稱馬神廟，有王熙、劉廷玉二碑。設騾馬稅局於此。有直隸、三晉、中州諸會館。迤東有橋，曰虎坊橋，明虎房遺址也。今橋北小巷，猶有是名，房或訛坊。井一。有福州、湖廣、宜昌、三原、襄陵、曲沃、杭州諸會館。南小衚衕曰九道門檻，北小衚衕曰磨臍衚衕，曰虎房，在魏染衚衕西。藤陰雜記：竹垞己未同徐檢討釚移寓虎坊橋，輯瀛洲道古録。查他山別譚都諫瑄詩：宣武門東舊宅，虎坊橋畔憑欄。可惜手栽紅杏，花開又讓人看。似皆橋西賃宅。閻恭定循琦廓而大之，繼居者王韓城、趙副憲、陳無軒焯，肄業成均，館韓城邸中。宋芝山葆淳作湘管齋圖，題屋字韻七古，和者甚衆。朱笠亭炎諸君又合作一圖，無軒答詩，後録爲湘管聯吟。又毛西河會鴻博同年於衆春園，各賦一詩。始未知其地，偶見筆肆招帖，乃即今虎坊橋西炭廠也。邵齊燾玉芝堂詩集：虎坊橋新寓有作。潛研堂集移寓詩：客居燕臺兩寒暑，有似澤雉遊樊籠。虎坊菜市三易寓，去住蹤跡風轉蓬。紀昀姑妄聽之：余虎坊橋宅，爲岳威信公故第，廳事東偏一石高七八尺，云是雍正中初造宅時所賜，移自兔兒山者。余又號孤石老人，以此。宅有青桐，數百年物也，惜蟲蛀一孔，雨漬久而中朽，遂枯。黄安濤真有益齋文編：癸酉秋仲，始偕舍人曾君崑圃僦屋於宣武門外虎坊橋之側，屋爲前大宗伯紀文達公故居，乾隆間，大將軍岳威信公創築者也。文達裔孫割半見賃，中有室類舫者曰岸舟，有若堂者曰閱微草堂，履聲已遥，題署可識。蓋文達昔年燕閒撰著之所，於斯在焉。如是我聞：虎坊橋西一宅，南皮張子畏故居也。今劉雲房副憲居之，中有井，子、午二時汲則甘，餘則否。太乙舟詩集：和葉雲素移居詩：相公舊第亦前緣，廉讓風高願執鞭。朝典夙諳原望重，楹書誰讀況兒賢。長齋自守庚申夜，修綆誰爭子午泉。一笑元龍樓百尺，也辭故宅賦新篇。注：宅爲王文端舊居，有子午泉。按：此即如是我聞所紀之宅。許宗衡玉井山館詩餘：漢陽葉名灃作橋西老屋卷子，著橋西雜志，內有風雨懷人館，亦見詩集。陳句山年譜：庚辰二月，自棉花衚衕移居虎坊橋。莫友芝郘亭詩鈔：國子學正劉菽雲傳瑩招同曾學士國藩，小飲虎坊橋寓宅，歌以爲別。又有歸來素居過三載，憶子往往夢虎坊之句。

鐵香罏，雙五老廟，大、小保吉巷，保吉亦作包家。井一。穿心衚衕，阡兒衚衕，阡或作扦。蠟燭心衚衕，東甎兒衚衕，有竈王廟。舊有浦城會館，今廢。高臺階，塔兒店，高廟，香廠，井一。有永安橋。橋東隸中城。萬明寺，元水浙庵也，其後門亦在虎坊橋大街，詳寺觀。羊毛衚衕，南下窪，亦稱窯窪。有東嶽廟、都城隍廟，詳祠祀。歲清明、中元、十月朔，都人祭賽，有廟市。自左安門迤西，至右安門，亘十餘里，其曠地皆下窪也。蔬圃外多荒塚。康熙五十九年，曾禁城内藂葬。乾隆後乃漸弛，見會典事例。徐乾學憺園集：邀陳説巖太常同姜、朱二翰林虎坊別墅宴集詩：市南虎坊園，幽居帶林薄。雅堪延野色，憑眺有菌閣。極望郊壇樹，微風韻遥鐸。按：曝書亭集亦有徐尚書載酒虎坊南園聯句詩，康熙二十七年戊辰歲也。考説巖於二十六年由户部尚書轉吏部，平生未歷官卿寺，太常系太宰之訛。至姜湛園以諸生入直史館，食七品俸，故聯句詩稱著作，閱九年丁丑科始舉一甲進士，改官翰林，是時不應與竹垞同稱翰林。憺園集或後人標録之疏也。按：其地當近下窪，今無考。羅家井，井一。趙家井，井一。膠房，崇興寺衚衕，有福州、福清、濮陽、理化諸會館，舊有鄞縣會館。坊巷衚衕集：正南坊有保安寺、響鼓廟、崇興寺。行國録：崇興寺，明天順四年勑建。大興張志：寺在粉房劉家。**響鼓廟，**舊聞考：廟北距崇興寺數十武，踞高阜，前後神宇各三楹，縱橫不踰半畝。僧云：廟舊制如此。有萬曆癸未鐵磬一。按：寺今尚存，比邱尼居之。**粉房琉璃街，**大興張志作粉房劉家是也。有汾水、延平、晉江、廉州、解梁、萍鄉、萬載、河南、懷甯、新會、天津諸會館。田雯古懽堂詩話：己未，余領冬曹節慎庫，七月，自橫街移居粉房巷，先至其處，督奴子搬家具，悶坐久，作詩題壁，有東野家具少於車，墻角殊立山薑花之句。俄而漁洋至，見而和之，次日遍傳都下，和者百人。陳兆崙紫竹山房集：移居和阮裴園學浩韻，時與阮同日移寓，梁新居卽僕舊賃也，詩有云：燈原無盡傳何代，粉已成灰賸有坊。自注：近寓粉坊琉璃街，屋後隙地彌望，名下窪子。齊召南賜硯堂集：句山移住粉坊疊韻詩：兩髯公據東西壘，三館人聯遠近坊。自注：張南華鵬翀、周石帆長發寓占東西。又同館寓宣武門南約二十餘人。**潘家河沿，**井一。西有彌陀庵、晉陽庵，舊供古銅大士像於此，後移眼藥庵，詳寺觀。有懷慶、吉安、黃陂、餘姚諸會館。舊有江南、江西、齊魯、渭南會館，今廢。按：明時曾引涼水河入城，逕虎坊橋以達於下窪，疑此並河之地也，說見前。錢辛楣年譜：乾隆十七年秋，移寓潘家河沿，仍與褚鶴侶同居。次年，偕鶴侶及吳杉亭習算術，得宣城梅氏書讀之，寢食幾廢。復初齋集：壬辰九月，移居潘家河沿，置所刻蘇題英德南山、米題藥洲二石於齋壁，邀同人作蘇米齋詩。崇百藥齋文集：移寓彌陀庵詩自注：院中有古槐二株，數百年物也。**堂子衚衕，賈家衚衕，**有歸德、高州、高郡、開封、蘄水、永州、江震諸會館。賜硯堂集：夏日從橫街移居賈家巷，卽句山舊宅，原宅又爲余接居，疊韻八首，有晨夕好趨前輩句，自注：謂張月槎漢、沈勉之棨仁、張南華鵬翀、李玉洲重華、彭芝庭啟豐寓，皆鄰近。尚絅堂集：偕謝向亭移居宣武坊之賈家衚衕。駱文忠年譜：戊戌移寓賈家衚衕。曾文正年譜：道光三十年四月，移寓賈家衚衕南西。**放生園，鞾子營，**井一。曾文正年譜：道光三十年十月，移寓鞾子營關侯廟，與同年錢振倫同寓。**閻王廟街，**俗訛延旺。井一。有瀘州會館。迤南曰張相公廟，有雲南會館。舊有壽張會館，今廢。宸垣識畧：張相公廟在延旺廟街，舊爲關帝廟，康熙二十二年，蕭山紳士重建，祀文、武二帝，暨宋封浙江潮神靖江王張公，有少詹事周之麟碑。皇朝通典：雍正三年，浙撫疏請廟祀江海保障諸神，乃封宋張夏爲靜安公，廟祀蕭山縣。**驢駒衚衕，**驢駒或作驪珠。有河間、奉新、廣西會館。駱文忠年譜：乙未，移寓驢駒衚衕。**果子巷，**井一。胡書農年譜：乙丑五月，移寓果子巷內族叔曾祖文恪公高望宅，時叔祖祖福官刑部，招同陳丈扶雅同居，集中有重過嘉樹堂感事詩，指此。曾文正年譜：道光二十年六月，移寓果子巷客舍，病熱危劇，幾不救，九月乃愈。**大吉巷，**井一。有撫州會館。**羊肉衚衕，**有奉新、旌德會館。**關帝廟夾道，保安寺街，**井二。保安寺少東，有玉皇廟，明崇禎二年建，俱詳寺觀。有豐城新、舊會館。尚絅堂蕭寺集小序：辛酉，移寓保安寺，砌花數種，綴以小蘭，雨鈴風磬，間出韵語，爲輭紅中闢一清涼界也。成克鞏重修玉皇廟碑：余所居之右，有玉皇廟。邵長蘅青門旅稿小序：己未，客都門，寓保安寺街，與阮亭衡宇相對，愚山相距數十武，冰修僅隔一墻，其年寓稍遠，隔日輒相見。常月夜偕諸君扣阮亭門，坐梧桐下，茗盌清談達曙。愚山贈行詩：蹋月夜敲門，貽詩朝滿扇。蓋紀實也。又與阮亭尚書書：奉別將十年，回憶寓保安寺街，踏月敲門，諸君箕坐桐陰下，清談竟夕，恍然如隔世事。王士禎香祖筆記：海甯陸冰修嘉淑，昔在京師與施愚山、梅耦長每夕必過予邸，縱談至夜分始別，陸有絶句紀事：科跣到門衣不船。蓋方言也。查慎行直廬集：王學庵給諫移寓保安寺街，寄詩次答：轆轤便轉石欄邊，僦屋曾棲蒲褐禪。古井再經愁雨塌，舊交重聚得天憐。明燈照壁何愁蠍？緑樹當門定有蟬。稍待泥乾走相覓，看君新竈起茶煙。自注：余壬午、癸未間，曾僦居此街。藤陰雜記：陳黄門台孫，寓保安寺，旁有雙槐軒。又寺有奇石，梁少司空敦書寓寺前，移置庭院，名曰垂雲，作歌。阮吾山司寇和移居云：曾有詩翁屐齒經。自注：此地爲漁洋舊居。漁洋自題得樹堂詩：老樹空庭得，堂因老樹名。未審即此宅否？又孫松坪集：徐虹亭釚寓齋，阮亭舊寓也，庭中老椿二株，近百年物，招飲賦詩：憑將盡取藍田璧，古木城坳共盍簪。似又一宅，非保安寺街。亦有生齋集：移居古藤書屋，胡學士長齡用竹垞得要字韵見贈，次韻奉答，詩注：君時寓保安寺。

包頭章衚衕，兵馬司前街，明南城兵馬司疑當在此。井一。有正味齋日記：乾隆癸丑十月，徙寓兵馬司前街。洪北江年譜：嘉慶元年二月，僦寓兵馬司前街。劉嗣綰尚絅堂詩集：圍爐集序：時寓宣武坊之兵馬司前街。

中街，有南城、慈谿、望江諸會館。尚絅堂集：留別兵馬司中街寓，即題壁間。

後街，箭杆衚衕，扁擔衚衕，米市衚衕，井二。東有關帝廟，詳寺觀。有中州、江陰、光州、六安、重慶、南海諸會館。池北偶談：康熙丁未上元夜，於禮部尚書王公崇簡青箱堂，恭覩世祖章皇帝御畫山水小幅。藤陰雜記：王文貞崇簡有青箱堂，沈曰濩受宏詩：西園地接紅塵陌，東第門開白玉京。容園，見孫松坪詩。宸垣識畧：青箱堂在米市衚衕關帝廟北，今歸胡大司寇。藤陰雜記：曹文恪秀先第在米市衚衕，癸巳仿真率會邀程文恭、嵇文恭、吴恭宣紹詩、張總憲若淮、崔司寇應階、蔣少司馬元益。戊戌再集，易以蔡漳浦、周文恭煌、羅總憲源漢，有七人元旦五百歲之句。朱石君以二老同年十九科爲對，指蔡公也。程晉芳三長物齋後記：壬辰，余寓房師朱竹君先生齋中，作三長物齋記。閲十年壬辰，蓋長住米市九載矣，昔之東井研、古墨、聖教序皆爲他人有，檢點故篋，尚有宣和哥窑鑪、端石圭硯一、靈璧脱砂硯山一，復顔屋之南軒曰三長物齋。研經室四集：屠琴塢庶常倬將出爲縣令，所寓米市衚衕有古藤二株，自繪圖卷，索觀索題。尚絅堂集：移居米市衚衕，即琴塢之雙藤書屋也。躬恥齋詩鈔小序：辛卯夏入都，居宣南米市衚衕，用荀子儒效篇杅杅自足之意，以名寓齋。錢儀吉衎石齋記事稿：兄子昌齡補官至京師，予方假館繆氏澄觀之居，即今潘相國世恩米市大宅也，遂同居。許宗衡玉井山館集：壺園詩：朱坊紫陌宣南路，舊井秋槐尚夕陽。當日園林盛賓客，一時文讌有滄桑。自注：地在米市衚衕，有井，又老槐一株，道光乙未、丙申間，徐廉峰寶善居此，名曰壺園。

繩匠衚衕，繩匠或作丞相。井一。北有伏魔寺，有中州、休甯、潮州諸會館。西小衚衕曰小井衚衕，井一。曰口袋衚衕。宸垣識畧：大學士陳文簡元龍邸，在繩匠衚衕，聖祖御書愛日堂額。西有園亭，通北半截衚衕。藤陰雜記云，似是錢少司寇維城宅，今歸查氏。又徐憺園司寇碧山堂雨中宴同館諸公詩：積雨衝泥會故人，高齋當暑似蕭晨。十年冉冉存雙鬢，百載茫茫集一身。緱嶺仙人曾憩洛，高陽才子正遊秦。今朝佳宴逢休暇，莫厭當筵酒琖頻。時孫屺瞻同作堂在繩匠衚衕，今改作休甯會館，屋宇軒敞，爲京師會館之最。其南其北，昔爲秦文恭、姜司寇、劉司農宅，當日自合而爲一，故能容滿堂珠履。漁洋假歸，門人黃叔琳、李先復、胡閏錢於碧山堂，查他山飲徐尚書碧山堂花下詩：謝公別墅近城壕，載酒曾陪飲興豪。孫松坪有冠山堂呈健庵先生詩：宣武門前卜築寬，過從忘卻在長安。或卽碧山。潛研堂詩集自注：予以壬申六月入都，寓繩匠衚衕。年譜云：與褚鶴侶同寓。吴蔚光素脩堂詩集，有遷居繩匠衚衕詩，用厲樊榭續集中移居詩韻。曾文正年譜：道光二十一年八月，移寓繩匠衚衕北，路東。戴熙習苦齋集：丁未春，予寓居繩匠衚衕之南，余女歸吴氏者在其北，相望也。又偕邵蕙西訪曾滌生學士詩：冷官如僧舍如刹，入門但少孤磬戛。巷北樞曹肯相過，高論汩汩奮頡滑。爲語巷南有閣長，濯濯麌羣彼尤黠。

庫堆衚衕，堆或作骰。有瀏陽會館。

大井衚衕，井一。崇百藥齋三集星齋藤花書屋填詞圖，自注：度香尚書大井衚衕藤花甚盛，今五洲光少居之。

南、北半截衚衕。巷東隸北城，西隸西城，南衚衕井一。有江甯、黟縣、山會諸會館。西小衚衕曰七間樓。北有吴興、潼川兩會館。宸垣識畧：七間樓在南橫街南半截衚衕口，卽怡園也。康熙中，大學士王熙別業。相傳爲嚴分宜別墅，北半截衚衕有聽雨樓，則東樓別墅，今歸查氏。王士禎居易録：怡園水石之妙，有若天然，華亭張然所造。然字陶庵，其父號南園，以意創爲假山，以營邱、北苑、大癡、黃鶴畫法爲之，峯壑湍瀨，曲折平遠，經營慘澹，巧奪畫工。茶餘客話：華亭張漣，能以意疊石爲假山，子然繼之，遊京師，如瀛臺、玉泉、暢春苑，皆其所布置。王宛平怡園，亦然所作。王崇簡青箱堂集：正月十六夜，兒熙張燈怡園侍飲詩：閒園暮靄映簾櫳，秉燭遊觀與衆同。月上空明穿徑白，燈懸高下滿林紅。承歡春酒煙霞窟，逐隊銀花鼓吹中。共羨風光今歲好，昇平惟願祝年豐。藤陰雜記：怡園跨西北二城，賓朋觴詠之盛，諸名家詩幾充棟。胡南苕會恩牡丹十首，鋪張盡致。查查浦集，有公孫枚孫景曾庚辰招集怡園詩，已非全盛。湯西崖怡園感舊詩：今日城南韋杜少，舊時池上管絃多。汪文端感宛平酒器詩注：園已毀廢數年，是爲乾隆戊午，此後房屋拆賣殆盡，尚存奇石老樹，其席寵堂，曲江風度賜匾，委之荒榛中，今空地悉蓋官房。相傳吾鄉沈艅翁太史少遊京師，被酒過橫街，值怡園諸姬歸院失避，以爆竹炙面而歸，故先君上元絕句云：宣南坊裏說遺聞，丞相園林步障分。猶記笙歌歸院落，一時憔悴沈休文。按：毛奇齡集，宛平相公園林詩，有纔到射堂門啟處，門紗映出一山藍。行過摘星巖畔望，紅亭高出碧雲間之句。知園中有射堂、摘星巖也。又聽雨樓，相傳爲嚴分宜東樓，前後卽其舊址。汪荇洲侍郎曾寓，見王樓村集。近韋約軒謙恒自四松亭移居，有醉經堂、古藤書屋、得石軒、松石間精舍、槐蔭館、緑天小舫、桐華書塾，同人分體賦詩，今歸查氏。其旁爲吴興會館，自是樓旁餘屋。按：查慎行敬業堂集，有集聽雨樓詩。弇山年譜：甲申十月，移居宣武門外聽雨樓。樓後二小軒，湯少宰右曾書額曰得石，有聽雨樓存稿四卷。查嗣瑮查浦詩鈔：同楊耑木中訥移寓半截弄詩：衣篋書囊不滿車，傍誰池館覓新華。雲離翠岫原無主，燕值雕梁便是家。隨地可賒邀月酒，有錢先買探春花。故園不是無茅屋，夢裏寒梅一徑斜。癸巳使廣東還京，仍移半截舊寓，呈湯西崖院長、周桐埜宮端。湯則南鄰，周則舊寓此宅，詩云：縷絡藤梢架未蕪。自注：中庭紫藤，係宮端手植，名起渭，貴筑人。藤陰雜記：秦鑑泉大士寓半截衚衕，庚辰庭產芝草，長君承恩中式，作瑞芝詩。庚寅又茁一芝，次子承業中式，賦後瑞芝詩。又齊次風召南移寓半截衚衕，賦詩八首，阮裴園檢討學潔與弟學濬和韻，巷南迫近橫街。船山詩草：自官菜園上街移居北半截衚衕詩，有菜園屋券價已昂，我甯扣俸租官房之句。右在半截衚衕東，騾馬市、虎坊橋街南，板章衚衕西，橫街北，與中城西城界。

南橫街，井一。迤西隸西城，井四。舊有禮部所屬會同館，今廢。有千佛庵、圓通觀，俱詳寺觀。又有華嚴庵，有祥符、嘉興、全浙、淮安、孟縣、涇縣、粵東諸會館。南小衚衕曰椅子圈、荷葉廠。宸垣識畧：王文貞家廟在繩匠衚衕南，析爲民居，有王氏宗祠四字甎刻尚存。藤陰雜記：橫街有第，乃怡園之一隅，向爲王氏世守，後賃張總憲若溎、吴少宰嗣爵，韋約軒謙恒自黔回京，再入詞館，賃住怡園廢址，尚賸四松，乃構亭於松石間，顔曰四松，栽花樹二十餘本，又構有椒書屋，方桃杏盛開，屋又轉售，賦留别詩。按：今粵東會館，當卽其地。又劉文定綸初寓橫街移居詩：僕夫忽報趨朝早，小樹鬅鬙夜氣濃。此去天街多半里，驚心幾杵丑時鐘。又程文恭景伊第在橫街，有緑雲書屋，文定題云：仙雲童童覆瑶席，仙人展坐春無迹。笑認窺檐老樹枝，此是吾家道南宅。錢辛楣年譜：乾隆甲戌，移寓橫街，讀漢書，撰次三統歷衍四卷。秦文恭邀余商訂五禮通考。休甯戴東原初入都，造居士寓，談竟日，嘆其學精博。明日言於文恭，文恭欣然與居士同車訪之，爲延譽，由是知名。曾文正年譜：道光二十年正月入都，寓千佛庵，二十七年三月，復寓南橫街北。查禮銅鼓堂集：移居橫街詩：碧玉山房春落花，春風催我更移家。此身萬歲歸何著？兩歲三遷似泛槎。檢點詩書攜作伴，街鄰酒肆説堪賒。據經作竈仍無突，愛聽松聲日煑茶。

官菜園上街，井一。有光州、鎮江、四川、香山諸會館。浮梁會館已廢。迤南二里許，近城根曰姚家坑，與西城界。井水清洌，曰姚家井。其旁又有三井。迤東至農壇，井凡八。街西里許曰大明園。又西曰官園，皆明時蔬圃也。街疑以是得名。官園俗稱道士墳，詳西城。卷葹閣集：葉舍人雯移居官菜園上街東，作圖索詩：竭來都門三易居，菜圃開處真吾廬。盤盤老樹橫街後，分半貯書嫌不彀。鎖廳退直事亦忙，日力苦短書聲長。談心時接北街李，聯句尚有南頭王。自注：謂李小松編修，王惕夫孝廉。錢辛楣年譜：乾隆己丑秋，再入都，仍寓官菜園上街。船山詩草：官菜園寓齋卽事：官園菜把亦虛名，白草黃蘆接地生。屋後遠山時露影，窗前細雨乍聞聲。

興隆街，錢儀吉衎石齋記事稿：蒜市雜記序：余居興隆街，東去蒜市蓋十里。按：今興隆街居民寥落，絶無邸舍矣。

珠巢街，有揚州、雲南、成都諸會館。迤南有觀音院。潛研堂集：移寓珠巢街，與王禮堂夜話詩：積潦晴餘聚白沙，新蒲雨後迸青芽。荆高酒伴如相訪，白紙坊南第一家。刻燭論心水乳投，廿年親串意綢繆。前身兄弟機雲侶，分占東西屋兩頭。紀昀如是我聞：辛卯夏，余自烏魯木齊從軍歸，僦居珠巢街路東宅。蔣士銓忠雅堂詩鈔：吴蓀圃舍人璟移寓珠巢街，與子隔巷，作詩柬之。尚絅堂集：周穉圭同年自粉坊琉璃街移寓珠巢街，步行特訪。䙰欽亭集：和陶移居詩自注：嘉慶庚辰，移居珠巢街。有法華寺。迤南曰板井。井一。東有關帝廟，明刹也。

南堂子衚衕，井一。又南半里許曰東珠營、西珠營，井四。有龍泉寺、龍樹寺。西有太清觀，明萬曆間建，今重修，俱詳寺觀。茶餘客話：城南舊有龍爪槐，僧言三百年物，前輩集中不多見。徐電發釚菊莊詞話：白門紀伯紫云，壬子季夏，與合肥龔宗伯、山陽陳階六黃門台孫同飲龍爪槐下填詞。此地在國初亦名流屐齒所常到也。按：寺前老屋三楹，額曰蒹葭簃。東洲草堂集有題龍樹寺蒹葭簃圖詩。茶餘客話：封氏園一作風氏，與龍泉寺相近，楊禹江集有丙戌夏陪宋商邱過龍泉寺觀風氏園古松之作。藤陰雜記：風氏松見諸家題詠。宋牧仲偕諸名輩倡和詩，皆長篇。王樓村、宮友鹿尤擅場。後高文良其倬賦長歌。濃陰數畝自周遮，橫列十人容坐語。至雍正時，鮑西岡有悼松詩，已無存矣。繆湘芷沅集：風氏園旁數武，有武家窰，與黑龍潭相對，水木清華，渚潊環互，風日澄霽，宛似江南。李總憲枏將於此移築廣陵館，仙去不果。丙戌重過，賦五古一章。今黑龍潭左右，一望黃沙，夏秋茭蘆叢薄，誰復知有風氏園者？宸垣識畧：封氏松相傳金、元時物。查慎行有過園飲矮松下詩。胡承珙求是齋詩集：偕同人游城南多氏園林詩。按：多氏園，今亦無可考。藤陰雜記：城南刺梅園，士大夫休沐餘暇，往往攜壺榼，班坐古松下，觴詠間作，譚舍人吉璁佐郡延安，同官於此祖餞，聯句五十韻。高太常層雲繪以爲圖，詩載朱竹垞集。竹垞同何侍御元英飲松下詩：禁煙高柳偏龍潭，未得同遊祇自慚。又刺梅園餞陸進詩：刺梅園裏青松樹，笑我重來竟白頭。孫松坪致彌詩：好覓南鄰朱檢討，典衣還醉刺梅園。按：曹貞吉遊黑龍潭還過刺梅園詩：刺梅花未發，有約故人來。落葉紛如夢，松風對舉杯。園當在黑龍潭北，今悉爲葦蕩。其旁又有祖園。陳維崧詩：誰割龍潭景，添成物外遊。徐乾學飲禊祖園詩：舊遊農壇西，紫閣欝連畛。宸垣識畧謂爲左都御史祝氏別業。考西河詩話，祝家園在安定關西，關左祝御史別業，梁清標桂枝香詞，所謂賞心樂事祝家園裏也。祖、祝音近，方言固易混淆，然準諸地望，參以舊聞，吳氏之言殊未足據。又右安門外亦有祖園。**四屏園，**屏俗訛平。藤陰雜記：毛西河四屏園送吳郎中歸里賦詩。園在橫街口，荒冢纍然。**紅土子店，黑陰溝。**東有三聖庵，迤南有火神廟，又南里許曰黑窯廠，明工部五大廠之一也，亦曰南廠。國初設滿、漢監督，後裁。詳廠局。井一。其東半里許曰黑龍潭，舊爲禱雨之地，有龍王亭，今圮，詳水道。西南里許曰陶然亭，詳寺觀。舊聞考：黑窯廠明時製造甎瓦之地，康熙三十三年，奉旨交窯户備辦，此廠遂廢。其地坡隴高下，蒲渚參差，都人士登眺，往往而集焉。宸垣識畧：廠今廢，窯上建真武殿三楹，翼以小屋，道人居之。路口有靈官閣，坡徑迂迴，盤折而上，名曰窯臺。間搭涼蓬，設茶具，重陽後，葦花摇白，一望瀰漫，可稱秋雪。沈德潛有登高詩。藤陰雜記：黑窯廠登高詩充棟，惟漁洋四律，蒼涼沈欝。龔芝麓花朝讌集，又招汪苕文、王阮亭、李湘北、陳其年餞董玉虬，以秦州雜詩分韻。徐憺園有陳悦巖太宰招同竹垞、西溟黑窯廠最高處燕集詩：張幄以禦風，重氈覆青油。芳茵藉促坐，曲几羅庶羞。似支搭帳幄，未有亭閣。按：覺生詩鈔，春日瑶臺看雪詩，又有雪後登瑶臺詩，改窰爲瑶。又黑龍潭康熙中爲讌遊之地，徐憺園、王橫雲集俱有詩。胡南苕九日集潭詩：北望雲霞雙門迥，西來紫翠萬峰攢。張匠門大受遊黑龍潭，地爲新城尚書遊讌處，賦詩。柘坡居士集：陶然亭，康熙乙亥，江郎中藻所建，取白居易更待菊黃新釀熟，共君一醉一陶然。藤陰雜記：陶然亭又名江亭，有記勒石，百餘年來，遂爲城南觴詠之地。春秋佳日，宴會無虚。亭前廊以軒檻，可容小部，名家集中多有登覽之作。查他山詩：望遠村東緩轡遊，忽從飲馬得清流。自注：余寓城南道院，在望遠村，去亭二里。近人詩以曹習庵仁虎穿荻小車疑坐艇，出林高閣當登山爲絶唱。東洲草堂集自注：舊亭有王孟津書大字扁。按：亭在觀音庵西偏，壁嵌江藻陶然吟。其序稱：京東南隅有慈悲庵。又大興張志：觀音堂在珠營。湯右曾有秋日登大悲庵後亭詩，皆即今觀音庵也。庵有遼壽昌中慈智大師石幢，稱茲地爲京東，證以長生觀之在豐宜關，智泉寺之在子城東門外，憫忠寺之門臨康衢，地望悉合。舊城東南遺址，約畧可知矣。長生觀、智泉寺，俱詳西城。右在半截衚衕、官菜園上街東，虎坊橋、騾馬市街南，板章衚衕西，其東與中城界，西與西城界。

舊坊考

南城在今城西南，唐幽州藩鎮城及遼、金故都城也。孫承澤春明夢餘録。幽州城周二十五里，城中凡二十八坊，坊有門樓，有罽賓、肅愼、盧龍等坊，並唐時舊名。宋路振乘軺録。按：南城亦謂舊城，唐幽州鎮城，有薊北坊，見濮陽卞氏墓誌，詳前。元初設左、右二院。右院領舊城西南、西北二隅，坊門之名四十有二：西開陽坊。南開遠坊。北開遠坊。清平坊。美俗坊。廣源坊。廣樂坊。西曲河坊。宜中坊。南永平坊。北永平坊。北揖樓坊。西縣西坊。棠陰坊。薊賓坊。永樂坊。西甘泉坊。東甘泉坊。衣錦坊。延慶坊。廣陽坊。顯忠坊。歸厚坊。常甯坊。常清坊。西孝慈坊。東孝慈坊。玉田坊。定功坊。辛市坊。會仙坊。時和坊。奉先坊。富義坊。來遠坊。通樂坊。親仁坊。招商坊。餘慶坊。郁鄰坊。通和坊。左院領舊城東南、東北二隅，舊坊門之名二十：東曲河坊。東開陽坊。咸甯坊。東縣西坊。石幢前坊。銅馬坊。南薊甯坊。北薊甯坊。啄木坊。康樂坊。齊禮坊。爲美坊。南盧龍坊。北盧龍坊。安仁坊。鐵牛坊。敬客坊。南春臺坊。北春臺坊。仙露坊。元一統志。舊聞考：此具録金時坊名。其坊位界至，久已湮没。今以析津志、元一統志、五城坊巷衚衕集所載寺院基址考之，則歸義廢寺在今彰儀門大街北，當爲時和坊。都土地廟在今土地廟斜街，當爲奉先坊。天王寺即今天甯寺，在廣甯門外，當爲延慶坊。宣武門外菜市西，嘗發地得仙露寺舍利石匣，當爲仙露坊。昊天寺當爲棠陰坊。竹林寺當爲顯忠坊。紫金寺當爲北開遠坊。大約皆在宣武、廣甯二門之間。按：銅馬坊以銅馬門得名。酈道元水經注灅水篇：東掖門下，舊慕容儁立銅馬象處。昔慕容廆有駿馬，赭白有奇相，逸力，至儁光壽元年，齒四十九矣，而駿逸不虧，儁奇之，比鮑氏驄，命鑄銅以圖其象，親爲銘贊，鐫頌其奇。象成，而馬死矣。元一統志、析津志皆云，門在舊城東南隅。日下舊聞謂當在今德勝門外八里土城關。考舊城在外城西南隅，銅馬門又在舊城東南隅，則今廣甯、右安二門之間是其舊蹟也。德勝門外土城關，乃元新城遺址，明徐達改築北平時，限諸城外，朱説似未核。鐵牛坊以鐵牛廟得名。元一統志云：廟在舊城東南，近東城路北，土埋鐵牛露脊，人因祀之。析津志謂鐵牛大力神廟在南城施仁門内東南。玉田坊當以玉田觀得名。南燼紀聞謂少帝到燕京，居安普寺，後徙居城東玉田觀。紀聞雖僞書，要其所記寺觀，自足據也。今遺址皆無考。又春臺坊有天寶宫。甘泉坊黄土坡有玉清觀。開遠坊有元禧觀。玉田坊有崇仁寺。歸厚坊有薦福寺。康樂坊有圓明寺，舊名三學寺。咸甯坊有崇聖寺。皆見元一統志，今亦無考。其故蹟有可稽者，具見後篇。王惲秋澗集言：大都玉馬坊耿氏石獅，水猛出如霧。考元時新舊兩城，皆無玉馬坊，或其後改名，未可知也。朱彝尊謂：元宋褧爲其兄作行狀，稱學士生於大都爲美坊。今五城坊巷無此名，蓋未審褧所舉者舊城坊名耳。

元初，設大都警巡院，領京師坊巷事。建置於至元十二年，至二十四年省併，止設左、右二院，分領京師城市民事。二十五年，分定街道坊門，翰林院擬定名號：福田坊。阜財坊，近庫藏。金城坊。玉鉉坊，近中書省。保大坊，近樞密院。靈椿坊。丹桂坊。明時坊，近太史院。鳳池坊，近海子，在舊省前。懷遠坊，在西北隅。安富坊。太平坊。大同坊。文德坊。金臺坊。穆清坊，近太廟。五福坊，在中地。泰亨坊，在東北寅方。八政坊，近萬斯倉八作司。乾甯坊，在西北乾位。時雍坊。咸甯坊。同樂坊。壽域坊。宜民坊。析津坊，近海子。康衢坊。進賢坊。嘉會坊，在南方。平在坊，在北方。和甯坊。智樂坊，地近流水。鄰德坊。有慶坊。清遠坊，在西北隅。日中坊，地當市中。寅賓坊，在正東。西成坊，在正西。由義坊，西方屬義。居仁坊，在東市東，屬仁。睦親坊，近諸王府。仁壽坊，近御藥院。萬寶坊，大内前右千步廊，坊門在西。豫順坊。甘棠坊。五雲坊，大内前左千步廊，坊門在東，與萬寶對立。湛露坊，近官酒庫。樂善坊，近諸王府。澄清坊，近御史臺。元一統志。坊名元五十，乃翰林院侍書學士虞集所立。外有數坊，爲大都路教授時所立：里仁坊，在鐘樓西北。發祥坊，在永錫坊西。發祥坊西北大街，甎斗拱，扁溥光，最爲年遠。三相公寺前：善利坊，樂道坊，好德坊。招賢坊，在翰林院西北。善俗坊，在建德門。昭回坊，都府南。居賢坊，國學東，監官多居之。鳴玉坊，在羊市北。展親坊，惠文坊，草市橋西。請茶坊，海子橋北。訓禮坊，咸宜坊，順承門裏倒鈔庫北。思誠坊，東皇華坊，明照坊，與上相對。蓬萊坊，天師宫前。南薰坊，光禄寺東。遷善坊，可封坊，在健德門。豐儲坊，在西倉西。析津志。按：里仁坊以下，不列虞集五十坊名之内，其名或起於元末。析津志言：煤市在修文坊前，修文坊亦未見，或即文德坊之别名。志又言：拱木市在城西。柴炭市集市在千斯倉，鵓鴿市在喜雲樓下。其遺址今無考矣，餘俱見前。北平府設坊三十三：五雲坊，保大坊，南薰坊，澄清坊，皇華坊，賢良坊，明時坊，仁壽坊，思誠坊，明照坊，蓬萊坊，湛露坊，昭回坊，靖恭坊，金臺坊，靈椿坊，教忠坊，居賢坊，寅賓坊，崇教坊，凡二十坊，屬大興縣。萬寶坊，時雍坊，阜財坊，金城坊，咸宜坊，安富坊，鳴玉坊，太平坊，豐儲坊，發祥坊，日中坊，西城坊，凡十三坊，屬宛平縣。明北平圖經志書。按：此明初未建都城之制。京師雖設順天府、兩縣，而地方分屬五城，每城有坊，中城曰南薰坊，澄清坊，仁壽坊，明照坊，保泰坊，大時雍坊，小時雍坊，安福坊，積慶坊。東城曰明時坊，黄華坊，思誠坊，居賢坊，朝陽坊。南城曰正東坊，正西坊，正南坊，宣南坊，宣北坊，崇南坊，崇北坊。西城曰阜財坊，金城坊，鳴玉坊，朝天坊，河漕西坊，關外坊。北城曰崇教坊，昭回坊，靖恭坊，靈椿坊，發祥坊，金臺坊，教忠坊，日中坊，關外坊。每城設御史巡視，所轄有兵馬指揮使司，設都指揮、副都指揮，後改兵馬指揮使，設指揮、副指揮，革知事，增吏目。春明夢餘録。按：明代坊名多沿元舊，其地今尚可稽，散見於前。又夢餘録之保泰，即保大，安福卽安富，河漕西坊卽西城坊。自建朝天宮後，又分爲朝天坊。明制以今外城爲南城，夢餘録所舉南城七坊，皆今外城地也。其東城之朝陽坊，西城、北城之關外坊，所轄皆外廂地，然此亦嘉靖以後之制，若羅城未築以前，其詳不可得聞矣。考明天順一統志，彭城衛在萬寶坊，萬寶之名始於元，至天順間尚存，後改稱小時雍坊者，當卽其地。志又云，刑部在貫城坊，大興左衛在日照坊，則諸録皆無之，足徵其前後改并不一也。

如皋戴應泰校　宜興李棣林覆校

京師志十五

水道

德清傅雲龍纂　江陰繆荃孫覆輯

京師之水，海子其會歸也。來脈則玉泉爲大，故首玉河。南海子，南苑也。巴溝自萬全莊入暢春園，均得志之。京師如鳳河、涼水河，厥流甚長，詳河渠志。河工無幾，不自爲篇。前代工曰坿考，河渠志變例，實京師志通例也。橋亦坿紀，井則歸諸坊巷。京師左右雖非大川，然天生名泉，利濟甚溥，疏濬隄築，幾費經營，然後盪瑕滌穢，厥功偉焉。尋其脈絡，覩其會通，亦泉水記之亞也。志水道。

玉河

海子，古積水潭也。

順天府治西三里，曰海子，一名積水潭。潘自牧紀纂淵海：海子在府西三里。按：海子之名，見于唐季，王鎔爲鎮帥，有海子園，嘗館李匡威于此。北人凡水之積者，輒目爲海，積水潭汪洋如海，因名。東西亘一里餘，南北半之。西山諸水，從高梁橋流入北水關匯此，亦名蓮花池。水流皇城内五龍亭前，名北海子。又呼西海子。遼時謂之瑶嶼。遼地理志：南京析津府燕山中瑶嶼。金曰瑶華島。金地理志：西園有瑶光臺，又有瑶華島。元曰積水潭。元地理志：海子在皇城之北，萬壽山之陰，舊名積水潭，西北諸泉之水匯于此。元時運船直至此，元名臣事畧：至元三十年，車駕還自上都，過積水潭，見舳艫蔽水，天顔爲之開懌，特賜都水監郭公錢一萬二千五百緡，仍以舊職兼提調通惠河漕運事。自徐武寧改築北平城後，運河、海子，截而爲二，詠歸録：城内積土日高，雖有舟楫，橋梁不能度。而積水潭、太液池、西海子之目，明則相沿不改。明實録：天順四年九月，新作西苑，苑中舊有太液池。舊聞考：明季相沿名海子，亦名積水潭，亦名淨業湖。湧幢小品、青樓集、燕都遊覽志諸書所載各殊，今則並無西海子之名。其近十刹海者即稱十刹海，近淨業寺者即稱淨業湖，迤西與李廣橋諸處相近則稱積水潭。呼内海子曰海子套。湧幢小品：禁城中外海子，即古燕市積水潭也。入爲内海，了繞禁城，出巽方。燕都遊覽志：積水潭流入禁城，爲太液，汪洋如海，俗呼海子套。其水出玉泉山，曰玉河。

玉河，源出宛平縣西北玉泉山之玉泉，在静明園内，舊聞考。静明園在玉泉山之陽。廓然大公之北，臨後湖，湖西爲虚受堂，堂西山畔有泉，爲玉泉趵突，喬宇白巖集：玉泉山泉出如沸，蓄爲池，清可鑑毛髮，此西湖之源也。懷麓堂集：玉泉出于山下，歕薄轉激，散爲谿池。又一里爲華巖寺，有洞三，其南爲吕公洞，一竅深黑，投以石，有水聲，莫有窮之者。都穆南濠集：玉泉山北麓，鑿石爲螭頭，泉自螭口出，瀦者而爲池。舊聞考：玉泉上出，正所稱趵突者，爾雅釋水篇之濆，劉熙釋名之湧泉，皆此義也。高宗純皇帝定爲天下第一泉。

御製玉泉山天下第一泉記：水之德在養人，其味貴甘，其質貴輕，然三者正相資，質輕者味必甘，飲之而蠲疴益壽，故辨水者，恆於其質之輕重，分泉之高下焉。嘗製銀斗較之，京師玉泉之水，斗重一兩；塞上伊遜之水，亦斗重一兩；濟南珍珠泉，斗重一兩二釐；揚子金山泉，斗重一兩三釐；則較玉泉重二釐或三釐矣。至惠山、虎跑，則各重玉泉四釐；平山重六釐；清涼山、白沙、虎邱及西山之碧雲寺，各重玉泉一分。是皆巡蹕所至，命内侍精量而得者。然則更無輕於玉泉之水者乎？曰：有。爲何泉？曰：非泉，乃雪水也。常收積素而烹之，較玉泉斗輕三釐。雪水不可恆得，則凡出山下而有洌者，誠無過京師之玉泉。昔陸羽、劉伯芻之論，或以廬山谷簾爲第一，或以揚子爲第一，惠山爲第二，雖南人享帚之論也，然以輕重較之，惠山固應讓揚子，具見古人非臆説，而惜其不但未至塞上伊遜，並且未至燕京，若至此，則定以玉泉爲天下第一矣。近歲疏西海爲昆明湖，萬壽山一帶率有名泉，溯源會極，則玉泉實靈脈之發皇，德水之樞紐，且質輕而味甘，廬山雖未到，信有過於揚子之金山者，故定名爲天下第一泉。命將作崇焕神祠，以資惠濟，而爲記以勒石。夫玉泉固趵突山根蕩漾而成一湖者，詩人乃比之飛瀑之垂虹，即予向日題燕山八景，亦何嘗不隨聲云云，足見公道在世間，誣辭亦在世間，籍甚既成，雌黄難易，泉之於人，有德而無怨，猶不能免訛議焉，則挾德怨以應天下者，可以知懼，抑亦可以不必懼矣。

一名水源頭，或名之噴雪泉。燕都游覽志：玉泉山沙痕石隙，隨地皆泉，山陽有巨穴，歕而上，淙淙有聲，或名之噴雪泉。

福地幽居之西梵宇爲華藏海。其下有溪河，引玉泉西南流。舊聞考：由華藏海循山從東南行，俯臨溪河，河水引玉泉西南流，由水城關達高水湖。

溪田課耕之西，有迸珠泉，園内自垂虹橋以西，瀕河皆水田。練影堂、掛瀑簷諸水源，

一自香山碧雲寺出，一自卧佛寺後引注，逕妙喜寺導入園中，匯爲湖，與玉泉合流。書

畫舫前有泉出于巖畔，匯爲池，高宗題曰湧玉，曰寶珠。又風篁清聽前有平池數畝，湧玉、寶珠諸泉自北來匯之，東南流。舊聞考：經五空閘出園東垣外，達玉河。池西有試墨泉，舊聞考。風篁清聽之西，度橋而南爲池，池西爲漱遠綠，爲試墨泉。西山諸泉伏流，從西北注之，入高水湖。

其自西山流注玉泉者，有一畝、馬眼諸泉。詳下。玉泉之水，流繞樂景閣前後，匯爲湖，其流一曲西南水城關出，一曲東宫門前南閘出，同入高水湖，在静明園前，古曰洗馬溝，曰太湖，近此。名勝志：太湖在府治西四十里，南流入洗馬溝，與玉淵潭、燕家泊諸水匯而爲西湖。鬟剔韙奇：洗馬溝，即銚期奮戟處。舊聞考：洗馬溝舊跡，今不可辨。水經注謂源出西湖，亦稱太湖，當即今昆明諸水。按：今玉泉出水處，嚴冬不凍，初注高水湖，可十數畝。或曰高水湖即太湖，近是。由太湖以至西湖，皆永定河故道，故酈道元㶟水注云：東與洗馬溝合。水上承薊水，西注太湖。湖有二源，平地導源，流結西湖。今永定河不由其道，玉河之流始著。餘詳河渠志永定河故道。

又入裂帛湖。

自北閘流爲裂帛湖，出水處今所謂北閘口橋是也。瀟碧堂集：華嚴寺有石洞，在山腰，若鼠穴。寺北石壁，泉出其下，作裂帛聲，故名裂帛泉。有亭可望西湖，故名望湖亭。帝京景物畧：泉迸湖底，狀如裂帛，涣然合於湖，湖方數丈，水澄以鮮，漾沙金色。過溪曰望湖亭。珂雪齋集：玉泉山麓裂帛泉，從石根出溢爲渠，石子鱗鱗，了了可見，依山瞰泉，原爲昭化寺，今久廢。其鄰爲史園，正泉所出也。長安可遊記：裂帛湖泉仰射如珠串，古榆蔭潭上，極幽秀，過趙家隄，水更深碧。或呼捏鉢湖，則聲之變轉。長安可遊記：華嚴寺有小洞三，俱幽邃，屋後石壁下一池，其形如壺，土人呼爲捏鉢湖。

又東南流，爲養水湖。

養水湖在高水湖南，南俱蓄水以溉稻田。清漪園冊：昆明湖西隄外爲西湖，其西南爲養水湖。白巖集：西湖隄東，稻畦千頃。

又東南流爲西湖。

西湖在高水湖東南里許，一名七里濼。（水經灤水注：西湖東西二里，南北三里，蓋燕之舊池也。淥水澄澹，川亭望遠，爲遊矚之勝所。方輿紀要：西湖在府西玉泉山下，泉出石罅，瀦而爲池，廣三丈許，池東跨小橋，經橋下東流，匯而爲湖，周十餘里。行水金鑑：積水潭源出西山一畝、馬眼諸泉，繞出甕山後，匯爲七里濼。）一名七里泊，（水部備考：一畝、馬眼、玉泉匯爲七里泊。）又名大泊河。（長安客話：西湖去玉泉山里許，即玉泉龍泉所瀦。此地最窪，受諸泉之委，匯爲巨浸，土人名大泊河。）或曰西湖景。

高宗純皇帝御製麥莊橋記：玉泉會西山諸泉之伏流，蓄極溢浦，至是始見，故其源不竭。元史所載通惠河，引白浮、甕山諸泉者，今不可考。以今運河論之，東雉西勾，如俗所稱萬泉莊其地者，其水皆不可資，所資者，玉泉一流耳。蓋西山碧雲、香山諸寺，皆有名泉，其源以數十計，曲注招提精藍之内。一出山，則伏流不見。玉泉地就夷曠，乃騰迸而出，瀦爲一湖。康熙年間，依金章宗之舊地，建園于山之陽，名曰靜明。園之西，乳竇踪踪如趵突者，爲玉泉總脈，其餘氿然而泛濫于湖者，不可勝數，詩人比之垂虹之瀑，及所云疏龍首而出之者，皆妄也。東流而爲西湖，則以居京師之西者，又明時有西湖景之稱，乃假借夫餘杭而倡説于瑠豎耳。

玉龍、雙泉、青龍諸泉入之。（病逸漫記：甕山下玉雙、雙龍、青龍等泉入西湖。長安客話：華嚴右半里爲金山寺，山有玉龍洞，洞出泉，甃石爲暗渠，引水伏流，約五里入西湖，名曰龍泉堂，湖亭建其上。）

又東流爲昆明湖，與金河合流爲長河。

昆明湖在清漪園前，萬壽山南。（清漪園册：園建萬壽山麓，在圓明園西二里許，前爲昆明湖。）萬壽山即元史甕山，湖初名西海，高宗純皇帝賜山名萬壽山，湖名昆明湖。御製萬壽山昆明湖記：歲乙巳，考通惠河之源，而勒碑于麥莊橋。浮漕利，涉灌田，其在導洩瀦蓄乎？因命就甕山前滙西湖水都爲一區，湖成，賜名萬壽山昆明湖。得泉甕山，而易之曰萬壽山云者，則以逢皇太后六旬大慶故爾。

玉泉山東一里許，水出玉帶橋下，是昆明湖入水處。又南里許出繡漪橋下，是昆明湖洩水處，東隄有閘。舊聞考：昆明湖東隄設閘及涵洞，隨時啓閉。

自高水湖隄東一空閘，洩玉泉水流爲金河，至是與昆明湖同入玉河，有長河之目。舊聞考：高水湖隄東建一空閘，洩玉泉諸水，流爲金河，與昆明湖同入長河。高梁橋以上，亦謂之長河。

清漪園之樂壽堂，折而西，有方池，又出南、北朝房二石梁下者，溪河也。萬壽山後溪河，亦發源於玉泉，自玉河東流，逕柳橋曲折東注，其出水分爲三：一、由東北門西垣下閘口出；一、由東垣下閘口出，並歸圓明園西垣外河；一、由惠山園南流出垣下閘，爲宮門前河。又南流，由東隄外河，會馬廠諸水入圓明園，由進水閘逕園之響水口，水勢遂分，西北高而東南低，五空出水閘在明春門北，一空出水閘在蘂珠宮北，西罩門前，河形如月，中駕石橋三，其水自西來，東注如意門閘口，會來園各河而出，逕長春園，出七空閘，東入清河。大宮門前輦道東、西皆有湖，是爲前湖。圓明園册：宮門前有湖曰前湖，乾隆二十八年濬。

玉河又東，過高粱橋。

繡漪橋南四里，水出長春橋下；又南流三里，出麥莊橋下；又東里許，逕廣源閘，析津志：肅清門廣源閘別港，有英宗、文宗二帝龍舟。俗呼豆腐閘，長安客話：出真覺寺，循河五里，玉虹偃卧，界以朱欄，爲廣閘，俗稱豆腐閘卽此閘，引西湖水東注，深不盈尺。又呼斗府閘。又東三里，出白石橋下，有閘，少西，有小白石橋。舊聞考：西直門外長河，萬壽寺西有廣源閘，土人呼爲斗府閘。又廣源閘，本朝駕經此地，易舟始達繡漪橋，至清漪園。白石閘之橋今尚存。又有小白石橋，在白石橋稍西。又東五里，出高粱橋下，爲高粱河，遼時耶律沙與宋兵戰于高粱河，卽此。一統志：高粱河在宛平縣西。按：高粱河爲玉河下游，玉泉山諸水注焉，高粱其舊名也。金時謂之皂河，方輿紀要：高粱河金人謂之皂河。憑藉涓滴，故酈道元㶟水注云：高粱無上源。今與玉河難强析矣。

自玉帶橋北分水一支，出青龍橋下，元時白浮堰上游也。長安客話：甕山北五里爲青龍橋，元時白浮堰之上游也。

靜明園土山外東北洩水河，蕭家河注之。蕭家河舊有橋閘，今仍其制，其水東北流，逕圓明園後三里許，至車房邨，合紅橋河。紅橋河從暢春園西北門五空閘，流逕垣外，在圓明園南迤邐東注，折北，逕長春園外石橋，合御園諸水，會清河入于白河。昌平山水記：土城關北十二里，爲清河，其水出玉泉山，分流而北逕此。舊聞考：香山、碧雲、玉泉諸水，東流至萬壽山之西，已分爲二。其正流匯于昆明湖，迤南之水道，其旁流之水歸青龍橋者，經圓明園後，合御園諸水注清河，以入白河。此青龍橋迤北之水道也。又西南洩水河，逕小屯邨西石橋，平坡莊東石橋，折南，逕雙槐樹東，又東南逕八里莊，匯于釣魚橋臺前，泉湧自地，西山麓之支流注之，元時玉淵潭也。乾隆三十八年，濬治成湖。舊聞考：臺前有泉，從地湧出，冬夏不竭，凡西山麓之支流，悉灌注于此。據劉侗帝京景物畧：元時謂之玉淵潭。乾隆三十八年，命濬治成湖，以受香山新開引河之水，復于下口建設閘座，俾資蓄洩。湖水合引河水，由三里河達阜成門之護城河，又南流折而東，一徑宣武、正陽、崇文三門城河至東便門，入通惠河，一徑廣寧、永定、廣渠三門城河，合通惠河。此湖河合流之所徑。明一統志：玉淵潭在府西，元時郡人丁氏故池。

玉河又東，過京城西北，分爲二：一、爲護城河，一、入德勝門西，有金水河之目，又東南入于海子。

金水河者，元史河渠志謂玉泉流至和義門南水門入城故名。元史河渠志：至大四年七月，奉旨引金水河水注之，光天殿西花園石山前，舊置牐四以節水。析津志：牐河水門在和義門北，金水河水門在和義門南。舊聞考：今之西直門，即元之和義。今水道自德勝門西里許水關入，名鐵欞閘。燕都遊覽志：水關在德勝門西里許，水自西山經高梁橋來，穴城趾而入，有關爲之限焉。下置石螭，迎水倒噴，旁分左右，既噏復吐，聲淙淙然自螭口中出。長安可遊記：德勝門之西，城垣下有水竇焉，西山諸水從此流入都城水口，爲石犀以當之，遏衝突緩水勢也。庵其上，名曰鎮水觀音庵，其北即水入處。舊聞考按：德勝門西石螭在南岸，石犀不可考。水由城牆入處，今名鐵欞閘，以防人之出入，而無礙于行水。帝京景物畧：水關是水所從入城之關也，水一入關，方廣即三四里。北水多鹵，而入者甘水。東南流，出太平橋，分二支：一、逕御稻田東，一、逕御稻田西，袁宗道灊碧堂集：三聖庵紀遊：德勝門内東偏，有公田若干頃，中貴治之，引水爲池。並東南流出德勝橋下，復合旋分，一西南流出李廣橋下，屈折東南出月橋，即元萬甯橋也，在元武池東，名閘曰澄清，澄一作澂，又名海子閘，析津志：萬寧橋在元武池東，名澂清閘。水部備考：澄清閘在鼓樓南海子東岸。萬寧橋，至元二十九年建，名海子閘。餘詳下。當與舊稱響閘近，響閘，即越橋下閘也。渌水亭雜識：李長沙別業在北安門北，集中西涯十二詠，有楊柳灣、蓮池、響閘，當在越橋相近，蓋響閘即越橋下閘。今指近德勝門橋爲積水潭，少東南爲十刹海，又東南爲蓮花泡子，元好問臨錦堂記：御苑之西，有地幕加從事劉公裁爲小圃，引金溝之水渠而沼之。帝京景物畧：十刹海在龍華寺前，方五十畝。創作者三藏師，陝西人。出地安門之西步糧橋下，入于海子，爲太液池。池南爲瀛臺。又分支東流入紫禁城御溝，曰裏河，卽元之邃河也。其水又環紫禁一周，東南出御河橋。御河者，御溝也，今曰玉河。其西南流正支出金鰲玉蝀橋，又出織女橋，逕社稷壇，折東出天安門外金水橋下，又出牛郎橋下。其由德勝橋東南流一支，出銀錠橋下，逕十剎海東，又東出地安門大橋下，又東南出步糧橋下，又南逕皇城根，又南逕東安門，又南逕銀閘至牛郎橋，與西南一支合，有東、西隄，水南流出三石梁下，卽今北玉河橋、中玉河橋、南玉河橋，其水自此出，合護城河。燕都遊覽志：玉河卽西苑所受玉泉，注入西湖，逶迤從御溝流而東，以注于大通河者。隄在東長安門翰林院東畔，有坊二，署曰玉河東、西隄，其南、北有三石梁，西隄舊有高柳，垂蔭水面。崇禎己巳冬，城守宦軍御寒無具，盡斫爲薪，僅存翰苑牆東一帶。

護城河，西南流，又折東，過宣武門西橫橋溝注之，又東一溝，自化石橋注之。

自德勝門西流折南，逕西直門、阜成門、西便門，其水流爲太平湖，在西便門東又折東，逕宣武門西，二溝注之。

橫橋溝，在西直門內東里半，俗呼臭溝。又南逕馬市橋，又南逕宣武門西里許，入于護城河。又宣武門東里許有溝，自西長安街北段家坑，東南流一里有奇，出化石橋，入護城河。二溝明時呼東、西河，東亦曰舊溝。正統五年，翰林院侍講劉球，以二水泛溢，請作減水河。欽天監正皇甫仲和言：西有涼水河，其東城河南岸，亦有舊溝。据以知橫橋溝卽涼水河故道。化石橋下一溝，卽東溝也。朱彝尊日下舊聞迺謂劉忠愍所云涼水河及舊溝不辨所在，何耶？明英宗實録：正統五年六月，行在翰林院侍講劉球奏：天雨連綿，宣武街西，河決漫流，與街東河會合，二水泛溢，淹没民居，請修築以消其患。仍會官計議於城外宣武橋西，量作減水河，以洩諸水。上命工部右侍郎邵旻、成國公朱勇勘視，旻等稱：球言實，具修築事宜以聞。復命欽天監正皇甫仲和審視：作減水河利否？仲和言：宣武門西舊有涼水河，其東城河南岸亦有舊溝，以泄水勢。上是之。各街俱有長溝。

又東過崇文門外，泡子河注之。

護城河又東逕正陽門東里許水關，與玉河分支出玉河橋之水合，東逕崇文門外，卽元文明河也。崇文元曰文明，故水以門名。水至此，受泡子河。

泡子河或曰泡作河，在崇文門東城角，前有長溪，後有廣淀，冬涸，夏溢，東南流，出小石橋下，又半里許，出大石橋下，又二里有奇，逕崇文門外入玉河。玉河又有御河之稱。又東少北，出東便門水關，入通惠河。按：張爵坊巷衚衕集：泡作河卽泡子河。又云：泡子河在今崇文門東城角，觀象臺前，河身尚存，經吕公祠南石橋，出南水門，入通惠河。燕都游覽志：泡子河在崇文門之東城角，前有長溪，後有廣淀，高堞環其東，天臺峙其北。顧起元太清宮碑記：京師之巽隅，惟水瀦焉，是曰泡子河，卽元人所開通惠河也。一統志：玉河東流少北，至東便門東水關，出注通惠河，亦名御河。通惠河，詳河渠志。

其廢河曰三里河，曰草橋河，入通惠河。

三里河舊無源，明正統中修城，作壩蓄水，又恐雨溢，于正陽橋東南開濠，以洩其水，始有三里河之目。按：日下舊聞云：成化中，楊鼎、喬毅、袁佑會勘，稱：三里河源出彰義門外玉匠局等處，馬跑等泉，則自西而東，不知從何處流入。朱説誤也。明河渠志，明云草橋河源出玉匠局，馬跑等地泉不深遠，明憲宗實録亦無三里河源出彰義門外之説。南城正東坊，有西三里河、東三里河、蘆葦園，崇南坊則有南河漕、于家灣、遞運所、纜竿市，又有三轉橋、紀家橋、板橋，皆三里河故道。舊聞考：張爵紀五城坊巷衚衕云云，今其名雖存，而遺跡漸不可考。今成平陸。按：帝京景物略：三里河之故道，已成陸矣。然時雨則停潦，泱泱然河也。武清侯李公疏之入園中，園遂以水勝。或以三里河會入文明河，遂謂即元文明河，非是。草橋河出彰義門外玉匠局等處、馬跑等泉，東逕京城南，又東入通惠河，今廢。

又有潘家河。

潘家河沿在虎坊橋西南。日下舊聞：海波寺街之南有清廠潭，上有龍王堂，又南東爲章家橋、虎房橋，西南爲潘家河沿，計新城未築時，無地無水，今其故道不可考矣。西城爛麪衚衕，溝深廣各二丈，或曰即唐幽州節度使城之故濠也。寄園寄所寄録：京師二月淘溝，穢氣觸人，南城爛麪衚衕尤甚，深廣各二丈，開時不通車馬。此地在憫忠寺東，唐碑稱寺在燕京東南隅，疑爲幽州節度使城之故濠也。

又東南有金魚池。

金魚池在崇文門外，即金之魚藻池也。燕都遊覽志：魚藻池在崇文門外，俗呼曰金魚池。

又北有黑龍潭。

潭在祈穀壇西，積水十餘頃，亦名野鳧潭。析津日紀：黑龍潭，歲旱于此禱雨。愚山集：京師三黑龍潭：一、在城西畫眉山，一、在房山縣，一、在南城黑窑廠，皆禱雨地。黑窑廠潭，一方池爾，水涸時中有一井，以石甃之。敬業堂集：祈穀壇西，積水十餘頃，四時不竭，每旦有羣鳧游泳，因名之曰野鳧潭。

南海子

南海子，一百十有七泉，自團河一畝泉注之。

南海子在京城南二十里，舊聞考：南海子在永定門外。采訪册：大興縣境。元時爲下馬飛放泊。元混一方輿勝覽：下馬飛放泊在大興縣正南，廣四十頃。元兵志：冬春之交，天子幸近，縱鷹隼搏擊，謂之飛放。明永樂十二年，增廣其地，以禁城北有海子，故別名南。明一統志：南海子舊爲下馬飛放泊，永樂十二年增廣其地，中有海子三，以禁城北有海子，故別名南海子。我朝因之，爲南苑。舊言中有海子三，今凡五。大政記：南苑有三海子，皆元之舊。其泉來自團河者九十有四，自一畝泉者，二十有三。

乾隆三十六年，御製海子行：元明以來南海子，周環一百六十里。元明諸家記載，並稱海子周圍一百六十里，今繚垣，故址劃然，實按之不過百二十里耳。七十二泉非信徵，舊聞稱有水泉七十二處，近經細勘，則團河之泉可指數者九十有四，一畝泉亦有二十三泉，較舊數殆贏其半。稗野無徵，大率類是。五海至今誠有此。舊稱三海，今實有五海子，但第四、第五，夏秋方有水，冬春則涸耳。諸水實爲鳳河源，藉以盪渾防運穿。海子内泉源所聚，曰一畝泉，曰團河，而瀦水則有五海。考一畝泉，在新衙門之北，曲折東南流，經舊衙門，南至二閘。涼水河自海子外西北來入苑匯之，其水發源右安門外之水頭莊，東流折而南入海子北牆。至此又南流。五海子之減水，自西南注之，又東南流出海子東牆，過馬駒橋，至張家灣，入運。團河在黄村門内，導而東南流，逕晾鷹臺南，過南紅門，五海子之水，自北注之，又東流出海子東南，是爲鳳河。東流，歷東安、武清境，至天津之雙口，與永定河會，渾河藉此盪漾，乃成清流，又東至韓家樹，入大清河，又東至西沽，入運。雖五海子之水與涼水河、團河時相灌輸，而二河正流仍各判別，若玉泉則由昆明湖達於長河，穿禁城出，東南流爲通惠河，至通州入運，並不經行海子，與一畝泉、團河渺不相涉。綜而論之，通惠河原在北，入運最近；涼水河源居中，入運次近；鳳河源在南，入運最遠。源委秩然不紊，前代著述家未加稽考，率以玉泉牽附海子，支離可笑，因詳訂之。歲久淤閼事疏治，無非本計屢黎元。蒲葦戟戟水漠漠，鳧雁光輝魚蟹樂。亦出恆來施矰繳，徒説前朝飛放泊。迤南有臺高丈餘，晾鷹猶踵前明呼。其顛方廣不十丈，元院何以容仁虞？吴偉業梅村集云：晾鷹臺，元之仁虞院也。今臺基宛然尚在，其顛不及十丈，勢不可以建院，卽云臺，或傳院，而旁近皆曠地，杳無院址可徵髣髴，其謬不待辨矣。二十四園泯遺蹟，偉業又言：明置二十四園，明時較元更近，豈有二十四處澌滅無存若此，且不能一舉其名耶？耕地牧場較若畫。是何有于國用資？裕陵詔諭量斯窄。所存新舊兩衙門，中官爾日體制尊。一總督更四提督，我朝太宗文皇帝時，六師圍燕京，分兵南下，道經海子，如入無人之境，舊傳曾于此中射黄羊、鹿、兔。閹逃不知何所之。縱橫路便黄羊射，勝朝廡殿但存名。在新、舊兩衙門之間，相距各十餘。頽垣落桷埋荆榛，茸爲騶廄飛龍牧，時得良騎出駿英。沿其成例海户守，芻蕘往焉雉兔否。設概聽之將無禽，苑中鳥獸皆馴拳之物，豈能任遊手弋獵，竟無典守！向以子輿氏文囿之喻，不免過情，設果聽民盡取，久之將無雉兔，所謂盡信書不如無書，曾有詩紀及此。然雖有禁制，亦豈如孟所云殺麋鹿竟如殺人之罪乎？如殺人罪則何有？少時習獵歲歲來，獵餘亦復攄吟裁。五十年忽若一瞥，電光石火誠迅哉。卽看平原雙柳樹，迭爲賓主凡幾度。苑中有雙柳，其一先萎，補植之，拱把矣。其一後繼焉，萎補相踵，撫而增懷，緣起並悉，昔所爲賦。世間萬事付不知，風擺長條祇如故。南海子中有雙柳樹池，卽飲鹿池。舊聞考：南苑雙柳樹在海子居中之地，有水一道，爲飲鹿池，崑崙石在池之西。

涼水河自南海子西北入之。

涼水河逕紅門西入南苑，會一畝泉及海子諸水，出五空橋，或曰紅橋河卽此。舊聞考：涼水河卽大紅門外繞垣之水。源流詳河渠志。其故道逕宣武門，疑今横橋溝近是。見上。又逕梁家園，園在外城西南，引涼水河入其中。春明夢餘録：梁園在京城之西南廢城邊，引涼水河入其中。按：涼水河今流南苑，由張家灣入白河，在外城之外。孫承澤所稱梁園引水故道，不復存矣。

乾隆三十九年，御製涼水河作：涼水出鳳泉，玉泉各別路。源出京西南，分流東南注。涼水河出右安門西南，鳳泉東流經萬泉寺，分爲二支：一、自南經草橋，曲折東注，一、自北經泉廣恩寺，曲折東注，至永勝橋復匯爲一。東南流，循南苑繚垣，東至小紅門之西，入苑牆，東南流，經沙底橋，折而南，歷頭閘至二閘。一畝泉之水自西來匯之，入南而東，至鹿圈村三海子，以上之水，自西南來注之。又東南流，至五空橋，出苑牆，經馬駒橋，迤東行至張家灣入潞河。此涼水河之經流，與玉泉之貫繞京城入通惠河者，各不相涉也。歲久未疏剔，率多成沮洳。漫溢阻道途，往來頗致誤。自右安門至永定門，地勢窪下，每遇霖潦，輒漫溢阻旅途，歲久未治，積成沮洳。邇年以來，清釐水道，出內帑，簡大臣董其事，自鳳泉至南苑，造水柵二，濬河三千餘丈，又自柵口至馬駒橋，濬河五千餘丈，修建橋牐凡九，新建牐五，以資節宣，於是涼水河之水乃得安流無患。其濬河之土，則於右安門外培築甬道一千餘丈，以便行人。河兩岸舊有稻田數十頃，又新闢稻田九頃，餘均資灌溉之利。或云其地似江鄉風景者，不知余之意期於農旅俱受其益，並非藉此爲點綴也。王政之一端，未可置弗顧。邇年治水利，次第修斯處。建閘蓄其微，通渠瀉其怒。有節復有宣，遂得成川巨。川傍墾稻田，更賴資稼務。南苑紅門外，歷覽欣始遇。或云似江鄉，寧師江鄉趣。興農利旅然，永言識其故。

凡此爲苑内北源之水，與南源之團泊、鳳河經流迴別。據日下舊聞考，參采訪册。

團河東南流，五海子水自北注之。

團河之源，舊稱團泊，在黃邨門内六里許。河南、北舊寬六十餘丈，東、西五十餘丈。乾隆四十二年，重加疏濬，拓開數十丈。團泊之流出南苑牆爲團河，五海子水自北注之，又東流，鳳河出焉，又東南流，與永定河合，藉以盪滌淤濁，同大清河入海。舊聞考：過河亭，接苑牆之南，其下即團泊之水，流向苑外，團河迤邐而入鳳河者也。

鳳河源出海子，河形似鳳，故名。詳河渠志。

元時又有北城店飛放泊、黃埃店飛放泊，俱廣三十頃。元混一方輿勝覽：北城飛放泊、黃埃店飛放泊，俱廣三十頃。按：泊曰下馬，言其近也。北城店、黃埃店之飛放泊，今不可復辨矣。

巴溝

巴溝流自萬泉莊，又北入暢春園。

萬泉莊，乾隆三十二年建泉宗廟，廟之泉賜名立石者，凡二十有八，東所廳宗對岸曰滮泉，曰屑金泉，曙觀樓後曰冰壺泉，錦瀾泉，規泉山後度紅橋曰露華泉，鑑空泉，印月泉，觀瀾亭畔曰藕泉，躍魚泉，松風泉，扇湝室後爲晴碧泉，白榆泉，向綠軒畔曰桃花泉，主善堂之西曰琴脈泉，秀擧樓之右曰杏泉，澹泉，南曰瀏泉，樞光閣東配殿南爲洗鉢泉，西所依綠軒右曰浣花泉，輝淵榭之南曰漱石泉，橋畔曰乳花泉，漪竹泉，柳泉，楓泉，雲津泉，樂清館之南方池曰月泉，西曰貫珠泉。在廟外者三，南曰大沙泉，小沙泉，北曰沸泉，園卽丹稜沜，畿輔唐志：丹稜沜在宛平縣西。爲明武清侯李銘誠清華園舊址，在南淀南。京西十五里海淀，有南，有北。北淀之源，濫觴一勺，長安客話：北淀米萬鍾勺園。南則斜隣嶁峋河。又西爲青龍桁河，東南流入于淀之夕陽，延而南者五里，旁與巴溝隣，曰丹稜沜，譻譚：海淀清華園，李侯別業也，去都門西十里。淀之水濫觴一勺，都人米仲詔濬之，築爲勺園，李乃搆園于上流。風庭埽葉録：京師有南淀、北淀，近畿則有方淀、三角淀、大淀、小淀、清淀、洄淀、勞淀、護淀、疇淀、延芳淀、小蘭淀、大蘭淀、得勝淀、金盞兒淀、葦淀、大蓮花淀、小蓮花淀、浮雞淀、白羊淀、黑羊淀、黃龍淀、鸞巢淀、牛横淀、火口淀、下光淀、大光淀、糧料淀、陂船淀、水紋淀、百水淀、五官淀、康池淀、廣平淀、陳人淀、武盍淀、洛陽淀、齊女淀、邊口淀、燕丹淀、趙襄子淀、孟宗淀，其他不能悉記，凡九十九淀。說文無淀，傳寫者或作[illegible]，或作澱，或作墊，皆非。或云巴溝卽南海淀也。沜之大，以百頃十畝瀦爲湖，後有樓。沜西入于樓之湑爲小湖，東入海淀。沜西有石梁，曰西勾，復瀦爲小溪，又南瀦爲溪，有邨曰東雉，水入地中，出於巴溝，與高梁河無涉。

高宗純皇帝御製萬泉莊記：萬泉莊之名，不見於日下舊聞、春明夢餘録二書，而經其地、指其村者，無不知爲萬泉莊、丹稜沜之説，二書所載雖小異，而謂出巴溝以達於高梁則同，然其同歸於失實者，實亦在此。蓋丹稜沜本清華園之蹟，今暢春園其故址也。園之前有水一溪，俗所稱菱角泡子者，疑卽其地。其水實由南而北，巴溝在其南，安能逆流而上、以入於高梁橋乎？今巴溝橋之名尚存，而橋之南實有大沙泉、小沙泉在焉。其平地淙淙出乳穴者不可勝數，與二書所載東雉、西勾水入地中者頗合，獨水盡向北流，而從無涓滴向南者，此爲異耳。夫水性就下，人所易知，萬泉莊高於巴溝，溝高於稜沜，則水之北流，而不南流，不待燭照數計矣。建泉宗廟於此，廟之內，東、西爲池沼，廟之外，噴出於稻町柳岸，如盂漿，如蹄涔者，蓋不可勝記，則萬泉之名，益應在此，而不他屬。

自是水之由萬泉莊注巴溝，由巴溝入暢春園者，其源流始著。按：帝京景物略云：巴溝自青龍橋東南入於淀，淀南五里丹稜沜，沜南陂五六達白石橋，與高粱水并。薊邱集云：巴溝達於白石，以入於高粱。長安客話云：丹稜沜又南爲陂五六，出於巴溝，達白石橋，與高粱水合。恭繹御製萬泉莊記，足正其失矣。大小河數道，環流苑内，出西北門五空閘趨清河。

其工，康熙十二年，濬河修閘壩。

玉泉山河道多淤，濬之。修高粱橋、白石橋諸閘壩。據會典事例七百一。

又德勝門外，城河北爲松林閘。據五城册。始建未詳。

二十二年，建玉泉新閘。

此爲宛平六閘之一。行水金鑑一百三十三：宛平縣六閘：玉泉新閘，康熙二十二年建，青龍閘、白石閘、廣源閘、高粱閘、澄清閘。

三十五年，濬河築堤壩。

玉河繞城曰護城河，是年濬之，築堤，建滾水壩。據一統志。

三十六年又濬。

濬護城河。朝陽門、東直門皆有水關。據一統志。河漕考：三十六年，濬護城河，引大通橋運艘達朝陽、東直等門。今朝陽門、東直門皆有水關，通惠河所由入也。

二十九年，築玉河決口。

六月丙寅，諭内務府：玉泉山河水，所關甚鉅。西山一帶，碧雲、香山、卧佛寺等山之水，俱歸此河。從前此河由青龍橋北滙入清河，後因欲引此水入京城，將高處挑濬，河之兩旁，復加謹防固，以分水勢。今值霪雨，水勢漫溢，隄岸衝決數處。爾等速將閘板啟放，工部將衝決處速行堵築。

雍正七年濬溝。

何家莊、左安門水關明溝千二百餘丈，開面闊八尺，深五尺。會典事例七百五。七年，奏准自何家莊、左安門水關明溝，每年淤塞，交街道廳、五城司坊官，將何家莊以下明溝千二百餘丈開至面闊八尺、深五尺，直抵水關。先是，順治元年定令，街道廳管理京城內外溝渠，以時疏濬。若旗民淤塞溝道，送刑部治罪。康熙四十二年，令步軍統領監理。雍正三年，又令巡城御史、街道廳估修。四年奏，內城交步軍統領，委八旗步軍協尉，外城交五城街道廳，委司坊官動錢糧，於次年興工。五年議，內城照步軍官工例，每夫日給制錢八十文，由部給發。紫禁城內水溝，每刨蓋石四十塊，用匠一工。至是，七年，內城溝，司坊官僱夫刨溝挖；外城溝，街道廳令居民自行刨挖，禁濫派。厥後八年議，以所挖土折算，見方五尺，給夫一名。每年開溝，派工部、步軍統領衙門司員，及外城街道廳，看有淤塞，即疏。十七年奏，京城內外河道溝渠，照內廷地面，派總管大臣值年例，年終於工部奏宸苑，並欽派河道大臣內，各派大臣一員，步軍統領衙門步軍領翼尉內亦派一員，於春間開溝，秋間雨過，往稽疏濬。十八年，護城河及雷閘口溝濠疏濬事，交步軍統領，外城溝令司坊官報步軍統領，一併辦理。二十七年，由工部會同步軍統領衙門，溝渠勘辦。三十二年，外城修浚溝工，令該管大臣責成原辦監督，加謹保固，街道廳暨五城御史照管。每年開溝時，御史等督率舖户居民，將門面溝渠淘挖，禁胥役需索。三十二年奏，歲修溝工，由值年河道溝渠處咨部，在節慎庫支發，彙入月摺具奏。如所用物料銀二百兩以上，工價錢五十串以上者，奏明咨領，工竣奏銷。三十四年奏，外城官溝，春初即報，速覈給項，與民溝同時興舉，内城官溝同。三十九年議，外城每年溝竣，請派大臣覆勘例停止，嗣後官溝淘竣，由五城街道官報明河道溝渠大臣，各派妥幹司員一人，會同五城街道等官，剋期勘掩，定限二月初開凍後爲始，三月底止。五十年議，嗣後每年外城淘溝蓋時，酌留溝眼，註册，令該管官員率領副指揮、吏目等時稽。五十七年議，紫禁城溝渠，改歸内務府派員司其事，所用交内務府大臣詳覈。據會典事例七百五。

乾隆三年，濬東便門護城河。

二月濬。東華續録。

七年，濬溝渠。

議勘京師護城河，城内各河，及青龍橋至高梁橋一帶河道，應按舊址疏濬，衆水經由各閘口及蓄水四庫、泡子河、太平湖等處，應以次疏濬，城内象房橋、大石橋並朝陽門等處露明溝渠應估修，城外大橋東、西及牛街、轎子衚衕等處板溝，改砌磚溝，九門大街溝渠，註册分修，小街溝渠，照舊例開濬，各倉水道，各部院洩水溝渠，應併疏濬。會典事例七百五。七月辛未修。東華續録。

十五年，浚昆明湖。

十六年，疏濬京師内外水道。

六月己亥興工。據東華續録。

二十三年濬河。

東便門至朝陽門護城河，自乾隆三年疏濬，淤日增，濬之。據會典事例七百一。

二十四年，濬京師城内外河渠。

五月甲午修。東華續録。

二十五年，濬護城河。據一統志。

二十七年，砌磚溝四。

東四牌樓北錢糧衚衕暗溝，按舊基砌磚溝一，以資宣洩。又西安門内甬路南，於福華門内外自西至東，接舊溝，砌磚溝一，雨水由溝達中海。甬路北，天慶宫前以南，至官草欄子，改砌磚溝一，接至南口外舊溝，使水流入大街。又珍珠境巷口起，接連舊溝，東至陽澤門外，添砌磚溝一，雨水由溝入北海。會典事例七百五。

二十八年，濬前湖。

在圓明園前，故名。五城册。圓明園册：宫門前有湖曰前湖，乾隆二十八年濬。

二十九年，修閘堤。

昆明湖東堤閘及涵洞，據舊聞考。又置西堤。清漪園册：昆明湖東西爲長隄。

二十九年御製西堤詩：西堤此曰是東堤，名象何曾定可稽。西堤在暢春園西牆外，向以御園而設，今昆明湖乃在堤外，其西更置隄，則此爲東矣。展拓湖光千頃碧，街臨牆影一痕齊。刺波生意出新芷，踏浪忘機起野鷺。隄與牆間惜棄地，引流種稻看連畦。

三十一年，修溝渠。

外城街巷溝渠，向未動帑修濬者，酌量改修。小巷溝仍令街道廳董，民居、鋪户修接大溝。會典事例七百五。

三十八年，濬釣魚臺洩水河。

亦曰湖。據舊聞考。

五十二年，勘修大小溝。

宣武門西象房橋，迤東化石橋，正陽門東玉河橋，崇文門東大石橋，朝陽門南、東直門南等處出水關，安定門外出水溝，及護城河底，均應抄平對溜，使水暢流。内城大溝三萬五百三十三丈，毋庸修者萬三千餘丈，應修萬七千四百餘丈。小巷各溝九萬八千一百餘丈，毋庸修者六萬八千五百餘丈，應修二萬九千六百餘丈。交值年大臣，按年修理。

護城河淤，交步軍統領撥軍開挖。據會典事例七百五。

嘉慶六年，濬圓明園旱河及城河。

諭明安奏估挑紫禁城内外、大城以内各河道，及圓明園西南角引河一摺。此數處河道淤淺，估計挑挖與永定河挑淤一事，大小相殊，而其爲河身致病之由則一。前經奏稱，隄工修築，決日定例，銷六賠四，而挑淤一節，向無著賠之例，但永定河本年漫決隄工，請將乾隆三十八年以後總督、道員等分賠。至禁城内外及圓明園一帶河渠，原以消納積水，本年雨水稍大，無可疏洩，甚至圓明園宫門左近，均有積水，而西直門外一帶，積水更深，所有各處河身淤淺之處，不得不大爲估辦。設伊等早能隨時查辦，間段興挑，則每年所費亦不過數百金或千金而止，又何至此時需費至七萬五千餘兩之多乎？是歷任大臣官員，惟知顧惜小費，心存玩忽，轉至此時，多糜帑項，自乾隆五十年以後，所有承辦官員、該管大臣，分別著賠。

十四年修溝渠泊岸。

十五年，濬護城河。據一統志。

十八年，培天橋南河泊六。

諭：正陽門地居坎位，永定門地居離位，正陽橋近北，導引河流，委輸通潞。恭讀皇考高宗純皇帝聖製正陽橋疏渠記，本取坎離既濟之義，彼時司工官未諭聖意，遂乞河泊六處，我皇考以成事不説，故不待請而爲之記。兹正陽橋一帶，護城河渠浮沙淤墊，亟宜疏濬，以達流泉。其天橋迤南河泊六處，與聖製文協坎以享既濟本義，殊不符合，著照欽天監所請，交步軍統領衙門，即用兩岸積土，將河泊六處一律賠墊。

又有巴溝東、西隄。暢春園内築東、西二隄，長各數百步，東隄曰丁香隄，西隄曰蘭芝隄。西隄外别築一隄，曰桃花隄。東過板橋，爲松柏閘，松柏閘之東岸，即蘭芝隄，西岸即桃花隄也。暢春園册。

元河工考

元至元二十六年，建廣源閘，在西直門西七里。水部備考。二十九年建白石閘，西至青龍閘二十里。又澄清閘，在鼓樓南海子萬甯橋，名海子閘。又高粱閘，在西直門北一里，名西城閘。據水部備考。海子岸，上接龍王堂，以石甃其四周。延祐六年二月，都水監計會前後，與元修舊石岸相接，凡用石三百五，各長四尺、闊二尺五寸、厚一尺，石灰三千斤，該二百五五夫，丁夫五十，石工十九，月五日興工，十一日工畢。元河渠志。至治元年三月，疏玉泉河。元英宗紀。泰定元年八月罷役。元泰定帝紀。先是，至治二年五月，敕昔世祖時金水河濯手有禁，今則洗馬有之，比至秋疏，滌禁汙穢，於是會計修浚，三年四月興工，五月工畢，凡役軍八百，爲工五千六百三十五。至治三年三月，大都河道提舉司言：海子南岸，東西道路，當兩城要衝，金水河浸潤於其上，海子風浪衝嚙於其下，且道狹，不時潰陷泥濘，車馬艱於往來，以石砌之，永久計也。泰定元年四月，工部應付工物，七月興工，八月工畢，凡用夫匠二百八十七人。據元河渠志。

明河工考

明永樂元年，修安定門外護城河。據明實録。二年，西湖東、牛闌莊及青龍、華家、甕山之閘，水衝隄決百六十丈，發軍民修治之。明實録：永樂二年八月，北京行部言：宛平、昌平二縣西湖景、牛闌莊、青龍、華家、甕山三閘，水衝決隄岸一百六十丈，發軍民修治。五年五月，置西湖東流水口閘。九月修隄三百七十九丈。明實録：永樂五年五月，北京行部言：自昌平縣東南白浮村，至西湖景，東流水河口一百里，宜增置十二閘，請以民丁二十萬，官給費用修置。命以運糧軍士浚之。九月修西湖景堤三百七十九丈。二十二年十二月，罷海子至西湖巡視，謂尚書蹇義曰：古者山澤之利，與民共之，朕之心，凡可利民，雖府庫不吝，況山澤所産哉！宣德六年五月，修宛平縣澄清閘，即元海子閘。明實録：宣德六年五月，修宛平縣之澄清閘。正統四年，設正陽門外減水河，疏城内溝渠。六年，修江米巷玉河隄，濬京城西南河。景泰二年，修玉河東西隄，濬安定門東城河。嘉靖二年，修德勝門東、朝陽門北河道。明河渠志。嘉靖中，工部尚書雷禮，以外濠池淺狹，請悉深濬，水乃自城西北隅環城東注。據一統志。萬曆八年五月，工部奏：各街有長溝，中城有臭水塘，皆通脈絡，乞濬。明實錄：萬曆八年五月庚寅，工部奏疏河渠，京城北有海子，南接玉河橋，東有泡子河，西有河漕，各街俱有長溝，中城有臭水溝，此皆各通脈絡，今多壅塞，乞給銀開濬。天啟元年十月辛巳，濬京城濠。明實錄。

橋坿

都城内外，水陸大小橋梁，凡三百有七十。見大清會典事例七百五。或廢久罔徵，或瑣無足述，今就經支分錄彰彰者。

其跨玉河，曰垂虹橋，在靜明園内。曰北閘口橋，在靜明園外。曰小橋，在靜明園前。曰玉帶橋，距玉泉山東里許，水出橋下，入昆明湖。曰柳橋，水至此分爲三支。曰桑苧橋，與柳橋均在昆明湖西隄之北。曰鏡橋，曰練橋，曰界湖橋，均在玉帶橋南。舊聞考：柳橋、桑苧、玉帶、鏡練橋、界湖橋，六橋並直亘昆明湖。曰長橋，俗呼十七孔橋，起昆明湖之中，卧于東隄外，火器營在其北。清漪園册：昆明湖東隄之南爲廓如亭，西爲長橋。凡已詳水道注者，不復注，餘仿此。曰繡漪橋，俗呼鑼鍋橋，在玉帶橋南里許，是昆明湖洩水處。清漪園冊：長橋又南爲繡漪橋。乾隆二十四年，御製繡漪橋詩：進舫長河過廣源，閘名。石橋飲練鎖溪園。過橋即昆明湖，直接萬壽山。風漪春水文章麗，神繡應成天女孫。曰石橋，在靜明園之西宮門外，左、右朝房中，橋西即達香山之蹕路也。曰護河橋，在長春園東宮門外。長春園冊。曰溪河二石橋，在清漪園南、北朝房，溪河者，玉河支流也。曰三石橋，在圓明園西罩門前。曰長春橋，在繡漪南四里。曰麥莊橋，在長春橋南三里，有高宗純皇帝御製橋記。詳前。曰白石橋，在廣源閘東三里，橋下有閘。曰小白石橋，其少西者。曰高粱橋，在白石橋東五里，亦有閘。曰青龍橋，在白石橋西二十里。據水部備考。水自玉帶橋分支，爲東北洩水河，出此。曰蕭家河橋，有閘，注東北洩水河。曰紅橋，橋下爲紅橋河，與東北洩水河合。曰小屯邨西石橋，曰平坡莊東石橋，二橋爲西南洩水河道。會典事例七百五。護城河橋十有五。其著者在宣武門者曰響閘橋，據五城坊巷衚衕集。曰宣武門東橋，曰正陽石橋，俗呼前門橋，曰崇文門大石橋，曰東便門橋，各橋爲護河水道，亦玉河分流也。曰水關橋，在德勝門西，玉河入城始此。曰太平橋，是玉河分流處。曰德勝橋，是玉河合流復分處，其南舊有藜光橋，燕都遊覽志：德勝橋在德勝門內，西有積水潭，潭水注橋下東行，橋卑不能度舟，湖中鼓枻人抵橋，俱登岸，空舟順流始得渡，復登舟東泛，轉而南，得藜光橋，御馬監所領天閑上駟，每歲六月六日，中貴洗馬于德勝橋之湖上，三伏皆然。曰李廣橋。曰萬甯橋，一名月橋，俗呼三座橋，座或作轉，建自元至元二十九年，以海子橋名之，厥後重修，更名萬甯，明仍之。析津志：萬甯橋在元武池東，名澄清牐，至元中建在海子東，至元後復用石重修，雖更名萬甯，人惟以海子橋名之。明一統志：萬甯橋在海子東岸，跨玉河上流。燕都遊覽志：海子南岸，舊有海子橋，亦名月橋，俗呼三座橋，近漸圮。按：今呼三轉橋者，即此。舊聞考：城市萬甯橋北，今屬北城，橋南今屬中城。餘詳水道注。曰清水橋，以木。在滿洲正黃三甲南廳地面。曰西步糧橋，亦呼西雅橋，在地安門西城根。曰西夾道饗閘橋，在皇城內。曰景山後西板橋。曰內宮監南口橋。曰鴛鴦橋，在景山西。曰西閘口小橋。曰金鰲、玉蝀橋。曰織女橋。曰金水橋，在天安門外。已上諸橋，是玉河西南流一支，逕海子水道。曰銀錠橋，以形名，在十刹海西北。燕都遊覽志：銀錠橋在北安門海子三座橋之北，此城中水際看西山第一勝處。曰地安橋，亦呼大橋，在地安門北。曰東步糧橋，在地安門東。曰北半邊橋。曰平橋。曰大橋。曰望恩橋，在光禄寺南。曰北橋。曰中橋。已上諸橋，是東南流一支水道。曰牛郎橋，在東安門南，是玉河二支合流處。曰葛蒲河橋，凡二，皆木。已上十橋，皆在東安門內。曰北玉河橋，在東長安門外西。曰中玉河橋，在東交民巷中。曰南玉河橋，在崇文門內西城根、正陽門東城根，會典言玉河橋十，此其三也。曰丹鳳橋，在東便門南水關橋。曰太平湖橋，凡二，一在湖之北，一在西便門城根。曰大石橋，在會合寺北。曰小石橋，在毛家灣南。曰泡子河橋。已上三橋，均在崇文門東，內城根泡子河由此入玉河。其跨溝曰橫溝橋，在西直門內東一里有半。曰新街口橋，在大脚衕衕東。曰宮衣庫橋，在煎果廠東。曰大帽兒衚衕西口橋。曰小帽兒衚衕西口橋。曰四格伯衚衕西口橋。曰寶禪寺衚衕西口橋，在于教寺東。曰石碑衚衕西口橋，在祖家街東。曰後車兒橋，在後車衚衕西、狗尾衚衕東。曰前車兒橋，在前車衚衕西。曰五王侯橋。曰太安侯橋，在太安侯衚衕西。曰石老娘橋，在衚衕西口。曰王公橋，在臭皮衚衕西，亦呼臭皮橋。曰報子衚衕橋，在衚衕西。曰帥府衚衕橋，在衚衕西。曰驢肉衚衕橋，在衚衕西。曰馬市橋，在宗學東。曰釘杙衚衕橋，在衚衕東。曰四眼井橋，在能仁寺西南。曰小麻綫衚衕東口橋。曰兵馬司衚衕西口橋。曰後泥窪橋。曰前泥窪橋。曰牛犄角衚衕橋。曰羊肉衚衕橋，在溝沿。曰油坊衚衕橋，在扁擔衚衕東。曰轆轤橋。曰鴨子廟橋。曰太平橋，在丁字街西，在德勝門太平橋之南八里許。鑲藍蒙古地面。曰螞蜂橋，俗呼馬糞橋，亦曰礮廠口橋，在礮廠東口。曰小口袋衚衕東橋。曰溝橋，亦呼城溝東頭橋。曰沙鍋琉璃口橋，在衚衕北。曰下岡兒橋。曰上岡兒橋，在京畿道署西。曰舊刑部街橋，在街口西。曰報子街橋，在街西口。曰文盛橋，文俗作温，非也，在察院衚衕東。曰武烈橋，在石駙馬後宅東。曰東太平橋，在東太平街東，或指爲太平橋，誤也。曰永甯橋，在永甯衚衕東口。曰溝沿橋，在頭髮衚衕西。曰功德橋，亦呼承恩寺橋。曰象房橋，在宣武門西城根，馴象所在橋東北，故名。已上橋皆東西爲首尾，跨宣武門西橫溝。曰板橋，在土地廟東南。曰舊簾子衚衕溝橋。曰新簾子衚衕溝橋。曰後細瓦廠橋，在廠西。曰細瓦廠橋，亦西。曰半壁街西橋。曰中街西橋。曰化石橋。已上諸橋，跨宣武門東溝。曰平安橋，在西直門北。曰絨綫衚衕板橋。曰十八半截溝沿橋。曰明濠溝石橋，凡四。曰翊教寺東口橋。曰北城根大銅井橋。曰松樹衚衕溝橋。曰安福衚衕中間明磚溝橋。已上橋跨街巷溝。其跨三里河，曰三里河橋，明天順間建，正德十二年重修，又增耳橋三。周敍重修三里河橋記：都城迤南有河焉，乃隍水之支流也。河之上有橋，橋之名曰三里，其始創自天順間。歷歲既久，土崩石泐，而往來乘載者病焉。時有坊間善士戴通者，欲爲改作，慮其費不資，功未易舉，因與僧宗洪號鐵山者謀之，廣爲募緣，不數月，而集銀兩千一百七十有奇。撤故橋，降七尺以爲基，高十四尺有奇，視舊加四之一，衡二十有四尺，視舊加六之一，繼四十尺，視舊加六之一，益墁石三十尺有奇，視舊加三之一，石欄板視舊加三之一，石欄柱視舊加四之一，橋之西東各窊五尺，增築砥平，衡皆四十尺有奇，其東之縱三十尺，西之縱六十有二尺。橋之北南作耳橋者三，一瞰乎寺之南泉，一拱乎巷之鞭子，一揖乎街之半邊，不惟達是橋之衝路，抑且殺河之勢，而閼流之洑也。延袤共七百尺有奇，越五月而工成。時正德十二年丁丑某月。故道有橋，曰紀家橋。曰板橋。據張爵五城坊巷集，今不可考。其跨南海子，曰北門外橋，明正統七年修。曰紅橋，明正統八年修，十年重修。曰大紅橋，明正統十二年修，天順二年重修。又小橋七十有五，其中七十二橋，元之舊也。帝京景物畧：三海子築七十二橋，元之舊也。明實録：正統七年，修南海子北門外橋。八年六月，修紅橋。十年正月，修紅橋。十二年六月，修南海子北門大紅橋。天順二年二月，修南海子行殿大紅橋一，小橋七十五。其跨巴溝水，曰巴溝橋。高宗純皇帝御製萬泉莊記云：今巴溝橋之名尚存。舊有橋曰飛橋，在明清華園池西。譽譎：清華園池西爲飛橋。曰婁兜橋，一名西勾。帝京景物畧：丹稜沜之西，李武清以爲園，園北有橋曰婁兜，一曰西勾。長安客話：南海淀有石梁一，曰西勾。日下舊聞考：明李偉清華園，臨丹稜沜。今暢春園就其舊址，所云萋兜橋，一名西勾，在園北者，亦莫可辨。按嚳濤云：清華園池爲飛橋。澤農吟稾云：武清侯南淀別業，渠可運舟，跨以雙橋。據知橋不止西勾矣。其所跨莫詳何水者，在内城曰北新橋，在安定門南。大街。曰甘石橋，凡二：一、在德勝門内東南里半，一、在西安門南二里細米衚衕北。曰甘水橋，在八調灣南。曰飛渡橋，飛虹橋，建自金章宗時，明嘉靖十七年廢。詳金石。在外城曰章家橋。曰虎房橋。曰霍家橋。曰天橋，在永定門内。曰欄杆市石橋，在崇文門内。曰洪隆橋，在安定門大佛寺東。

華陽吴祖椿校

京師志十六

寺觀一

德清蔡賡年纂　江陰繆荃孫覆輯

都城梵宇，盛自遼、金，迄於明代，營造愈侈。昔楊衒之記洛陽伽藍，謂寺數最多，不可偏寫。今之所録，止大伽藍，其中小者求其詳世諦事，因而出之，兹仿其義，以譔是篇。首記苑囿及皇城，尊國體也。次内城，次外城，又次郭外，表列門名，詮次分載。奉勅建者統依地位，凡祠廟不在祀典者亦及之。援據必審，期翔故實。並以天主堂記于卷末，等蹟招提，粗存緣起也。凡經本朝修建，及夙稱巨刹者，則專書之，餘皆附出。若寺已廢，而有關考證者，亦互見焉。志寺觀。

西苑寺觀

永安寺，喇嘛諾木汗駐錫所也，在西苑萬壽山。

金鼇、玉蝀之東，有圓城。城北，跨太液池，爲橋。南、北樹坊二：南曰積翠，北曰堆雲。過堆雲坊，卽永安寺。寺爲金源瓊華島，奇石纍纍，皆當時輦致艮嶽之遺。島周圍計二百七十四丈，舊有廣寒殿，相傳爲金章宗李妃妝臺遺址。元改名萬壽山，又稱萬歲山。順治八年，立塔、建刹，稱白塔寺，後改今名。入寺門爲法輪殿，殿五楹，奉釋迦佛，有御製白塔山總記、塔山四面記，建二石幢勒之。殿後拾級而上，有坊樹焉，南曰龍光，北曰紫照，又有二亭，東曰引勝，西曰滌靄，石幢卽分豎亭中。滌靄亭後由甬道拾級而上，左、右有方亭二，東曰雲依，西曰意遠，亭下各有石洞，其東洞有額曰楞迦窟，亭之正中爲正覺殿，殿後爲普安殿，前爲宗鏡殿，西爲聖果殿，殿後石磴層躋爲善因殿，殿内供奉銅佛像，殿後卽白塔也。國朝宮史。　雍正十一年重修。重修白塔記碑文：白塔在皇城西北隅，創自順治八年辛卯，世祖章皇帝從喇嘛諾木汗所請，而俾之駐錫，結香諷唄祝釐者也。至雍正八年庚戌，既經八十餘載，我皇上念茲塔之建，實惟世祖爲民祈福之盛心。今寰宇乂安，民物豐阜，耕食作息，浩蕩熙游，蓋慈雲慧日，廣大願力，固亦有默助焉。爰發帑金，命官修葺，以歲之十二月肇工，凡用金錢五萬二千有奇，閱十一年七月告成，飾其頹敝，鮮其漫漶，歸然寶刹，更復舊規，黄教緇流，駢集交慶，用以承世祖創建之志，而福庇兆民於無窮也，豈獨增壯麗于皇都，以爲耳目之觀哉。因敬記其歲月，而勒之于石。舊聞考三十六。　白塔東下至山足，爲智珠殿，殿三楹，東向，供文殊佛像。

闡福寺在太液池東，五龍亭北。

寺本先蠶壇繭館也，乾隆十一年改建。金鼇、玉蝀橋西，紅牆夾道，兩門相對，南爲福華門，北爲陽澤門，由陽澤門達寺，有高宗御製闡福寺碑。入寺門爲天王殿，殿再後爲大佛殿，規制仿正定隆興寺。寺重宇三層，前駕白石橋，環流爲坊四座：南曰證功德水，曰現歡喜園；北曰法輪高勝，曰妙境莊嚴；東曰震旦香林，曰神洲寶地；西曰仁壽普緣，曰安養示諦。四角各有方樓一，正中爲佛殿。佛殿之北爲普慶門。入門，南、北置坊二座：南曰大千輪置，曰滿萬曇霏；北曰聚諸福德，曰現大吉祥。左、右浮圖二。樓之中爲萬佛樓，樓三層，左樹寶幡竿，右立石幢，恭鐫乾隆庚寅御製萬佛樓瞻禮詩。樓之東曰寶積，樓西曰鬘輝，樓左、右各有門，東門内澄性等堂，仍詳苑囿。西門内搆八方亭，樹石塔，鐫刻貫休畫十六應真像，並恭勒乾隆御製贊語其上。闡福寺之西有門，外爲通衢，卽陽澤門道也。又由蠶壇沿隄南有琉璃碑坊，南臨太液池，坊北山門榜曰西天梵境。入山門，爲天王殿，左、右石幢二，左刻金剛經，右刻藥師經。殿後爲大慈真如殿。殿後歷級而登，有大琉璃寶殿，殿二層，殿四面迴廊六十七楹，四隅各有樓相接，西天梵境之西有琉璃牆，牆北爲真諦門，門内爲大圓鏡智寶殿。殿後有寶網雲亭，亭北及左、右屋宇四十三楹，皆貯四藏經板之所也。舊聞考二十八。又有佛宇一所，額曰大圓鏡中。臨池北向，在豐澤園西，隔池佛宇東稍北，有石門，石門外卽荷香蕙露亭。宮史。詳苑囿。

苑囿寺觀

元靈宫，在南苑小紅門内西偏。宫建於順治十四年。乾隆二十八年重修。山門三楹，南向，内爲朝元門，中構元極殿，奉玉皇上帝，計十有二楹，圓殿重檐，置門二十有四，殿後爲元佑門，内爲凝始殿，奉三清、四皇像。重檐殿宇五楹，其東爲翊真殿，奉九天真女、梓潼像，西爲祈元殿，奉三官像，殿前穹碑二，碑勒高宗御製詩，諸聯額亦皆御書也。舊聞考七十四。

永慕寺，康熙三十年建，爲孝莊太后祝釐也，在小紅門西南。寺大殿五間，奉釋迦佛像，東、西配殿各三間，後爲經庫，乾隆二十九年重修，其寺東爲舊衙門。詳苑囿。舊聞考七十四。

德壽寺，在永慕寺之東。寺順治十五年建，後燬於火。乾隆二十年重修，山門三間，東西二坊，大殿五間，奉釋迦佛及阿藍迦舍佛，院内穹碑二：一勒重修碑記，一勒寶鼎歌，皆高宗御製也。鼎在殿前。其東、西配殿各三間，殿後隨牆門内爲御座房三楹，乾隆四十五年改建。寺西南里許爲關帝廟，明嘉靖年間建，國朝乾隆三年重修，山門南門，前殿奉關帝，中殿奉真武，後殿奉三世佛。其東爲永佑廟，康熙十七年建，大殿曰延真殿，奉天仙碧霞元君，東配殿曰協佑殿，西配殿曰弘育殿，後宇九楹。南苑册。

甯佑廟，在晾鷹臺北六里許。

晾鷹臺在南海子内，廟大殿奉南苑安禧司土神像，殿雍正八年建，門内立碑亭，碑勒乾隆三十六年御製海子行詩。舊聞考七十五。

珠源寺，在北山之上。

寺爲團河龍王廟，殿三楹，門外高宗御題曰珠源寺。又半山有房五楹，曰拂雲岫。西臨河房五楹，曰濯月漪。舊聞考七十五。

恩佑寺，雍正年間建，爲聖祖薦福也，在暢春園之東垣。

寺臨通衢，山門東向，額曰敬建恩佑寺，二層山門内，跨石橋三，殿五楹，南、北配殿各三楹，正殿内奉三世佛，左奉藥師佛，右奉無量壽佛，額字皆世宗御書，殿内敬設佛龕，龕上額聯則高宗御書也。舊聞考七十六。

恩慕寺，乾隆四十二年爲聖母太后建也，在恩佑寺之右。

南苑永慕寺，暢春園恩佑寺，一以祝釐，一以薦福。高宗聖孝哀思，紹承家法，因於恩佑之側敬搆是寺，爲聖母皇太后廣資慈福，殿宇規制與恩佑寺同，山門二層，外層額曰敬建恩慕寺，二層山門内爲大殿，奉藥師佛一尊，左、右奉藥師佛一百八尊，南配殿奉彌勒像，北配殿奉觀音像，左、右立石幢，一刻全部藥師經，一勒御製恩慕寺瞻禮詩。又南垣外無逸齋後有關帝廟。舊聞考七十六。

正覺寺，明永樂年間爲西番班迪達建也，在樂善園西三里許。寺初名真覺，據明成化御製碑。有浮圖五，俗又稱五塔寺。樂善園册。孫國敉燕都游覽志：寺後一塔甚高，名金剛寶座，從暗竇中左右入，蝸旋以躋於顛，爲平臺，臺上湧小塔五座，内藏如來金身。金剛座之左偏，又有浮屠，傳是憲宗皇帝生葬衣處。前臨橋，橋臨大道，夾道長楊，緑陰如幕，清流映帶，尤可取也。劉侗帝京景物略：成化九年，詔寺準中印度式，建寶座，累石臺五丈，藏級於壁，左右蝸旋而上。頂平爲臺，列塔五，各二丈，塔刻梵像、梵字、梵寶、梵華，中塔刻兩足跡，地跡陷下廓摹耳，此隆起紋螺相抵蹲，是由趾著跡，湧步著蓮生燈，燈焰就月滿露升，法界藏身，斯不誣焉。寺大殿五楹，後爲金剛寶塔。塔後殿五楹。塔院之東爲行殿，五城寺院册。塔前舊立明成化御製碑，碑云：永樂初年，有西域梵僧曰班迪達大國師，貢金身諸佛之像，金剛寶座之式，由是擇地西關外，建立真覺寺，創治金身寶座，弗克易就，於兹有年，勝念善果未完，必欲新之，命工督修殿宇，創金剛寶座，以石爲之，基高數丈，上有五佛，分爲五塔，其丈尺規矩，中印土之寶座無以異也。成化癸巳十二月告成，立石。及姚夔碑記，俱無存。今塔東恭立乾隆二十六年御製重修寺碑。舊聞考七十六。

萬壽寺，乾隆年間爲聖母太后祝釐地也，在正覺寺五里許。自昆明湖循長河而東，廣源閘西，萬壽寺在焉。明萬曆五年，太監馮保奉命作，爲明神宗臨幸山陵駐蹕之所。又明有番經、漢經二廠在京師，年久傾圮，移置漢經于此，舊有張居正撰建寺碑，今無存。乾隆十六年，聖母皇太后六秩萬壽。乾隆二十六年，聖母七秩萬壽，並修葺兹寺，崇啟經壇，行慶典也。恭據御製碑文。寺門内爲鐘鼓樓。初，寺中懸永樂寺所鑄大鐘，内外勒華嚴八十一卷，銑於間，勒金剛般若三十二分，名曰華嚴鐘，今移置城北覺生寺。寺正殿爲天王殿，殿前恭立乾隆十六年御製重修寺碑記，亭二。殿後爲萬壽閣，卽舊甯安閣，次爲禪堂，堂後有假山，其松檜皆數百年物，山上爲大士殿，下爲地藏洞，山後爲無量壽佛殿，外恭立乾隆二十六年再修寺碑記亭二。殿稍北爲三聖殿，最後爲蔬圃。寺之右爲行殿，殿後院有樓，又設書室，寺之左則方丈。寺之西路北設關門，内有長衢列肆，北達暢春園，爲萬壽街，居人稱爲蘇州街。舊聞考七十七。

永甯寺，在暢春園西北西花園大北門内。

寺之左卽東書房。寺内正殿三楹，殿外配殿各三楹，又後殿五楹，内供羅漢十六。寺門外爲崇臺，臺後爲船塢。寺之西爲閲武樓。舊聞考七十八。

聖化寺，在萬泉莊隄南，卽以寺爲園名。

寺北門内，西爲河渠，東爲稻田，前臨大河，山門三楹，對河爲高臺，大殿五楹，二門内三皇殿五楹，西角門内爲觀音閣，東角門内龍王殿三楹，後星君殿三楹，寺北門有行殿二所。詳苑囿。東距行殿二里許爲東門，門内爲永甯觀。舊聞考七十八。

廣育宫，在圓明園夾鏡鳴琴之東，殿内奉碧霞元君。舊聞考八十二。

法慧寺，在長春園海嶽開襟之東。山門西嚮，内爲四面延樓，後爲光明性海，其西别院，有琉璃方塔。舊聞考八十二。

寶相寺，在法慧寺東。山門南嚮，内爲澄光閣，後爲曇霏閣，又後崇基上有殿，爲現大圓鏡殿。舊聞考八十二。

大報恩延壽寺，乾隆辛未爲聖母祝釐建也，在清漪園慈福樓之西。甕山舊有明刹，曰圓静寺，舊聞考八十四。帝京景物略：山上一寺，破瓦壞垣，額曰圓静，宏治七年，助聖夫人羅氏所建也。長安可游記：甕山圓静寺，左俯緑疇，右臨碧浸，近山之勝，於是乎始。後廢。乾隆十五年建延壽寺於其地，並改名甕山爲萬壽山。殿前立御製大報恩延壽寺碑，殿後碑亭二，東勒金剛經，西勒華嚴經。寺前殿爲天王殿，爲鐘、鼓樓，内爲大雄寶殿，後爲多寶殿，爲佛香殿，又後爲智慧海。寺之西爲羅漢堂，堂爲門三，堂内爲甲乙十道，塑阿羅漢五百尊，其東門内曰祇樹園，曰獅子窟，曰須夜摩洞，轉而阿伽橋。稍南曰阿樓那崖，曰徙多橋。橋上曰彌樓，曰摩偷地，曰砥柱，曰摩訶窩，上曰兜率陀厓，曰功德池，曰旃檀林。再上曰須彌頂，曰善現城，曰金田，曰陀羅峯，曰鷄園，曰鹿苑。中爲室羅筏雷音殿，北曰耆闍崛，旁曰舍利塔，曰蜂臺，曰毗訶羅橋。南曰露山，曰香巖寺，曰信度橋。堂之東有亭，卧碣上勒御製五百羅漢記。堂後爲寶雲閣，閣笵銅爲之。又萬壽山陰有多寶佛塔，塔下立御製多寶佛塔頌碑。山之北門外有長橋，橋南佛寺，三面立坊楔，内爲須彌靈境，後爲香巖宗印之閣，閣東爲善現寺，西爲雲會寺。又昆明湖上有廣潤祠。舊聞考八十四。

蠶神廟，在昆明湖北岸之西。

廟東爲延賞齋，北爲織染局，後爲水村居。延賞齋前爲玉河齋，左、右廊壁嵌耕織圖石刻，河北立石，勒耕織圖三字。蠶神廟每年九月間，織染局專司祈祀，又清明日於水村居設祀。舊聞考八十四。

聖緣寺，在靜明園水月庵之北。

寺正宇爲能仁殿，後爲慈雲殿，左爲清貯齋，右爲聞風齋。寺之北爲仁育宫。又靜明園觀音洞之南爲真武廟，又雙關帝廟。舊聞考八十五。

妙喜寺，在清涼禪窟北，涵漪齋之西，夾牆門外。

寺以西爲靜宜園界，蓋靜明園西宫門外，中爲石橋，橋西卽達香山之蹕路也。詳苑囿。舊聞考八十五。

妙高寺，在玉峯塔影之後，北峯上。

寺前有石坊，寺内殿後爲妙高塔，塔建峯巔，仿金山妙高峯之制。又後爲該妙齋，又玉峯塔影前爲香巖寺。舊聞考八十五。

古華巖寺，在雲外鐘聲之前山麓。

寺爲明正統間建，賜額華嚴。長安客話。自寺西度石橋，門臨水，曰金山寺。何景明大復山人集。

香山寺，在靜宜園瓔珞巖之西。

寺爲金刹，本名永安，一名甘露，舊聞考八十六。金世宗紀：大定二十六年三月，香山寺成，幸其寺，賜名大永安寺，給田二千畝，栗七十株，錢二萬貫。又章宗紀：明昌四年三月，幸香山永安寺。元仁宗紀：皇慶元年四月，給鈔萬錠，修香山永安寺。按：徐善泠然志稱：寺址遼中丞阿彌勒所捨，殿前二碑，載捨宅始末。又云：寺即金章宗之會景樓。今考金史胡礪傳，天會間，大軍下河北，胡礪爲軍士所掠，行至燕，亡匿香山寺。是金太宗時已有此寺，或大定間即遼址重建，未可知也。寺今以山名。寺前建坊楔，山門東向，南、北爲鐘、鼓樓，爲戒壇，内正殿七楹，殿前石屏一，中刊金剛經，左心經，右觀音經，屏後鋟高宗御筆，然燈古佛、觀音、普賢諸像，並御製贊語。殿門外有聽法松。殿後廳宇爲眼界寬。又後六方樓三層，又後山巔樓宇上下各六楹，寺之北爲觀音閣，又北有無量殿。舊聞考八十六。

洪光寺，在香山寺西北。

寺亦古刹，明璫鄭同修。寺據山頂，由香山西北盤道上，到寺入石門，路甚修平，古柏夾之，人行道上，蒼翠撲衣，可數百步，復折而上，如是者十有一，每登一折，必右俯木末，左瞰絶壁，壁皆甃石爲之，歲久若天造，即所謂十八盤也。寺山門東北向，内建毘盧圓殿。同生於高麗，其國王李裪貢入中國，得侍宣宗，後復使高麗，至金剛山，見千佛繞毘盧之式，歸結圓殿，供毘盧，表裏千佛，面背相向。左爲太虚室，又左爲香嵓室。寺後門外坊座二，前曰蕙馨，後曰芝采。（舊聞考八十六。）

玉華寺，在外垣重翠崦東南。

寺山門東向，正殿三楹，殿西南廳宇爲玉華岫，其東爲皋塗精舍，寺之北門內有石洞出泉，稱玉華泉。寺西南峯石屹立，爲森玉笏。外垣之北，別垣內佛樓爲宗鏡大昭之廟，門東向，亦稱昭廟，額懸都罡正殿，乾隆四十五年，就鹿園地建。前立琉璃枋楔，前殿三楹，內爲白石臺，繞東、南、北三面，上、下凡四層。西爲清淨法智殿，殿前立八方重檐碑亭，內勒高宗御製昭廟詩。後爲紅臺，四周上、下亦四層。（舊聞考八十七。）

碧雲寺，在昭廟北石橋之北。

寺建於元耶律阿勒彌。明正德中，內監于經拓之，土人呼爲于公寺。天啟三年，魏忠賢重修之。（春明夢餘録。朱國楨湧幢小品：正德中，太監于經，以便給得幸，導上于通州張家灣。榷商賈舟車之稅，歲入銀八萬之外，即以自飽，斥其餘羨爲寺於香山，而立塚域于寺後，上嘗親幸焉，爲之賜額。嘉靖初，下獄瘐死，籍其家。）寺最閎麗，因山下上築臺殿，乾隆年間重修。山門東向，門前有石獅二，雕鏤極工。度橋爲天王殿，殿前有池，跨以石梁，池水引自寺後石罅出，噴薄入小渠，人以卓錫名之。寺僧導之，過齋厨，遶長廊，出殿兩廡，左、右折復匯於殿前石池，復逾橋，爲正殿。殿後六方亭內，立高宗御製重修寺碑記。又次層殿，三層殿。又次爲金剛寶座塔院。塔爲乾隆十三年建，院前白石坊座一，塔座三層，由石級螺旋而上至頂，建塔凡七，皆鏤以佛像。又院前有碑亭，内立御製金剛寶座塔碑記。寺舊有元碑二，今無存。又元賣地券石幢一。寺之南爲羅漢堂，内奉五百羅漢，後爲藏經閣。舊聞考八十七。寺北内官墳墓數十，鐫石爲闌，窮極纖巧，翁仲、羊、虎夾侍，墓碑林列，其文俱宰輔所製。魏忠賢墓爲康熙中御史祁門張瑗奏毁。采訪册。

皇城寺觀

慈慧寺，在地安門内東黄瓦門之東迆北。舊聞考三十五。明劉若愚蕪史：自北安門裏街東曰黄瓦東門，門之東，街南曰尚衣監，街北曰司設監。寺莫詳所始，明司設監以寺爲私廨，其地向呼司設監，監廢後，以寺得名，曰慈慧殿。寺中有碑二：一、明碑，其篆額司設監三字，餘卽模糊不可讀；一、卽康熙間重修碑，碑文有明宫監以梵宇爲私廨云云。其東酒醋局衚衕，有興隆寺，寺乃酒醋局太監立也。局廢後，其胡同仍存其名。寺中有鑪一，上刻酒醋麪局佛堂供奉字。舊聞考。明職官志：酒醋麪局掌印太監一員、管理僉書、掌司監工無定員，掌宫内食用酒、醋、糖、醬、麪、豆諸物。酒醋局南蠟庫衚衕，有五聖祠，亦有磬一，上鑄内府供用庫五聖祠供奉字，今其地稍南尚名内府庫。舊聞考。明職官志：内府供用庫掌印太監一員，總理管理，掌司寫字監工無定員，掌宫内及山陵等處内官食米，及御用黄蠟、白蠟、沉香等香，凡油蠟等庫，俱屬之。又東，内織染局衚衕，有華嚴寺，寺亦内織染局太監立，有宏治、嘉靖二次重修織染局佛道碑記。舊聞考。明職官志：内織染

{局掌印太監一員，管理僉書、掌司監工無定員，掌染造御用及宮內應用疋緞。}又東黃瓦門之東，迤南有玉皇廟，即明尚衣監舊廨。廟中有本朝雍正年重修碑記。{舊聞考。水部備攷：尚衣監製皇帝、皇太子、親王袞、冕、袍服。}

嵩祝寺，章嘉胡圖克圖所居也，在地安門內東南，三眼井之東。寺爲明番經、漢經兩廠地。{下法淵寺、智珠寺並同。}寺東廊下有銅鐘一，鑄番經廠字；西廊下有銅雲板一，鑄漢經廠字。{舊聞考。蕪史：番經廠念習西方梵唄經，凡有佛事，本廠內官易番僧帽，衣紅袍，黃領，黃護腰，一日或三晝夜。漢經廠念習釋家諸品經，僧伽帽，袈裟，緇色衣，與僧人同，惟不剃髮耳。佛事畢，仍易內臣服色。明陳悰天啟宮詞注：番經廠內官，遇萬壽、元旦等節，於英華殿作佛事，卒事之日，一人扮韋馱，抱杵面北立，餘披瓔珞，鳴鑼鼓，吹海螺諸樂器，贊唱經咒，至夜，五方設佛會，立五色繖，數十人魚貫行其間，有所謂九連環者，其行逾疾，至九連環變，則體迅若飛鳥，觀者目眩矣。天啟辛酉後，奉旨以宮人爲之。}寺之大殿及後樓，其聯額爲高宗御書。又寺東北，有鐘鼓司衚衕，內有鐘鼓寺，明鐘鼓司即其地也。{舊聞考。明職官志：鐘鼓司掌印太監一員，僉書司房掌藝官無定員，掌管出朝鐘鼓及內樂傳奇、過錦打稻諸雜戲。于慎行穀城山房筆麈：內官諸署指鐘鼓司爲東衙門，賤而不居。}

法淵寺，在嵩祝寺東。寺有銅鼎一，高六尺有咫，有張居正番經廠記。{舊聞考三十五。}

智珠寺，在嵩祝寺西。

馬神廟，在地安門南，其地名馬神廟街。即明御馬監馬神舊祠也。{舊聞考三十六。明職官志：御馬監掌印監督、提督太監各一員，騰驤四衛營各設監官、掌司典簿、寫字、拏馬等員，象房有掌司等員。}廟基舊在街之稍北，乾隆二十年移建，有碑，其廟設舊額曰明霞館，爲聖祖御書也。廟內大鐘一，有正德十年鑄，御馬監馬神廟供奉十三字。小鐘一，上有敕建馬王廟，康熙四十二年造十二字。殿前大鑪一，上有康熙四十六年造，御馬監馬神廟供獻十五字。殿内小鑪十五，上有康熙丁亥造，御馬監馬神廟供奉字。迤南爲御馬圈，地仍明舊。又南爲銀閘，有真武廟。又南爲騎河樓、廟兒衚衕，舊名煖閣廠，有關帝廟，廟有鐘一，鑄煖閣廠關帝廟，康熙四十九年孟秋虔造字。舊聞考三十六。

普度寺，睿親王舊府也，在東安門内之南，裏新庫北。寺爲明小南城舊宫遺址，宫名崇質，明英宗北還，居之，謂之小南城。順治初，改爲睿親王府。康熙三十三年，建瑪哈噶喇廟。乾隆四十年修，四十一年，賜名普度寺。其大殿題曰慈濟殿，高宗御書。寺内地基高敞，去地丈餘，寺左爲黑護法佛殿，内藏鎧甲弓矢，皆睿親王舊物也。舊聞考四十。俞正燮癸巳存稿：睿親王以順治七年十二月初九日薨於喀噶城，十七日柩至京，入府治喪，自七年十二月初十日至八年二月二十日，尊稱成宗義皇帝。見各書記載。其後，撤爵封。吴偉業讀史偶述詩云：松林路轉御河行，寂寂空垣宿鳥驚。七載金縢歸掌握，百僚車馬會南城。其地址俱合，蓋撤封以其女及養子家産人口給信王以後，故曰空垣也。

普勝寺，在裏新庫東南。

寺地爲明南城舊址，寺前沿河尚有城牆根址也，順治八年建。國初建三大寺，普勝其一也。乾隆九年修，四十一年復修，寺内有碑二：東爲内翰林國史院大學士甯完我撰碑，西爲乾隆九年工部侍郎勵宗萬撰重修碑。舊聞考四十。

福佑寺，在西華門北街東。

寺雍正元年建，正殿奉聖祖仁皇帝大成功德佛牌，東案陳設御製文集，西設寶座。殿大門外有東西二坊，皆世宗御書。舊聞考四十一。俞正燮癸巳存稿：伏讀聖祖御製文集，康熙六十年，諭令王大臣等：爲朕御極六十年，奏請慶賀行禮。欽惟世祖章皇帝因朕幼年時未經出痘，令保母護視於紫禁城外，父母膝下，未得一日承歡，此朕六十年來抱歉之處。孝陵告祭文云：伏念臣昔在冲齡，時防出痘，遂依保姆居於禁外，父母膝下，未承一日之歡，此臣六十年來深疚負歉者也。故正月初七日、二月十一日，因念忌辰之前，慶賀皆不敢受。聖製文如右。今西華門福佑寺，傳爲雨神廟，實梵宇也。後殿奉神牌，書聖祖仁皇帝大成功德佛九字，背面書聖製五律一首，其寺本爲當日保姆護御之邸，見恩福堂筆記，當由內府記載，與聖製禁外文合，日下舊聞考不記其所由，賴恩福堂筆記知之。又生身內外札薩克、王公未出痘者，亦不至京城也。

静默寺，在西華門外。

寺爲明季關帝廟舊處，康熙五十二年重建，寺門有勅建静默寺額。舊聞考四十一。

萬壽興隆寺，在西華門外街西。

明季兵仗局即在此地。兵仗局設佛堂，內有米漢雯重修碑記。舊聞考四十一。明職官志：兵仗監掌印太監一員，簽理掌器庫太監一員，管理簽書、掌司、寫字、監工無定員，掌製造軍器。火藥局屬之。康熙三十九年，勅改爲萬壽興隆寺，其殿額皆聖祖御書。又有墨刻心經寶塔一軸。舊聞考四十一。

玉鉢庵在西華門西南。

庵即明真武廟也，地爲明御用監舊址，舊聞考四十一。明職官志：御用監掌印太監一員，裏外監把總二員，典簿、掌司、寫字、監工無定員，凡御前所用圍屏、牀榻諸木器，及紫檀、象牙、烏木、螺甸諸玩器，皆造辦之。水部備考：御用監成造五色雕填剔漆，龍牀頂架，袍匣、服厨、寶箱及壇廟供器，上用兜羅絨袍，應用魚牙柘茨，安置各宮牀、櫃、膳棹、天燈、萬壽燈、日月仙燈。康熙五十年重建，殿前有玉鉢，因以名庵。曹曰瑛重修真武廟碑記：西華門外西南里許，乃前明御用監舊址也。房舍盡爲民居，惟真武廟存焉。殿前有古玉鉢一口，大可容二十石，山龍、海馬、雲容、水態，備極雕鏤之巧。且露處庭中，久歷年所，沐日月之精華，經風雨之嘘潤，斑爛光彩，奪人心目，以故文人墨士，時共訪觀。憶余於儤直之暇，亦曾摩娑數帀，徘徊久之，深歎有器如此，而竟散置於禁近之地也。辛丑春，僧性福過訪，云住此二十六年，一瓦一木，咸出行乞，至康熙五十年，庀材鳩工，重建真武殿三楹，復建前殿三楹，供康熙像，移玉鉢於座下，叠石爲小山，貯水於玉鉢，以示普陀南海之意。左、右增修禪堂各三楹，雖殿宇不多，而鐘鼓不缺。更喜落成之日，適值今上御極六十年，甲歷初周，香燈佛火，朝夕諷禮，仰祝我朝寶鼎萬年之盛，敢乞一言記之。是爲記。乾隆十年，移玉鉢置承光殿。十六年，重修是菴，別製石鉢以存舊名。舊聞考四十一。

延壽菴，在陽澤門迤西，三座門之北，羊房夾道路西。明司禮監經廠之佛堂也。舊聞考四十一。雷禮大政記：正德八年五月，詔建延壽僧寺堂釋殿於西内經廠。明職官志：司禮監提督太監一員，掌司太監一員，秉筆太監、隨堂太監、書籍名畫等庫掌司、内書堂掌司、六科廊掌司典簿無定員。提督掌督理皇城内一應儀禮、刑名及鈐束長隨當差聽事各役，關防門禁、催督供應等事。掌印掌理内外章奏，及御前勘合。秉筆、隨堂掌章奏文書，照閣票批硃。掌司各掌所司。典簿、典記奏章，諸出納號簿。有鐘一，嘉靖六年製，上鑄延壽庵及内府安樂堂佛堂永遠供奉等字，其院牆南面，有康熙中重修碑記。庵西卽經板庫。舊聞考四十一。

宏仁寺，在太液池西南岸。地最爽朗，爲明清馥殿舊址。康熙四年，改建爲寺，有御製碑記。寺前建二坊，寺門内有白石方池，上跨三梁，池西作龍首，自牆外汲太液水貫注之，緑荷出水，朱魚吹藻。池北天王殿，殿東、西峙鐘、鼓樓，再進爲慈仁寶殿，左曰弼教，右曰翊化。又進爲大寶殿，左曰普慧，右曰覺德。康熙四年移鷲峰寺旃檀佛像於寺之正殿，寺因是並有旃檀之名。舊聞考。金鼇退食筆記：旃檀佛像高五尺，鵠立上視，後瞻若仰，前瞻若俯，衣紋水波骨法見其表，左手舒而直，右手舒而垂，肘掌皆微弓，指微張，而膚合，三十二相中鵝王掌也。勇猛慈悲，精進自在，以意求之皆備。相傳爲旃檀香木，叩之聲鏗鏘若金石，入水不濡，輕如髹漆，晨昏寒暑，其色不一，大抵近於沉碧。萬曆中慈聖太后始傅以金。

聖祖御製旃檀佛歷代傳祀記：朕聞佛法誘善懲惡，有裨世教，故歷代尊崇，流傳靈異，厥蹟甚著。按元翰林學士程鉅夫旃檀佛像記，佛道成，思報母恩，遂昇忉利天，爲母説法。優填王欲見無由，乃刻旃檀爲像，佛自忉利復下人間，見所刻像，摩頂受記曰：我滅度千年後，汝往震旦，廣利人天。自是像在西土一千二百八十餘年，龜茲六十八年，涼州一十四年，長安一十七年，江南一百七十三年，淮南三百六十七年，復至江南二十一年，汴京一百七十六年，北至燕京，供聖安寺十二年，又北至上京大儲慶寺二十年，南還燕宮内殿五十四年，元丁丑歲三月，燕宮火，復還聖安寺五十九年，至元十二年乙亥，迎供萬壽山仁智殿，二十六年己丑還大聖壽萬安寺後殿。又按明萬曆間釋紹乾瑞像來儀記，明初自萬安寺遷慶壽寺，嘉靖十七年寺焚，遷鷲峰寺一百二十八年。康熙四年創建宏仁寺，自鷲峰寺迎供至今又五十七年矣。計自優填王造像之歲，當周穆王十二年辛卯，至康熙六十年辛丑，凡二千七百一十餘年。昭昭瑞像，肇自西方，流傳中土，光明瑩潔，今古常存。考歷代之往蹟，昭新創之宏規。勒諸貞珉，以記盛事。垂之永久，用誌不朽云。謹按：瑞像因緣，幸逢御製碑記，足以傳信萬世。他如元程鉅夫、明釋紹乾兩記，備載於日下舊聞考及春明夢餘録等書，茲不繁録。

乾隆二十五年，又發帑重修，有御製碑文，其寺後爲明虎城基址。虎城西北爲豹房城。正德七年建鎮國寺於其間，有騰禧殿，又南有北極廟，亦明代古刹。舊聞考四十一。

仁壽寺，在宏仁寺東。

寺大門，乾隆二十六年建，上懸御書仁壽寺額，殿中圓外方，中央及八方供長壽佛，中有複壁，壁上悉供諸佛，東、西、南、北各闢一門，甃以白石。舊聞考四十一。

天慶宮，舊爲玄都勝境，在宏仁寺西。

玄都勝境建於元代，因内有劉鑾塑像，今其地卽名劉鑾塑。乾隆二十五年重修，賜名天慶宮，前殿曰泰鈞，後殿曰統元。又劉鑾塑有真武廟，廟有萬曆癸巳修洗白廠綠作碑。舊聞考四十二。

慈雲寺，在西安門内街北，十庫前。

舊爲天王殿，殿前有修庫題名碑，又修廟碑記。康熙五十二年，改爲慈雲寺。十庫西鴿子房，有二聖廟，卽内府鴿子房、土地祠也。有萬曆十九年重修碑。又三座門西街，南曰蠶池，有雲機廟，久廢。明時宫人織錦之所。又蠶池口内西爲天主堂。舊聞考四十二。

永佑廟，在蠶池口内草廠西。

廟祀城隍神，雍正九年建，廟西爲大光明殿，明萬壽宫，嘉靖間建大光明殿。本朝雍正十一年修，乾隆四十八年重修，殿内奉玉皇。又太極殿，内奉三清四御，又天元閣，内奉斗母、后土、寶月光元君，其太極殿兩旁，添建三星殿、三皇殿、慈佑殿、慈濟殿。後有方丈三，亦添建。又迤南爲拜斗殿，本稱壽明殿，乾隆三十九年修，殿基二重，高丈餘，殿三楹，中奉斗母，今其地亦稱爲拜斗殿。舊聞考四十二。

雙節寺，在西安門内惜薪司胡同。寺爲明惜薪司太監所立，其地稱惜薪司胡同，西安門内街南之極西地，寺内有鐘一，正德元年造，上鑄惜薪司佛堂字。舊聞考四十二。明史職官志：惜薪司掌印一員，總理僉書、掌道、掌司、寫字、監工及外廠、北廠、南廠、新南廠、新西廠，各設僉書、監工，俱無定員，掌所用薪炭之事。

内城寺觀

觀音大士廟，在月城東偏。廟建于明崇禎時，以祀經略洪承疇。後聞洪降，改祀觀音。廣陽雜記。本朝乾隆九年重修，有碑。舊聞考四十三。張照觀音大士廟碑記：京師正陽門甕城内，自明代以來，東西建雙廟，東祀觀音大士，西祀後漢關侯。關侯廟，明有焦竑，國朝有施閏章，並爲碑記，雖無存，而記載于籍。惟大士未有聞。皇帝以命臣照。臣惟釋迦以一大乘教普度，情與無情，同歸覺海，嘗曰：如來者無所從來，亦無所去，故名如來。然則分之爲過去、未來、現在三身，而實無過去者、未來者、現在者，如如不動而已，乃此如如不動之中，四智出焉。爰有文殊、普賢、觀音。文殊是如來妙觀察智，普賢是如來平等性智，觀音是如來成所作智，佛是三聖大圓鏡智，以是四智，圓滿三身，然後竪窮三際，横亘十方，同是一如，固無如者，然則天子當陽，現帝王身而度世，固必以無緣大慈，無作而成所作矣。古之祀典，法施于民，則祀之，況修己治人，無適而非用其妙用，安得不像設君室而尸祝之耶？如以梵爲非族，不在祀典，則不知觀音本自無身，又安得有中外也？京師五方輻輳，正陽門外，萬民所具瞻，游斯廟者，仰慧日之普明，蔭大雲之慈妙，知十九應身之各自具足，二十五圓通之真教在音，目擊而音聞焉。本清淨心應慈悲用何，莫非吾皇之錫汝保極歟！廟壁有明萬曆壬辰虞醇熙修築都城碑記。舊聞考。

興福禪林，舊爲捨飯旛竿寺，在正陽門内雙碾衚衕。元稱捨飯寺，建于至元間，在明稱旛竿寺。舊聞考四十三。明武宗實録：旛竿寺本永樂年建，日給光禄寺粟米三石，後府屬衛月辦柴薪萬二千百觔，煮飯施貧民。世宗實録：嘉靖元年，御史鄭本公請出錢賑濟京師凍餓窮民。户部議：朝廷舊設養濟院，窮民各有記籍，無籍者收養蠟燭、旛竿二寺。本朝康熙三十二年重建，改今名。

其北爲弓絃衚衕，有延禧寺，内有明萬曆三十八年重修碑，兵科給事中吴某撰，及康熙二十三年重修碑。又王府大街有迎禧觀，明天順四年敕建。舊聞考。

福祥寺，在今蓑衣衚衕。寺明宏治十一年敕建，正德三年修，萬曆四十一年再修，有明碑三：一、宏治十一年黎珏撰文，一、正德戊辰侍講沈燾撰文，一、萬曆癸丑大學士趙志臯撰。又草廠眉掠胡同，舊有崇真宫，一名天師庵，元至元中建。舊聞考四十三。朱彝尊云：元有二崇真宫：一在上都，一在大都，即今之天師庵。明統志稱在畿南蓬萊坊。畿輔志：在大興縣南，今無考。按：坊巷胡同集：天師庵在草廠眉掠胡同，與惠民藥局毗連叙次，今藥局遺址尚存，則天師庵疑與相近。元英宗紀：延祐七年七月，命元教宗師張留孫修醮事于崇真宫。

雙塔慶壽寺，本金大慶壽寺遺址也，在今西長安街。

金大慶壽寺，創于金章宗時，寺院册。金章宗紀：明昌元年六月壬辰，奉皇太后幸慶壽寺。王佐格古要論補：北京慶壽寺碑，金党懷英八分書最妙，正統中爲中人所燬。元仍之。寺院册。元世祖紀：至元三年四月詔：以僧機爲總統，居慶壽。文宗紀：至順二年三月，繪皇太子真容，奉安慶壽寺之東鹿頂殿。有元皇慶元年程鉅夫撰大慶壽寺大藏經碑，明初亦仍之。至正統中，王振重修，易名大興隆寺，又曰慈恩寺。舊聞考四十三。明成祖實録：姚廣孝住北平慶壽寺，事上藩邸。綱目三編十：大興隆寺本名慶壽寺，正統十三年二月太監王振重修。大興隆寺役軍民萬餘人，糜帑數十萬，十月完工，壯麗甲京師，延崇國寺僧主之，帝親傳法稱弟子，公侯以下趨走如行童，改賜新額，樹牌樓曰第一叢林。春明夢餘録：大興隆寺碑，李晏撰。明孫國敉燕都游覽志：慶壽寺亦名大慈恩寺，在禁牆西。明徐學聚典彙：時有太學生西安姚顯，疏言王振竭生民膏血，修大興隆寺，車駕不時臨幸，請自今凡内臣修蓋寺院，悉行拆毁，以備倉廒之用。時不能用。嘉靖間，寺廢爲射所，名講武堂，又以爲演象所。舊聞考。明典彙：嘉靖十五年五月諭：改大興隆寺爲講武堂。朱國楨湧幢小品：嘉靖初，廢大慈恩寺，從錦衣衛之請，即其地改爲射所。後爲射所于宣武門外，民兵教場，射所舊地改爲演象所。沈德符野獲編：今京城内西長安街射所，亦名演象所，故大慈恩寺也。會試放榜次日，新郎君並集於其市官廳内，請見兩大座主。竊謂慈恩寺名，正與唐曲江名暗合，何不即以雁塔題名事屬之？亦清朝盛事。而僅充芻牧決拾之場耶？後重建雙塔寺，按：重建年月失考，即乾隆年間重修者。其塔一九級者，額曰特贈光天普照佛日圓明海雲佑聖國師之塔，一七級者，額曰佛日圓照大禪師可菴之靈塔。今在寺西偏，又有元王萬慶撰海雲禪師碑塔，旁有井，明大學士范文忠景文殉節所也。采訪册。孫承澤畿輔人物志：崇禎甲申三月十九日，都城破，工部尚書兼東閣大學士吴橋范公景文，先已絶粒不食，至是見賊騎縱横，望闕哭，於雙塔寺旁井中死之。乾隆二十九年重修。寺北稍偏東有關帝廟，又東北半里許，又有寺亦名慶壽，有明崇禎間重修寺碑。寺院册。舊聞考：慶壽寺中有明崇禎間重修寺碑記，叙寺名原委，與諸書相同。又稱射所中有殿宇，祀北極、關帝，西爲庫藏，歲戊寅修廢補缺，於庫中得石刻，上鐫帝君聖號，遂捐貲遷奉，乃建此寺。是慶壽寺地本宏廠，頽廢已久，今前後兩寺，皆非其舊，特以雙塔尚存，而地仍遺址，故兩寺雖後來重建，均得存慶壽之名耳。

保安寺，舊名半藏寺，爲元義僧駐錫之所，元至正間建也，在地安門外，宛平縣東。寺爲元僧義佛駐錫之所，元至正間建，内有元至正年碑，碑稱師早膺祖印，定慧不羣，人羡所居，名半藏焉。至正七年，其徒智存，奉狀徵銘，丞相布哈奏請賜額義利。舊聞考四十四。按：元宰相名布哈者二十餘人，此碑所載至正七年布哈丞相，以元史宰相表考之，乃博爾濟布哈也。明嘉靖中重修，改名保安寺。東有嘉興寺，咸豐十一年爲通商議事之所，其地距恭親王府一里許也。後設通商衙門，遂撤。又東卽宛平縣，又半里許有興化寺，寺内有明嘉靖等年重修碑四。寺院冊。

藥王廟，在地安門外積水潭西偏。

廟乃明天啟中魏忠賢所建也。廟之東有橋，名西步糧橋，玉河水由此入。詳水道。舊聞考四十四。成德淥水亭雜識：廟成時，帝加奬諭，賜賚甚厚，當年必有豐碑，而今無片石，蓋爲人所踣矣。廟旁有碑座一，應卽魏閹所立。

賢良寺，在東安門外冰盞胡同。

寺舊在東安門外帥府胡同，本怡賢親王故邸，捨地爲寺，雍正十二年建，世宗賜名賢良寺，御撰碑文。乾隆二十年移建于此，高宗御書心經塔碑勒石于寺。一統志。

成壽寺，明内監夏時所建也。在東安門外椿樹衚衕。

明太監夏時所建，時有弟詔封翊教禪師敕住此寺，成化元年建，有成化敕建碑。又萬曆癸丑重修碑，詹事葉雲舉記。舊聞考四十五。

法華寺，明璫劉通、劉順捨宅立也，在東安門外豹房衕衕。

明景泰中，太監劉通、通弟順舍宅爲寺。山門内左、右鐘鼓樓，正殿額曰大雄殿，殿外穹碑二，皆明成化七年所立，一、敕賜法華寺碑，一、德聚和尚事實碑。又萬曆年間碑一，天啟中重修碑一，又本朝乾隆四十三年德悟和尚事實碑一，又一碑未詳年月，其文略言：寺建至今三百餘載，真如禪師梵修清靜，見寺近頹敝，苦心修葺，戊寅圓寂，立此貞珉，述其功德。則亦爲乾隆年間立也。碑陰刊曹洞宗派四字，正殿後爲毘盧殿，殿宇軒敞，庭中雜蒔花木。寺院冊。又東安門外稍北，燈市口大街東，有二郎神廟。舊聞考四十五。國朝康熙三十五年重修，有倉場侍郎石文桂撰碑記。寺院冊。碑略云：據道書稱，二郎神爲清源真君，唐貞觀二年創廟于此，宋元祐二年重修。按：碑文稱廟創于唐，修于宋，不知所據，且宋哲宗元祐二年，爲遼道宗大安三年，不曰遼修，而曰宋修，事恐未核。

隆福寺，明景泰中所建也，在崇文門北大市街之西北，今其地稱隆福寺街。

明景泰三年，太監興安用事，佞佛甚于王振，請帝於大興縣東大市街之西北，建大隆福寺，費數十萬。綱目三編十一。以太監尚義、陳祥、陳謹，工部左侍郎趙榮董之，四年三月工成。明景帝實録。明徐學聚典彙：隆福寺成，車駕擇日臨幸，有司已除道。太學生濟甯楊浩上疏言：陛下即位之初，首幸太學，海内之士，聞風快覩。今乃棄儒術而崇佛，豈可垂範後世耶？儀部郎中章綸亦言：以萬乘之君，臨非聖之地，史官書之，傳之萬世，實累聖德。上覽疏，即日罷行。寺之嚴壯，與興隆並，明史一百六十四。興隆寺見上。三世佛、三大士處殿二層、三層，左殿藏經，右殿轉輪，中經毘盧殿，至五層，乃大法堂。帝京景物略。春明夢餘録：大法堂石欄，乃南内翔鳳殿物，撤用於此。雍正元年重修，有世宗御製碑文。又明碑一，爲景泰建寺記。逢月之九、十日，有廟市，至今爲諸市之冠。戴璐藤陰雜記。

慈雲寺，在崇文門東城角，泡子河西。

寺明萬曆六年建，内有明建寺碑記，字已損缺。順治十年重修，俗稱爲十方院。今大殿已毁，其第四層爲藏經閣。寺距貢院不及一里，每逢鄉、會試年，寺僧以第三層東、西屋賃作考寓。寺之東有吕公祠，明成化初建，萬曆甲寅，敕賜護國永安宫。相傳乞夢有驗。今祈仙方者，香火不絶。住持卽於祠東小屋開設藥鋪。祠之南爲太清宫，明建，今廢，明顧起元撰碑記尚存。祠北卽觀象臺，臺西北卽貢院。貢院西觀音寺胡同，有靈藏觀音寺，明正統十一年重修，天順元年改名靈藏，寺院册。舊聞考：今名靈藏觀音寺，寺内有藤胎海潮觀音像一，相傳明時出之内府者。有明碑一，編修陳文華撰文。舊聞考四十八。

智化寺，在朝陽門内禄米倉東。

寺正統間太監王振建，天順元年四月，復王振官，並賜振碑文，立旌忠祠於寺内，塑像祠之。舊聞考引明武宗實録。

本朝乾隆八年，毁像及碑，御史沈廷芳奏請也。其寺西有武學，久廢，存石獅二，云卽武學遺址。舊聞考四十八。藤陰雜記：智化寺近舉場，章湖莊銓詩云：寥落緇流在，低徊舊道場。寺從天順建，敕賜佛經藏。忠藎遺閹寺，摧殘甚漢唐。鐵牌誰滅迹？成祖首遺殃。正統初嗣立，刑餘未煽張。中宫崩太后，内閣失三楊。持柄惟王振，膺城欠李綱。乘輿淪土木，烽火入邊牆。幸是天人佑，全無矢石傷。童謡符雨帝，社稷賴郕王。少保勛勞楙，元戎戰績彰。奪門忘手足，復辟念貂璫。忽謂忠誠著，宜令廟貌莊。毘盧侈像設，金碧極輝煌。殄瘁端因此，貽謀遂不臧。南牙成水火，北寺總朝堂。禍至上公魏，凶踰西廠汪。錦衣蔭弟姪，緹騎偏蘇杭。更歎生祠建，先於聖廟旁。初時聞近輔，延蔓及遐方。要典春秋比，閹人左魏當。門懸宸賜額，爐爇尚方香。開府乾兒輩，中涓義父行。應山先斃獄，廷弼續追贓。赫矣思宗立，于焉逆案詳。縱加奸黨戮，無補國家亡。女謁須嚴絶，閹人必慎防。如何令宦侍，甘使蔑王章。此寺人憑弔，前朝事渺茫。兩碑俱没字，萬佛自迴廊。遺像今消歇，層樓漸廢荒。子孫忘法守，先見服高皇。

維摩庵，在小雅寶衚衕。

明成化四年勅建，有敕建碑。據萬曆沈志。又萬曆三十八年重修碑，左光斗撰。舊聞考四十八。

報恩寺，在驢市衚衕街北。

不知何時創建，明天順元年更寺名曰昭寧，大學士李賢撰碑，周篔析津日記。碑已無考，寺門内有大鐘一，上鑄昭寧寺三字。其西廊今爲常寧寺，有小鐘一，上鑄報恩寺三字。是始稱報恩，而後改名昭寧者，卽其地矣。舊聞考四十八。明王嘉謨薊邱雜抄：成化丙戌，進士三百五十二人，永豐羅公倫以建言出爲市舶提舉，蘭谿章公懋、莆田黄公仲昭、江浦莊公昶以諫燈市獲罪謫外，越十年，在京師者百人，會於報恩寺，華亭張公弼作同年會誠，載東海集中。寺于天順元年更名昭寧矣。而張公文猶循其舊稱也。

大慈延福宫，在齊化門大街北。

明成化十七年敕建，奉天、地、水府三元之神，趙吉士寄園寄所寄録。有明成化御製碑，寺院册。按：碑稱：經始於成化辛丑，越明年而落成。又正德十一年，封延福宫住持嚴大容真人制碑，又嘉靖四年重修碑，徐階撰。順治初，聚滿漢子弟，教學於斯。十年，國子監祭酒單若魯勒碑紀之，乾隆三十六年奉敕重修，一稱三官神廟，有御製碑文。舊聞考四十八。

永豐禪林，明太監阮通時奉勅建也，在燒酒衚衕。

本名永豐觀，景泰五年，太監阮通時奉勅建。明碑二，一、成化三年户部尚書薛遠撰，

一、正德六年重修，禮部侍郎李遜學撰。舊聞考四十八。

慧照寺，明僧庭佑所立，今其地名慧照寺衚衕。

寺爲明永寧伯譚氏故宅，成化辛丑，僧庭佑得之，闢爲焚修之所。太監閻興奏聞，賜額，有宏治十年碑在寺中。舊聞考四十八。

廣慈寺，與慧照寺相近。

本名觀音寺，明天順三年重建，有明敕賜觀音寺碑。乾隆元年，奉敕重修，改今名。舊聞考四十八。

福安寺，在瓦岔衚衕。

寺始於元至正間，厥後惟存大殿一區。明永樂中始搆精舍數楹，宣德七年興修，至正統癸亥落成，奏賜今額，有碑一，明正統八年左通政陳恭撰。舊聞考四十八。

正覺寺，在崇文門北東四牌樓八條衚衕。

寺爲明正統十年建，有敕建碑。萬曆沈志。又相近舊有大覺寺，久廢。舊聞考四十八。耶律楚材大覺寺碑：遼重熙、清寧間，築義井精舍于開陽門之郭，傍有古井，清涼滑甘，因以名焉。金天德三年，展築京城，仍開陽之名爲其裏。大定中，僧善祖營寺，朝廷嘉之，賜額大覺。貞祐初，天兵南伐，兵火之餘，寺舍悉爲居民有之。戊子春，宣差劉從立與其僚佐高從遇輩，請奧公和尚爲國焚修，因草元爲禪奧公罄常住之所，有續換寮舍。瑞像殿之前，無垢淨光佛舍利塔在焉。幾什。提控李德，至是施財完葺。繼有提控晉元者，施蔬圃一區于寺之內，以給衆用。庚寅冬，劉公以狀聞朝廷，請以招提院所貯餘經一藏，遷于本寺安置，許之。于是創建壁藏，斗帳龍龕，一週凡二十架，飾之以金，繢之以彩，計所費之彩，白金百笏，既成，請湛然居士爲記。

承恩寺，明太監馮保奉敕建也，亦在東四牌樓北八條衚衕。

司禮監太監馮保，貿地于都城巽隅居賢坊，故太監王成住宅，特建梵刹，外爲山門、天王殿，左、右列鐘、鼓樓，中爲大雄寶殿，兩廡爲伽藍祖師殿，後爲大士殿，左、右庫房、禪堂、方丈、香積、僧房凡九十五，寺成，官僧人志善爲僧録司左善世以住持之，而賜名曰承恩。工始於萬曆甲戌，告成于乙亥。據張居正敕建承恩寺碑。

元寧觀，在南玉河橋東。

寺内有明碑二：一、明天順四年，編修陳鑑撰；一、隆慶辛未，嚴州府知府郭九疇撰。其寺西有三官廟。舊聞考四十九。又玉河之北，臨河有伽藍寺，寺内有鐘一，上鑄火藥局三字，寺即明設火藥局地也。舊聞考三十九。

保安寺，明正德間所立，在宣武門内象房橋，其地名保安街。

寺明正德間建，正德八年四月，令大興、宛平二縣撥佃户二十於護國保安寺，以供灑掃。是時，上誦習番經，崇尚其教，被服如番僧，演法内廠。保安寺大德法王綽爾鄂特色爾，出入豹房，與諸權貴雜處。嘉靖二年，寺改爲燕山府軍等衛所。明武宗、世宗實録。

真如寺，古刹也，在頭髮衚衕。

寺北向，以其背象房而立也。建於遼保寧，蜀僧真如募化，故名曰真如。在元季爲定力院。燕都游覽志。正統十三年，蜀僧常宗重修。萬曆三十年，蜀僧明傳重修，有黃輝撰碑。舊聞考四十九。諭德黃輝重修真如寺碑云：茲寺建于元保寧年間，我眉僧真如募建，故即以真如名之。明正統十三年，蜀僧常宗修，今僧明傳復修，三僧皆蜀人，亦異事也。按：保寧，遼年號，作元，誤。乾隆四十年，僧德如重修。舊聞考。

石鐙菴，本唐寺，舊址在猪尾衚衕。

庵本唐吉祥寺故址。元泰定間修，明萬曆丙午重修，改名石鐙菴，蓋修時於地掘得石鐙，上刻唐人所書心經。萬曆中，翰林黃輝、陶望齡集搢紳於此放生。春明夢餘錄。舊聞考：石鐙菴今非其舊，寺中有石香爐一，云即舊傳石鐙，然爐上亦無鐫刻心經，決非舊物。惟有碑一，漫漶不可讀。碑陰尚存吉祥寺三字。其東有承恩寺，寺址即古雪堂，爲戒壇下院，明憲宗敕賜知幻禪師，以戒律開山。燕都游覽志。本朝康熙年間燬于火。僧智性于康熙五十四年重建，後殿三楹，東廊房三楹。乾隆十二年，僧德明重建，前殿三楹，又西廊房三楹。舊聞考四十八。

鷲峰寺，本唐刹，在宛平縣西，城牆畔。

唐淤泥寺，即今鷲峰寺。鷲峰者，唐僧之號也。見唐人石刻心經中。春明夢餘録。寺内栴檀佛像，高五尺許，色近沉碧。萬曆中，慈聖太后始傅以金。帝京景物略。康熙四十年，奉敕移奉宏仁寺，别以銅範如來像還供本寺。寺一名卧佛，以有卧佛得名也。乾隆二十六年重修，有御製碑文。其寺東有圓通禪林，舊名圓通菴，殿中有崇禎甲戌吴士雲水塘菴記。

寺北卽都城隍廟。詳祠祀。舊聞考五十。

法光寺，初名蠟燭寺，明舍飯寺也。今其地名舍飯寺衚衕。

初名蠟燭寺，又名舍飯寺。唐時京城禁丐者，分置病坊於諸寺以廩之，亦謂之悲田院。于愼行筆麈。卽今蠟燭寺與幡竿寺，明亦爲收養窮民之所。順治十六年重修，有碑。舊聞考五十。李光斗法光寺碑略：禁城之西里餘，有古刹一，考其鐘銘，寺曰蠟燭，亦曰法光，明季常舍飯于此，故又謂之舍飯寺。

石佛寺，在磅柴衚衕。

寺爲元安御容之所。采訪册。元祭祀志：至元十五年，命承旨和爾果斯寫太祖御容。十六年，復命寫太上皇御容，俱置翰林院，春秋致祭。泰定四年，造影堂於石佛寺，未及遷。後至元之六年，翰林院言：三朝御容，祭所甚隘，於石佛寺新影堂奉安爲宜。中書省奏：此世祖定制，當仍其舊。報可。又順帝紀：元統元年正月立司禋監，奉太祖、太宗、睿宗三朝御容于石佛寺。按：元史祭祀志與順帝紀所載甚歧。順帝年號，初曰元統，元統止二年，仍改爲至元，卽祭祀志所稱之後至元也。至元之六年，實順帝之第八年。何以元統元年既奉御容于石佛寺，而後至元六年又來翰林院之言？且據中書省世祖定制等奏，則又未遷奉矣。惟司禋監既立于元統元年，則其安御容於寺中，又似有據。寺有碑，剥落不可讀。先，寺僧掘地得石佛一，乃彌勒像也，寺蓋由此得名。舊聞考五十。

能仁寺，元刹也，在兵馬司衚衕。

寺本元延祐六年崇祥院使普覺圓明廣照三藏法師建，明洪熙元年賜額曰大能仁寺，正統九年重修，有胡濙碑記。寺院册。胡濙重修大能仁寺碑記：京都城內有寺曰能仁，實元延祐六年開府儀同三司崇祥院使普覺圓明廣照三藏法師建造，逮洪熙元年，仁宗昭皇帝增廣故宇而一新之，加賜大能仁之額，命圓融妙慧淨覺宏濟輔國光範衍教灌頂廣善大國師智光居之。其殿堂樓閣，高明宏壯，惟四天王殿頹圮弗稱。正統八年冬，少監孔哲重新修蓋，並塑四天王像。正統九年甲子七月立。

顯靈宮，明建，崇奉薩真人及王靈官也，在四眼井，其舊門亦在兵馬司衚衕。宮建於明永樂中，初名天將廟，奉薩真人及王靈官。宣德中改爲火德觀，封薩真人爲崇恩真君，王靈官爲隆恩真君。成化初，又改觀爲宮，加顯靈二字。倪岳青溪漫稿。春明夢餘録：倪文毅岳疏言：永樂中於禁城西建天將廟及祖師殿，宣德中改廟爲火德觀，封薩真人爲崇恩真君，王靈官爲隆恩真君，又建一殿，崇奉二真君，左曰崇恩殿，右曰隆恩殿。成化初年改觀爲宮，加顯靈二字，遞年四季更換袍服，三年一小焚化，十年一大焚化，又復易以新製珠玉錦綺，所費不貲。每年萬壽聖節、正旦、冬至及二真君示現之日，皆遣官致祭，其崇奉可謂至矣。今就其言議之：薩真人之法，因王靈官而行；王靈官之法，因周思得而顯。其法之所自，皆宋徽宗時林靈素輩之所傳，一時附會之説，淺謬如此，本無可信。況近年附體降神者，乃欽發充軍顧玒、顧綸之父子，其爲鄙褻尤甚，往年禱雨祈晴，杳無應驗，則其怪誕可知。但經累朝創建，一時難便廢毀，所有前項祭告之禮，俱各罷免。其四時袍服，宜令本宮住持並庫役人等於每年應換之日，仍會同道籙司掌印官照舊依期更換，如法收貯，不必焚化，永爲定例。伏乞敕内府衙門，以後袍服宜令本宮住持製造。如此，則國用不至於妄費，而邪術可以少貶矣。又建彌羅閣，嘉靖中復建昊極通明殿，東輔薩君殿曰昭德，西弼王帥殿曰保真，春明夢餘録。雷禮大政紀：嘉靖三年二月，營龍虎殿於顯靈宮，以供奉真武。殿額俱燬，嘉靖三年告祭碑二並存。乾隆二十二年重修，殿宇宏整，周以石欄，有老松六，虬枝屈曲，蓋數百年物也。舊聞考五十。

宏慈廣濟寺，爲金西劉村寺舊址，在歷代帝王廟東。西劉村寺，金時劉望雲建，明天順初，僧普惠因其址重葺之，尚衣監太監廖屏以聞，賜額曰宏慈廣濟寺。宏慈廣濟寺志。按：碑稱天順丙戌，丙戌爲成化二年，非天順矣，豈寺志譌刻耶？萬曆癸未，彭城伯張守忠、惠安伯張元善重修，寺東望西安門，西接平則門帝王廟，南鄰甘石橋萬松老人塔。舊聞考五十一。塔在民居中，原額無存，乾隆十八年奉敕重修，級仍舊制，塔尖則加合者也，北近大街，寺基二十畝。宏慈廣濟寺志。康熙三十八年，奉敕重修。御製碑文勒石殿外，並臨米芾觀音讚，乃滲金釋迦、觀音、普賢像賜寺中。舊聞考。寺又有金佛像，廣濟寺志。康熙九年，高珩重修金佛像碑記云：宏慈廣濟寺，帝城古刹也，兵燹以來，漶漫剥落，工部尚書巡撫畿輔捷軒王公太夫人劉氏，捐資鼎新之，下至法筵供器，一切燦然。又栴檀佛，寺新志。湖州嚴我斯栴檀佛記略：康熙中，王國弼與其弟國臣得栴檀香高數尺，寶而藏之，江南劉拱北良工也，爲刻佛像，三年像始竣，以辛酉之冬，迎入廣濟寺供養，是年十月三十日，聖祖臨幸，解白帨縣像左臂焉。又乾隆十二年，臨幸茲寺，製詩一首，勒石殿西。舊聞考五十一。

妙應寺，遼白塔寺舊址也，在阜成門街北。

寺爲遼白塔寺舊址。塔舊在寺右偏，遼壽隆二年，爲釋迦佛舍利建。內貯舍利戒珠二十粒，香泥小塔二千，無垢淨光等陀羅尼經五部。元至元八年，世祖發視石函、銅瓶，香水盈滿，色如玉漿，舍利堅圓，燦若金粟，前二龍王跪而守護，瓶底獲一銅錢，上鑄至元通寶四字。帝后閱之，愈加崇重，卽迎舍利，崇飾斯塔，角垂玉杵，階布石欄，簷掛華鬘，身絡珠網，制度之巧，蓋古今所罕有矣。蔣一葵長安客話。宛平王志：凡塔下豐上鋭，層層筍拔也。白塔獨否，其足則鋭，其肩則豐，如膽之倒垂然，肩以上長項矗空，節節而起，頂覆銅盤，盤上又一小銅塔，塔通體皆白。十六年，卽其地建大聖壽萬安寺，設影堂。舊聞考五十二。元世祖紀：至元十六年，建聖壽萬安寺於京城。二十五年四月，萬安寺成，佛像及窗壁皆金飾之，凡費金五百四十兩有奇，水銀二百四十斤。二十六年七月，幸大聖壽萬安寺，置栴檀佛像。元英宗紀：至治元年七月，奉仁宗及帝御容于大聖壽萬安寺。元文宗紀：天曆元年十月，幸大聖壽萬安寺，謁世祖、裕宗神御殿。元祭祀志：世祖帝后影堂，在大聖壽萬安寺，裕宗帝后亦在焉。世祖影堂藏玉册十有二牒，玉寶一鈕。元五行志：至正二十八年六月甲寅，大都大聖壽萬安寺災，是日未時，雷雨中有火自空而下，帝命百官救護。惟東西二影堂得免。此寺舊名白塔，自世祖以來，爲百官習儀之所，其殿陛欄楯，一如殿廷之制。成宗時置世祖影堂于殿之西，裕宗影堂于殿之東，月遣大臣設祭。明天順元年，賜額妙應寺。燕都游覽志。康熙二十七年修寺與塔，有御製碑文二，立石殿庭中。乾隆十八年重修，御書般若波羅密多心經一卷，及梵文尊勝咒，並賜大藏真經全部七百廿四函，以爲塔之鎮。又製修妙應寺文，與修白塔銘勒石七佛殿庭中。四十一年，奉敕又修，寺僧藏有御製滿、漢、蒙古、西番合璧大藏全咒十套，西番首楞嚴經一分，維摩詰所説大乘經全部。舊聞考五十二。其寺西有宏慶寺，舊名黑塔寺，在冰窖胡同，元時所建。明正統二年，成國公朱勇、修武伯沈清新之。正統八年賜額，有二碑：一、胡濙撰，一、張益撰，均正統十四年立。據胡濙宏化寺碑。按：草場口有萬佛寺，亦呼黑塔，其胡同名亦名黑塔寺胡同，然寺已無塔，亦別無碑碣可考見，不知何以沿其稱也。又有青塔寺，創自元延祐間，有萬曆三年張一桂重修寺碑，略云：青塔寺者，卽勝國時敕建大永福寺也。稍東爲白塔禪寺，相距里許。天順、成化中，嘗再新之，迄今殿宇僅存遺址。僧佛寶以興復爲己任，太監王喜等捐貲助之，工始于隆慶壬申，訖於萬曆乙亥，在阜成門四條衚衕。舊聞考。按：兩寺相距里許，然皆無塔，亦皆無寺額，獨各有碑可考耳。

聖祚隆長寺，明萬曆間所立，在西四牌樓報子衚衕。寺明萬曆四十五年敕建，有碑，沈進行國録。按：行國録稱漢經廠外廠聖祚隆長寺，是今之報子胡同，明代亦設經廠于其地，以地安門内有漢經廠，故此曰外廠。碑今無存，乾隆二十一年修。舊聞考五十二。

翊教寺，古刹也，在西城河漕西。

寺相傳始于宋時，明成化八年重修，嘉靖三十一年，司禮太監焦忠又修。萬曆五年，僧心宗募修之。今爲戒壇下院。其西又有普安寺，明初建，嘉靖甲子，司禮太監黃錦重修，有徐階撰碑。萬曆間，慈聖太后發帑重葺也。（舊聞考五十二。）又有萬曆三年葛守禮撰碑。（寺院册。周篔析津日記載有李賢、董份二碑，今李賢碑已佚，董份碑詞甚鄙俚，且份誤作汾，乃後人僞託。）

寶禪寺，元普慶寺舊址也，亦在河漕西，今其地名寶禪寺衚衕。元至大元年立大承華普慶寺，（元百官志。元仁宗紀：至大四年十月，賜大普慶寺金千兩，銀五千兩，鈔萬錠，西錦綵緞、紗羅、布帛萬端，田八萬畝，邸舍四百間。皇慶二年七月，賜普慶寺益都田百七十頃。）爲裕聖太后報德作也，（元姚燧普慶寺碑。）又爲安御容之所。（元史。元英宗紀：至治元年二月，作仁宗神御殿於普慶寺。泰定帝紀：泰定元年四月，作昭聖皇后御容殿於普慶寺。八月，遣翰林學士承旨鄂齊爾祀太祖、太宗、睿宗御容于普慶寺。）明成化六年，內官麻俊卽寺基復建，賜額寶禪。（舊聞考五十二。蓟邱雜抄：寶禪寺在崇國寺之街西，卽元大承華普慶寺也。成化庚寅，供用庫內官麻俊買地治宅，掘土得趙承旨碑，始知爲寺基，乃復建，佛殿、山門、廊廡、廚庫悉具。聞于朝，改賜額曰寶禪寺。寺既改額，趙承旨碑廢不復存。）本朝康熙、乾隆年間重加修葺，寺內有明尚書萬安、學士彭華、尚書甘爲霖三碑，又康熙年間大學士明珠、乾隆年間大學士公傅恆先後修葺立碣，以紀其事。（舊聞考。）

正覺寺，舊名正法，明建也，在寶禪西。本名正法寺，明時敕建，有碑。（明順天志。）乾隆二十一年，官因其舊修葺之，改額曰正覺寺，有明孝宗、武宗二碑，爲內官黃高立。（舊聞考。）

朝陽菴，在阜成門内玉帶衚衕。寺創於遼。明嘉靖二十年重修，有碑云：正德戊寅，寺獲石佛一，又尊勝咒幢一，上刻開皇年號，曰朝陽寺云云。今石幢猶存庵中。幢二面正書，六面梵書，其正書第二行曰：爲宛平口西關人。按遼史，開泰二年改唐幽都縣爲宛平縣，今幢有宛平字，其爲遼時物無疑。舊聞考五十二。

十方禪院，唐北留庵遺址也，在西直門小街。院相傳爲唐北留庵。萬曆初，有大力者奪之，于時五臺陸公捐資首倡，歸其直，堂其址，畚築之餘，得殘碑尺許，有貞觀年月，及北留寺記等字，然後知其爲唐寺也。燕都游覽志。碑今無考。土人亦呼爲彌勒菴。其相近南小街扒兒衚衕，有妙清觀，正統十年，太監陳日新以所居宅施爲五華觀下院。景泰二年賜額，並予官料，以助興作，始於景泰三年五月，落成于六年十一月，燬於崇禎十一年安民廠火藥局災，今存殿三楹。舊聞考五十二。

廣濟寺，明建，在西直門内新街口。明正德九年，爲僧梅樂禪師敕建，有碑二：一、沙門大勛撰，一、梅樂禪師小傳，都穆撰，吴寬跋。其附近有祝壽寺，亦稱響鈴寺。舊聞考五十一。

崇元觀，明建，在西直門大街。

明太監曹化淳建，俗名曹公觀。一統志。觀門去通衢數十武，綽楔表之，上有三界聖境四字，有舊碑一，漫滅不可讀。乾隆二十三年重修，御製詩立碑庭中。舊聞考五十二。

護國寺，舊稱崇國，元僧定演建也。在今西四牌樓大街東，其地稱護國寺街。

舊稱崇國寺，元僧定演所建。定演俗姓王，三河人，七歲入大崇國寺，事隆安和尚。元世祖時，賜號崇教大師。至元二十四年，別賜地大都，乃興建茲寺，故崇國有南、北寺焉，據趙孟頫崇國寺崇教大師演公碑記。此其北寺也。帝京景物略。按：趙子砥燕雲録稱，奉使官中書侍郎陳過庭、門下侍郎耿南仲並文武官五十餘員，本在真定，丁未八月，遣詣燕山崇國寺安泊，則崇國寺金已有之。蓋南、北二寺，北建自演公，南則金之舊寺，今已迷其處矣。元皇慶、延祐間，復賜鈔經營。據釋法楨重建碑。明宣德己酉，賜名大隆善寺。成化壬辰，賜名大隆善護國寺。正德壬申，敕西番大慶法王凌戩巴勒丹、大覺法王札什藏布等居此。景物略。明英宗實録：番僧有數等，曰大慈法王，曰西天佛子，曰大國師，曰國師，曰禪師，曰都綱，曰喇嘛，俱光禄寺支待。有日支酒饌一次、二次、三次，又支廩餼者，有但支廩餼者。上卽位初，禮部尚書胡濙等議：減去六百九十一人。正統元年五月，濙等備疏慈恩、隆善、能仁、寶慶四寺番僧當減去者又四百五十人。寺爲元丞相託克託故宅，有託克託夫婦像侍立殿中，在千佛殿，一幞頭朱衣，一鳳冠朱衣。又舍利塔二。又有明姚廣孝影堂。廣孝佐成祖靖難首勳，侑享太廟。嘉靖九年，移祀大興隆寺。俄寺災，移此。木主題：推忠報國協謀宣力文臣特晉榮禄大夫上柱國姚廣孝。像露頂袈裟趺坐，上有偈，署獨庵老人題。獨庵，少師號也。景物略。寺內有元至元二十一年聖旨碑，碑陰刻崇國北寺地產圖。大德二年，轉長生藏經記小碣。皇慶元年崇教大師演公碑，趙孟頫撰並書。至治元年，看轉大藏經長供記小碣。至正十一年重修碑，釋法楨撰，侍郎葛禋書。至正十四年敕諭碑。又二十四年證慧禪師傳戒碑，危素撰並書。又明宣德十年大國師巴勒丹札什壽像碑。又成化八年敕碑。又十七年敕建護國寺看誦藏經碑。又天順二年二碑，其一、西天大喇嘛桑噶巴拉行實碑，其一、大國師智光功行碑。又正德七年敕碑，又梵字碑二。又嘉靖二十二年，藏布嘉勒燦承繼祖傳住持碑。本朝康熙六十一年重修，有御製碑。又乾隆十二年臨幸，有御製護國寺詩。每月逢七、八日有廟市。寺院冊。

正覺寺，明太監韓諒賜宅也，今其地名正覺寺衚衕。

明成化四年，御馬監太監韓諒賜宅一所，在宛平縣發祥坊，施於善人鄭道明，于成化三年春創建佛殿、天王伽藍殿、僧房三十餘間，義井二。韓諒奏聞，敕賜正覺禪寺。五城寺院冊。有修撰陳鑑撰碑。舊聞考五十三。

淨業寺，在德勝門西。

寺西爲智光寺基址，燕都游覽志。寺門臨水，岸去水尺許，明水軒日記。其湖或以寺名爲淨業湖，游覽志。卽積水潭也。潭之東，卽德勝門。潭上有滙通祠，舊名鎮水觀音庵，乾隆二十六年改建，賜今名，高宗御製詩碑立庭中。潭之東南有金剛寺。舊聞考五十三。景物略：金剛寺卽般若庵也，背湖水，面曲巷，舊有竹數叢，小屋一區。萬曆中蜀僧省南大之，前立大殿，後建高閣，寺西廡石刻金剛經，署宰官名，倩人筆也。士大夫看蓮北湖，每一憩寺中。寺西廡舊有石刻金剛經，今無存，惟有碑二：一、姚希孟募緣疏碑，一、順治十年高去奢碑。寺後有興隆禪林，舊稱興德古刹。左傍地俱售之般若庵，逼仄不能容步。右傍多僧舍，修篁緑籜，叢木青柯，相望楚楚。後有平臺，大可畝許，解帶臨風，開襟敵水，固不減在濠濮間也。燕都游覽志。又淨業寺西有太平庵。又其東南有銀錠橋，橋南灣有海潮觀音寺。舊聞考。

圓甯寺，元刹也，在今羊管衚衕。寺元時建，以僧圓甯得名，寺内尚存元時石碣。今寺額作元甯者，乃書額者未之考耳。明嘉靖十五年，僧朽庵宗林重修，有碑。其相近者，有報恩寺，有明成化二年碑，修撰嚴安禮撰，寺内有井，元翰林待制黄尋殉節所也。舊聞考五十四。何孟春餘冬序録：洪武八年八月，天兵定燕都，危學士素走報恩寺，俯身入井。寺僧大梓挽出之，謂曰：國史非公莫知，公死，是死國之史也。危由是不死。翰林待制黄殷士尋投居賢坊井中，從人張午負以出，曰：君小臣而死社稷耶？黄曰：齊太史兄弟皆死，小官，彼何人哉！午使家人環守，至日昃，會大將軍徐達下令，勝國之臣俱輸告身。黄給午取告身，午出，還求勿得，亟往視井，則黄已死。午買棺以斂，且營葬焉。又萬善寺亦在羊管胡同，明隆慶三年重修，有碑，趙貞吉撰。舊聞考。

五岳觀，古刹也，其地即以觀名。觀創自宋、元間，明萬曆八年重修，有碑，吏科給事中吴文燦撰。寰宇通志作宣德年建，誤，今觀已圮。五城寺院册。

柏林寺，元刹也，在安定門内國子監東。

寺建於元至正七年，有殘經幢，字泐在佛閣西。明正統十二年重建，有碑，祭酒李時勉撰。其地傅近雍和宮，其寺西爲行宮。康熙五十二年，奉敕修。寺正殿内聖祖御書萬古柏林四字。乾隆二十三年重修，有御製碑二：一國書，一正書。舊聞考五十四。

慈壽寺，古刹也，在安定門新橋路北。寺初名開元，又名惠明，唐建。宋、元以來，疊次修治。明宣德初再造。天順四年，僧定慧請名，敕改惠明，有天順四年敕賜惠明寺碑，趙昂撰。舊聞考五十四。碑略云：開元寺住持定慧，以寺名請，謂寺創自唐開元間，歷宋、元以至明宣德初再造，越數歲而成功，寺因舊號未遂改正，乞賜新名，遂賜今名。又有正統十年開元寺興造碑記，國子司業趙琬撰。乾隆元年敕修，改名慈壽寺。寺東有寶公寺。又東爲東藥王廟，有明萬曆年間碑。又安定門街東有極樂寺，元至元間建，明嘉靖辛酉重修，行人司尹校撰碑。舊聞考。按：西直門外高梁橋西，亦有極樂寺，通志亦稱元至元間建，是有兩極樂寺矣。

圓恩寺，元刹也，在圓恩寺衚衕。寺爲元至元間建，萬曆沈志。有碑二，剥落不可讀。寺西有廣慈庵，庵内碑碣有建立十方院，圓恩是比鄰之句。舊聞考五十四。

淨因寺，舊名法通，在北鑼鼓巷法通寺街。寺原名法通，建於元至正間。明成化丁酉復建，堂三間，曰淨業。宏治十二年，學士汪諧爲之記。又修於萬曆四十年，有主事劉應詔撰碑。本朝康熙四十四年重修，改名淨因，侍讀學士查昇撰碑記，殿外額曰淨因寺，殿内額曰拈花正教，皆聖祖御書。其相近有淨土寺，在淨土寺胡同，寺内有明嘉靖二十二年碑。舊聞考五十四。

萬甯寺，元刹也，在地安門北，鼓樓東偏。

元大德九年二月乙未，建大天壽萬甯寺，元成宗紀。後以安成宗御像者，析津日記。元史：泰定四年五月，作成宗神御殿於天壽萬甯寺。舊有穹碑二，析津日記。碑長各二丈餘，西一碑國書，不可讀。東一碑歐陽原功文，張起巖書，姚慶篆額，題曰：成宗欽明廣孝皇帝作天壽萬甯寺神御殿碑。明碑四：一爲馮祭酒夢禎文，一爲焦太史竑文，析津日記。今存焦竑一碑。又相近有清虚觀，在舊鼓樓大街，内有明景泰五年胡濙撰碑。稍西爲大石橋，有雙寺，東曰嘉慈，西曰廣濟，明成化間建，萬曆中修，有碑五。又有廣福觀，在鼓樓斜街，有碑一，已仆，上刻天順敕命，下刻成化誥命，蓋當時道録司也。舊聞考五十四。

慈善寺，在鼓樓大街路東。

莫詳所始。寺内有明萬曆十四年頒賜藏經並敕諭一通，又碑一，通政司李琦撰。又高公菴胡同有慈隆寺，明萬曆二十二年太監高勳建，人呼爲高公菴，地亦因之得名，内有朱國祚撰碑。舊聞考五十四。

大覺寺，在地安門萬甯橋北，街東。

莫詳所始。其東偏殿後奉火神，有順治十七年工部侍郎周天成重修廟碑，其西偏中殿奉關帝，後殿奉藥王，有明嘉靖癸亥重修碑，字已漫漶。又有順治辛卯重修碑三。舊聞考五十四。

拈花寺，明爲千佛寺，孝定太后建也，在德勝門北八步口。

明爲千佛寺，萬曆九年，明司禮太監馮保，承太后命特建，內有諸天阿羅漢銅像。據喬應春撰寶像碑。有明碑二：一、長沙楊守魯撰，一、安陽喬應春撰。雍正十一年敕修，賜名拈花寺，有御製碑文。其寺東有妙緣觀，舊爲真武廟，明景泰三年擴而新之，賜名妙緣，內有成化十年修碑二，俱胡濙撰，又乾隆五年重修碑，刑部尚書張照書，又觀中有虛靖真君大道碑，碑陰則沖元亭書養心百字。又寺之南一里，有小千佛寺，即吉祥寺，有紀事碑二，一、嘉靖丙申順天府學生馬經撰，略云：吉祥寺即元之千佛寺也，在都城坎地金臺坊，舊有石刻云：元貞丙申建。至宣德癸丑，凡百三十有八年，因故址而新之，遂爲精藍焉。正統戊午五月，敕賜爲吉祥寺，而俗猶以千佛寺稱之。萬曆九年，另建千佛寺德勝門北八步口，遂稱小千佛寺以別之。舊聞考。

瑞應寺，舊名龍華，明建，在德勝門甕兒衚衕。

舊名龍華，明成化三年，錦衣衛指揮僉事萬貴自創，寺成，疏請寺額於朝，憲宗賜額曰龍華寺。帝京景物略。萬曆五年重修。春明夢餘録。有明碑二：一、僧道深撰，一、萬曆重修碑，金陵朱之蕃撰。康熙五十二年，奉敕改名瑞應寺，石刻聖祖御製文光果詩，又有吏部侍郎湯右曾撰碑。舊聞考五十四。碑云：康熙五十二年三月十八日，爲皇帝六十萬壽聖節，而瑞應寺者，則左都御史揆公祝釐之所也。寺爲龍華寺舊址，公拓而新之，踰年訖工，以其事聞。天子乃錫之嘉名，親灑宸翰，蛟龍岌纏，炳在榜額，又書唐人七字詩，俾張殿柱，以四月七日，於苑西禁廬宣賜，公再拜，捧持而歸，左右莫不動色。右曾時侍直，親覩之也。夏五月閏，廣廷植木，文光果實忽並蒂駢顆，青熒光澤。寺僧因驛騎寄公，時公方扈從塞垣，右曾亦至行在，相顧驚歎，亦爲上甫賜額，瑞卽應之，因爲公賜詩。明日，上命中使取進，俯同原韻，御製一章，傳爲盛事。其寺西有小龍華寺，蓋別於茲寺也。又有三聖庵，在寺西路南，北臨稻田，春明夢餘録：稻田千畝，不減江南。燕都游覽志：南人於此藝水田，粳、秫分塍。西爲十刹海。順治六年，僧徧融創修。徧融卽帝京景物略云萬曆中三藏師也。康熙三十一年重修。又寺後卽佑聖寺，在德勝門大街路北，有明嘉靖九年重修碑，嘉禾張文憲撰，碑稱寺係唐咸通年建。稍東爲壽明寺，有明宏治四年及正德八年重修碑。又德勝門內有德勝橋，橋東不數武，有永泉庵，內有康熙四十四年大學士張玉書撰碑。又東有宏善寺，今其街卽以寺名，明成化七年建，有敕賜碑。又相近有廣化寺，在鴨兒胡同，無碑碣可考。左爲海會庵，右爲興善寺，寺內有崇禎七年太監曹化淳詩碑。又有萬善寺，亦在鴨兒胡同。舊聞考五十四。

外城寺觀

仁壽寺，明仁聖太后所立也，在靈佑宮西。

明萬曆元年，銀牛山行者真玉卓錫於此，内官張朝聞之。仁聖太后遂屬司禮監馮保建，賜額仁壽。析津日記。舊有李廷機、劉效祖二碑，已毀。又山川壇内先農壇南，有觀音寺，明崇禎十四年王應魁建，鑿井施茶水，今井尚存，有編修魯元寵撰碣。又先農壇西有真武廟，明建，康熙十年修，中允左敬祖撰碑。舊聞考五十五。

斗姥宮，在真武廟西。

康熙三十四年建，乾隆二十二年敕修，殿前有碑二：一、侍讀學士查昇書，一、少詹事高士奇書。又山川壇之北有靈佑宮，舊爲十方道院，止一楹，萬曆壬寅始拓爲三楹，名真武廟。越歲癸丑，太監魏學顏闢地數十畝，建閣一，爲請於朝，賜額曰靈佑，殿外有碑二：一、大學士葉向高撰，一、天啟乙丑王紹徽撰。沈進行國録。

崇恩觀，在崇文門花兒市四條衚衕。

元建，名崇恩福元寺，後以安元武宗御容者。元史。元仁宗紀：至大四年十月，敕繪武宗御容，奉安大崇恩福元寺。皇慶元年四月，崇恩福元寺成。祭祀志：武宗及二后爲東、西二殿藏玉册十二牒，玉寶一鈕。兵志：延祐元年閏月，隆禧院官言世祖影殿有軍士守之，今武宗御容於大崇恩福元寺安置，宜依例調軍守衛。舊有碑，按：日下舊聞據姚燧牧菴集，録其所撰碑文。而孫氏星衍京畿金石考稱，元崇恩福元寺碑，歐陽元撰，大德十一年立。元史及姚燧碑文，寺創於武宗至大元年，成於仁宗皇慶元年，不得在大德。金石考疑誤。其相近者，有卧佛寺，一名妙音寺，乾隆三十一年重修。又隆安寺，爲天順間廢刹，萬曆己酉，僧翠林自蜀來，募金修佛殿後堂三楹，曰淨土社堂，列龕五十三，結僧徒念佛，其寺後一閣，崇禎元年僧大爲立也，康熙四十七年重修，有右副都御史劉兆麒撰碑。舊聞考五十六。

華嚴寺，在左安門内三轉橋。

寺始無考，有金天會經幢一，仙露講經論比邱僧圓委建寺，後有明僧塔三，寺久頹圮，光緒二年，僧洗塵重立殿宇。稍西有景福寺，明建，今圮，而寺碑猶存。五城寺院册。

法藏寺，舊名彌陀，金刹也，在左安門内崗子路。

舊名彌陀寺，金大定中立。景泰二年，太監裴善静修之，更曰法藏。帝京景物略。内有彌陀塔，七級，高十餘丈，中空可登，天氣晴時，北望宫闕，黄瓦參差，西觀兩壇，松檜鬱茂，西山黛色，如在簷前，今塔尚存。五城采訪册。有明碑二：一、祭酒胡濙撰，一、沙門道孚撰。道孚戒壇第一代戒師，世人稱鵝頭祖師者也。帝京景物略。

夕照寺，在廣渠門内，育嬰堂東。

寺莫詳所始，其建置年月，亦無碑記可考。謂燕京八景有金臺夕照，此寺之所由名也。趙吉士育嬰堂寺記云：夕照寺，順治初已圮，僅存屋一楹，蓋其來久矣。今殿宇甚完整，殿壁上畫松可觀。五城寺院册。

拈花禪寺，在廣渠門內。

寺即臨朐馮相國溥別業，慕元廉希憲之萬柳堂，效而名之。康熙時開博學鴻詞科，待詔者嘗雅集於此。檢討毛奇齡曾製萬柳堂賦。今其基周圍一頃餘，內有小土山，即昔蓮塘花嶼也。京城古蹟考。毛奇齡萬柳堂賦，有序。萬柳堂者，益都相公馮公之別業也。其地在京師崇文門外，原隰數頃，污萊廣廣，中有積水，渟濸流潦，即鮮園廛，而又不宜於粱稻，於是用饔錢買爲坻場，垣之，壂之，又偃而瀦之，而封其所出之土以爲山，巖陁坱曲被以雜卉，搆堂五楹，文堦碧砌，芄蘭薢茩，蘞蔓於地。其外則長林彌望，皆種楊柳，重行叠列，不止萬樹，因名之曰萬柳堂。歲時假沐於其中，自王公卿士，下逮編户、馬醫、傭隸，並得游讌居處，不禁不拒，一若義堂之公人者。昔都城門外多羣公所置別業，如樊川、金澗、謝墩、韋谷，以及富、鄭公園、田游巖宅之類，並有山亭水榭、魚鳥花。竹之勝，然數傳以後，或存或毀，未必當時爲世通也。今以公所營而較之於昔，不無樸嗇，然而曠澹之懷，與物同之。且去此數里，穿池放魚，豢畜乳婦，而鬻無主之嬰兒，其於游觀自得之外，更有會焉，故其街曰太平，其坊曰隆興，而其途之榜則曰教養，蓋取東南近藉教侯之養之義。至若元時豐臺有萬柳堂，與此地異，雖其名同，非以襲其事也，因爲之賦。若夫城南杜曲，郭內張田，坊名履道，地類平泉。上宰欽賢之館，相公獨樂之園。開丙舍於廣陸，尋午橋之通川。緑野匪伊闕之舊，藍田出輞水之間。豈若謝氏東岡，潘仁西宅，林繞桐園，溪連梓澤。花飛會老之堂，草滿藏春之域。圖竹木於游巖，拾槐枝於季石。安邑之玉杯易碎，永甯之金盞可擲。築日華之館而縻其資，奪沁水之園而減其值。乃若院因起草，巖有退思，星辰相聚，雨露攸滋。谷口賜逍遥之榜，池邊吟醉白之詩。誰不遠企槐堂，近規薇省，閬苑千重，蓬池萬頃。竪三山之亭，倒九柱之景。李下無愧賢之名，竹中有解經之請。喜鳳侶之棲遲，待鸞車之行幸。又況心存公物，道在開濟。仿內府之無闌，效重門之撤備。韓滉作夾廡而更隳，裴垍欲垂簾而無計。總鮮鄺侯垣舍之心，原無陳仲掃除之意。是用經營甌窶，規偃瀦澤。除地町町，築牆橐橐。編棘爲樊，牽蘿作箔。立蘘荷之柱，開金杏之閾。魏勃爲之掃門，陶侃於焉運甓。夸娥之邱，望而可就，愚公之山，移而即得。穿林置放鶴之亭，鑿渚見藏魚之壑。蜀女因照水而屏開，越王將渡溪而屐落。於是徑設朱欄，橋成紅板。雁齒堦長，蹲鴟柱短。天垂汲水之虹，岸接通泉之筧。遂使山髻如螺，峰頭似繖。粉浪冬遥，紅泉春淺。編錢作溝，操琴在磵。巖共壑爲七盤，水隨山而九轉。乃致人疑皇子之陂，客訝鄭公之谷。呼白雁於山阿，泛紅鹽於水澳。在庭有蘭杜之軒，在水有芙蓉之舳。既梁麗以來游，亦柴巾而競逐。錢鏗之斟雉方馨，函鼎之烹雞已熟。燃蚖脂於白水之濱，聽鳥語於青柯之麓。銜杯據王氏之牀，倚檻和燕人之筑。元規當此處而興生，文正且因之以爲樂。然而梁亭之瓜，不分彼我；牛山之杏，無間飽饑。故魯國有行惠之樹，清平畜濟生之池。甯成給陂田，以游以燕；元琰治蔬圃，如取如攜。又況靈囿葯蕘，頗供樵採，芳林草木，可娛心耳。乃有故其爲樹也，以千章之材，爲百年之計。郁郁菲菲，狎獵旖旎。綏山一桃，渤海九李。堦下來禽，林間新雉。擷碧蘺於書帶紅羅館後之梅，碎錦坊南之杏。青門五色之瓜，烏椑八稜之柿。潘家以大谷成名，庾信之小園難比。將欲捋蒲以求仙，何之間，繡緑草於裙腰之裏。笑蘿女之垂釵，留宛童之遺屣。緣巖分竊衣之花，繞砌種摇車之藟。絲絲縷縷，或結或舒。參止拔茅而進士？又況東門之楊，其葉湑湑；漢宮垂柳，千株萬株。長條短幹，茀鬱依紆。彭澤之家園盡蒔，武昌之天蹤地，旁苑臨渠。如帷如幔，一區兩區，行列成門，蓬童似廬，低堪擊馬，深可藏烏。官道皆除。葉葉蔽長康之目，條條染李子之裾。張緒之當年，無時不見，王公之春月，何地能渝？是固合平邱之種，而不加其盛，增永豐之植，而轉見其疎！況乎藿谷殊名，樫河異地。南垞之浪難平，官渡之城未閉。章臺失眉嫵之青，楚苑嘆宮腰之細。節度移振武而驚其成林；司馬過金城而羞其破涕。又況春半飛花，日長飄絮。灎灎池塘，漫漫江路。雉喞藥以爲童，鳩裝綿而逐婦。釀酒來蠻女之思，點袂起貴嬪之妬。雖復種移郎省，賦試貢士。接九列之衢，望三衢之市。猶且徘徊緑天，淪漣碧沚。塞谷相望，宫牆遥倚。青眼垂來，黄鶯唬起。枝著雨而低迷，葉迎風而披靡。恍淑氣之移人，攬遥情而自喜。置身冥柏之鄉，曠望熊山之阯。離塵垢之紛紜，與天地爲終始。因錫之以嘉名，渺躊躕而不已。朱彝尊萬柳堂記：度隙地廣三十畝，爲園京城東南隅，聚土以爲山，不必帖以石也。捎溝以爲池，不必甃以甎也。短垣以繚之，騎者可望，即其中境，轉而益深。園無雜樹，迤邐下上皆柳，故其堂曰萬柳之堂。今文華殿大學士益都馮公，取元野雲廉公讌遊舊地，以名之也。古大臣秉國政，往往治園囿於都下，蓋身任天下之重，則慮無不周，慮周則勞，勞則宜有以逸之，緩其心，葆其力，以應事機之無窮，非僅資遊覽燕嬉之適而已。方元之初，廉公定隴蜀還，進拜中書平章政事，賜宅一區，暇同盧、趙諸君子，出郊置酒。所謂萬柳堂者，故老相傳，在今豐臺左右。當其飲酣賦詩，命歌者進驟雨新荷之曲，風流儒雅，百世之下猶想見之。今公弼諧盛際，謀謨内贊，坐致太平，其勳業與廉公等。然廉公宣撫隴蜀荆南，威望著於方隅，而公澤洽天下。廉公在廷日少，公自翰苑登政府，立朝且三十年。廉公畏讒憂譏，而公一德孚於上下，所遇之隆，有過於昔賢者。要之，勤學好士，孜孜恒若不及，則異代同揆，宜其曠世有契於心也。彝尊客山東時，道經臨朐，觀乎熏冶之源，清泉白沙，淪漣側坎之下，叢竹百萬。詢之，則公之別業。循堦以登，徑之翳者當辟，石之戴土者當剔，亭之圮者當葺，公輟不治，顧專力於是，則以冶源公所獨樂，而京師與天下人同其樂也。入其門，門者勿禁，升其堂，堂焉勿問，庶幾物我俱忘者歟？堂成後，適四方人士應召至京師，公傾心下交，貧者爲致館，病者饋以藥，喪者賻以金，一時抒情述德，咸歌詩頌公難老，又慮公舍斯堂而請歸里也，争賦詠公前，期公樂之而不去。彝尊椎鄙無文，獨未獲游公之門，其爲斯堂記者，譬猶山禽楚雀，啁啾翠陰之交，公之聽之，未必不欣然悦於耳焉。後歸倉場侍郎石文桂。康熙四十一年，石氏建大悲閣大殿、關帝殿、彌勒殿，捨僧住持，聖祖御書拈花禪寺額，賜僧德元額懸大悲閣上。舊聞考五十六。戴璐藤陰雜記：康熙中，馮氏將堂歸石文桂。壁上盡刊其誥身，供長生禄位，改寺曰拈花。鮑西岡鈔詩云：野雲舊迹已消沉，故相遺墟尚可尋。曲水當年修禊事，荒池今日照禪心。空傳驟雨新荷調，剩有山禽楚雀音。怪底春陰偏釀雪，手寒無奈强憑襟。又湖州嚴海珊遂成詩：盧趙風流去已賒，野雲池柳有棲鴉。新花驟雨瀟瀟夜，寂不聞歌解語花。手執珠槃集霸才，火城如畫綺筵開。而今馬矢填車廐，誰記平泉草木來。此乾隆初年也。近則柳枯水涸，橋斷亭傾，石氏石刻尚嵌壁上。道光初年，朱處士野雲補種柳五百株。寺院冊。

藥王廟，在天壇北。

明武清侯李誠銘立，有恭順侯吴惟英書碑。帝京景物略。本朝康熙年間，止存後樓，至三十二年重建，有碑，詹事沈荃撰。舊聞考五十八。

天慶寺，遼永泰寺遺址也，在藥王廟西。

寺卽遼永泰寺廢址，金大安中兵燬，元世祖至元壬申，有僧普仁始來結庵而主之。先是，普仁在雲朔嘗假息，間有以天慶名所棲而告之者，初不喻其故，既至大都，駙馬高唐郡王出重幣易是院，爲師駐錫之所。逮甲申冬，皇孫噶瑪拉出貨泉二千五百緡，洎名驃二，仍諭留守段禎、詹事丞張九思，卽所居庀徒蕆事，起三大士正殿，丈室七巨楹，下至門閭、庖湢、賓客之所，略皆完美。始於乙酉之春，成於丙戌秋仲。役初作，闕地得廢鐘，所刻天慶二字，考之蓋有遼建號也。事夢既協，卽爲新寺名額。據元王惲創建天慶寺碑。按：夢餘錄作至元壬申重建，今據元王惲撰碑文改正。袁桷天慶寺記：至治三年三月甲寅，魯國大長公主集中書議事執政官、翰林、集賢、成均之在位者，悉會於南城之天慶寺，命秘書監丞李某爲之主，其王府僚寀，悉以佐執事，籩豆靜嘉，尊斝潔清，酒不强飲，簪珮雜錯，水陸畢湊，各執禮盡歡，以承飫賜，而莫敢自恣。酒闌，出圖若干卷，命隨其所能，俾識於後。禮成，復命能文辭者，敍其歲月，以昭示來世。竊嘗聞之：五經之傳，左國是先，女史之訓，有取於繪畫。將以正其視聽，絶其念慮，誠不以五采之可接而爲之也。先王以房中之歌達於上下，而草木蟲魚之纖細，因物以喻意，觀文以鑒古，審時知變，其謹於朝夕者盡矣。至於宮室有圖，則知禮之不可僭，溝洫田野，則知夫民生之日勞。朝覲贊享，冕服樂懸，詳其儀而慎別之，亦將以寓其儆戒之道，則是魯國之所以襲藏而躬玩之者，誠有得夫五經之深意，夫豈若嗜奇侈聞之士，爲耳目計哉！河水之精，上爲天漢，昭回萬物，爲雲興而英露集也。吾知縑緗之積，寶氣旁達，占侯者必於是乎得之。泰定元年正月。明宣德中重修碑，有天順二年碑，蹇英撰。寺院册。碑云：距城南三里河之濱曰魏村社，其地幽曠閴寂，林木叢茂，有古刹曰天慶，其創始不可考。宣德中僧德誌仍其故址更新之，建大殿、禪堂、齋堂、丈室，以次而成。天順戊寅十月，或請於朝，仍賜額曰天慶寺。一嘉靖乙丑碑，徐階撰。舊聞考五十八。

神樂觀，在天壇内之西。一稱天壇道院，乾隆二十年改名神樂署。又慈源寺在金魚池之東，明成化二年指揮朱善建。舊聞考五十八。

明因寺，明慈聖太后所立也，在正陽門外舊三里河東。故三聖寺也，明萬曆初，慈聖宣文明肅太后改建，賜額。日下舊聞引散懷録。舊有唐貫休羅漢畫軸。萬曆十九年，紫柏大師夢十六僧請掛瓶缽。亭午，有負巨軸售者，凡十六，貫休畫羅漢也。師購之，繫以贊，傳寺中。帝京景物略。又碑二：一、萬曆十七年立，洗馬王祖嫡撰，一、萬曆二十年立，侍郎何洛文撰。殿後右廡，南、北壁嵌董其昌所書釋迦如來成道記石刻，凡十二版。散懷録。帝京景物略：天啟二年，董宗伯其昌過此書。其河陽有清化寺，今其街卽以寺爲名。舊聞考五十八。隩志：清化寺，宣德壬子奉聖夫人東安里王妙秀，命其弟義勇後衛百戶榮，以賜金買故保安寺基，卽蔬圃爲寺，落成於正統甲子，有奉議大夫金陵宋拯撰碑。正德壬申四月望，燬于火。癸酉二月重建，乙亥五月訖工，有右中允濮陽李廷相碑。又橋灣有安國寺，建于天順元年，有胡濙撰碑。又三里河橋側舊有南泉寺，朱彝尊於康熙戊午入都，與李武、曾良年同寓此，撰惜字林記，見竹垞年譜。今寺門尚存。藤陰雜記。

崇真觀，在正陽門外打磨廠之南巷。

明司禮監太監張政舍宅立，正統十四年賜額，有景泰四年碑，胡濙撰。舊聞考五十八。

松筠庵，明楊忠愍故宅也，在宣武門外炸子橋街南。

庵不祀佛，塐樸頭神像，相沿爲城隍神。乾隆丙午，楊給諫壽楠、李都諫融視城，訪知爲楊忠愍故宅，其時曹宗丞學閔、阮司寇葵生、鄭侍御澂倡議鼎新，榜曰忠愍故宅，仍號松筠。藤陰雜記。阮葵生記略云：讀公年譜，嘉靖丁未，年三十二成進士，除南京吏部主事，辛亥陞兵部車駕司，旋諫阻馬市，廷杖謫邊。壬子冬復武選司，癸丑劾嵩下獄，是前後居斯宅者僅傳舍耳。而至今人心翕然，愛護保持，不忍暫輟，蓋公之靈爽，日在天地，雖煙雲草木，一榻蘧廬，猶令人繫思無窮，矧其退食休憩之所，曾焚香而修諫草者耶！內有諫草亭，道光戊申僧心泉募建，其壁嵌忠愍諫草石刻，海鹽張受之辛手摹也。采訪册。海鹽沈炳垣諫草亭落成紀事詩並序：忠愍兩疏遺墨，觀者跋尾殆徧。歲丁未，松筠菴僧心泉屬海鹽張受之辛手摹勒石，並築亭於菴之西南隅以弆之。疏泐竣，而受之嬰疾，歿於菴。亭建始於戊申，十閱月而蕆事。詩以紀之：長安市上多詞豪，書牆畫壁喧啾嘈。巉巉片石勒諫疏，孤亭兀立星辰高。一鸞踦踦百鸞齕，兩疏萬言言瀝血。彼蒼特爲忠藎留，紛紛尾續徒饒舌。張君勁鐵筆一枝，惜不鐫公臨死詩。腥風漉漉壁上噴，丹心萬古振聾疲。古來神物誰銷泐，印識平原琴信國。此亭此石撐人倫，灝氣崔巍一椽塞。我欲污亭地盈尺，以鐵鑄賊仆亭側。賊身朽盡疏不滅，人來戟手猶罵賊。采訪册。按：府志局初設在庵中。今爲士大夫游讌之所。其街北迤西，與庵斜對者，爲接待寺，天順丁丑，僧録司左覺義兼大覺寺住持慧庵同徒無礙秉誠修之。徒孫可玉，又從而新之。有正德二年閔珪撰修寺記碑。明季劉蕺山先生官京師時，讀書寺中。舊聞考五十九。

廣慧寺，在老牆根南司家坑。莫考所始。明内官監太監劉成、朱仲修之，今尚完整。有明嘉靖辛酉年碑，余一鵬撰。又嘉靖甲子年碑，户部侍郎孫禬撰。采訪册。余一鵬重修廣慧寺碑記：宣武門外二里許，岡廻水抱，古木參鬱，中有叢林，風雨摧殘，舊基僅存，詢其名，乃古刹護國廣慧寺，世代莫考。嘉靖三十一年，内官監太監劉成施金半千復其地。三十七年，内官監太監朱仲建正殿、禪堂、山門、廊廡，種種完相，始營於己未春，落成於辛酉冬。嘉靖四十年冬十月立。

都土地廟，在土地廟斜街。舊爲老君堂，舊聞考。按：明張爵坊巷胡同集所載之老君堂，即此也。今居民不復知有老君堂之稱矣。明萬曆四十三年重修，有明神宗御製碑。每旬之三日，有廟市，游人雜沓，與護國、隆福兩寺並稱勝。寺院册。

長椿寺，明萬曆二十年敕建，在土地廟斜街。

明萬曆二十年敕建，孝定太后以居水齋禪師，有米萬鍾水齋禪師傳碑。舊聞考五十九。傳云：長椿寺水齋大師者，名陽明，故中山郡鹿氏子，於嘉靖三十八年七月十有一日生，鎮星甫周，即從剃落。嗣法本郡慈師太和座下，肇修苦行，八越暑霜。自是三十餘年間，普陀大士、峩眉普賢菩薩、少林達摩祖師道場，躬親頂禮，往來五臺、終南、伏牛等山，普行饒益。最後來京師，以水齋著，人號水齋師。先期不食，一再七，然後呷水，日數升，以爲常。功行既圓，高深允格。聖母太皇太后、皇帝陛下實嘉與之，賜金冠、紫衣，欽命焚修，敕建大華嚴寺於永樂店，再建大祚長椿寺於今所。萬曆戊午立秋日。按：米萬鍾款下有孫承澤題識數行，今半漫漶。規模宏敞，爲京師首刹。未百年而壇席荒涼，僧徒零落。國朝康熙己未秋七月，地震，寺益頹廢。益都馮公溥一日遊寺中，見而憫之，捐貲修葺，焕然更新，有修寺碑。乾隆二十一年重修。殿中有滲金佛塔，其高充棟。大殿旁小室内，藏佛像十餘軸，中二軸黄綾裝裱，與他軸異，一、繪九朶青蓮花捧一牌，題曰九蓮菩薩，明神宗母李太后也，一、繪女像，具天人姿，戴毗盧帽，衣紅錦袈裟，題菩薩號，下注崇禎庚辰年恭繪，烈皇生母劉太后也。舊聞考。今劉太后像尚存寺中。寺院冊。舊建有九蓮閣，舊聞考。藤陰雜記：向聞閣在妙光閣之後，久圮。漁洋山人與鄭山公登九蓮閣詩：憑闌試騁望，遠近一寒林。不見西山色，蒼茫雲外深。妙光閣，舊聞考。龔鼎孳定山堂集：閣乃姬人善持君所作，即所謂横波夫人也。殁，殯長椿寺中。尚書清明感悼詩云：石火頻催白首春，芳蘭折盡感芳辰。布金園闊忘家儉，炊玉心枯念客貧。化去魂歸無色界，悲來佛是有情人。讓他簾外雙飛燕，又見垂楊碧草新。又絶句：生辰歲歲炷名香，幢蓋蓮花繡妙光。横波仲冬三日生辰，恆於閣中禮誦，故云。香林亭，舊聞考。查他山同荆州兄過一莖庵飲香林亭下詩：尚書别業改，香火付蘭若。今俱無存。寺在康熙年間爲名流觴詠之地。後律僧戒攜酒榼，遂無聞也。藤陰雜記。其寺左向有阮氏園亭。詳坊巷。又斜街有罐兒衚衕，内有玉虚觀，相傳爲金之遺址也，明正統間石亨重建。舊聞考。金章宗紀：泰和二年十一月甲子，幸玉虚觀。元一統志云：觀有金泰和八年尚書户部主事雲騎尉龐鑄撰重修玉虚觀三清殿記，又有金故太師梁忠烈王祠堂。王諱宗弼，乃太祖武元第八子。泰和四年八月，道士高守沖爲之立碑，其文亦龐鑄所作。元至元七年建玉虚觀大道祖師傳授之碑，參知政事楊果撰，商挺書，今俱無考。惟存明胡濙、李錦二碑。又遼昊天寺在西便門大街之西。寺院冊。宋道君皇帝與淵聖皇帝至燕京，會于此寺。燕雲録。今廢爲農田。遼、元碑亦無，惟井水清洌如故。寺院冊。

聖恩寺，古刹也，在斜街口。

寺卽大悲閣，（析津志。）在舊城之中，建自有唐，遼開泰重修，聖宗遇雨，飛駕臨此，改寺聖恩，而閣隸焉。（元一統志。）今在外城西，唐之鎭城内地也。（舊聞考。按：元統志稱，憫忠、聖安等寺在舊城，而此寺亦曰舊城，則今之聖恩寺當卽唐時故址無疑，惟無碑碣可考耳。）

善果寺，明瑺所立也，在廣甯門大街北巷内。初名唐安寺，明天順八年，太監陶榮卽其址復建，賜額善果。（析津日記。）孝宗時，太監姚訓又新之，有明碑四：一、成化三年，修撰嚴安理撰，（舊聞考五十九。按：碑云，白紙坊乃南梁漢興元府之唐安寺，廢弛歲遠，基址尚存，其文甚淺鄙。南梁漢興元府之說，尤不可解。）一、正德三年，太常卿張天瑞撰，一、正德三年，李紳撰，一、成化十七年，周洪謨撰。順治年間，世祖嘗臨幸也。康熙十一年重修，有碑。（舊聞考五十九。馮溥重建善果寺碑記：京師宣武門之西有善果寺，創于南梁，初名唐安，日久而廢。故明天順時，太監陶榮等捐資恢復，奏改今額。順治十七年，聖駕臨幸，嘉其喬木陰森，院宇宏敞，不雜闤闠，宛然名山，歎爲京師第一勝地，選振庵月禪師駐錫兹寺，車駕凡五過焉。未幾，振公還山，住持超宗嗣主院事，修舉廢墜。按形家言，寺地深邃，前昂後低，宜建傑閣以爲寺之後鎭。予爲捐俸創成之，琅函貝葉，悉貯其中。閣之前爲浮圖，浮圖前爲大士、大雄兩殿，又前而南，則天王殿在焉。天王殿歲久傾圮，三韓李芝英新之，工創於康熙十一年二月，告成于九月初吉。按：馮碑創於南梁之說，卽本嚴安理碑文也。考唐末劉守光據幽州，于後梁乾化元年八月，僭號應天，三年十月亡。此寺或創於守光未僭號以前，在後梁開平年間，故屬諸梁乎？然南字終不可解。又按：今寺中已無所謂閣者，惟有平臺一，爲檀越舍飯之所。又大殿前圍廊，設羅漢堂，内有明太監姚訓像，寺僧謂舊塐于此。夫姚訓雖不如王振之奸横，然其像之宜毁則一也。）

唐之歸義寺，在今寺之北，久成荒壟。析津志云：寺在舊城時和坊，内有大唐再修歸義寺碑，幽州節度掌書記榮禄大夫、檢校太子洗馬兼侍御史上柱國張冉撰，略曰：歸義，金刹，肇自天寶歲，迫以安氏亂常，金陵史氏歸順，特詔封歸義郡王兼總幽燕節制，始置此寺，詔以歸義爲額。大中十年庚子九月立石。今碑已無存。寺之西有菜圃，又爲遼舊刹基。昔有彌陀邑特建起院碑，今亦無。寺院册。乾隆三十九年，土人於菜圃復掘得遼石幢一，會同中原建佛頂尊勝陀尼幢記一，保甯元年重移尊勝陀尼幢記。舊聞考。查慎行遼石幢詩云：地作鄰人業，苔侵破廟壖。兩工碑背字，猶記會同年。其幢移置善果寺內。又寺東南百餘步，舊有紫金寺，久廢。舊聞考。

報國慈仁寺，明成化初，爲周太后弟吉祥立也，在廣甯門大街之北。

寺本遼、金時報國寺，明憲宗爲孝肅周太后弟吉祥改建，賜額慈仁寺，俗仍呼報國寺。一統志。陸世楷排悶録：寺建于故報國寺之東南，都人至今目爲報國寺，然實非報國舊址。乾隆十九年敕修，其門額曰大報國慈仁寺。舊聞考五十九。歸有光贈慈仁寺左方住持宇上人序曰：大慈仁寺，在京城宣武門外西。寺蓋孝肅皇后以其弟爲僧故，爲太后時建此寺，宣宗皇帝兩製碑記，順奉母后之志也。余舍於寺左方丈，見其長老，云祖師名吉祥，姓周氏，爲兒時，好出游，嘗出不復歸家，家亦不知其所在。太后自未入宮，師已與其家不相聞。久之去，祝髮於大覺寺。然嘗游行市中，夜即來報國寺伽藍殿中宿。太后意若忘之。忽夜夢伽藍神來言：后弟今在某所。英宗亦同時夢。夢覺，相與言皆同，即日遣諸小黄門，以夢中所見神言求之，至則師卧伽藍殿中，遂擁以行。小黄門白入見，帝、后皆喜，后問所以出游及爲僧時，爲泣下，因曰：何如今日爲皇親耶？吉祥不願也。復還寺。后不能强，厚賜之。英宗晏駕，太子即位，后爲太后，出内藏物建大慈仁寺。報國寺故小刹也，今爲大寺，其西伽藍殿猶存云，孝宗時太后爲太皇太后，爲立護敕碑，碑所載莊田，無慮數百頃。師以左善世示滅，帝遣官致祭。師時所招僧至數百人。迨後慶壽寺燬，僧亦來居于此，僧衆矣，惟今道宇獨其九世，世嫡也。隆慶元年，余入觀來見道宇，尚披髮，三年來，則道宇之師已化去。道宇以年少荷重負，得部劄爲左方丈住持於是，京城内外凡爲其教者，皆來爲道宇賀。而道宇之徒師昂爲之請序於余。余謂祖師脱屣皇舅之貴，而樂世外之教，孝肅皇后在慈宫，二聖隆孝養，恩賜無所不至，而祖師澹寂自若。英廟以外戚恩澤，侯者不能數世，祖師之賜莊猶存，衣食寺中數百人，此有以見一時富貴之不能久，而澹寂者之長存也。道宇神氣清明，卓爲禪林之秀，吾知祖師之傳不墜，遂序之以爲贈。初，寺有二松，金時舊植。東者可三、四丈，有三層，西則僅高二丈，杖柯盤屈横斜，蔭數畝，其最修而壓地者，以數十紅架承之，移榻其下，梳風羃翠，一庭寒色，今久無存。新種三株，一枝斜出，仍有畫意。松前有門，通顧處士祠，道光癸卯平定張穆建，屋數楹，祀崑山顧炎武。後穆卒，同人亦坿祀其室，歲時舉行春秋二祭。荃孫與祭畢，即與諸友徘徊松下，清風謖謖，灑人襟袖。孫枝若此，愈令人慨想當年矣。又舊有毘盧閣，三十六級，閣下通廊，還行一週，俯視西山，若在襟袖。今亦圮。閣内祀有觀音，蓋窑變也。明神宗時，李太后崇禮大士，欲得一甆相奉之，舉念間，景德鎮窑中諸器化一莊嚴法像，緑衣披體，晏坐支頤，兩膝低昂，左偃右植，手輪梵字，篆法宛然，獻之闕下。命供于寺。今甆觀音奉於正殿之後，北向，龕座周鐫高宗御製窑變觀音像記。又有海棠院，海棠幹數圍，亦元時物，今已廢爲染衣之所。（寺院册。）其殿庭之右，恭立御製重修報國寺詩碑。對立者爲明成化御製碑。每月朔、望及二十五日，舊有市。（一統志。）其寺左有槐樓，（一統志。）久廢。又左爲廣德寺，太監王勤爲僧德觀請白金千兩修造，殿階東有匡山釋宗林碑。又寺西北隅有小報國寺，寺中有遼乾統三年石幢，今無考。（析津日記。）

增壽寺，在廣甯門大街之北。寺卽遼之仙露寺故址，康熙二十六年，居民掘地得遼藏舍利佛牙石匣，（寺院册。析津日記：京師仙露寺，明一統志、寰宇通志皆不載。順天新舊志亦無之。近菜市西居民掘地得石匣，乃遼世宗天禄三年所瘞，中藏舍利無有也。匣如石槨而短小，傍刻僧志願記，具書布金錢姓名，其蓋已失，始知其地爲仙露寺遺址，地名千人邑，故比邱尼皆曰邑頭尼。蔡絛北狩行録：仙露寺，金人俘宋室子女置其中。舊有明敕建碑。明順天志。乾隆二十一年，發帑重修，今爲施賑之所。寺院册。詳廠局。

法源寺，卽唐憫忠寺，都城古刹也，在宣武門外西甎兒胡同。

唐憫忠寺，貞觀十九年，太宗爲征遼陣亡將士所造。王文正上遼事。其地爲唐時幽州鎮城東南隅，子城東門之東也，據唐會昌六年采師倫書重藏舍利記，及景福元年僧知常書重藏舍利記。文惟簡塞北事實云：燕山京城東壁，有大寺一區，名憫忠，廊下有石刻云：唐太宗征遼東高麗，回念忠臣孝子没于王事者，所以建此寺，以薦福也。今則在外城西矣。昔宋欽宗北來，曾寓此寺。寺院册。趙子砥燕雲録：淵聖至自雲中，駐蹕燕山憫忠寺。舊有東、西兩甎塔，高可十丈，云是安禄山、史思明所建。寺院册。春明夢餘録：寺前有舍利塔，隋仁壽二年，幽州節制竇抗所造，木塔五層，扃舍利于其下。至唐文宗太和八年，塔災，會昌六年丙寅，得石函於故基下，移置於憫忠寺多寶塔下。僖宗中和壬寅又災，延燒憫忠寺，樓臺俱燼。昭宗景福壬子，遷舍利於閣內。按：隋塔舊在智泉寺，在此寺前。又有高閣，乃李匡威所建。唐諺：憫忠高閣，去天一握。是也。春明夢餘録。並圮。今有藏經閣，其額爲聖祖御書。又有石壇，栽丁香花頗盛。其寺在明改曰崇福，正統七年重修改額，有翰林院待詔陳贄碑。萬曆三十五年又修，有諭德公鼐碑。今額曰法源，雍正十一年重修敕賜也。山門内爲大殿，次爲戒壇，順治年間敕建。次無量殿，後爲藏經閣，其殿前立雍正十二年世宗御製法源寺碑，内閣學士兼禮部侍郎勵宗萬奉敕書。又有高宗御書心經碑。乾隆四十三年又重修。其戒壇前，有遼應歷七年石幢一，幢後有石函一，亦遼物。函四周刻字。其僧廊壁間，嵌有唐至德二載張不矜寶塔頌，蘇靈芝書。景福元年，沙門尚敍重藏舍利記，知常書。又有遼大安十年觀音地宮舍利函記碑一，沙門善製門人義中書。又金大定中，禮部令史題名碑一，党懷英記。寺院册。金選舉志：金大定十三年八月，於憫忠寺策試女直進士。寺舊有雙塔，進士入院之夜半，聞東塔上有聲如音樂，西達于宮。考試官侍御史完顏佛甯等曰：文路始開而有此，得賢之祥也。其寺東舊有智泉寺，寺院册。按：采師倫憫忠寺重藏舍利記稱，寺爲後魏元象元年戊午歲，幽州刺史尉萇命造，遂號爲尉使君寺。後改爲智泉寺。至大唐則天時，改爲大雲寺。開元中，又改爲隆興寺。太和甲寅災，火延寺，颯爲煙燼。會昌六年，乃以舍利歸憫忠寺。而元一統志則云：大延壽寺起自尉萇命，爲大雲，後爲智泉，毁於後周，隋復之，改名普覺。唐曰龍興，災于太和，又災於大中。節度使張信伸奏立精舍，並東西浮圖，賜寺額曰延壽。遼保甯中，建殿九間，復災，于崇熙又復興修。金皇統二年，留守鄧王益加完葺。四年又災。海陵天德三年爲宮。世宗大定二十一年，會有司別錫地重建此寺。泰和二年工就，六年八月立石，翰林院待制路鐸撰記。其稱大雲之名，爲起自元象年間，初建時不知所據，當以采師倫所記爲實。其西有綿山寺。其在寺前者，有靈虛觀。析津志。元一統志稱，在憫忠寺前蝦蟆北岸。今無此地名矣。又有靜甯寺，距憫忠寺甚邇，明成化間亦改名崇福，寺院册。析津日記：都城之南，舊有寺曰靜甯，圮已久矣。天順庚辰，太監潘瑛復建，成化丁亥，寺成，請於朝，賜額崇福寺，今圮矣。土人尚目之曰新寺。今其遺蹟，皆無考矣。惟新立有謝文節祠在寺北。

蓮花寺，在爛麪胡同街西小巷内，今其地名蓮花寺灣。寺中樹木蓊鬱，門徑極佳，舊聞不載其名，似是舊菴修整，時爲述職大吏行館。藤陰雜記。其北有宏衍菴，在醋張胡同。寺院册。按：舊聞亦未載，今其庵尚存。居易録：康熙庚申春，予與施侍讀愚山同過宏衍庵看海棠，各有四絶句。今庚午二月重來，海棠三株皆已化去，愚山之墓木已拱矣。不勝今昔存没之感。因復成一絶云：十年不見謝宣城，目極澄江遠恨生。白首重吟枯樹賦，江潭蕉萃庾蘭成。藤陰雜記：紀太僕復亨曾寓此庵。又爛麪胡同街西，有水月庵。寺院册。藤陰雜記：額爲孟津王無咎書，張匠門大受有寒夜同顧嗣立、彭廷訓集水月東院聯句送吳舍人詩。

寶應寺，亦傳爲古刹也，在彰儀門内教子胡同西南。其地舊名燕角，遼建有燕角樓，樓今無考，惟土地廟之西，其地亦有燕閣兒之名。寺内存明萬曆壬寅所立碑，編修顧秉謙撰。又永慶寺在教子胡同，無碑記可考，惟一鐘，鑄萬曆壬寅五月字。寺院册。宋犖筠廊偶筆：永慶寺最爲卑陋，僧文然居，祖師殿前白楊、古柏各二。祭寓北鄰，時過訪，師室無他物，壁有聯云：石壓筍斜出；巖垂花倒開。乙卯再過，已示寂。賦詩弔之：古庵如空山，幽絶招提境。春風扣禪扉，斜日林間靜。小别二十年，依然磬聲冷。不見白頭僧，間階踏松影。又有禮拜寺。寺院册。舊聞考：寺在牛街，回人所居，寺内碑碣皆回部書。又白馬寺，久圮，其地名白馬寺坑。寺院册。析津日記稱爲隋刹，有隋仁壽四年石幢，已無考。

聖安寺，金刹舊址也，在聖安寺街。金天會中，帝后出金錢爲佛覺大師、晦堂大師營繕，皇統初，賜名大延聖寺。大定三年，命晦堂主其事，内府出重帑以賜。六年，新堂成，崇五仞，廣十筵，八月朔，作大佛於寺，以落成之。七年二月，詔改寺額，爲大聖安。元一統志。向有金章宗、世宗及李宸妃像。析津日記。又元中統初，遷祖宗神主於寺。元祭祀志。今久無考。惟存栴檀銅佛像，乾隆年間移奉甯壽宫，其寺在明改名普濟。張壽朋重修碑。乾隆四十一年發帑重修，内爲天王殿，次爲瑞像亭，中爲大雄寶殿，額俱御書。有碑二，在瑞像亭内：其一、前刻栴檀像，像有諸表臣記，後刻達摩祖師像，有李言恭贊，其一、前刻觀音像，後刻關聖像，俱勒萬曆己丑八月字。又萬曆十八年碑一，張壽朋撰。寺院册。

崇效寺，唐刹也，在白紙坊。

唐劉濟捨宅爲寺，地在唐城之内。元至正初重葺。見明碑。明天順間修之。嘉靖壬午，内官監太監袁福等，同僧了空同修。其地舊名柳河村，寺在村之西，舊題無塵別境，明楊忠烈手蹟也，惜已洗去。藤陰雜記。其方丈舊署静觀二字，順治丁亥王鐸書。有僧塔六。舊聞考。環植棗樹千株，析津日記。王士禛稱寺爲棗花寺，今尚有存者。又康熙年間，有僧名雪塢者，曾種梅二株，今無聞矣。藤陰雜記。又寺中舊傳四季多花，游屐頗盛。藤陰雜記。王士禛、朱彝尊輩，俱有題詠。有紅杏青松長卷。又有王、朱手植丁香，吴嵩梁又移植海棠於丁香左，今俱存。寺有藏經閣，有萬曆二十一年區大相更建藏經閣碑。寺院册。碑云：嘉靖辛亥，有太監李朗，於崇效寺中央建造藏經殿一座，堪輿家以爲不利，今又傾頽。司鑰庫僉書高臣，捐資助工，慕義者從而效之，于是謍度方位，得寺之方丈，已圮，而舊址猶存者，即其地爲藏經閣五閣。又嘉靖四十二年重修碑，夏子開撰，一爲隆慶二年萬緣碑，碑首鏤瓦屋形，簷霤、斗拱咸備，碑心別鏤小碑形，高可尺餘，勒文其上，上下四旁駢列小格，每格俱作屋形，前後共一百五十八格，中鐫人名盈萬有奇。舊聞考。

玉皇廟，在盆兒胡同之西。

明萬曆二十九年榮昌公主所立。本朝順治十四年重修，世祖曾臨幸焉。廟門西向，前爲玉皇殿，中爲文昌殿，又有殿亦祀文昌，東、西祀諸葛武侯、文信國，其旁又有雷神殿，殿前有順治十八年碑一，金之俊撰。舊聞考六十。碑云：京師城南玉皇廟，爲都城勝境。順治丁酉，住持清勤謀新輪奐，既成文昌殿，復建立戒壇，世祖章皇帝臨幸，發帑金一千兩，遣牛彔章京陳秉正齎賜，迄今又閱三載矣。清勤感先皇帝欽祀之至意，伐石徵文于余。順治十八年二月二日。又明天啟四年碑一，史記事撰。舊聞考。碑云：岫雲王氏一清，徽之歙人，習制舉，長事玄修，神宗聖母弗豫，榮昌公主命岫雲禱之有應，遂建玉皇廟，創始于萬曆二十九年，落成于四十八年。其東舊有宏仁萬壽宮，明萬曆四十三年敕建，久廢。今玉皇廟中所奉之雷神、文昌、武侯、信國諸像，俱從萬壽宮移奉者也。又西爲萬壽西宮，尚完整，有關帝殿、吕祖殿、斗姥閣，高四、五丈，關帝殿前亦有明神宗碑。舊聞考。

保安寺，明正統年間立，在宣武門外保安寺街。

寺創自正統年間，嘉靖二十六年重修，碑一，郭秉聰撰，街因寺名。又有玉皇廟，順治十八年，大學士成克鞏撰碑。又米市胡同有關帝廟，明天啟乙丑，太監所建，有大學士顧秉謙碑。舊聞考六十一。

晉陽庵，在潘家河沿南口。

建置失考。惟舊傳有古銅大士像，高三尺餘，下有款識云：唐貞觀十四年，尉遲敬德監造。黎秘書民表隸書古佛庵三字極工，後移置稽山會館。燕都游覽志。今浙紹鄉祠西偏眼藥庵，庵内有銅像，無字，似非晉陽庵物。京城古蹟考。内有碑，嘉慶五年立。寺院册。俞正燮癸巳存稿：嘗于晉陽庵看客，遇一人，極訾庵名，言：京城何得名晉陽庵！憶古事有一切比，劉肅大唐世說新語云：薛良嗣爲荆州長史，荆州舊有河東寺，後梁蕭督爲其兄河東王造，良嗣見而驚曰：此江漢之間，與河東有何關涉？遂奏改之。良嗣寡學，深爲人笑，欲引以爲對，再思之而止。南口外爲南横街，稍西有圓通觀。又横街中間有千佛寺。寺院册。按：建置未詳，舊聞考亦未載。

慈悲庵，古刹也，在黑窯廠西，陶然亭東偏。庵有康熙二年，侍讀北平田種玉撰重修碑，碑作觀音庵，謂創於元，沿於明，則招提勝境由來舊矣。壁間有康熙乙亥江藻陶然吟石刻，則曰慈悲。似一庵而二名也。舊聞考。其院内有遼石幢一，遼壽昌五年慈智大德師佛頂尊勝大悲陀羅尼幢並記。又其庭前有金石幢一，金天會九年造，四面各鏤佛像，其三隅刻咒文，亦陀羅尼幢也。庵西偏爲陶然亭，康熙三十四年工部郎中監督廠事江藻建，亭坐對西山蓮花亭，亭陰晴萬態，亭之下菰蒲十頃，新水淺緑，涼風拂之，坐卧皆爽，輭紅塵中清涼世界也。寺院册。

龍泉寺，在黑窯廠西。

本舊刹，明成化間僧智林重建。舊爲緇流掛錫之地，有明碑一，謝一夔撰。舊聞考六十一。碑云：出正陽門，南行五里許，有故寺曰龍泉，歲久傾廢無遺搆，其地已爲編氓所有。正統八年秋，大興隆寺僧萬松游錫于是，見地位亢爽，山水秀拱，喟然歎曰：是不可以作金刹而妥佛靈耶？詢之鄰叟，知爲龍泉故址，遂誅茅結庵於其地之隙，慨然以興復爲己任。即贖回其地基，聚材鳩工，先作正殿，次祖師、伽藍殿，又次之山門、廊廡、方丈、僧舍，與夫庖庾之所，鐘鼓之縣，像位之列，莫不次第畢具，而土木藻繪，焕然一新。事聞，詔復錫以舊額，萬松以是役不可不書，以垂久遠，乃具事之顛末，謁予文記之。萬松法名智林，鳳陽之定遠人。成化九年，歲次癸巳五月立石。康熙二十四年重修，王熙撰碑記。舊聞考。碑云：京城之西南隅，有寺曰龍泉，地勢平曠，每風月晴霽，望西山諸峯，蒼翠鬱然，誠廛市紛囂之所不至，而幽人禪客之居也。其地去余家二里而近，樂其幽寂，暇時輒往焉。當日中分衛，庠序穆然，薄暮誦禪，鐘魚互答，若不知身之在城市者。其住持者爲無生禪師，名修證，山西陵川人，康熙乙丑十月，傳賢首慈恩二宗第二十八代住持河東海曑立。寺舊有二巨鼓，王文靖所置。藤陰雜記。又寺西偏有太清觀，先已頹敝，光緒初重修，觀内百善堂爲北城收養貧民之所。詳廠局寺院册。

萬明寺，元水浙庵也，在香廠。

元水浙庵故址，明萬曆重修時改今名。本朝康熙年間，都司谷之麟重建，殿宇頗崇麗，稱巨刹也。舊聞考六十一。谷之麟重建碑記：京師正陽門外有萬明寺，相傳爲水浙庵故址也。考庵之所由，蓋自元季有游僧水浙，道行最高，結茅于此，邦人欽仰，即以其名名之。明萬曆間，始改萬明禪林。康熙己丑歲重修。寺後卽虎坊橋東街。

萬善給孤寺，在虎坊橋東，西豬市大街。

寺相傳唐貞觀間創，名萬善寺。本朝順治年間重修，寺門額曰皇恩給孤寺。門外有鐵獅二，寺屋蓋用琉璃瓦，内有順治十六年給事中史彪占、康熙三年御史方吉午二碑。寺今亦爲施粥之所。其東偏爲關帝祠，臨街有鐵鑪一。寺院册。

五道廟，在虎坊橋東迤北。

廟旁有玉帝殿。據明兵部尚書王象乾碑記稱，斯地爲正陽、宣武二門龍脈交通之地，因括其意，名其碑曰交龍碑。舊聞考。

壽佛寺，在梁家園。

寺立于乾隆四十四年，僧蓮性募建也。梁園，明時都人建，在京城之西南廢城邊，舊有水道，今湮。其西卽十間房，有鐵老鸛廟，祀關帝。庭前古槐一，殿鴟吻上設鐵雀二，隨風旋轉，以驅烏巢，故名。內有明嘉靖甲寅劉鐸碑。寺院冊。

觀音寺，在觀音寺街。寺亦莫詳所始，街則廛市紛囂之所也。然街以寺名，則寺之由來久矣。而寺內無片碣可考，僅存明成化丙午六月鐘一。街後衚衕內有擡頭庵，亦莫詳所始，庭前有古槐一株，大數圍，腹空而枝葉茂，數百年物也。寺院冊。

延壽寺，遼刹也，在琉璃廠東北，其地名延壽寺街。寺爲遼、金巨刹，舊聞考六十一。遼聖宗紀：十二年以景宗石像成，幸延壽寺飯僧。遼游幸表：興宗重熙十一年十二月，幸延壽寺飯僧，詔宋使觀擊鞠。童貫、蔡攸帥師入燕，號撫定，勒碑於寺以紀功，將佐姓名皆列於碑，留十日乃還。王偁東都事略。宋徽宗北來寓此。舊聞考。蔡絛北狩行録：太上北至燕山，寓上延壽寺。趙子砥燕雲録：道君以丁未五月十八日到燕山，於延壽寺駐蹕，所取本朝輅輦逍遥子，俱在延壽寺安放。七月中旬，鄭后體違和，淵聖諸后同來延壽寺候問。金人以汴京所獲車輦，悉置于寺。意今之廠地，昔皆寺之基，而今之寺，特其一隅耳。明正統六年開渠，得斷碑，上有大金延壽寺太原僧湛然因爲重建。析津日記。有明碑二，其一卽重建碑，四明汪奉撰。舊聞考。碑云：寺在京畿正陽關外西二里許，方輿勝覽載有延壽寺，未知是否？自元季是寺廢弛，至爲榛蕪之區。宣德八年，湛然禪師自太原交城圓明禪寺游方至此，施主郭金等留住持是寺，于是改其故址，鳩工命匠，始創建焉。正統六年五月興工，搆正殿以居諸佛，樹山門以通官衢，工未克就，而師圓寂。衆人以是寺無主，舉其徒道晟住持。言於僧録司，劄付入寺祝聖壽萬年，以主維之。晟常受業祖禪師，痛念其爲是寺開山，不有文以記之，久則泯没無聞，來謁爲記云。時正統十二年夏五月。其一爲嘉靖二年敕賜延壽寺碑，字跡漫剥，惟歲月及篆額差可辨耳。又琉璃廠有興勝寺，道光十一年重修。寺院冊。

吕祖祠，在琉璃廠東。祠祈籤甚驗，香火頗盛。祠前卽廠甸，後卽琉璃廠。其在東者，有仁威觀，明正統年建，正德年修。再東有火神廟，正月初廟會特甚。又廠西有真武殿，明萬曆年修，明内監所修葺。廠西門外爲清廠，清廠西有永光寺，寺在元爲大萬壽寺，有開山傳法歷代宗師實跡碑記，字跡久剥，僅存萬壽辨公等字。舊聞考六十一。果羅洛納延金臺集：萬壽寺懷古詩有曰：唐皇開寶構，歷刼抵金時。又曰：獨有乘間客，扶藜讀古碑。則其寺始于唐也。惜元之實跡碑已成没字矣。有明正統十一年一碑，本山住持本恩立，昭化寺住持妙清碧潭篆額，碑稱：辨公居此，湛然、屏山居士爲其上首外護。湛然卽耶律文正楚材；屏山，金李翰林純甫也。又景泰年碑二，胡濙撰文，半没於土。舊聞考。今其寺僅存山門，額曰重修永光寺。寺内破屋數間，餘皆廢壞，成通衢矣。舊石無一存者。其寺東爲清廠，廠迤北舊有海波寺，久廢，其地名海波寺街。又清廠有北極庵，内碑一，明萬曆間朱之蕃撰。龍王廟門外有巨潭，清廠東口外迤南爲南柳巷，有永興寺，寺無幢碣可考。寺院冊。

圓通庵，亦古刹也，在棉花五條衚衕。庵卽舊圓通寺，比丘尼居之。舊聞考。向有古碑，其紀年爲宋皇祐也，建立已古矣。見下汪由敦碑記。乾隆十一年，尼照珠重修，有碑。舊聞考。汪由敦重修圓通庵記：佛教流布中國，三千餘年。今世梵刹琳宫，照耀寰宇，京師尤盛。上爲聖天子祝釐，下爲兆民祈福，飛閣層軒，雲霞蔚起，宸章碑額，日月光輝，洵乎極天下之巨觀矣。圓通庵在南城靈中坊，乃女僧焚修之所，供大士諸佛像。有古碑，久仆階下，漫漶不可識，惟宋皇祐紀年，隱隱可辨，則此庵創建蓋六百年于兹矣。乾隆十有一年，住持照珠，新葺殿宇，請記于予，予惟此庵，雖在京都，然僻處闤闠，非有名山勝境，廣術通津之雄踞也。堂止數楹，非有重簷峻宇、玉瑱銀黄之璀璨也。二、三女僧焚祝膜梵，非有三乘教門，八萬法藏之足具也。特以虔禱響應，靈感昭著，故自宋迄今，巍然常存，而門廡一新。夫福善禍淫，天之常道，然福人而不能福不善之人，意者皈依而來，一念清潔，卽爲善之根苗，信受而去，業行純至，卽爲善之柯葉，善集厥躬，福利洊至，此于人呼吸自感自應之至理，而佛法圓通廣大之妙寄焉，其于聖治，裨益不淺，不得以尼庵而忽之也。因爲之記，使刻諸石，來者庶有考云。乾隆十一年，歲次丙寅，建子之月。按：宋皇祐年，此地屬遼不屬宋，汪文恐誤。或遼碑紀與宋交涉，汪辨數字，遂以爲皇祐所建歟？

又天仙庵，在棉花九條胡同，亦比丘尼所居。寺院册。

武進屠　寄校

京師志十七

德清蔡賡年纂　江陰繆荃孫覆輯

寺觀二

郭外寺觀

華光寺，在東直門外之北。

寺内有明天順五年、六年重修碑二，其南者爲靈應寺，已圮。正殿前存建會造像功德碑，字已剥蝕。寺院册。萬曆沈志謂有敕建碑，今無考。

月河寺，在朝陽門外南。

月河梵院，僧道深别院也。池亭幽疋，甲於都邑。春明夢餘録。古名寶藏寺，相傳有一粟軒、聚星亭諸蹟，已圮廢矣。舊聞考八十八。程敏政月河梵院記：月河梵院，在朝陽關外南苜蓿園之西。院後爲一粟軒，曾西墅道士所題。軒前峙以巨石，西闢小門，門隱花石屏，屏北爲聚星亭，四面皆欄檻，亭東石盆高三尺，夏以沉李浮瓜者，亭前後皆石。少西爲石橋，橋西雨花臺上建石鼓三，臺北草舍一楹曰希古。東聚石爲假山，峰四，曰雲根、曰蒼雪、曰小金山、曰璧峰，下爲石池，接竹引泉，水涓涓自峰頂下池，南入小牖，爲槐屋，屋南小亭中，庋鸜鵒石，重二百觔，色淨緑，石之似玉者。凡亭屋臺池，悉編竹爲藩，詰屈相通。自一粟軒折而南，東爲老圃，圃之門曰曦先。其北藏花之窖，窖東春意亭，四周皆榆柳。穿小徑以行，東有板橋，橋東爲彈琴處，中置石琴，上刻曰蒼雪山人作。少北爲獨木橋，折而西爲蒼雪亭，亭下爲擊壤處，有小石浮屠。循坡陁東上，爲灰堆山，山有聚星亭，望宮闕歷歷可指，亭東曰竹塢。下山少南，門曰看清，結松爲亭。踰松亭爲觀瀾處，遠望月河水自城北逶迤而來，觸斷岸，潺潺有聲。別爲短牆以障風雨，曰考槃榭。盤旋而北，門曰野芳。少南爲蝸居。東爲北山晚翠樓。苑僧道深，通儒書，宣德中住西山蒼雪庵，賜號圓融顯密宗師，後歸老，乃營此自娛，自稱蒼雪山人。又朝陽門外舊有元刹長慶寺，已圮。舊聞考八十八。元順帝紀：至正二十七年六月，長慶寺有龍纏繞槐樹飛去，樹皮皆剥。又隆壽寺，寺內有明敕建碑。萬曆沈志。

天妃宮，在朝陽門外大橋北西河沿。舊稱天妃廟，明景泰間升爲宮。據邱濬廟碑。元祭祀志：凡名山大川，忠臣義士，在祀典者，所在有司主之，惟南海女神靈惠夫人，至元中以護海運有奇應，加封天妃，神號積至十字，廟曰靈慈，祝文云：年月日皇帝遣某官致祭於護國庇民廣濟福惠明著天妃。又舊有明邱濬所撰碑。邱濬瓊臺會稿載碑略云：京師舊有天妃廟，在都城之巽隅，大通橋之西，景泰辛未，道士邱然源援南京例，請升爲宮，然規制尚存其舊，弗稱宮之名也。成化庚子，然源乃募材鳩工，拓大而一新之，祠神之宮，茲其稱矣。

最勝寺，在朝陽門外東壩。寺建置未詳，東壩一名壩上，舊稱鄭邨壩，明御馬苑設寺前。舊聞考八十八。明武宗實録：正德二年五月，命户部查給最勝寺前馬房草場地十頃，與寺作香火，且贍護太監錢喜、錢福、錢能墳塋，劉瑾所乞也。壩上又有靈應寺，有敕建碑。萬曆沈志。

雙林寺，在東便門外，循河五里。寺之建置未詳，舊聞考亦未載，林木蔚秀，昔年查糧御史嘗駐寺中。藤陰雜記。查他山秋飲雙林寺河亭上詩：共喜聯鞍去，精藍古堠邊。斷橋花底鷺，高岸柳陰蟬。野意迎涼爽，秋容得雨先。昔游吾自訕，塵土夢三年。

廣惠寺，在東便門外。

舊有刹曰觀音庵，莫知所從起。明天順初，有釋宗喜來葺茅居之，浚井以濟人渴，節縮所有，時時修之，二十年矣。成化丁酉，司禮太監黄賜，司設太監覃文，各捐金，拓地鳩工庀材，建大雄殿，後爲大士殿，左、右爲伽藍祖師之堂，前爲天王殿，鐘、鼓樓，輔以長廊，繞以大墉，爲山門三，爲石梁二，事聞，賜名廣惠寺。據程敏政碑。

碧霞元君廟，在永定門外馬駒橋。

馬駒橋一名宏仁橋，涼水河所經也。廟建於明季，據汪楫使琉球雜録云：明莊烈帝時，天妃始有碧霞元君封號。土人呼爲南頂。乾隆三十八年，發帑重修，前殿奉碧霞元君，中殿奉東嶽，後殿奉斗姥。舊聞考四十。東直門外亦有碧霞元君廟，土人呼爲東頂。寺院冊。

宏善寺，明太監韋霦建也，在左安門外迤東魏邨社。

一稱韋公寺，建於明武宗時，太監韋霦資竭不能竟，詔水衡佐焉，賜額宏善。帝京景物略。寺東舊有亭，極園林花木之勝，俗呼韋公莊，其亭已圮，深溪假山在焉。寺後有静觀堂，西壁有康熙初禹之鼎畫雙鶴圖，東壁有陳奕禧書徐渭畫鶴賦。舊聞考九十。景物略：韋公寺東行一折有堂，堂三折有亭，亭後假山，亭前深溪。溪里許，蘆荻滿其中。寺南觀音閣，蘋婆一株，高五六丈。寺内西府海棠二株，左、右列，寺後有柰子樹，花時人多負几案，攜酒肴，飲樹下，暮則就宿於寺。長安客話：韋公莊寺館俱新整，而臨流一亭，尤爲游屐所湊。隔里許，有柰子古樹，婆娑數畝，春時花開，望之如雪，三夏葉特繁密，列坐其下，烈日不到。公安袁宏道嘗謂：戒壇老松，顯靈宫柏，城南柰子，可稱卉木中三絶云。天府廣記：寺後有西府海棠二株，高二尋，每開爛如堆繡，香氣滿亭，昔人恨海棠無香，誤也。今海棠亦久無存。本朝安親王園，舊在寺前。藤陰雜記。宋牧仲游安親王園不得入，過韋公寺有作：竟阻尋幽興，空攜作賦才。開樽思兔苑，杖策過香臺。畫棟秋雲隔，松關暮雨催。南征聞奏捷，飛蓋會追陪。

海會寺，明穆宗受釐所也，在左安門外迤西馬家邨。

明沿元俗，凡帝主及東宮與諸王降生，俱剃度童幼，替身出家，相傳是寺爲穆宗初生受釐之地。據沈德符野獲編。嘉靖十四年建，萬曆二年增修，有張居正撰碑。寺院册。張居正重修海會寺碑記：海會寺在都城之南，創於嘉靖乙未，穆宗皇帝常受釐於此。皇上卽位之二年，聖母慈聖皇太后出内帑銀，卽其地更建焉。會游僧有範成銅像一軀，無所庇覆，司禮監太監馮保請移置其地，復出内儲大木，以爲殿材。中爲殿三，皆三楹，方丈一，凡五楹，鐘、鼓樓二，配殿十二，禪堂十，僧房四十有奇，前爲山門，繚以周垣。又於其外拓地六頃，以爲焚修供具之資。本朝順治十三年重修，有僧道忞撰重修碑。寺院册。僧道忞重修海會寺碑：歷都城之南，有寺曰海會者，創於嘉靖乙未之歲，世、穆二廟咸命僧代度於此，至萬曆初，慈聖太后復發帑金，命内臣撤其圮壞，相度而增修之，江陵張相國爲文記其事詳且悉矣。今上受天眷命，撫有萬方，維時順治丙申，歲久寺頹，都人士謀欲鼎新，乃削牘命本寺僧走江淮，請今憨璞聰公住持是刹，首創濟宗禪，衆川趨，宗風大振。丁酉，上狩南苑，因幸寺延見聰，屢召入禁庭，問佛法大意，奏對稱旨。日昨上謂忞曰：朕初雖尊崇象教，而未知意宗門耆舊。知有宗門耆舊，則自憨璞，固有造於祖庭者也。聰公住海會凡五載，殿宇、廊廡，與鐘、鼓樓閣、山門之屬，煥然一新，丏予言記之，以昭示後人，使永爲十方常住，不墜宗風焉。順治十七年孟秋立。乾隆二十二年復加繕葺，立御製詩碑。寺院册。

隆禧寺，明璫李興建也，在左安門外迤西東皋邨。

明宏治十四年五月，内官監太監李興，請建僧修一所於大興縣東皋邨，仍乞賜寺額護敕賜額曰隆禧，並請以僧録司左覺義定錡住持。又以寺西有官路不便，乞以其私地易路東苜蓿官地。得旨：陞定錡爲右講經兼本寺住持。時禮科都給事中甯舉劾之，上置勿論。寺内有宏治十四年碑，禮部尚書張昇撰。又萬曆二十二年住持僧正先重修碑。舊聞考九十。

廣恩寺，古刹也，在右安門外西三里菜户營。

寺莫詳所始，舊名清勝寺，遼天慶年間，釋慈慧便住清勝講經律論。據慈慧大師塔幢。俗呼周橋寺，内有燕山府清勝寺慈慧大師塔幢一，宋宣和七年二月建。寺院册。舊聞考引圖經：南清勝寺在舊城，請潤公長老住持，有曰：十分好月，誰家池沼不能來？一片閑雲，是處巖巒皆可住。涼水河支水，北經寺前。舊聞考九十。

九蓮慈陰寺，明建也，在右安門外三里。

九蓮菩薩者，明神宗母孝定李太后也。太后好佛，宫中像作九蓮座，莊烈帝第五子悼靈王慈煥，生五歲而病，帝視之，忽云：九蓮菩薩言，帝待外戚薄，將盡喪諸子。遂薨。帝念王靈異，封爲孺孝悼靈王、元機慈應真君，據明史諸王傳。命建佛寺於草橋之北，額曰九蓮慈陰寺，時崇禎十五年也。寺基舊屬嘉蔬署，周圍地一頃有餘，内官監太監王德化疏請歸寺徵租，督工者中官于輸曜也。趙吉士寄園寄所寄録。今正殿右廡有悼靈王像，寺前殿爲天王殿，中爲萬德殿，後爲地藏殿，正殿之兩廡曰敏慧殿、善法殿。舊聞考。去寺里許，舊有祖氏園。其相近有萬泉寺，寺莫詳所始，有水閣，荷花尚盛。藤陰雜記。

碧霞元君廟，唐刹，舊址在右安門外草橋北。

草橋，唐時有萬福寺，寺廢而橋存。明天啟間，即基建碧霞元君廟，土人呼爲中頂。乾隆三十六年，發帑重修，前殿奉碧霞元君，中殿奉東嶽，廟内有康熙年所立碑二：一、大學士王熙撰，一、大學士李天馥撰。舊聞考九十。

天甯寺，古刹也，在廣甯門外。寺爲元魏時所造，號光林。釋道宣續高僧傳。隋爲宏業。唐爲天王。寺院册。長安客話：唐開元中改額天王。金爲大萬安。寺院册。元耶律楚材湛然居士集：金大定二十一年，改宏業寺爲大萬安禪寺。寺當元末，兵火蕩盡。明初，文皇在潛邸，命所司重修。長安客話。宣德中改曰元甯。正統乙丑，更名廣善戒壇，寺院册。按：析津日記作萬壽戒壇，今並從御碑。後復今名。乾隆二十一年重修，有御製文勒石立殿前，次爲接引佛殿。屏後懸寶塔圖，書華嚴經，塔高一丈五尺五寸，計六十萬四十三字，康熙辛未，虞山許惪寫，大興口秀同室人劉氏施。舊聞考九十一。寺内隋塔高二十七丈五十五寸，艮齋筆記。釋道宣神州塔傳：隋仁壽間，幽州宏業寺建塔，藏舍利。廣宏明集：仁壽二年正月，分布舍利五十一州，建立靈塔。幽州表云：三月二十六日於宏業寺安置舍利。其中無階級可上，蓋專以安佛舍利，非登覽之地也。其址爲方臺，廣袤各十二丈，高可六尺，繚以周垣，南北有門鐍之，臺上爲八觚。壇高可四尺，象如黃琮，塔建其上，觚如壇之數。塔之址略如佛座，雕刻錦文、華葩、鬼物之形，上爲扶闌。闌四周架鐵鐙三層，凡三百六十盞，每月八日注油然之。闌之内起八柱，纏以交龍，牆連於柱，四正琢爲門，夾立天王像，四隅琢爲牖，夾立菩薩像，皆陶甓爲之，仰望者疑爲燕山奪玉石也。自塔址至柱楣，爲第一層，其高約全塔三分之一。自是以上，飛檐疊栱，又十二層，每椽之首綴一鈴，八觚交角之處又綴一大鈴，通計大小鈴三千四百有奇，風作時鈴齊鳴若編鐘編磬之相和焉。最上一層，其南有碑，不知何年所立。又上露盤、相輪、鎏金火珠，以鎮其頂。塔下塔八面各安一鐵鼎，高丈餘，腹按八方畫八卦，明萬曆年所鑄。塔前一石幢，上刻尊勝陀羅尼咒，遼重熙十七年立，今無存。塔後第二殿曰大覺，再後爲廣善戒壇，亭午日射右扉，倒影落石上，作雙椽燭影，蓋扉下偶有二隙，光緣此而分也。徐善泠然志。塔垣東南有碑一，康熙十一年尚書龔鼎孳撰，集明董其昌書。舊聞考九十一。舊傳塔下有明宣德十年更寺名碑，碑陰爲正統十年刊行藏經敕，今亦不存。

寺西北有別院，額曰宗師府，寺僧謂卽姚廣孝所居也。寺院册。長安客話：姚廣孝退自慶壽，曾居焉。國初名人如王士禎、朱彝尊，曾寓寺中。寺院册。漁洋文集：予弱冠游京師，於翰林友二人焉：曰相國合肥李公、澤州陳公。予既散曹，二公雖號清切，然嗜好相似，下直必偕。乙卯至京，二公卽日訪予於天甯寺，予適他往，二公坐塔下待予，牡鑰將下，始連騎入城。朱竹垞寓天甯寺詩：青豆房容借，經旬且閉關。日邊連右輔，樹杪豁西山。六井泉相似，千花塔易攀。不應朝市客，翻羨旅人閑。萬古光林寺，相傳拓跋宮。著書非柱下，留客卽淹中。味折園蔬甲，香攜市酒筒。波濤人海闊，安坐作漁翁。到此棲遲慣，都無應接勞。借書僮入市，莝薦馬騰槽。塔射層層火，松鳴夜夜濤。惟嫌重九會，風雨罷登高。按：曝書亭集：九月八日，天甯寺觀塔鐙，與徐善、朱茂晭、查慎行、高佑釲、魏坤聯句，有云：綆缶牽膏油，豆火發星燄。徐。初如螢尾炫，忽若獸目睒。朱。或如鑪杴炭，或如竈炊栝。高。須臾環扶闌，散作四百點。竹垞。虛堂鑒纖毫，老樹失奄冉。魏。氛煙看直上，樓閣時一閃。查。又查查浦有塔鐙詩：鐙明三百六十點，風撼三千四百鈴。最好天甯雲外塔，恨無梯級上青冥。想見當時塔鐙之盛，今不聞矣，惟游讌尚不輟，並餞行者於此茶話。寺東南不半里，舊有宏化寺，惟一殿存，寺額及佛像皆亡之矣。殿後百餘步有塔，不甚高，然亦重簷七層，其第一層有石陷壁間，刻曰僧録司左善世大慈仁寺開山第一代住持傳曹洞宗師大機老人塔。沈進行國録。

大慈觀音寺，金剎也，在廣甯門外西南一里。

寺創自金朝，明中葉有僧無爲駐錫於此，大宏經典，繼者亦講演不絶，遂爲京畿講院之冠。（謹據御碑。）一稱海會禪林，明初御菜園設此焉。成化間，上林苑監覃盈復建，以北有玉河鄉觀音寺，土人目爲南觀音寺。（舊聞考參陝志。）康熙初年，僧樂修重新之。二十五年春，聖祖臨幸其地，題寄興高遠四字額懸之寺樓。雍正十一年，發帑重修，有世宗御製碑文立殿前寺内。又有明成化五年碑，吏部郎中劉文撰。康熙四十二年碑，大學士張廷敬撰。其在廣甯門外迤西五里，爲真空寺，景泰初，太監興安所建。正德十六年夏四月，世宗入繼大統，駐蹕於寺之西行殿，百官迎覲，御用監太監李端以修葺上聞。嘉靖元年，端以上所賜金經營工作，凡九十餘日告完，庶吉士張治撰碑。又有嘉靖四十二年工部尚書張文憲撰碑。（寺院册。明神宗實録：萬曆六年六月，大學士張居正抵京，上賜宴於真空寺。）

萬佛延壽寺，在天甯寺西十里大井邨。

明初立義井庵，井在門外，或曰密井。相傳文皇駐蹕，甘其泉，故名。庵爲中涓所修。（長安客話。）萬曆中賜今額。外寺後有大悲閣，内奉大士，金身高三丈六尺，閣前立明神宗敕諭碑，其正殿前有崇禎十三年碑，河南右布政周鏘撰。（寺院册。）寺前石道有石坊，曰經環同軌，曰蕩平歸極。乾隆四十年建，字爲高宗御書也。復西十里，即盧溝橋。橋北里許有城，曰拱極，創於崇禎十年。城内路東有觀音庵，明嘉靖四十一年重修，有碑一，無撰人姓名。路西有興隆寺，康熙六年重修，有趙之符開建十方院碑。磬一，成化六年鑄鐘一，萬曆丁未賜護國廣慈寺，蓋後人移置斯寺中。舊聞考九十二。

玉皇廟，在永定河南岸頭工公義莊。

廟東北距京城八十里，西距良鄉縣三里，舊廟基在今廟西百餘步，嗣因河流衝齧，移置今所，乾隆三十七年復命修葺。寺院册。

白雲觀，唐天長觀舊址，在西便門外一里許。

觀舊爲唐天長觀，寺院册。元一統志：天長寺在舊城内，有唐再修天長觀碑，節度衙推劉九霄撰。咸通七年四月，道士李知仁重摹。金明昌三年重建，泰和三年改爲太極宫。寺院册。金章宗紀：泰和三年十二月，賜天長觀額爲太極宫。元太祖丁亥，改爲長春宫，爲元長春真人邱處機藏蜕所也。其弟子尹志平建觀爲宫之東墟，號曰白雲。舊聞考九十四。詔書：成吉斯皇帝敕真人邱師省，所奏應詔而來者，備悉。惟師道踰三子，德重多端（一作方）。命臣奉厥元纁，馳傳訪諸滄海，時與順適，天不人違。兩朝屢詔而弗行；單使一邀而肯起。謂朕天啟，所以身歸。不辭暴露於風霜；自願跋涉於沙磧。書章來上，喜慰何言！軍國之事，非朕所期，道德之心，誠云可尚。朕以彼酋不遜，我伐用張，軍旅試臨，邊陲底定。來從去背，實力率之故然；久逸暫勞，冀心服而後已。是用載揚威德，略駐車徒，重念雲軒，既發於蓬萊，鶴馭可游於天竺，達摩東邁，元印法以傳心；老氏西行，或化胡而成道。顧川途之雖闊，瞻几杖以非遥，爰答來章，可明朕意。秋暑，師比平安好，指不多及。請疏：燕京行尚書省石抹公，謹請真人長春公住持天長觀者，竊以必有至人，而後可以啟箇中機；必有仙闕，而後可以待方外士。天長觀者，人間紫府，天上福田，若非真神仙人，誰稱此道場地？仰惟長春上人，識超羣品，道悟長生，舌根有花木香，胸襟無塵土氣，實人天之眼目，乃世俗之津梁。向也，乘青牛而西邁，不憚朝天；今焉，奉紫詔而南回，正當傳道。幸無多讓，早賜光臨。謹疏。癸未年八月日。按：元陳時可白雲觀處順堂會葬記稱：長春宗師既逝，嗣其道者尹公，乃易其宫之東甲第爲觀，號曰白雲云云。見甘水仙源録。凡長春宫，自元以上所有碑文，如元一統志所載，唐劉九霄天長觀碑，及元重修天長觀碑，與長春成道本行二碑，長春弟子各道行碑，久已不存。明洪武二十七年，太宗居潛邸時重修。國朝乾隆二十一年重修。今觀内前殿設靈官像，其右爲儒仙之殿，其東殿設張三丰像；次爲七真殿，次爲邱祖殿，塐邱真人像。都人於正月十九日致酬祠下，謂之燕九節。景物略。

殿後玉皇閣，明建，殿外爲配殿。寺院册。查嗣瑮人海記稱：爲玉歷長春之殿，殿右有儒仙之殿，中有塐像，紫面黑髯，幞頭團花袍，玉帶衮補。按李道謙甘水仙源録，有觀津張本者，正大九年，以翰林學士使北見留，遂隱爲黃冠，居燕長春宮，疑即其人也。再入爲七真翕光之殿，堂中列七真像，旁繪十八弟子，拂拭塵土，隱約可辨者，北壁則抱元宗師趙道堅、太元宗師宋道安、清和宗師尹志平、太素宗師孫志堅、守一宗師夏志誠、明真宗師何志清，東壁則沖和宗師張志素、崇真宗師李志常、洞明宗師綦志清、缺。宗師潘得沖，西壁則敷化宗師孟志穩、光教宗師鄭志修、抱樸宗師鞠志圓、光範宗師于志可、缺。宗師王志明。按李得晟碑，尚有宋得方、張志遠、楊志靜三人，已漫滅不可復識矣。又北爲真寂堂，即處順堂故址，堂中塑邱真人像二，其大者雙瞳點漆，精采如生，非阿尼哥、劉鑾輩不能爲也。沖和本潘行沖號，而畫壁作張志素，又孟志源乃作志穩，皆與仙源録異。惟十八人姓名，仙源録所未備也。按：十八弟子名號，據李得晟碑，不如西游記所載爲塙。其述隨行門人虛靜先生趙道堅、沖虛大師宋道安、清和大師尹志平、虛寂大師孫志堅、清貞真人夏志誠、清虛大師宋德方、葆光大師王志明、沖虛大師于志可、崇道大師張志素、通真大師鞠志圓、通元大師李志常、頤真大師鄭志修、元真大師張志遠、悟真大師孟志穩、清真大師綦志清、保真大師何志清、通元大師楊志靜、沖和大師潘德沖，其中號沖虛者兩人，號通元者兩人，或道藏本刊時有譌，莫得而考，然爲李志常所親記，較後來追述者爲足從矣。

邱祖殿有木鉢一，乃刳木癭爲之，上廣下狹，可容五斗，内塗以金，刻高宗御製詩其中，石座承之，繞以朱闌，其前殿庭中有明碑二，寺院册。胡濙重修白雲觀碑：白雲觀乃邱真人藏蜕之所，洪武二十七年，太宗文皇帝居潛邸時重建前後二殿，廊廡庫廚，及道侣藏修之所。宣德三年，太監劉順建三清殿。正統三年，道士倪正道募建玉皇閣。正統五年，復建處順堂，以奉長春。正統八年，建衍慶殿於玉皇閣之前，重修四帥殿及山門，建靈星門於外，繚以周垣，樹以嘉木。觀至是始大，視舊有加云。邵以正重建白雲觀長春殿碑：都城西南觀曰白雲，邱真人仙蜕在焉。舊有殿曰長春，乃清和尹宗師所搆，以覆遺蜕而奉真人者也，日就傾圮。念真人與先師劉真人偶同長春之號，而師祖趙真人又受北派金丹之傳於真人，而以正實嗣派之雲孫也。乃謀新之，殿三楹既像真人於其中，復圖十八大師暨祖師、先師之像於其壁，經始於景泰丙子，落成於次年。小直沽天妃宮住持李得晟長春殿增塑七真仙範記，略云：白雲觀舊有處順堂，清和尹宗師藏厥師長春邱真人仙蜕於下，封土爲塚，構此爲覆者也。景泰丙子，我師祖通妙邵真人撤堂拓地，備勒貞珉，得晟於正德己巳拜謁祠下，覩簷牖脱落，日就傾圮，思繼先志，召匠鳩材，以堅易朽，補缺爲完，比昔加壯麗焉。復命匠氏埏埴增仙像六軀，通原像爲北派七真也。其東坐西向，坐首則丹陽先生馬鈺，次則長春先生譚處端，又次則長真先生劉處元；西坐東南者，有正陽先生王處一，廣甯先生郝大通，清静散人孫不二。次序悉與東坐相匹。惟中乃長春先生邱處機者是也。七真各有贈號，本元世祖至元六年之所錫。舊壁圖繪十八大師像，及五真人像，第恐後人莫可辨識，遂訂野史，得隨師西域弟子，謂趙道堅、宋道安、尹志平、孫志堅、夏志誠、宋德方、王志明、于志可、張志素、鞠志圓、李志常、鄭志修、張志遠、孟志穩、綦志遠、何志清、楊志静、潘得沖數子耳；若夫原陽趙真人，受北派金丹之傳者，及門受業也；長春劉真人，封號相類，異世同符者也；至如通妙邵真人、普毅杜真人，下及得晟，濫厠妙應真人，皆嗣派雲孫，蒙其餘澤者也，繪形於羣師之後。正德十一年歲次戊辰。有修撰許彬碑，又七真殿左有明兵科給事中趙士賢碑，右有户部員外郎張瓚碑，貞寂堂左有陝西按察副使劉效祖碑，右有刑部尚書顔頤壽碑。觀東偏有斗姥閣，額曰大智寶光，爲聖祖御書也。其西北舊有真常觀。寺院册。甘水仙源録：觀爲長春宫别院，真常李公所建，因以名之。初，宫之西北正與朝元閣相直，可一里，所有廢地一區，真常偶過其處，謂從者曰：此可居也。吾將老於兹焉。版築未施，而真常棄世。嗣教誠明張真人，繼真常遺意，搆三清殿、九真堂、靈官之祠、祈真之壇、齋堂廚舍，又搆静室，以居年高不任役者。王惲真常觀記：真常觀爲全真學者重元子樊君志應所建也，崇堂爲殿，下至齋廚廄庫，靡不畢具，復置菜圃一區，負郭田二百畝，資給道衆。按：秋澗集以真常觀爲樊志應所建，與甘水仙源録所言不同。觀今已無址，其是非莫可辨。又舊有清逸觀，内有琴臺。寺院册。甘水仙源録：邱長春入西域，弟子從行者各有科隸，琴書科者則沖和潘公也，及南歸居燕，歲壬辰，廣陽坊居人有貨其居者，潘公貿之以爲長春别館，建正殿，翼以左、右室，築琴臺於殿之陰。金有名琴二，曰春雷，曰玉振，皆在承華殿。貞祐之變，玉振爲長春所得，命公蓄之，故以名其臺。觀成，以清逸名之。潘公自號九峯老人。魏坤倚晴閣雜鈔：白雲觀西有土阜焉，高丈餘，周圍百步，疑即潘尊師琴臺故址。按：清逸觀久廢無考，今白雲觀西尚有土阜一，未識爲琴臺遺址否也。又白雲觀西南有廣恩寺，即遼之奉福寺也，太康十年正月復建寺浮圖，明正統間改名廣恩。寺院册。土人目爲三教寺，今寺址已廢，其地猶以三教寺爲名。寺内舊有遼石幢，守司空豳國公中書令爲故太尉大師特建，佛頂尊勝陀羅尼幢記，講僧真延撰並書，清甯九年，歲次癸卯七月庚子朔，十三日壬子記。周質析津日記。

崇壽寺，明璫所立也，在白雲觀西，羊坊店市西。寺臨官道，西望秀峯奇巘，蒼翠如畫，回瞻京闕，巋然天表，真近畿佳境也。寺金碧輝映，靚麗雄偉，前爲土田，嘉木陰翳。敕賜寺額曰崇壽。明正德癸酉，司設監監正劉允乘所建。行國録。寺門外鐵獅二，趺下有鎮宅獅子，宏治七年造等字，土人呼爲鐵獅子廟。內明碑二：一宏治七年温仁和撰，一爲費宏所撰。其後院中仆方石尺許，爲住持善倫塔記也。寺院册。記云：示寂僧録司右講經，兼崇壽堂上開山第一代住持，仍兼大興隆寺本師序堂倫公大和尚靈塔。僧録司右講經，兼崇壽寺第二代住持，仍兼住大興隆寺，元崇壽寺第三代住持欽依廣善戒壇傳戒宗師義念等。嘉靖九年三月初一日建。寺東偏爲碧霞元君祠，內有天啟六年造磬一。其在羊房店路南者，爲觀音庵，比邱尼居之。內有正德十五年買地碑記，又崇禎庚辰年重修碑。又相近有普會寺，嘉靖甲寅，太監蔡秀重建，土人呼其地爲蔡公店，殿前尊勝陀羅尼石幢一，後題大朝歲次己酉。又嘉靖三十六年李廷相撰碑一，殿後松一本，極蒼古，意遼時所植也。松下有遼沙門奉航塔幢，今松及奉航塔幢又不可蹤迹矣。舊聞考九十三。

無量庵，在玉河鄉池水邨。

舊名靈佑觀，明正德間建，本朝順治十六年重修，有碑一，無撰人姓名。寺院册。碑云：阜成門外不三四里許，地名三里河，有古刹靈佑觀，創自明正德間，今爲廣種寺，文明上人別院，於甲午春王月重修，戊戌年建兩配殿，改額曰無量庵。相近有靜義庵、普濟寺、圓通觀，皆明刹也。又永安寺，萬曆四十年建，有明嘉靖四十四年碑一，右都御史胡志夔撰。舊聞考九十五。

觀音寺，在玉河鄉池水邨。相傳寺爲古刹，奉觀音大士像，明天順壬午鄉人權五重建。成化丁酉，僧德顯修之，有程敏政撰重修寺記。寺院册。程敏政重修觀音寺記：都城西南五里許，曰玉河鄉，池水邨中有古刹曰觀音寺，天順壬午歲，鄉之人曰權五合里之善士，延釋恩祥重作之，爲祝釐禳祟之地，成佛殿六楹，而祥逝。迨成化丁酉，祥之徒右善世德顯始繼其師之志，盡出己資，鳩工闢地，佛殿之六楹者，巋然中起，左爲伽藍堂，右爲祖師堂，天王殿峙其前，觀音殿倚其後，外爲山門，殿左右爲方丈，鐘鼓有樓，庖廚、庫藏有所，建子屋數十楹居其衆，收民田二百餘畝，贍其食。經始於某年某月，訖工於某年某月。住持恆裕，懼其久而或泯，命其弟善彬求記於予。予因訪其廢興之故，蓋近得石刻於土中，謂金天會七年，梁王統軍至杭，謁上天竺，禮觀音大士像及大藏經，異之，因徙而北，有比邱智完率其徒以從，斯寺之所由始也。石刻於大定十七年九月，考之史，梁王爲烏珠，實以天會七年己酉入臨安，是時爲宋建炎四年，高宗遜於海，凡玉帛、圖籍，盡航之，經像實與之俱。至大定十七年丁酉，幾五十年矣。世宗賢主，自擬漢、唐之盛，圖功臣於衍慶宮，烏珠預焉。撫時與事，有不勝其感者矣。予嘗至天竺，見所謂沈香大士像者，杭僧率指爲梁時物，以石刻證之，則已北徙，中失於兵燹久矣，而杭僧不知也。

高宗御製程敏政觀音寺記訂譌文：并注。朱彝尊日下舊聞載，玉河鄉之觀音寺，所供奉觀音大士像，謂自杭州天竺寺移來，而引程敏政記以實之，然咸淳臨安志，又謂僧道元逢金難時，祕大士於井，兵退知井所在，得像歸之。咸淳臨安志載：靖康初，屬有金難，僧道元祕大士像於井，兵退，瓦礫中忽鏗然有聲，始知井所在，得像歸之院。是疑案也，不可以不辨。夫大士爲佛，妙觀察智，豎三際，橫十方，無時無處不在，不繫乎像也。故佛云：以色見聲求，皆屬邪道。法身、化身不可見，報身則可見。像者報身之偶託者耳。既云偶託，則假中之真，亦不可不求其非中之是；既求其非中之是，則吾以爲仍在天竺者是，而玉河鄉者非也。何也？天竺嘗四至矣，大士相好，宛存於心，且命工肖斯像二，而供奉之於御園之寶相寺，及玉泉山之清涼禪窟。兹觀程敏政之記，乃若實有其事，亦不無生疑。遂命奉宸詣玉河鄉，舁大士像至，觀之，則長短豐瘠，迥然不同天竺者。且五色莊嚴，非所謂古木本色者也。於是憬然悟程敏政之傳譌，並翻然悟道元之附會，而天竺之大士，本不卽不離，無來無去，謂燕京之大士與天竺之大士是一不可，何況云二？是則兩處之記，本出於僧人執像炫俗之見，而不明理好奇之文人，遂亦耳食而恣影談。卽以彼時事蹟論之，烏珠南下，欲得宋之土地耳，其次欲得其貨財耳。且金與元不同，元固蒙古信佛，金則不然，何必遷大士至北京乎？蓋兵燹之餘，寺或因亂致燬，僧或隨而北至，在北者欲神其説而創寺，在南者欲復其迹而耀人，以致兩地各有一大士。而豈知大士無來無去，是一不可，何況云二哉？雖然，余兹筆之篇而訂其譌者，得毋仍執一二是非彼此之見，而違大士如如無我之本願乎哉？謹按：劉侗景物略稱，大士像，晉天福中僧道翊見瑞光發潤，得奇木刻之，餘與程敏政説同。末云金大定十七年所刻，天會七年梁王徙像事，一石甚悉，今寺中所奉，又非晉像矣。

其殿前有月臺，臺上置大鐵鑪、瓶、檠及磬共六件，本宣武門外歸義寺中物，嘉靖年間造，歸義寺今廢，因移置兹寺。又殿内磬一，有觀音寺永遠供福，萬曆十年八月造等字。又鐘一，有天順元年二月，勸緣沙門信昂，住持惠顯，檀越信官陳普錦等鑄造，本寺祖師殿供養等字。又玉河鄉打靛廠，有觀音庵，内有明萬曆四十七年所造鐘一。高麗莊有勝泉寺，成化九年，侍讀學士安成彭華撰碑一。又朱家莊有廣慧寺，明成化間因五華寺遺址修建，今已圮，惟餘屋三楹，内磬一，鐘一，並有玉河鄉朱家莊五華寺等字，寺後廢壞中，仆大鐘一，有萬曆二年三月敕賜廣慧寺開山祖師中圓等字，寺有舊碑二，一爲廣慧寺開山記，僧道深撰，寺院册。記云：京都之西十數里許玉河鄉朱家莊，五華梵刹，乃古之遺迹，歲久荒蕪，於正統年，信官覃文達、王福興輩，邀中圓尊宿重開其山，依原基修造，工完凡十載，敕賜額曰廣慧禪寺，特命中圓尊宿爲第一代重開山祖師。成化五年四月立。又一碑爲檀越題名記，同時立也。舊聞考九十五。

廣濟庵，明天順間建，爲廣慧寺下院也，在玉河鄉池水邨。

玉河鄉池水邨五道聖廟之旁，爲古刹觀音堂，歲久荒蕪。天順元年，廣慧禪寺瑞雲，遇施地功德主惠普寬等喜捨，建寺曰廣濟，以爲廣慧之下院，有天順八年僧道深開山記碑。據開山記。内有金承安五年塔幢一，凡六面，一面陀羅尼梵文，又二面爲破地獄真言，梵書，又三面爲記文，楷書。

圓覺禪寺在三里河路北。

寺本明刹也，有鐘樓，懸銅鐘一，其款識爲明嘉靖甲午年五月，阜成門外三里河池水邨太監麥□造等字。乾隆十六年重修，移山門於南，有董邦達撰碑記。寺院册。董邦達重修圓覺寺碑：寺爲明嘉靖間中涓麥某建，本朝雍正八年地震，漸就圮，住持際章，江南宿遷人，早歲於本貫善因菴剃度，來游京師，受聖時師衣鉢於圓覺寺，茲徧募十方善信，蒙賜白金五百兩興修，移山門於南，拓二十餘弓，經始於乾隆十六年五月，落成於十七年四月。乾隆二十一年歲次丙子寎月立。

慈明寺，明萬曆間敕建也，在阜成門外南驢市口。

寺内有萬曆四十四年敕建碑。又阜成門外甘家口，有報恩寺，内有明天啟元年户部觀政劉漢儒撰碑一。廣福禪林有天啟五年造磬一。大悲菴有嘉靖三十六年造鐘一。又夕月壇東有萬明寺，内有萬曆四年造鐘一，上勒萬明寺拜懺鐘六字。寺院册。燕都游覽志：謂寺中有蘭數本，今無植之者。又寶塔寺殿前塔，高二丈餘，甎基高三尺許，第一層叠石爲之，二層製方，每方刻菩薩像，三、四、五層皆六面，每面刻佛像，有正統十三年賜禮部劄付碑，云寺初名宰塔，後改今名。舊聞考九十六。

慈悲院，在阜成門西關大街北。

乾隆二十八年，潭柘僧募建爲收養老穉廢疾之所。舊聞考九十九。

衍法寺，元刹，故址在阜成門外大街路北。

相傳元觀音寺故址，明天順間嘗卽其地新之，寺之名始著。成化甲午，太監阮安再新之，請於朝，得賜今額。又四十年，其廢甚於舊。太監張雄捐貲鼎建，中爲大覺殿，前爲天王殿，爲明王殿，後爲千佛閣，又後爲真武殿，伽藍、觀音二殿列於左，祖師、地藏二殿列於右，鐘、鼓二樓對列於殿前之左、右，輔以修廊，繚以高墉，像設經幢咸具，其外東爲齋堂，爲庖廚，西爲禪堂，爲茶室，又各爲方丈若干楹。經始於正德三年三月，落成於六年十月。前殿碑二，皆正德七年立：一、李東陽撰，一、楊一清撰。後殿碑一，萬曆壬寅仲春立，户部郎中王愛撰。其地遼時爲葬所也，有尊勝陀羅尼幢，統和十八年，大同軍節度管内觀察處置等使李翊，將仕郎守祕書省校書郎李懿建幢墳所，爲薦考妣亡靈者。又施食幢僅餘半截，上刻神像，皆乾隆三十六年寺僧於殿左掘得，置諸後殿。寺西舊有資福寺，土人呼爲卧佛寺，已圮，空壤中有仆碑，文已漫滅，碑陰尚有膳監太監馬海等字，當卽成德淥水亭雜識所稱之嘉靖初錢使民撰重修碑也。距碑數十武，有塔，形製如妙應寺白塔而高稍遜，中空爲佛龕而無像設。南向門一，門額石刻云：多寶佛聞釋迦佛説妙蓮花經，我能仁三展淨土，供多寶佛，十方分身，諸佛雲集一處。我身出現，爲聽經故，千生少遇，萬劫難逢，諸衆同修，共成佛果。壬寅仲春三日。寺院冊。

慈慧寺，明刹也，在阜成門外迤西二里許。

寺創於明，太監爲施茶設也。慈聖太后增建，賜額慈慧。其牆舊砌亂石，隨其稜角曰虎皮牆。帝京景物略。乾隆二十二年敕修，山門内爲殿兩重，後殿額曰妙三明地，爲高宗御書也。虎皮牆外東北隅，距牆數百武，爲昔之蜘蛛塔址。寺院冊。王漁洋池北偶談：慈慧寺有蜘蛛塔，萬曆中少詹南充黄平倩輝書碑，平倩禪悦與僧愚菴善，嘗往此寺。一日，方誦金剛經，一蜘蛛緣案上，向佛而俯，驅之復來，黄曰：爾以聽經來耶？爲誦終卷，又爲説情想因緣竟，蜘蛛立蛻化去。因以桑門法塔之，復書碑記其事。其蜘蛛塔碑，移於前殿門右，碑式如幢，高餘三尺，方廣餘二尺，南面鐫佛像，北面鐫塔記，東刻偈語，西刻附記文。塔碑左爲萬曆十九年頒賜藏經敕旨碑，碑後刻金剛經。後殿有萬曆二十年碑，禮部尚書李長春撰。寺院册。碑云：阜成門外迤西二里許，有寺一區，乃諸中涓義置，以爲施茶之所。會上人真貴，自蜀入燕，諸中涓延而居此。聞於大内，聖母慈聖宣文明肅太后增繕殿宇，錫以大藏，賜名慈慧。時予請急過家上冢，上人乞文，爲停一日之軺畀之。上人號愚菴，家吾蜀安岳縣云。萬曆二十年十二月立。按長安客話稱，有陶望齡碑、甘井碑，及黄輝所造撥蠟栴檀金像，皆無存。寺後西北隅明立靜樂堂，葬宫人處也，卽古所謂宫人斜。其在阜成門外香山鄉漏澤園，有永隆寺，初名地藏寺，後改。本金刹，明正統間僧杲修，建碑二：一天順三年，翰林學士西秦黄諫撰；寺院册。碑云：阜成門西二里許，岡阜隱然叠起，若拱若伏，嘉林沃壤，宜樹宜稼，是近城之幽勝，據幽勝之所。舊有地藏寺基，相傳爲金源氏時建，以無碑識，弗可考。正統改元，僧録司杲公經此，深爲慨然，命徒無照鏡公曰：是古刹勝地，不可廢也。鏡公領其事，日除榛莽，闢土地，工未畢，杲公示滅。鏡公受僧録司牒，主其衆，歲癸亥，敕賜額永隆禪寺。天順三年，歲在己卯夏四月，開山第一代住持慧鏡立石。其一爲嘉靖二十四年碑，左中允孫陞撰。又馬家溝舊有西域寺，乃灌頂廣善西天佛子大國師荼毘之所也，俗呼三塔寺，明宣德年間建，已圮。乾隆年間僅存數楹，其階下猶屹立二碑：一正統十年，僧烏巴迪呢雅實哩等，爲其師雅爾鼐羅密克立，吏部郎中曹義撰；其一爲宏治十七年重修碑，太僕卿李綸撰。門外仆碑二：一没土中，一尚見成化十四年六月李哲立等字。三塔止存二。西南隅榛壤中，别有一塔，相距較遠，製亦不同。僧云：是爲普同塔，不在三塔之列也。舊聞考九十六。

慈壽寺，明慈聖太后立也，在阜成門外西八里莊。明萬曆丙子，慈聖太后爲穆考薦冥祉，神宗祈嗣，卜地阜成門外，得正德間太監谷大用故地，建寺焉，寺成賜名慈壽。野獲編。舊有碑，大學士張居正撰。寺院册。張居正敕建慈壽寺碑：寺在阜成門外八里莊，聖母慈聖宣文太后親出供奉金，委太監楊輝董其役，外爲山門，天王殿，左、右列鐘、鼓樓，內爲永安壽塔，中爲延壽殿，後爲甯安閣，旁爲伽藍、祖師、大士、地藏四殿，繚以畫廊兩楹，禪堂、方丈三所。又賜園一區，莊田三十頃，食僧衆，以老僧覺醇主之，中官王臣典領焉。寺成，名之曰慈壽。山門內天王殿後有永安壽塔。見張居正碑。朱國楨湧幢小品：一塔聳出雲漢，四壁金剛像如生。乾隆二十二年敕修。塔下碑亭二：左碑前紫竹觀音像並贊，萬曆丁亥年造，後刻申時行、許國、王錫爵瑞蓮賦。初，寺成時，瑞蓮生於慈甯新宮，命申時行、許國、王錫爵賦之，碑勒寺左；右碑前、後魚籃觀音像亦有贊，後刻關聖像並贊，明諭德王輝撰，萬曆辛丑年立。閣下東偏，供像一尊，高尺許，相傳爲九蓮菩薩也。寺院册。楊士聰玉堂薈記：九蓮菩薩者，孝定皇后夢中授經者也，覺而一字不遺，因録入大藏中。旋作慈壽寺，其後建九蓮閣，內塑菩薩像，跨一鳳而九首。寺僧相傳菩薩爲孝定前身也。寺旁有菴曰摩訶菴，明嘉靖二十五年太監趙政所創，菴不甚大，潔淨特勝他菴。殿前多松檜，四隅各有高樓，疊石爲之，登樓一望，川原如織，西山蒼翠，欲與人衣袂接。爲魏璫所毀。菴前殿有碑二：一爲尚書費寀撰，一爲尚書孫承恩撰。俱嘉靖二十七年立。殿後右廂有竹一叢，院中雜蒔草花。摩訶菴東偏金剛殿壁，有明人重臨集篆三十二體金剛經石刻，每經一章爲一體，每體標以分書，而附以釋文，明天啟初陳萬言跋。寺院册。王崇政跋，謂宋僧道肯，因五代時僧夢英所集十八體而廣之，明黃梅汪可受得浮篋中舊本，於黃蓮洲門人黃梅洪度重臨付梓，萬曆間庶吉士雷城侯恪、朱繼祚、姚希孟、何吾騶、施兆昂、陳萬言、行人司行人周鏘、河南提學副使呂邦耀、吏科給事中姚宗文、學使黃汝亨、掌河南道事監察御史房壯麗等爲書釋文於後，而勒諸石。摩訶菴僧性宏嵌之金剛殿壁，迄今字畫完好。其西爲法藏菴，摩訶菴之別院也，僧無絃所創。無絃善琴，今名永慶禪林，内有碑二，皆按察副使劉效祖撰，嘉靖戊申立。寺院册。

慈育院，在阜成門外西十里莊。舊稱碧霞元君廟，康熙四十六年，奉敕修建，改今名。乾隆十五年重修，有碑，侍讀學士王際華撰。舊聞考九十七。

定慧寺，亦在十里莊。寺爲明刹，初名善法，後改名雲惠。本朝康熙四十一年，賜名定慧，寺内有碑三：一、萬曆二十七年，修撰翁正春撰；一、正德六年，大學士梁儲撰；一、康熙五十一年，侍講學士勵廷儀撰。寺西有延甯菴。寺院册。藤陰雜記：延甯菴，荒刹也，圖裕軒學士鍇布默坐菴中而逝，即葬菴側。朱石君尚書珪表墓，周編修永年作傳勒石。菴右祠堂。學士曾以田四百餘畝施諸戒壇，亦建祠祀，門下士劉鴻臚湄作記，稱學士早入詞林，年未五十，引疾不仕，性躭禪悦，恆信宿蕭寺。鴻臚刻其遺集，並懼延甯小刹久而就湮，復勒石戒壇名勝地，以期不朽，其風義有不可及者。又十里莊西半邊店，有報誠寺、普同菴。又田邨有靈威觀音菴、寶峯菴，俱明刹也。惟寶峯菴有正德十二年梁儲撰碑。舊聞考九十七。

顯應寺，在阜成門外香山鄉黄邨。寺爲明保明寺舊址，一稱皇姑寺。寺院册。燕都游覽志：保明寺建自吕姑，正統間諫阻北征，不聽。後復辟，念之，封爲御妹，建寺賜額，藏天順手敕三道。有人司户，人不易入。野獲編：皇姑寺在京城西山，不知所始。嘉靖六年丁亥，上諭輔臣楊一清曰：前有旨下部，謂尼僧與僧道不同，而尼僧寺亦與僧寺道觀又不同，今因桂萼奏毁尼寺，已行下矣，今若皇姑寺仍留，是不去其根也。乃旨出之後三四日，不知何人哀奏兩宫，皇伯母見諭，以皇姑爲孝宗所建，似不可毁。聖母亦以孝宗爲言。蓋小人進禍福之言，故兩宫一時傳諭。次日聖母又諭，欲建一寺，即將此寺與我亦好。蓋此寺乃皇親内官供給信施，必有請告之者矣。按：世宗此旨，已洞見宮掖隱情。既而聖諭又下輔臣楊一清等曰：慈訓兩頒，宜卽順命。但懲惡須去本，方免後患。今將此寺房留與無歸尼僧暫住止著，終身不許復引其類。其祖宗所賜敕額追回。此旨既下，其後因循至今，又八十年矣。彼時上又密諭閣臣云：朕又將有議此時額名之意，並告卿知，夫順天保明者，明是我朝國號，此言尼僧之祖能順聖祖奉天開極，此惟皇天命之，何待後日以一妖尼能保我明也哉？又云：皇姑者，尤不好聽，言我皇家之姑也。當時此寺云敕賜，不云敕建，便可見非祖宗本意也，故朕深嫉之。觀世宗屢諭，不特明晰事理，且曲揣人情。實録中僅載一二語，不能如此詳明，不知述史者何所諱也？康熙五十八年，因寺舊基修建，門額曰敕建顯應寺。寺内天王殿亦有顯應寺三字額，爲聖祖御書。又御製碑文，清、漢書各勒石，立老祖殿前，詹事府左春坊左庶子兼翰林院侍讀王圖炳奉敕書。

觀音殿外有明碑二，右仆，爲明時重修皇姑寺記，無撰人姓名；左爲敕諭蠲免糧稅碑，宏治十二年六月立。其寺右有吕氏塋，卽保明寺女僧吕姑也。寺院册。

雙林寺，在阜成門外二里溝。

寺建於明萬曆初。佛殿三重，前二重僧衆居之，後殿奉瑪哈噶拉佛，以處西域番僧，別闢門於寺左側。其殿壁繪西番諸變相，舊聞考九十七。六研齋筆記：梵僧索諾木納木結，能爲漢音，詰其西來踐歷蹤由，云：其國名卓哈，近高昌，出家法藏寺，本周天元時甘露梵王剎，東行九萬餘里，始達五臺山，逢御馬監太監劉潤，引至北京雙林寺住。萬曆三十年，明肅皇太后命住萬壽菴。又三年，番經廠太監張貴引奏，命住雙林寺，賜紫衣寶冠，命西經廠掌壇教授中貴，又賜織金禪衣、金段膳盒等物。有萬曆四年碑，工部右侍郎王槐撰。寺院册。碑云：西直門外有招提一區，梵僧足克戳古爾，先寓天甯寺，次詣此，見地勢靈秀，松茂張蓋，遂憩息松下，結跏趺坐，耳環手鉢，貌若達摩，曰：吾西竺南印土方僧，游化中國耳。遂留受供。其後一月不食，默持誦密咒。聞於慈聖皇太后，帝賜織金禪衣、錢錠，日齋萬僧，仍賜酥油燃鐙。師齋日滿期，卽欲辭去，曰：此菴未足以綏佛聖，建一大寺奉三寶，是吾之屬也。寺前爲山門、金剛殿，鐘、鼓二樓，天王殿宇中爲佛殿，左、右伽藍、護法，後爲方丈，左、右齋堂、禪室，兩側廚庫僧房，其後疊土石爲山，高可丈餘，上爲明陽洞，左臺、右榭，羣卉叢萃，凡寺之所有者，無不備矣。工始於二月之春，落成於八月之秋，命名雙林。萬曆四年，歲次丙子孟秋之吉。其寺東舊有興教寺，寺廢，惟餘仆碑二：一、列敍部劄，爲正德間刻石者；一、成化敕旨碑。寺院册。碑云：寺在西直門外，太監王助存日，贖宛平縣民黃昇等地修建，以爲祝釐之所，其界東至叉道，南至大道，西至觀垣，北至河岸。又建立寶塔一座於內。朕已賜額曰興教。今助已故，特賜爲大興法王嘉勒斡淩戩焚修之所。所贖昇等田地一頃五十八畝五分，該徵糧草，悉令有司除豁，仍與寺管業。成化二十一年六月二十九日。

極樂寺，在西直門外高梁橋西三里。

寺元至元間建，明成化中重修，有明碑二：一、無撰人姓名；一、嚴嵩撰，皆嘉靖年立。寺最幽邃，長河蔭前，高阜倚後，東有國花堂，西有勺亭。洪亮吉極樂寺看荷花序。乾隆時多荷花，詩人游屐最盛。今荷花零落，池亦淤淺，惟海棠數十株，暮春三月，拆苞吐馥，豔如頳霞，嬌如晴雪，夕陽萬點，盡收其中。間以丁香，蕤蕤碎紫，城西一勝地也。其寺西有靈通觀、雲林寺，靈通觀，有明天啟三年葉向高撰碑。雲林寺後僧塔一，上有石刻云：臨濟正宗三十四世開山建雲林堂雲浪和尚塔，弟子實證立。寺院册。

大慧寺，在西直門外畏吾村。

明正德癸酉太監張雄建，賜額大慧，並護敕勒於碑。有大悲殿，重簷架之中，笵銅爲佛像，高五丈，土人遂呼爲大佛寺。成德淥水亭雜識。龔景瀚游大慧寺記：余客居京師無事，間從友人薄游京城之外，而環城之四野，往往有佛寺，宏闊壯麗，奇偉不可勝計。詢之，皆閹人之葬地也。閹人既卜葬於此，乃更創立大寺於其旁，使浮屠者居之，以爲其守塚之人，而其內又必請於中朝之貴人，自公輔以上，有名當世者爲文，而刻石以記之。出西直門，過高梁之橋，西北行三里許，其地爲宛平香山之畏吾村，有寺曰大慧，自遠瞻之，高出松栝之表。其中堂有大佛，長五丈餘，土人亦呼爲大佛寺云。蓋明正德中司禮監太監張雄之所建也。寺後積土成阜，累石爲山，山阜之峻，下視平地殆數仞，其石皆自吳之震澤舟載而輿致焉，山石嵌空瓏𤥄，登其石罅以望遠，内見外，外不知有内。寺左建佑聖觀，而於土阜高平之處建真武祠，大學士李東陽爲文，立石祠門之外。蓋當是時，世宗方尚道術，閹人懼其寺之一旦毁爲道院也，故立道家之神祠於佛寺之中，而藉祠以存寺。寺之西，墳壤纍纍，石人、石獸，巍然夾侍於前，大抵雄族親之塚也。夫彼其使中朝之貴人爲文，固若挾之以不得不作之勢，而彼貴人者，亦遂俛首下氣，承之以不敢不作之心，天下未有不相知而可以挾之使必然者，原其初，必自中朝之貴人而與宦寺有相知之舊。夫以中朝之貴人，而與宦寺有相知之舊，則彼其所以爲貴人者，未必不出於宦寺之推引，自我得之，而何畏乎？彼推引不出於宦寺而甚畏宦寺，則是惟恐宦寺之能爲禍福於我，此孔子之所謂患得而患失也。爲人臣而患得患失，則其歸且將無所不至，且使患得而果可以得之，患失而果可以無失，吾亦安得而使其不患？乃患得患失矣。而得失之權，卒不可以操之自我，我自得其爲我，而何必交歡於宦寺？此余之三復碑文，不能不爲之長歎者也。乾隆二十二年重修。寺舊有明李東陽撰碑，久無存。寺之左又舊有佑聖觀，寺後有真武祠。寺院册。淥水亭雜識：嘉靖中，太監麥某提督東廠，於寺左增蓋佑聖觀。蓋是時世宗方信道士，而厭緇流，内官惟恐寺刹之毁，故建道觀於其旁，而寺後之山，又有真武祠，藉此以存寺也。大學士李本撰碑記，萬曆壬辰，禮部尚書王錫爵又撰記，今觀碑記無一存者。其在白石橋西，爲朝真觀，明建，成化間碑二，皆都察院左都御史温陽李賓撰。萬曆四十三年碑一，刑部雲南清吏司主事王文邁撰。康熙三十三年重修碑一，太常卿勵杜訥撰。又西有延慶寺，内有明正德年間敕諭碑二，即麥莊橋。延壽菴在巴溝村，亦明代舊刹重修者也。三教菴在萬泉莊，有崇禎十五年開崇禎癸未重修碑一，翰林院侍講孫從慶撰。又三笑菴，明代舊刹，本朝重加修葺。過此山住持鎮叢立碑一，編修朱大麟撰。又循高梁橋石道行，西有五聖菴，康熙四十二年重修，有府尹錢晉錫碑，僧同和碑。北有佑國元聖廟。又天仙廟，殿前有萬曆癸巳，布政使左參政董文寀碑，康熙八年，尚書龔鼎孳碑，殿後有萬曆間尚書余繼登撰天仙聖母感應碑。寺院册。碑云：都城西直關外高梁橋，天仙廟厥居形勝，厥位面陽，重修於嘉靖辛酉，迄今三十餘禩，今上踐阼之十九年辛卯八月，永甯宫端嬪生皇五子，明年壬辰夏患疾疹，虔告於天仙，祈默佑，甫浹旬遂瘳，感神申綏，計葺新之，命官鳩工聚材，卜吉經始，不踰時而告竣。

昌運宮，明太監張永建也，在西直門西廣源閘橋之南。

初名混元靈應宮，建於正德六年。至萬曆四十四年重修，督修者太監林潮也。工竣，更名天禧昌運宮。殿宇七重，松栝二十三株，柏二十株，大皆合圍，夾以雜樹，上枝干霄，下陰蔽地。有二碑，築亭覆之。一爲敕建碑，一爲大學士李東陽撰文、楊廷和書、英國公張懋篆額，俱正德七年立。又一碑，萬曆中立，副使劉效祖撰。魏坤倚晴閣雜抄。本朝乾隆三十四年敕修，門内爲元天聖境，有鐘、鼓樓，功曹殿，中爲元天玉虛寶殿，後爲神霄延壽寶殿，最後爲玉霄上穹寶殿，殿前立高宗御製詩碑二，右國書，左漢書。西半里爲興勝菴，土人目爲松林，今松無復存者，萬曆中所建也。後有藏經閣，可眺西山。東北有果園，園中有亭曰衆芳，亭北砌石爲流觴曲水。其東有閣曰明遠，春月桃杏雜發，登閣望之，不異錦城花海也。人海記。今果園已蕪，閣亦圮毀，惟萬曆中二碑尚存。寺院冊。

碧霞元君廟，在藍靛廠。

長河麥莊橋之西爲長春橋，度橋爲廣仁宮，供碧霞元君，舊名護國洪慈宮，俗稱西頂，康熙五十一年改今名。殿前恭立聖祖御製碑文。宮門坊楔，左、右各一，殿内明碑二：一、敕諭碑，一、朱延禧護國洪慈宮碑。本朝碑一，欽賜學生内官學教習徐珽撰碑。

寺院冊。

廣通寺，在高梁橋西北。寺爲元法王寺之別院，至元間建。明嘉靖己未，太監黄錦重建之。據明徐階重修寺碑略。崇基若岡，累級而上。寺門前繚以短垣，寺四角有高樓，可以眺望，亦春遊一勝地。燕都遊覽志。內有二碑，皆嘉靖中大學士華亭徐階所撰，餘姚李本書，成國公朱希忠篆額。淥水亭雜識。本朝康熙年間，僧實資修治。寺院冊。余兆晟重修廣通寺碑：都城西直門外，乾隅有寺，原名法王，乃元至元間僧貴吉祥所建，爲三藏法師默克沙實哩宏法道場。歷今四百年，中經興廢，詳載明大學士徐階碑記。寺基塏爽，左列雉堞，右環西山，而玉泉之分流禁籞者，穿林瀲碧，沿洄寺門，九衢塵土之外，忽標清境焉。康熙四十三年癸未冬，延禧宮隨蹕過此，憫其傾圮，傳命禪師實資，移錫寺中，議興復之舉。師勸善鳩工，十歷寒暑，成無量壽佛殿三楹，前爲天王殿，後爲大雄寶殿，左、右環以十八阿羅漢，再後爲方丈，各二十七楹，爲禪堂，爲齋堂、廚庫，山門左偏復建茶房五間，隆冬盛夏，設茶湯以給行者。康熙五十一年三月十八日，蒙御書廣通寺額，天章彪炳，與奎璧同輝，用勒石以誌勝因云。康熙五十一年，歲次壬辰七月建。雍正十一年，發帑重修，殿前恭立世宗御製廣通禪寺碑文。寺南爲觀音菴，舊名海潮菴，卽巡河廠舊址也。寺院冊。潘潤民重修海潮菴碑：高梁橋之海潮菴，一名巡河廠，相傳爲古刹也。距都城不數十武，佛殿、禪房、橋梁、園圃、亭臺、池沼，無不備具，左瞻北闕之祥光，右挹西山之爽氣，碧水盈前，茂林環後，春則舉目皆深紅嫩緑，夏則當筵多出水芙蕖，秋冬之交，則丹楓映日，翠荇牽風，鴈落平沙，鷗浮淺渚，至於斯者，靡不心曠神怡。且凡欲登眺西山之勝，率以此爲第一。涉歲久頹廢，焚修釋子通忠者，四顧愀然，於是廣募十方，共醵鍰捐糗，相率樂助，閱歲餘，鳩工庀材，頹者修，廢者舉，一旦煥然改觀。工既竣，屬記於余，是爲記。萬曆丙辰孟夏。

慈獻寺，在廣通寺西。相傳爲明代舊刹，乾隆年間重修。壽安寺又在慈獻寺西，舊爲萬壽隆昌寺，後改今名。

舊聞考九十九。

青塔禪院，在馬家口西。

院亦舊刹，本朝重加修葺。正殿後三塔並峙，旁二塔爲普同塔，中爲大憬禪師塔，銘僧湛佑撰。寺院册。塔銘云：青塔大憬禪師，諱行敏，不知何許人，未辨姓氏。聞師家居時，夜夢梵僧指示，遂出家。緇染後，徧訪知識，始謁覺浪和尚於江左，次參萬池老人於龍池，未經口，夏命居第一座。晚抵燕都，隱青塔者二十年，終歲閉户，曾不知有門外事。報緣已盡，示寂於康熙二十三年二月十九日，葬於城西之西村。其弟子超琇過吾室，索塔銘語，合掌爲之。銘曰：生本無生，滅亦非滅。無滅無生，昆邪結舌。空谷之聲，空堂暫歇。吾師真常，松風水月。康熙二十五年秋七月。院東有龍翔寺，亦明刹，鐘一，有傳臨濟正宗磬山下弟六世孫住龍翔寺實誠等字。寺院册。

覺生寺，雍正十一年敕建也，在曾家莊。

殿前立世宗御製文碑，碑陰泐乾隆二十九年高宗御製詩，鐘樓前立高宗御製大鐘歌碑。鐘爲明永樂間鑄，萬曆間從漢經廠移置萬壽寺。乾隆八年，奉命移置茲寺。曾家莊路北有關帝廟，建置莫詳。又九華菴在小泥窪，菴後爲養老堂，乃募緣養老疾者。又藥王廟，在皇莊，距南海淀二里許，皇莊爲明代俗稱，相沿至今也。廟係舊址，乾隆三十七年重修。寺院册。

清梵寺，在南海淀。

未詳所始，乾隆二年，頒賜藏經全部。舊聞考。其相近者有永通寺，明嘉靖年間敕賜寺名碑一，又徐階撰重修碑一。又天仙廟有明隆慶六年碑，沈淵撰。又真武廟舊爲三官廟，本朝重加修葺。又白衣觀音菴，有康熙六十一年重修碑。又三聖菴，有雍正十一年重修碑。南海淀之東有保福寺，寺後塔一，石刻云：欽依内經廠提督僧録司左善世兼大興隆寺仍兼大聖壽寺開山鼐公禪師靈塔。又正德十一年諭祭僧文鼐碑。又東柳村有長壽寺、觀音菴，並有明鑄鐘磬等，當爲明所建也。又陳府村有太平菴，相傳菴係舊刹，本朝重加修葺。寺院册。

慧福寺，在圓明園宮門左。

寺舊名清芳菴，雍正年間，賜額慧福，土人亦稱關帝廟，以寺内供關帝像也。又有善緣菴，傳係舊刹，本朝重修。其西有泰山聖母廟，稱娘娘廟，康熙年建。寺院册。

大樹菴，康熙年間敕建也，在華家屯。其門額曰敕建大樹菴，聖祖御書也。以有前大樹菴，此稱後大樹菴。寺院册。舊聞考：前大樹菴相傳有古柳一株，今無存。東有觀音菴，亦本朝建立也。又圓明園西北門外蕭家河橋西，有延福禪林，傳係舊刹，重加修葺。又地藏菴。又樹莊有五聖菴、觀音寺，皆明刹也。寺院册。

三聖菴，亦本朝建立也，在長春園大北門外前營。

園東北設鑲白旗護軍營房，故其地有前營之稱。其在安河橋者爲正紅旗營房，亦有三聖菴，乾隆元年立。又三官廟，有乾隆二十九年碑，住持僧承靜立。又達官村有觀音菴，或稱將軍廟，以殿内觀音大士像左、右有石像，刻爲將軍侍立之狀也，石像不知所始，殿前有乾隆五年碑一，無撰人姓名。寺院册。

功德寺，初名護聖，元刹也，在瓮山北五里青龍橋西。

元文宗天歷二年五月，以儲慶司所貯金三十錠、銀百錠，建大承天護聖寺。元文宗紀。元后妃傳：布達實哩皇后，以銀五萬兩助建大承天護聖寺。元統元年，奉文宗及太皇太后御容於寺中。至正初，寺燬於火。寺院册。元李稷傳：至正初，大承天護聖寺火，有旨更作。李稷言：水旱相仍，公私俱乏，不宜妄興大役。其議遂寢。十三年，復賜鈔詔修。順帝紀。明宣德二年修。正殿及方丈凡七進，基皆九撰，擬掖庭制度，費數十萬緡。宣德十年，宣廟西郊省斂，駐蹕於寺，因留輦仗寺中，自後遂爲駐蹕之所。嘉靖中，世廟謁景皇帝陵，有司以金山口路隘，鑱闊數十尺。識者謂此功德寺白虎口也，虎口張，將不利於寺。既而上駐輦寺中，膳罷周行廊廡，見金剛像獰惡，心忽悸而怒，因以宮殿僭踰坐僧罪，撤去之，寺遂廢。長安客話。前有古臺三，相傳元主行樂更衣處。或曰此看花釣魚臺也。寺極壯麗，中立二穹碑，其一宣宗章皇帝御製建寺文，其一元舊物，番字莫能讀也。毘盧閣崇可數尋，憑闌而眺，一寺之勝皆在目前。寺院册。本朝乾隆三十五年敕修，殿前恭立高宗御製重修功德寺碑記，御製辛卯仲夏拈香題句。殿後有亭，中設鏤木七級浮圖，每級皆供佛像，其下層爲銅佛，其元明舊碑俱無存者，惟木毬在焉。寺院册。帝京景物略：寺初興時，板菴禪師能役是毬。毬大如斗，不脛而走，逢人躍擊地如首稽，卽入侯門、戚里募金，人稱大毬使者。及寺廢後，寺僧供木毬於破屋間。按：木毬使者襲聞咸通中正覺禪師軼事，傅會其說，近於荒唐。寺側舊有松林菴，久廢。菴西卽至金山口。又青龍橋側有慈恩寺，依山傍巖，山腰有閣，前臨一鏡，隄柳溪流，雜以畦畛，叢翠之中，隱見村落。珂雪齋集。明萬曆甲午，聖母出內帑，遣慈甯宮近侍御馬監太監陳儒督建。有趙志臯敕賜寺碑。慈恩寺東有塔院，有僧塔一，石刻云：敕建大護國慈壽寺開山第一代住持古風禪師靈塔。又萬曆甲午趙志臯撰碑。寺院册。碑云：古風醖禪師，保定府新城縣宋氏之子，幼出家，拜禮慶甯禪師、寶藏和尚，嘉靖三十四年住持普安禪寺。隆慶丙子，造大護國慈壽寺寶塔，工竣，入院焚修。又橋南里許爲西方菴，東望據湖，梵宇雖不雄偉，而極精嚴。稍南爲三元寺，甚隘，而頗饒水木之勝。山行雜記。今爲七聖菴。又橋東經石山，有妙應寺，明成化間助緣檀越碑一，本朝乾隆十五年重修碑一。妙應寺山頂有碉房一座，又亭一。舊聞考。

寶藏寺，在金山口。

宣德九年，掌御馬監王貴修，爲西域僧道深建。入門二里許，披宿莽陳根而行，上石磴爲天王殿，再百步上石磴爲寶藏殿，殿石棧凡五轉，每轉可二丈餘，棧盡爲臺，臺有觀音殿，初名蒼雪菴，後改今名。山行雜記。

妙喜寺，在靜明園西宮門外迤北。

寺未詳所始。寺西爲香露寺。又西爲普通寺。其南爲妙雲寺，則皆乾隆年間敕建也。又園東北有七聖菴，西北有淨安寺，舊爲西林禪寺，已圮。寺後瓦礫中，有明碑一，禮部尚書毘陵胡濙撰，景泰元年立，碑稱寺左右菩提舍利寶塔二座，後又有延壽寶塔一座，今僅存塔址耳。又在四王府南爲三教寺，康熙三十三年重修，大學士李天馥撰碑記。寺院册。

天仙菴，在四王府東北一里許普陀山。乾隆十二年敕建，有敕建碑。菴之西卽普菴塔院，有乾隆二十一年碑，住持僧照祿立。院西數十武爲普菴塔，塔制八觚，門南向，內供普菴菩薩像，座前有橫石，廣二尺餘，高尺餘，刻嵩雲洞三字，後有正德辛未秋八月七字可辨。寺院册。

十方普覺寺，雍正年間怡賢親王修建也，在玉泉山西南。寺創於唐，名兜率。謹據御碑。元名昭孝，寺院册。元英宗紀：英宗卽位，是年九月建壽安山寺，給鈔千萬貫。十月，命拜珠督造壽安山寺。文宗紀：至順二年正月，以晉邸部民劉元良等二萬四千餘户隸壽安山大昭孝寺，爲永業户。後曰洪慶，曰壽安，據明憲宗如來寶塔銘。按：壽安，春明夢餘録、帝京景物略並作永安，而長安可游記謂壽安，以山得名也。考明憲宗壽安寺如來寶塔銘碑，稱壽安山不甚高，有寺曰壽安禪寺，唐名兜率，後改名昭孝、洪慶，歷年既遠，其規制悉燬於兵，漫不可考。正統中修建，敕賜今名云云。則寺名壽安所自，而永安又莫審何時改矣。寺亦以泉勝，層巖夾道，木石散置，可游可坐。兩殿各卧一佛，長可丈餘，其一滲金甚精。寺內娑羅樹二株，子如橡栗，可療心疾。門西有石盤，方廣數丈，高亦稱是，上創觀音堂，周以欄楯。石盤下有小竇出泉，淙淙琤琤，下擊石底，聽之泠然。寺多牡丹，蓋中官所植，取以上供。長安客話。俗稱卧佛寺。寺院册。長安可游記：銅像憲宗時造。按：元史，英宗至治三年十二月，冶銅五十萬斤，作壽安山寺佛像。則銅像雖傳成化時造，而碑無明文，安知非冶銅五十萬斤所鑄耶？國朝怡親王洎嗣王宏晈、宏曉，捨資葺治。雍正十二年，世宗改賜今名，並製文立碑殿前。寺内明碑六：一、胡濙撰壽安禪寺記，一、檀越題名記，皆景泰三年立，一、明憲宗壽安寺如來寶塔銘，一、敕諭碑，皆成化十八年立，一、嘉靖三十五年重修記，一、萬曆十四年神宗御撰壽安寺碑，其山門舊塔久圮。寺院册。舊聞考：成化壬寅建。其東舊有普福菴，俗呼小紅門，久廢。由卧佛寺殿右側出小門西數十步，有巨石突立，高可三丈，鑿石爲磴以上，爲觀音堂。山行雜記。殿前娑羅樹二株，西有泉注於池，池上有石如碧玉。寺院册。春明夢餘録：娑羅樹來自西域，相傳建寺時所植，今已大三圍矣。堂建於大盤石上。閣左爲山廟，廟旁有嘉靖辛丑重修水漕碑記。景物略。又西半里許，度橋爲隆教寺。寺院册。成化庚子，香山之原，廓舊庵作寺，賜名隆教，陞右覺義本諒右講經，俾主寺事。寺距京城三十里許，與壽安寺相望。寺主濟舟禪師者，精於法華、楞嚴之秘，爲一方禪宗。諒往學其門，乃卽兜率寺阯作菴其旁，朝夕講演，甚衆。舊聞考一百二。寺内明碑二：一、成化六年敕諭碑，一、成化二十二年碑。泉從寺前度，泝泉行三里上嶺，爲五華寺，本古刹，明宣德初，僧成公東洲祥師見其地徑幽僻，山水環繞，遂卓錫於此。正統七年建，成化五年落成。山行雜記。一名廣惠寺，内有明嘉靖十一年倪讓撰碑。又康熙二十五年世襲一等子加一雲騎尉張朝午撰碑。下嶺，復循水行，再登一嶺，爲廣泉寺。循故道下，復上，得圓通菴。其右爲太和菴。泉水源於此。一方亭據其上，傍泉多烏椑、文杏。度泉有鳥道，行三里許，爲普濟廢寺，山行雜記。遺址尚存有斷碑一，明正統十一年僧道深撰。又寺東有尊勝塔廢址，塔建於正統八年。寺西山徑之旁，盤石側立，高廣各丈餘，下有清泉，深不盈尺，廣尺餘，宋彦山行雜記稱一石如鉢，水冬夏不涸者，當卽此也。寺院冊。其在卧佛寺西南，爲廣應寺，内有白松，集踞其下，望見香山、碧雲諸寺。寺西爲木蘭陀，有玉皇廟，殿側有滿井，水可手掬。西山山頂之井，廣泉寺與此爲二，甘洌似中泠，谷中瀹茗，取給二井。天府廣記。舊聞考：井旁石匣上本廟住持全真龔大川勒記於上，後有萬曆四十八年等字。有天啟元年中書袁志學撰碑。又普覺寺西萬華山碧霞元君廟，有本朝碑一，進士李枝長撰。又天寶山七聖廟，有乾隆十年林杲撰重修碑一。廟右爲過街塔，塔踞山巔，下爲城關，以通行旅，關上建平臺，中爲塔，方基約高三尺許，中層圓上鋭下，四面佛像各一尊，上層圓下鋭上，以白玉石爲頂。塔左有關帝祠，右有藥王廟，又茶棚菴，山神廟，皆雍正七年建也。寺院冊。

實勝寺，乾隆十四年敕建也，在静宜園西演武廳西北。

寺卽鮑家寺遺址，舊稱表忠寺，明刹。乾隆己巳，大學士忠勇公傅恆金川功成，因命就舊寺葺新之，名曰實勝，並立健鋭雲梯營，建屋於寺之左右居之。殿前立高宗御製實勝寺記，乾隆己巳製。後記，乾隆辛巳製。碑高丈餘，方廣四面如一，刻國書、蒙古、漢書、梵書四體。寺院册。寺兩掖石樓屹立，青槐百株，交蔽修衢，殿植果松四株，枝葉婆娑，覆陰無隙地。寺下又有勝公寺，石垣周遭，若一縣郭，其中飛樓相望，清渠激户，雜花滿楹。珂雪齋集。又八旗印房之西，有白衣觀音菴，乾隆十四年建。寺院册。

法華寺，順治十四年修建也，在静宜園西萬安山。

寺與法海寺相連屬，相傳爲宏教寺遺址。寺院册。山行雜記：香山南爲門頭邨，邨後爲萬安山，山門上建白塔，爲宏教禪林。朱彝尊京師西山宏教寺題壁：都城西山宏教寺，傳是正德間中貴晏忠所造。寺前有澗，過澗壘石爲門，題曰道統門。石殿三楹，上琢三皇、五帝、三王像，左鑿周、召、孔、孟諸聖賢，右鑿周、程、張、朱諸儒像。别一石龕，以藏五經。殿外一石亭，壁列鐘虡、干戚、錢鎛、弁裳之屬，左龍馬，馬毛旋五十五，數如河圖。右龜，龜甲四十五，數如洛書。東堂三楹，壁立忠臣龍比，以下孝子曾閔，以下若干人。按：元史，泰定二年，中書省言：養給軍民，必藉地利，世祖建大宣文宏教寺，寺賜永業，當時已號虚費云云。今遺迹已無可考。觀晏忠祠石像、禮器，制度渾樸，不類明時工匠所鑿，且元於儒釋初無分别，疑寺卽宣文宏教之遺址，晏忠特從而修飾之爾。金華姜應甲詩云：空山石祠堂，落穆跨深壑。肖像古聖賢，高下坐淵漠。殿壖列龜龍，如出自河洛。煌煌先儒語，所爲忠孝作。性理累百卷，題壁見大略。歷覽感無心，人傳晏公鑿。厥志在尼山，高邈得所託。愧哉彼檀施，釁血塗丹艧。慈谿馮元舒詩云：嗚呼晏常侍，石室存道統。上象皇帝王，其左周召孔。宋之四大儒，一一接其踵。峩峩殿三楹，象皆刻石奉。四壁龕者五，分標五經總。古人所未聞，此是我作俑。猗彼何人斯？卓哉儒者勇。兩君竟以是爲忠所鑿矣。祠堂列聖賢象，始於文翁，踵於趙岐，若司隸校尉魯恭，荆州刺史李剛，從事掾，武梁祠皆有之，不得云作俑也。舊聞考：晏祠石像、禮器，今皆無考。順治庚子修建，改名前爲法海寺，門上有小塔，門内爲關帝殿。約半里許，爲法華寺，門内彌勒佛殿，殿内有順治十七年，奉敕示禁碑，又一碑勒敬佛二字，爲世祖御書，賜僧慧樞者。碑陰鋟歷代佛祖圖。又康熙五年碑，大學士衛周祚撰。寺後西南爲龍王堂，有泉流通僧院。舊聞考一百三。

梵音寺，亦乾隆十四年敕建也，在演武廳西南里許。

寺爲永感菴舊址，寺院册。王崇簡青箱堂集：永感菴俗名新寺。乾隆己巳，以建實勝寺餘材，命飭而新之，名曰梵香寺。正殿前立乾隆十四年御製文碑，左、右各一，左國書、蒙古二體，右漢字、梵書二體。寺旁松檜數百株。建石敞廳曰來遠齋，後有屋五楹，曰含清堂。寺後爲長齡寺，卽延壽菴舊址也。寺院册。余有丁文敏集：下香山至延壽菴，樓五間，高數仞，右爲蔬圃，其前田疇彌亘數里。上有大璫鮑忠墓。忠事武廟、世廟，柄司禮監二十年，宜其營建宏敞如此也。從延壽菴折而北，又西爲小碧雲寺，宣德中太監張某建，宣廟賜寺額也。按：寺已無考。

寶諦寺，在長齡寺西。

乾隆十六年建，爲滕公寺舊址也。寺制仿五臺之菩薩頂寺，前爲臺。寺院册。

寶相寺，乾隆二十七年敕建，在寶諦寺西北。

中峯上向有中峯菴，寺其舊址也。舊聞考一百三。宋彦山行雜記：中峯下過龍泉禪林爲滕公寺，今寶諦寺建於滕公寺舊址稍西，北爲寶相寺，再稍西北爲方廟、圓廟，二廟之間有隙地，俗稱四方圈，合前後左右地形揆之，疑卽中峯菴舊址。帝京景物略：中峯菴地盡石無土，階墀徑磴，可枕藉卧。春明夢餘録：中峯在香山之後，以其居諸峯之中，故曰中峯。躡危磴而上，有菴。寺建於乾隆壬午春，迄丁亥春蕆工。先是，辛巳歲爲聖母祝釐，幸五臺，詣殊像寺，歸後寫殊像寺文殊像，並系以贊，於香山南麓寶諦寺右，度隙地，命建兹寺，肖像其中，寺成，名曰寶相。謹據御碑。殿制，内方外圓，皆甃甓而成，不施木植，四面設瓮門，殿前御書額曰旭華之閣，殿内碑二：左碑爲御寫文殊像並贊，碑陰爲乾隆三十二年御製詩；右爲乾隆二十七年御製寶相寺碑文。寺稍西，有圓廟、方廟，其制皆平頂，有堞，如八旗印房，四隅碉房之式，中建佛樓，亦乾隆二十七年建也。舊聞考一百三。山行雜記所稱中峯下龍泉禪寺，以地里揆之，應距方廟、圓廟不遠。香山南，門頭邨爲西山門徑，有朝陽菴，明刹。又有十方院，爲施茶濟渴之所，有崇禎己巳年彭應乾撰碑。又有康熙六十年碑，無撰人姓名。寶相寺南一里許，有崇壽寺，爲永峯菴遺址，成化元年鼎建，敕賜名。内明碑二：一、成化辛卯孫天濟撰，一、置田碑，成化丁酉順天府尹張伯禧撰。又西一里爲雪峰寺，有乾隆三十八年重修碑。又西爲昌化寺，建置未詳。寺院册。阮旻錫燕山紀游：昌化寺殿壁繪阿羅漢五百尊，穿崖渡海，神通游戲。宣廟時，吴偉小仙筆也。又門頭邨東小屯邨，有西禪寺，本曰翠微，後敕改今名，内明碑二：一爲敕諭碑，一大學士蔣冕撰。在杏子口有善應寺，内有康熙十年禮部尚書龔鼎孳撰碑。寺院册。碑稱都城之西山名藍，勝蹟不可勝考，其規模宏麗，表表傑出者曰善應寺，肇建於明宏治之十有七年，歲月既久，日就傾頽。順治己亥，有濟南居士某某，矢志捐資，缺者補之，毁者飾之，迄今十有餘載，而風規如故。舊聞考：余有丁余文敏集稱，善應寺門列天兵十，狀極詭異，廡下有五百羅漢，今皆無存。

香界寺，在杏子口。

寺舊名平坡寺，在翠微山巔。一統志謂山半得地差平，可寺，遂名平坡，景物略。蓋元刹也。明洪熙元年重建，宣德元年落成，改名圓通。寺院册。按：李東陽懷麓堂集稱，平坡寺元故刹，宣德間修之，改名圓通。余有丁余文敏集，稱大圓通寺創於唐，至宣德年重葺，因改是額。考明一統志稱，大圓通寺洪熙元年重建，其次年即爲宣宗宣德元年。寺蓋創於洪熙，而成於宣德，故懷麓集及余文敏集俱作宣德年間修葺也。康熙十七年，僧海岫經營鼎建，賜名聖感。乾隆十三年謹據御碑。按：舊聞考作十四年。考十三年御製詩已稱香界，則當作十三年矣。發帑重修，易名香界。殿前碑二：左碑恭勒聖祖御製聖感寺碑文，碑陰恭刊前高宗御製香界寺碑文，又一碑，泐聖祖御書敬佛二字，並大悲菩薩像。寺之前後殿，依山勢爲之，愈後愈高，其居寺之上者爲寶珠洞，有乾隆十三年高宗御製詩碑。寶珠洞右有龍泉菴，亦名龍王堂，階下有方池，深五尺餘，其西鑿龍口吐水。寺院冊。

大悲寺，在龍王堂東。

舊名隱寂寺，康熙五十一年賜今名。其地直圓，通翠微之間，寺後有餘地，遂起大悲閣。據明嘉靖碑。

殿前有碑二：一、明嘉靖二十九年立，無撰人姓名，一、本朝禮部尚書婁東王掞撰碑。寺院冊。碑云：神京之西，有環山焉，名藍相望而起，其間翠微峯之右麓有古寺曰大悲，慧鐙禪師偕印如師入寺住持，直樸自守。壬辰，聖祖皇帝召見於暢春園之天馥齋，賜額，錫金，約友萍如師，飯僧於五臺山。丁酉之夏，同登清涼，裝伽藍祖師像，供於秘魔厓，以衣帽散衆，復於湧泉寺飯僧三百，補葺萬佛閣，護國寺大殿前石府文殊院，并繫茶棚，款接朝山往來者，余與師爲方外友，故特爲之記云。又翠微山舊有勝水寺，寺院冊。下臨澗泉閣，後一松，直而多蔭，松後石窟，夏月陰涼，坐久毛髮盡竪。燕山紀游。寺久廢，存僧塔一。前有康熙年間僧海愍撰滕水漢萍禪師塔銘碑，高士奇書。相近又一僧塔，八稜七級，在姚家寺遺址之右。其東南霧明菴，原名普照寺，存嘉靖四十二年銅鐘一。菴西有嘉禧寺，松檜夾徑，里許始入寺，存有正統九年銅鐘一。由今法海寺循山址而南，爲盧師山，舊有盧師寺，始自隋仁壽中，元曰大天源延聖寺，明曰清涼寺，今廢。僅存塔一，八稜七級，有石刻天順四年重修寶塔等字。寺院册。元泰定帝紀：泰定三年二月，建顯宗神御殿於盧師寺，賜額曰大天源延聖寺。其東有證果寺，唐爲感應寺，明景泰間曰鎮海，天順間改今名。明碑三：一在秘魔崖洞口，僧南浦撰，景泰五年立，其二在寺內後殿，皆明禮部尚書姚夔撰，成化五年立。寺院册。王直王文端集稱，秘魔崖池前有小殿，順天尹李執中創以祀神者，今小殿已廢，惟崖洞內右洞有盧師像，旁侍二童子，即大、小青也，左洞有真武像。

靈光寺，在平坡寺下。

舊有寺曰龍泉，金世宗大定二年改曰覺山。至明宣德三年重修，成化十四年，命官度材，宏廣舊規，更今額。內明碑三：一、成化十五年憲宗御製重修碑，一、世宗御製重修碑，一、無撰人姓名，皆嘉靖十年立。寺院册。舊聞考：據明成化間碑，靈光寺金世宗大定二年賜名覺山，則此寺即覺山寺舊址。又西有翠微寺，寺後有塔十層八稜，俗稱畫像千佛塔，繞塔基有鐵鐙龕十六座。翠微山東北有承恩寺，明正德八年建，賜名，寺內明碑二：一、正德八年敕諭碑，一、正德十年李東陽撰碑。法海寺在承恩寺南，正統己未敕建，並賜名，宏治甲子重修，明碑三：一、王直撰，一、胡濙撰，皆正德八年立，一、爲重修記，劉機撰，正德丙寅立。佛幢二：左幢刻佛頂尊勝陀羅尼咒，明金臺大夫李福建，正統四年立；右幢刻佛號及三寶施食文，亦李福撰，正統六年立。又高井村有翠雲菴、淨德寺，內有明朝列大夫邵文恩撰碑，嘉靖己丑年立，王槐撰碑一，萬曆丁丑年立。寺院冊。

香盤寺，舊名雙泉寺，金刹也，在雙泉山。

雙泉寺，金章宗明昌五年詣其寺潛暑，寺有雙泉，因而得名，即建祈福寶塔於寺北。至明成化五年十月，賜名香盤禪林。宣德二年十二月，奉旨，與大能仁寺宏善妙智國師爲下院。嘉靖元年葺而新之。雙泉在今寺右，左側塔一，高約七丈餘，寺内明碑一，嘉靖元年立，無撰人姓名。雙泉山東北黑山，即罕山，帝京景物略稱山陽有寺曰靈福，曰延壽，太監剛鐵墓前寺也。鐵從長陵靖難，把百斤鐵槍，好先登陷陣，槍今存寺中。鐵本名炳，長陵每呼以鐵，故名。今靈福、延壽二寺俱廢，惟三義廟亦稱護國寺，内有明碑五：一、無撰人姓名，嘉靖辛亥立，一、萬曆元年楊溥撰，一、萬曆三十五年馮有金撰，其二無年月，一、王家屏撰，一、徐階撰。剛鐵槍尚存木桿云。寺院冊。

隆恩寺，金刹舊址也，在翠峰山磨石口西。

金名昊苋寺，大定四年秦越公主建。明正統間太監王振修之，改名。據帝京景物略。寺前石牌坊一，額曰鹿苑叢林。寺内有金大定年間碑一，明正統年間碑三，字畫皆漫漶不可辨。寺院冊。按：長安可游記稱：殿後大士，是唐遺像。燕都游覽志稱：殿中供器皆大内舊銅物。今皆無考。又石徑山舊有金閣寺，寺院冊。燕山紀游：石徑山孤峯特立，洞皆鑿石而成，最上爲金閣寺，有塔宜遠眺。今無其名，惟玉皇殿及迴香殿明碑各一，皆許用賓撰，勒萬曆天啟年月。山巔有塔，塔下南北爲城關，南門額外舍利寶塔高約四丈餘，四正作方屋如閣，四隅作圓屋如亭，内皆塑護塔神像，蓋卽金閣寺塔林。寺院册。許用賓重建石景山玉皇殿碑，略云：自唐武德中建玉皇殿，歲久傾圮，萬曆甲寅歲修葺，乙卯歲告成。按：山匣間有佛經石刻，故亦名石經山。

棲隱寺，古刹遺址，明正統間重建也，在仰山。寺始於遼。寺院册。按：趙孟頫仰山棲隱寺滿禪師道行碑稱，寺始建於遼，至師爲二十六代，則又不自金始矣。今據補。金大定二十年正月，敕建仰山棲隱禪寺，命元冥顗公開山，明僧智廣重開仰山，自正統丁卯，至天順戊寅完工。據明劉定之重修碑記。舊有金章宗詩刻，今無存。寺院册。長安客話載金章宗詩曰：金色界中兜率景，碧蓮花裏梵王宮。鶴驚清露三更月，虎嘯疎林萬壑風。其東嶺有尊勝塔，元武宗爲滿禪師建，在仰山東嶺，今尚存。寺院册。

萬壽寺，亦古刹舊址也，在馬鞍山。寺肇自唐武德中，舊名慧聚。至明正統間，易名萬壽。燕都游覽志。寺内戒壇，遼咸雍間僧法均建。舊聞考一百五。按：明高拱重修寺碑，略作遼清甯間，僧法均建。壇前遼碑二，乾文閣直學士王鼎撰，大安七年立。金碑一，開府儀同三司致仕韓昉撰，天德四年立。又已泐遼碑一，起復知樞密院直學士虞仲文撰，建福元年立。已泐金碑一，翰林直學士施宜生撰，貞元三年立。此二碑今寺僧猶傳其文，而譌脱頗多。明碑一，中順大夫毘陵胡濙撰，成化九年立。寺内明碑三：一、無撰人姓名，正統七年立，一、爲成化五年敕諭碑，一、爲翰林侍讀東里高拱撰，嘉靖三十五年立。戒壇之前爲明王殿，殿門右石幢二，刻尊勝陀羅尼咒並序，右幢題識云：大康三年，歲次丁巳，奉爲故壇主崇禄大夫守司空傳菩薩戒大師特建法幢，門人傳戒大師講經律論賜紫沙門裕經等立。左幢題識云：受戒弟子范陽王鼎撰文，太康元年，歲在乙卯建。階下塔二，右塔爲普賢衣鉢塔，左塔石刻云：遼故崇禄大夫守司空傳菩薩戒壇主普賢大師之靈塔。明正統十三年中秋日築壇，如幻道孚建。（舊聞考一百五。）壇後爲千佛閣，閣前古松四枝，覆蓋一院。閣俯眺渾河，正曲句其三面如玦然，閣之下如幻安禪處，其遺衣鉢藏焉。山門内立御製萬壽寺碑記，高宗御製初至戒臺詩。千佛閣前有高宗御題活動松詩。寺南半里許有觀音寺，寺側爲伏虎巖，有道孚塔。又西峰寺古刹，明正統三年修建，賜額曰西峰禪林。（寺院册。公鼐問次齋稿：自戒壇至西峰寺山門，有泉最冽。）西峰寺後東北有塔一，共六層，高三丈許，額曰鞍山故俊公和尚之塔。塔北有池，池左有地藏殿，又石幢一，題識云：大都鞍山慧聚禪寺月泉新公長老塔銘，至元二十八年建。寺内明碑四：一、檢討嚴素撰，正統四年立，一、禮科給事中王之垣撰，一、爲助緣人姓名，一、無撰人姓名，正統三年立。（寺院册。）

岫雲寺，即潭柘古寺也，在馬鞍山之西。

晉曰嘉福寺，唐曰龍泉寺。舊志謂有柘千章，今無矣。燕人諺曰：先有潭柘，後有幽州。此寺之最古也。金皇統間，爲大萬壽寺。至明正統間，名潭柘嘉福寺。據明謝遷碑記。縑山集：潭柘以一培塿當羣山心，九峯扆而立焉，兩殿鴟工絕，金、元時故物也。舊聞考：殿鴟今已無存。又寺內枯柘本僅四尺許，在三聖殿側。康熙年間敕修，賜名岫雲禪寺。寺門外牌樓南、北向，有額曰翠嶂丹泉，曰香林淨土。大門、大殿、彌陀殿、栴檀佛樓、三聖殿、毗羅閣、圓通殿、楞嚴壇、大悲壇、觀音殿、延清閣、流盃亭，皆清幽絕勝。寺內又敬藏高宗御筆心經，並駐蹕潭柘岫雲寺作及山水小景，寺僧敬謹匣藏。其大殿內木匣，方廣二尺，高三寸餘，相傳爲大青、小青所藏處也。舊聞考一百五。王同軌耳談：寺殿中二蛇，長五尺餘，名大青、小青，藏紅篋中，篋標護法龍王，蛇無定止，或自逸野中，鳴鐘則至，恆自篋穿鑪足，交蟠供桌上。觀音殿有元妙嚴公主像並拜甎，雙趺隱然，幾透甎背。相傳妙嚴公主爲元世祖女，削髮居此，日禮觀音不輟，遂留此迹。萬曆壬辰，孝定太后欲經懿覽，貯以花梨木匣，迎入大內，後復送歸寺。紫柏禪師語錄。又寺內舊有金、元碑，皆無存。舊聞考。帝京景物略：金碑二：明昌五年僧重玉記，大定十三年楊節度記。元碑二：至正八年葛天麟記，至正某年危素記。今有明碑三：一、正德六年禮部尚書謝遷撰，一、萬曆三十三年檢討邱禾實撰，一、萬曆壬辰年送龍子歸潭柘文，僧達觀撰。寺院册。謝遷重修潭柘嘉福寺碑記：距都城西二舍許，馬鞍山之西，有泉匯而爲潭，土宜柘木，因以得名。在後唐時，有從實禪師與其徒千人，講法於此，後遂示寂於華嚴祖堂。皇統間，改爲大萬壽寺。繼有廣慧通理者，以正法眼而踵實師之迹，後得比邱善誨獻其寺之故地，成大道場，山靈益加顯焉。其詳見大定間蔡居士楊節度之碑可考已。我朝宣宗章皇帝卽位二年，特命高僧觀宗師住持於此。孝誠皇后首賜內帑之儲，肇造殿宇。越靖王又建延壽塔。英宗睿皇帝詔爲廣善戒壇，頒大藏經五千卷，並賜今額，迄今五甲子矣。工興於正統二年三月，次年九月告成。本朝碑二：一、康熙四十九年茌平縣知縣錢唐吳陳琰撰蓮池記，寺院册。記云：都城西北潭柘寺，自元毁於火，重飭於明，今上臨幸是山，發帑重建，賜名岫雲寺，一時緇流雲集，諸父老復濬池種蓮其中，爲蓮池大會，購大彌陀經五十四部藏於寺，門外立相風，俾瞻禮者望而生敬。一、乾隆年間直隸總督方觀承撰，在寺外之安樂延壽堂。又延壽塔，高五丈餘，明越靖王瞻墉所建。塔後有金釋重玉摩崖詩刻。舊聞考一百五。距寺半里許，又有塔園，僧塔五：一曰故廣慧通理禪師之塔，一曰中都潭柘山龍泉寺言禪師塔銘，一曰渾源州永安禪寺第一代歸雲大禪師塔銘，一曰中都竹林禪寺第七代奇和尚塔，一曰第九代了公禪師塔銘，皆金建也。其在寺後東北隅者，爲歇心亭。山後二泉：一自東來，一自西南來，匯流於此。寺西有龍王堂，堂北別有龍潭，方廣丈餘，深三尺餘。寺院册。問次齋稿：寺址本青龍潭，上有柘樹，祖師開山，青龍避去，潭平爲寺。

瑞雲寺，古刹也，在觀音山菩薩頂下。寺建於隋唐間，興廢屢經，遂爲名刹。俗稱百家寺。元至正辛未重修。據至正十年僧雪成碑。帝京景物略：寺卽五代時李克用建亭故處。寺有摩訶祖師法身，有摩訶煮石鐺。宣宗曾取視，賜以龍袱歸。又有摩訶捽龍石，龍逸祖師追捽之，龍迹宛在。寺内存元碑一，至正十年沙門雪成立。按：元碑稱，寺宇之規模，山谷之形勢，備諸寺碑，則寺内舊碑必多，惜俱無可考也。其東馬闌山有法幢菴。寺院册。帝京景物略：渡石澗上馬闌山，折旋左右，至法幢菴五里，可容騎，又五里，巃徑坦然矣，妙菴也。又妙菴中設大士像。又千佛山有顯光寺，内有千佛閣。又妙高峰下舊有法雲寺，金章宗香水院其址也。寺院册。珂雪齋集：近寺有雙泉鳴於左右，寺門内有方池，雙泉交會也。至三層殿後，乃得泉源。西泉出石罅間，經茶堂兩廡，繞霤而下；東泉出後山，經蔬圃入香積廚而下，會於前之方塘，是名香水也。金章宗游覽之所凡八院，此則香水院也。

大覺寺，卽遼清水院故址也，在黑龍潭北十五里。

清水院始於遼，沿於金，地距圓明園三十餘里，王昶金石萃編一百二十五。金章宗西山八院，此其一也。寺故名靈泉，明宣德三年建寺，更額大覺。據帝京景物略。正統間修。寺院册。明英宗實録：正統十一年三月，命工部右侍郎王佑，督工修大覺寺。本朝康熙五十九年，世宗潛邸時，特加修葺。乾隆十二年，高宗發帑重修。寺内龍王堂，有遼咸雍四年暘臺山清水院創造藏經記碑，僧志延撰。金石萃編：遼地理，玉河縣本泉山地，劉仁恭於大安山創宮觀，師鍊丹羽化之術於方士王若訥，因割薊縣分置以供給之，在京西四十里。遼之薊縣，改名析津，今爲大興。遼之玉河，析宛平地，志而云割薊縣者，當由兩縣犬牙相錯之地也。清水院似在玉河縣地，今山左右尚有南安窠、北安窠之名，或即遼志所謂大安山之南北也。今正殿前立世宗御製詩碑，碑陰爲高宗御製重修寺文。又明碑一，碑陽刻宣宗御製文，宣德三年建；碑陰刻英宗御製文，正統十一年立。其寺旁精舍曰四宜堂，爲世宗御書。乾隆間又修，寺旁有僧性音塔。按：性音住持方丈，在康熙五十九年，未幾圓寂，其徒建塔於寺側。又黑龍潭西四里許白家灘，有開元寺，相傳唐開元所建。明永樂中，西天佛子大通法王智光上師遭際，列聖賜予甚厚。宣德戊申，奉命兼住大覺禪寺，往來憩息此地，愛其土厚水甘，風氣攸萃，意圖興創，出己資，命工市材建立，仍請額爲開元禪寺。宏治六年重修，寺内有明碑二：一、宏治六年太僕寺少卿李綸撰，一、宏治十四年僧淨壽撰。寺院册。

宏慈寺，元剎遺址也，在德勝門外東北。

寺共二，稱爲前宏慈寺，後宏慈寺，相去不半里，形勢聯屬，蓋一寺分爲二者。寺在元元統間，僧本量募建，爲興國禪林。明改額宏慈。其前寺，乾隆丙申年新修，寺内有明顧肇迹宏慈寺碑。舊聞考一百二。顧肇迹宏慈寺碑略：劉公諱聚者，於成化中曆多戰功，封甯晉伯，贈侯，謚威勇。今握篆右府，念世劉公，其五世孫也。京師德勝門外，有古刹遺址，發地得石碣，蓋元之元統三年，興國禪林也。劉公信心喜捨，鼎建一新，奏聞，賜名宏慈。後復建大藏經閣，貯奉太宗文皇帝所刻大藏尊經。今乙亥歲，庀材重加修葺，乃爲之記。崇禎八年乙亥。又康熙十一年沈荃重修寺碑。宏慈寺北有長泰寺，俗名火神廟，本朝初年建，有碑二，無字，其舊址不可考。鐘樓内銅鐘一，明萬曆己酉年造。又傍城臨河有龍王廟，去松林閘不數十武，有明嘉靖三十七年工部文思院吴廷誥碑。寺院册。吴廷誥重修龍王廟碑記：德勝門外，隔城橋梁大道，西曰松林閘，始於神京。燕都分野，築城浚池，其源自西北玉泉而來，左右彎環，通流四城濠，拱護都畿。其水關中流而進，滋園蔬，潤塍稻，由穿市橋入金海，回淵積水，聚盈御苑而泛濤，旋繞禁城，通出朝門，貫脈悠麗，永保皇都萬年之勝境。其勢出，接通漕運轉輪，民得大便，舊有龍王廟一區於閘側，遇旱申禱輒應。嘉靖癸卯，外冰窨掌廠官吕焕，捐資興工修葺，甲寅六月，復奉敕修理。又土城外西北里許，有多寶佛塔禪院，舊名千佛寺。寺後有浮圖七級，題曰華嚴永固普同塔，明萬曆乙酉年，慈聖宣文明肅皇太后建。寺院册。趙志皋護國千佛寺偏融大師塔院碑：慈聖宣文明肅皇太后，根盤仙李，華茂金枝，賜金百鎰，範像千身，千佛寺所由建也。仍於萬曆十一年，遣内官齎白金七十八兩，於德勝門土城關外鷹房邨置地四頃七十八畝有奇，於中建立普同大塔一座，内列八十一龕，其中一以藏師全身舍利，餘以待繼師者。又功德林，卽養濟院也，明僧元章建。詳廠局。又北極寺，明建，有正德六年廣陽居達撰碑一，天啟乙酉造銅鐘一，上鑄金剛經文。舊聞考。

慈度寺，本朝初年建也，在功德林東北隅。俗名黑寺，以其與雙黄寺同爲喇嘛所居，此覆以青瓦，故有是稱。殿五層，山門天王殿，懸慈度寺額，爲聖祖御書。舊聞考一百七。

察罕喇嘛廟，在慈度寺北。

俗呼後黑寺，蓋與慈度寺先後同建也。順治二年，察罕喇嘛自盛京來，於正黄旗教場北地址，募化創建，未有寺名，卽以其名稱之。康熙五十二年，御賜無量壽佛二尊，供奉大殿。寺門前殿有大鐘一口，爲明時尊勝寺舊物，上鑄尊勝楞嚴神咒，三十五佛，全部金剛經、心經。正德十年，都督同知朱甯造。寺院册。

碧霞元君廟，在北頂。

北頂卽北極寺之東，其廟乾隆年間敕修。廟内鑪一，明萬曆年造。鐘一，宣德年造。又北頂東南有慈救寺，舊名五聖菴，在曹八里屯，康熙六十年重修，殿内鑪一，萬曆年造，銅鐘一，嘉靖年造。寺院册。

西紅廟，在德勝門外正黄旗教場北。

廟爲明代五軍營祀旗纛神處也，正德三年，太監谷大用所立，名旗纛廟，今名西紅廟。内有明正德三年大學士焦芳撰碑一。寺院册。焦芳五軍營新建旗纛廟記：皇上臨御，既視太學，躬釋奠講經問道，修文德以風示天下矣。乃以京師武備，所繫尤重，而詰爾之戒，無虞之警，亦不可緩，於是於翊衛諸軍營提督近臣，咸擇人易之，以供新政，而五軍營提督則簡今谷公大用及魏公彬任焉。既受命，攄智殫力，明號令，肅戎伍，卹士布政，旌旗軍容，咸度而飭。至於首事戎纛，其祀尤嚴。蓋旗者，牙旗也，黄帝出軍，訣曰：牙旗者，將軍之精。凡始竪牙，必祭以剛日。纛者，旗頭也，太白陰經曰：大將軍中營建之。天子六軍所用六纛。今奉天子命，莅戎事，首嚴祀之禮也。然秦、漢、宋以來，旗纛雖有祀，而特爲建廟，春秋遣官專祀之。此我聖祖體萃合天下之道，以總攝兵戎之心，蓋萃之至也。自永樂遷都於此，遂卽營中掃地，爲壇祀之。谷公既嚴其事，而謂此不足以致潔清而萃神止，於是謀諸魏公，卜日爲廟，出所蓄金若干以易材木甓石。上聞而嘉之，再加賜千金，命内官監給物料，重門塗朱，棁宇金碧，光耀奪目，而兵戎之志，亦萃於有廟矣。又以古法行師，旗章載四宿。北方者，元武也，蓋取天一生水之義，故以前殿祀元天上帝，而祀軍牙六纛之神於後殿焉。廟成，請予爲記。又清河有鎮國寺，内有明嘉靖碑一，張文憲撰。又距德勝門北三十里，有元福宮，今已圮，殿左有明武宗碑。舊聞考。明武宗元福宮碑略：宏治十七年，皇考孝宗皇帝諭曰：御馬監黃土馬房草場，乃天壽山居庸關經由通衢適中之地，聞其土燥無水，居者行者，往往病之，其擇地鑿井汲水以濟人用，仍修建觀宇一區，爲往來棲宿之所。明年二月，命朝天宮左演法陳良福住觀焚修，工未就緒，朕謂此先帝遺志也，不可不終，仍命督修，改觀爲元福宮，遷陳良福爲左至靈兼住持事，其徒陸尚泰爲住持。蓋自宏治甲子冬十月始事，至今正德乙亥夏五月，厥宮告成。宮之中爲正殿，以奉元武之神，前爲左、右殿，爲龍、虎殿，爲鐘、鼓樓，爲内、外山門。山門之前甃石爲二井。南、北爲方丈，以居道衆。繚以垣牆，宮旁及前爲營房，爲車園店，以居牧馬旗軍。又給草場地六十頃，以供香火。琳宮貝宇，傑出霄漢，輪奐完美，丹碧輝映，遂爲都城之北一偉觀云。

東黃寺，喇嘛駐錫所也，在安定門外鑲黃旗教場北。

寺舊爲普靜禪林，國初達賴喇嘛導諸藩歸命，順治年來朝，謹據乾隆御製黃寺碑文，並普靜禪林瞻禮詩。奉敕，就普靜禪林興建，俾爲駐錫之所。殿前碑亭二：東碑爲順治八年大學士甯完我撰，西碑爲康熙二十三年聖祖御製重修記文，碑陰則乾隆二十九年高宗御製普靜禪林瞻禮詩。舊聞考。

西黃寺，在東黃寺西。

順治九年，以達賴喇嘛綜理黃教，肇建茲寺，東、西二區，同垣異構，土人稱雙黃寺。雍正元年，喀爾喀澤卜尊丹胡土克圖，暨札薩克王公、台吉等，集資助佛像寶塔，送寺供奉，並請以餘資葺而新之。乾隆己丑再修，有世宗、高宗御製碑文，碑立殿前，東、西有二碑亭。寺院冊。

資福院，在雙黄寺西北。

康熙六十年，澤卜尊丹巴胡土克圖諸蒙古汗、王、貝勒、貝子、公、台吉、塔布囊，請於安定門外建十方院，爲飯僧所，遠至徒衆，得有棲止。聖祖俞允之。夏六月工竣，賜額曰資福。有御製碑文立大殿院内。又碑一，乾清門侍衛拉錫撰。又安定門外東五里許，有觀音菴，菴側有高井一，潤百畝，四時流溢。寺院册。帝京景物略謂，安定門外循古濠而東五里，有滿井，井面五尺，殊不相類，惟德勝門外東鷹房邨有稱爲滿井者，廣可丈餘，載筆者或以相去不遠，方名互譌，亦未可定也。又龍到邨有華藏寺，内有萬曆八年劉禹謨撰重修碑。

天主堂，在宣武門左。

明萬曆二十八年建，内設耶穌像。寺院册。春明夢餘録：天主堂在宣武門東，搆於西洋利瑪竇，自歐羅巴航海九萬里入中國，崇奉天主，所畫天主，乃一小兒，婦人抱之，曰天母，其手臂耳鼻皆隆起，儼然如生人。所印書册，皆以白紅，一面反覆印之，字皆旁行，其書裝法如宋板式，外以漆革護之，外用金銀屈戌鉤絡。所製有簡平儀、龍尾車、沙漏、遠鏡、候鐘、天琴之屬。簷曝雜記：天主堂在宣武門内，欽天監正西洋人劉松齡、高慎思等所居也。堂之爲屋圓而穹，如城門洞，而明爽異常，所供天主，如美少年，名耶酥，彼中聖人也。像繪於壁，而突出如離立不著壁者。堂之旁有觀星臺，列架以貯千里鏡。毛奇齡西教入中國録：西教者，大西洋國十字架耶穌教也。耶穌以設教爲仇者所殺，釘其首足兩手於十字架間，遂以此名。其徒利瑪竇，於明萬曆間由廣東入中國，漸入留都，高論驚人，且出其製自鳴鐘、千里鏡諸品示人，則大驚，號爲西儒。留都禮部遂咨送北京，大宗伯馮琦亟稱之。乃言大統曆有差，作修曆局以居之。既而建天主堂於宣武門内，設耶穌及聖母像於堂，耶穌手執渾天儀，聖母手抱一兒，卽耶穌也，其曰天主者，謂耶穌能主天事也。嗣後外州縣亦多設天主堂。按：自咸豐十一年通商以來，天主堂之設不止一處，或稱耶穌堂，並爲傳教之所，兹録其最初者。本朝順治十四年修，有世祖御製碑銘立堂内，又書門額曰通微佳境。寺院册。按：明萬曆間偕利瑪竇航海而來之湯若望，習泰西之教，精於推步，順治年間受三品秩，並賜以通微教師之名。見御製碑文内。康熙五十一年重修，堂西偏爲時憲書局。寺院册。一統志：時憲書局卽明御史鄒元標、副都御史馮從吾所建，首善書院後禮部尚書徐光啟借院修曆，名曰曆局。本朝仍令西洋人局此，治理時憲書。燕都游覽志：首善書院，天啟初，鄒公南臯、馮公少墟兩先生，爲都人士講學之所。葉少師臺山向高撰碑，董宗伯思白書。黨禍起，魏忠賢矯旨毁天下書院，搥碎碑，嗣卽其地開局修曆。

華陽吳祖椿校

京師志十八

風俗

黃岡洪良品纂　江陰繆荃孫覆輯

夫民之剛柔緩急，繫於水土，謂之風；好惡取舍，隨於君上，謂之俗。昌黎有言：風俗與化移易。武王封召公於燕，而其采邑在南，猶有政行俗美之效。況我朝宅中建鼎，累洽重熙，凡絶俗殊方，罔不革心向化，矧其在輦轂之下，親承日月之末光，有不化鄉曲而爲通方，服經常以安作息者哉！爰考盛衰終始，並著於篇，至前代書册所重，今已無之，坿録於後，亦武林舊事、東京夢華之比也。志風俗。

燕之爲言，燕也，其氣内盛，（太平寰宇記。）厥性剽疾，（爾雅疏。）負山帶海，（遼地理志。）地踔遠，人民稀，大與趙代俗相類，（史記貨殖傳。）水萃下而弱，沉滯而雜，故其民愚戇而好貞，輕疾而易死，（管子。）好勇義，寡詐謀，故陳守而不走。（吴子。）其俗人性多敦厚，務在農桑，好尚儒學，而傷於遲重。重氣俠，結朋黨，共相赴死生，亦出於仁義。故班志述其土風，悲歌忼慨，椎剽掘冢，亦自古之所患焉。（隋地理志。）其民執干戈，奮武衛，風氣剛勁，古爲用武之地。（遼地理志。）幽州突騎，冀州强弩，天下精兵，國家贍仗，四方有事，未嘗不取辦于二州也。（蔡中郎集。）初，燕太子丹賓養勇士，不愛後宫美女，民化以爲俗，至今猶然。賓客相過，以婦侍宿。嫁娶之夕，男女無别，反以爲榮，後頗稍止。（漢地理志。）自兩河之戰，遂非唐有。洊歷遼、金，幾四百年，然而不漸宣政，佻靡之化，豪勁任俠，渾厚敦雅，猶有唐之遺風焉。（陵川集。）

昔人論燕人者，管子謂其愚戇，隋志則云冀州之士鈍如錐，今也不然，執塗之人及五尺童子叩之，莫不便便口給，其吶於言者蓋寡，乃知習俗之移，今昔攸殊也。（兩京求舊志。）甚者薄骨肉而重交遊，厭老成而尚輕鋭，以燕遊爲佳致，以飲博爲本業。家無擔石，而飲食服御擬于巨室；囊若垂磬，而典妻鬻子以佞佛進香；甚則遺骸未收，樹幡疊鼓，飯僧動費百千，貧家亦强爲之；風會之趨，人情之化，始未嘗不樸茂，而後漸以漓，其變猶江河其流，殆益甚焉。（萬曆沈志。）

謂陰雨爲酒色天，凡歲時不雨，貼龍王神馬於門，磁瓶插柳枝，掛門之旁。小兒塑泥龍，張紙旗，擊金鼓，焚香各龍王廟，羣歌曰：青龍頭，白龍尾，（聲作以。）小孩求雨天歡喜。麥子麥子焦黄，起動起動龍王。大下小下，初一下到十八。（聲作巴。）摩訶薩。初雨，小兒羣喜而歌曰：風來了，雨來了，禾場背了穀來了。雨久，以白紙作婦人首，剪紅緑紙衣之，以苕帚苗縳小帚，令擕之竿，懸簷際，曰掃晴娘。日月蝕，寺觀擊鐘、鼓，家擊盆、盎、銅鏡，救日月，聲嘈嘈屯屯滿城，中蝕之刻，不飲不食，曰生噎食病。幼兒見新月，曰月芽兒，即拜祝，乃歌曰：月月月，拜三拜，休教兒生疥。小兒遺溺者，夜向參星叩首曰：參兒辰兒，可憐溺牀人兒。見流火，則啐之曰：賊星！夜不以小兒女衣置星月下，曰女怕花星照，兒怕賊星照。亦不置洗濯餘水，爲夜遊神飲馬也，曰不當價。如吴語云罪過。初聞雷，則抖衣，曰蚤蝨不生。見電曰虹，戒莫指，謂生指頂瘡，曰惡指也。初雪，戒不入口，曰毒；再雪，則以炖茶。積雪以塑於庭。帝京景物略。

京師之室，瓦上無窗以透光者，如室南向，則於南北牆俱作牖，牖去地僅二尺餘，臥室土炕即作於牖下，牖與炕相去無咫尺。燕京雜記。貧家一廛，衾枕之外即街巷，婦人安坐炕上，市販者至，湯餅肴蔌傳食於牕牖中，或竟日不作庖廚之炊也。薊邱雜抄。朱弁炕寢詩：風土南北殊，習向非一躅。出疆雖仗節，入國暫同俗。淹留歲再殘，朔雪滿崖谷。禦冬貂裘敝，一炕且跧伏。西山石爲薪，黝色驚射目。方熾絶可邇，將盡還自續。飛飛湧元雲，焰焰積紅玉。稍疑雷出地，又似風薄木。誰容鼠棲冰，信是龍銜燭。陽曦助喘息，未害摇空腹。惠氣生袴襦，仍工展拳足。豈惟脱膚鱗，兼復平體粟。負暄那用訖，執熱定思沃。收功在歲寒，較德比時燠。雖餘炙手焰，甯有爛額酷。矧當凝冰辰，炎帝獨回轂。元冥真退聽，祝融端可録。嗟予亦何者，萬里歌黄鵠。偃仰對牕扉，妍煖謝衾褥。壯懷羞竈媚，晚悟笑突曲。因思墮指人，暴露苦皸瘃。頻年未解甲，蹈此鋒刄毒。遥知革輅中，旰食安豆粥。陪臣將命來，意懇誠亦篤。有奇不能吐，何術止南牧。君心想更切，臣罪何由贖？此身雖自温，此志轉煩促。論武貴止戈，天必從人欲。安得四海春，永作蒼生福！聊擬少陵翁，秋風賦茅屋。宫友鹿煖炕詩：朔野號天風，射我玉肌粟。朝出狐謀裘，夜卧鷺拳足。脛縮被生稜，半牀未嫌促。譬以地賂秦，尺寸不可復。圬者一何巧？置槷定方幅。東西依兩垣，寬平半横屋。北户墐嚴威，南榮就朝旭。最宜列高牕，取便寫文牘。朝治夕以成，稱名混土俗。繚之青蘆炭，緣以白文木。施簟有餘地，兩端置箱簏。不因徐孺懸，難容孟叟跼。朝客躡履升，文茵疊方褥。蓐食憐淮陰，長跽笑籍福。瓦溝馳炎官，花磚隱回禄。文明耀地中，象取明夷晝。挾纊難比温，吹葭未云速。壁燈滴香穗，頂棚燥葦束。借煖活花卉，收煙種萊菔。凍蝎跂欲行，寒蠅癡不伏。誰嘲竈下養，此非厝薪宿。惡卧兒不啼，吉夢婦頻卜。紙窗捲風簾，非煙散遥矚。市聲穿枕來，鬧坊賣漿粥。爬羅出餘燼，透露發新熇。棄灰當塗高，秦法不可督。福過易生災，寵多乃延辱。炙手詎足誇，熱中亦宜沃。坂或名頭痛，國如號身毒。飲冰消煩心，噀水豁眵目。抽薪冷翠釜，炙涼一反覆。我作煖炕詩，主人寄忠告。

房舍、牆壁、窗牖，俱以白紙裱之。屋之上以高粱稭爲架，稭倒繫於桁桷，以紙糊其下，謂之頂棚。不善裱者，輒有縐紋。京師裱糊匠甚屬巧妙，平直光滑，仰視如板壁横懸。或間以别紙，點綴爲丹楹刻桷狀，真如油之漆之者。然冬日又防寒氣内侵，多易以高麗紙。又有琉璃紙，俗謂之光明紙，用以糊窗，自内視外則明，自外視内則暗。歐陽元功漁家傲詞，所謂花户油窗通曉旭者，此也。裱糊多間歲一易，侈者一年四易。北地高燥，如春月亦無溼氣發，糊者至夏日又於窗紙去其一、二，裱以疏布，使其除暑納涼也，布外仍繫以紙，有風沙則舒之，無則卷之。風沙之起，觸處皆是，重簾疊幕，罩牖籠窗，然鎖隙潛來，莫知其處，故几席間拂之旋積，古人謂京師軟紅塵土，不其然乎！人家掃除之物，悉傾於門外，灶燼、爐灰、瓷碎、瓦屑，堆如山積，街道高於屋者，至有丈餘，入門則循級而下，如落坑谷。街道除正陽門外，絶不砌石，故天晴時則沙深埋足，塵細撲面；陰雨時則污泥滿道，臭氣蒸天。人率當道便溺，婦女輩復傾溺器於當衢，加之牛溲馬勃，有增無減，以故重污疊穢，觸處皆聞。二月淘溝，道路不通車馬，臭氣四達，人多佩大黄、蒼朮以辟之。正陽門外鮮魚口，其臭尤不可嚮邇，觸之至有病亡者。此處爲屠宰市，經年積穢，鬱聚深溝，一朝洩發，故不可當也。（燕京雜記。）

京師市，各時日，在正陽門外者曰銀市，曰珠寶市，曰玉器市，在正陽門東者曰估衣市，曰肉市，曰菓子市，在南小市者曰皮衣市，（已初散。）在金魚池西者曰魚市，在東四牌樓南者曰米市，在東四牌樓西者曰豬市，曰羊市，曰馬市，在宣武門外大街南者曰菜市，在虎坊橋西者曰騾馬市，在西珠市南者曰拆補市，在東直門外者曰棉花線市，在隆福寺西者曰雀兒市，（其鳥有相思鳥、倒掛鳥、洋鳥、白鷴、鵪、鶴、鸛以及竹籠、食木磁礶俱全。）在德勝門内者曰耍貨市，在花兒市西者曰油葫蘆市。（並賣蛐蛐、蟈蟈，十月盛行，以竹筒貯之，納入懷中，聽以鼠鬚探之，即鳴，蟈蟈興，使揀子以銅渣和松香爲膏點鏡上，振羽即帶銅音，出賣者以針插帽爲標記。）至每月逢三在土地廟，（在廣甯門內。）逢四在花兒市，（在崇文門外東西大街。）逢七、八在護國寺，（在西四牌樓東。）逢九、十在隆福寺。（在東四牌樓西。）每月初一、二，十五、六在東嶽廟，（在齊化門外大街。）每逢初一、十五，在藥王廟，（在南小市。）每年正月初三至十五日，在火神廟廠甸、（在琉璃廠。）曹老公觀。（在西直門內。）五月在都城隍廟。（在西單牌樓城隍廟街。）三月初一至十五日，在蟠桃宮。（在東便門內。）正月十八、九日在白雲觀。（在西便門外迤西二里許。）四月初一日在西鼎。（在藍靛廠東頭路北，即廣仁宮。）五月初一日在南鼎。（在永定門外。）六月初一日在中鼎。（在南西門外草橋西南。）春、秋二季掩骼會在忠佑寺。（在左安門外南馬回甸。）清明、七月半、十月初一日，在南城隍廟。（在南下窪。）正月十五、二十三日，在黄寺、黑寺。（在德勝門外大關東、西。）曰廟市，在虎坊橋；黎明市，曰小市，在半壁街夜半市，曰黑市。都門紀略。市肆初開，必盛張鼓樂，户結綵繒，賀者持果核堆盤，圍以屏風祀神。正陽門東西街，招牌有高三丈餘者，泥金殺粉，或以斑竹鑲之，或又鏤刻金牛、白羊、黑驢諸形象以爲標識，酒肆則横扁連楹，其餘或懸木罌，或懸錫盞，綴以流蘇，寄園寄所寄。如大柵欄、珠寶市、西河沿、琉璃廠之銀樓、緞號，以及茶葉舖、靴舖、藥舖、洋貨舖，皆雕梁畫棟，金碧輝煌，令人目迷五色。至酒樓飯館，張燈列燭，猜拳行令，夜夜元宵，非他處所及也。都門紀略。極重非時之物，如嚴冬之白扁豆、生黄瓜，一蔕至數鐶。野獲編。胡氏經籍會通云：燕中書肆，多在大明門之右，及禮部門外拱宸門西，花朝後三日，則移於燈市，每朔望並下浣五日，則徙於城隍廟中。燈市歲三日，廟市三日。今京師書肆皆在正陽門外西河沿，餘惟琉璃窰廠間有之而不多見。燈市初在靈佑宫，稍列書攤，自移於正陽門大街之南，則無書矣。每朔望及下浣五日，百貨集慈仁寺，書攤只五六，往間有秘本，二十年來絶無之。香祖筆記。自乾隆間均移於琉璃廠。程魚門移居詩有云：勢家歇馬尋珍玩，冷客沿門問故書是也。隆福寺有三、四家，火神廟市尚有，然絶無秘本。都門雜記。初市以三十三文爲一百，近又減至三十文爲百，以官板錢一當兩，凡貿易議錢一百，實則用五十。陔餘叢考。咸豐癸丑，行使當十大錢，初有當三、當五、當伍十、當百、當五百、當千，詳錢法。後止有當十一種，每千寔大錢四十九枚而已。都門雜記。

錢店尤詭譎，今日買銀，明日閉門逃走，所開錢帖，盡成廢紙。雖歷奉嚴諭，不能絶也。都門紀略。風起，則沙塵漲天，有鬼眼睛者，以紗爲之，嵌於眼上，仍以青皂帛繫於頭上。析津志。近時風尚西洋人水晶眼鏡，有水晶、黄晶、墨晶，價高者至數十金。都門雜記。繁會之地，偷兒、拐子，有非意計所及者，又有藏利刀雜稠人中，剪取腰間雜佩，或至割衣襟一幅，混號謂之小李，被剪者覺而獲之，雖加毆辱弗怨，或旁人指破，則必報矣。簷曝雜記。

嫁娶之時，男家爲新婦上髻，女家爲新壻冠巾，先期備禮送其家，合婚得吉，相視留物爲贄，行小茶、大茶禮。娶前一日，壻備物往女家，曰催妝。新婦及門，壻以馬鞍置地，婦跨過，曰平安。婦進房，陰陽唱催妝詩，撒諸果，曰撒帳。婦家以飲食供送其女，曰做三朝，做單九，做雙九云。萬曆沈志。昔日娶親風俗，頭日迎妝，二日娶親，三日會親；今改爲早辰迎粧，上午娶親，下午會親，一日辦三事，故曰小三天。都門紀略。京師婦女嫁外方人爲妻妾者，初看時以美者出拜，及臨娶，以醜者易之，名曰戳包兒。過門信宿，盜其所有逃者，名曰拏殃兒。蔗園雜記。亦謂之放鷹。都門紀略。

喪禮殯不踰時，殯三日，具祭墓所，曰煖墓，亦禮虞祭遺意也。萬曆沈志。至出葬浮費最多，一喪車或至百人舁之，銘旌有高五丈者，纏之以帛，費百餘疋，其餘香亭、幡蓋、儀從之屬，往往越分，又紙糊方相，長亦數丈，紙房累數十間，集送者張筵待之，優童歌舞於喪者之側，跳竿走馬，陳百戲於道。薊邱雜鈔。殯出至街，焚紙錢，以秫稭紥方架，寬五、六尺，餘六、七尺遍粘以紙錢，臨起大槓時，舉火一焚，磞弓一斷，噴出無數紙錢，火借風勢，愈飛愈高，上冲霄漢，凝然不動，渺若羣星，謂之買路錢。都門紀略。期、功以下服孝帽，頂心皆綴紅絨一朵，曰花花孝。露書。

宦游京師者，託事請客歛分金，曰撒網。癸巳存稿。按：識小録：都下風俗，自五品以下，遇慶會，具柬遍召同年、寅好、鄉親，假館設席，延賓至具賀金，主人受賀，演戲終日，謂之請分子，每分多至八金以上，少至一金以下，每會可數百金，除費計贏若干，以爲主人之得。

學究大書其門曰學經文並授，或曰擇日來學。都門紀略。按：市販小民不能延師，得此以訓課子弟，體固未宜，事姑從便，其衣冠之家，則不爾也。

立春前一日，順天府於東直門外迎春。大清通禮。五里春場，場内春亭，萬曆癸巳，府尹謝杰建。景物略。至次日立春之時，無貴賤皆嚼蘿蔔，名曰咬春，互相請讌，喫春餅、和菜，以綿塞耳，取其聰也。明宮史。正月初一日，五更起，焚香，放紙炮。將門閂或木槓於院地上，抛擲三度，名曰跌千金。飲椒柏酒，喫水點心，即扁食也，或暗包銀錢一、二於内，得之者以卜一歲之吉。是日互相拜，酌中志。不問貴賤，奔走往來者數日，水東日記。名曰賀新年。所食之物，如曰百事大吉盒兒者，柿餅、荔枝、圓眼、栗子、熟棗共裝盛之。又驢頭肉亦以小盒盛之，名曰嚼鬼，以俗稱驢爲鬼也。明宮史。旦日小民以鬏穿烏金紙，畫綵爲鬧蛾簪之。

景物略。貴戚家懸神荼、鬱壘，民間插芝梗、柏葉於户，小兒女剪烏金紙作蝴蝶戴之，名曰鬧嚷嚷。北京歲華記。按：余氏辨林：今京師凡孟春之月，兒女多剪采爲花，或草蟲之類插首，曰鬧嚷嚷，卽古所謂鬧裝也。嚷與裝音相近，故訛也。唐白樂天詩：貴主冠浮動，親王轡鬧裝。是已。歐陽元功圭齋集，漁家傲詞：正月都城寒料峭，除非上苑春光到。元日班行相見了，朝回早闕前，褫帕歡相抱。漢女姝娥金搭腦，國人姬侍金貂帽。繡轂雕鞍來往鬧。閒馳驟，拜年直到燒燈後。五鼓時不卧而噓，噓則急起，或不及衣，曰卧噓者病也，不卧而語言，或户外呼則不應，曰呼者鬼也。夙興，盥漱，啖黍糕曰年年糕。家長少畢拜，姻友投箋互拜。燒香東嶽廟，賽放爆杖，紙且寸。東之琉璃廠，西之白塔寺，賣琉璃瓶，盛朱魚，轉側其影，小大俄忽；别有銜而嘘吸者，大聲咏咏，小聲唪唪，曰倒掖氣。景物略。以阡張供祖考之前，三日後撤而焚之；佛前則供果、麵、阡張，至元宵後乃焚之。阡張鑿紙爲條，與冥錢同類。宛署雜記。旦至三日，男女於白塔寺繞塔。旦至晦日，家家竿標樓閣，松柏枝蔭之，夜燈之，曰天燈。景物略。初三日至十七日，陳百貨於琉璃廠，書畫、金玉、骨董，均設地攤，而火神廟尤甚，游人雜沓，名曰逛廠。藤陰雜記。初七日吃春餅、和菜。明宮史。初八日，弘仁寺打鬼。其制：以長教喇嘛披黄錦衣，乘車持鉢，諸侍從各執儀仗法器擁護，又以小番僧名班第者，衣彩胄，帶黑白頭盔，手執綵棒，隨意揮灑白沙，前以鼓吹導引，衆番僧執曲錘柄鼓，鳴鑼吹角，演念經文，遶寺周匝，迎祥驅祟。念五日，德勝門外黄寺行亦如之。帝京歲時紀勝。初九日後喫元宵，其製法用糯米細麵，内用核桃仁、白糖爲果餡，灑水滚成如核桃大，卽江南所稱湯圓也。明宮史。人家用粉糁寒具饋送，偏市鬻之五花帚爲號，宴席間尚王瓜、豆莢，一瓜之值三金，豆一金，點茶用椿芽、蒲笋發之，冰下牡丹、芍藥、薔薇俱有花，較春時薄小，一瓶值數千錢，貴戚倡家插茉莉花。北京歲華記。十三日至十六日，内城衙署懸燈，而户、兵二部尤甚，外城廊房胡同及各大街，均有燈彩、流星、花爆之屬。都門雜記。十三日，家以小琖一百八枚，夜燈之，徧散井、竈、門户、砧石，曰散燈也，其聚如螢，散如星，富者燈四夕，貧者燈一夕止，又甚者無燈。小兒共以繩繫一兒腰，牽焉，相距尋丈，迭於不意中，拳之以去，曰打鬼。不得爲繫者兒所執，執者，鬨然共捉代繫，曰替鬼，更繫。更擊，更執，更代，終日擊，不爲代，則佻巧矣。又繩以爲城，二鬼帕蒙以摸，一兒執敲城中，輒敲一聲而輒易其地以誤之，爲摸者得，則蒙執敲兒，曰摸蝦兒。望前後夜，婦女束草人，紙粉面前帕衫裙，號稱姑娘，兩童女掖之，祀以馬糞，打鼓，歌馬糞薌歌，三祝，神則躍躍，拜不已者，休倒不起，乃咎也。男子衝而仆。景物略。元夕，童子撾鼓，旁夕向曉，曰太平鼓。二童子引索略地，如日光輪，一童子跳光中，曰跳白雲索。婦女相率宵行，以消疾病，曰走百病。至各門，手暗觸釘，謂男子祥，曰摸釘兒。景物略。按：宛署雜記：其夜婦女羣遊，祈免灾咎，前一人持香辟人，名曰走百病，凡有橋處，三五相率以過，謂之度厄。北京歲華記：手攜錢賄門軍，摸門鐶，云卽生男。陳檢討集：燕京風俗，元夜婦女競往前門摸釘爲戲，相傳識宜男也。擊太平鼓，戴面具，耍大頭和尚，聚觀男女。有以詩隱物幌於寺觀壁者，曰商燈，立想而漫射之。景物略。用烏金紙剪成蛾，飛蛾以猪鬃尖分披，片紙貼之，或五或七，下縛一處，以鋮作柄，婦女戴之，名曰鬧蛾兒，此古之遺俗也。瓅譚。亦有用真草蟲、蝴蝶者，有用真正小葫蘆如菀豆大者，名曰草裏金，二枚可值二、三十兩不等，皆貴尚焉。明宮史。煙火諸製，有聲者曰響炮，高起者曰起火，起火中帶炮連聲者，曰三級浪，不響不起，旋繞地上者，曰地老鼠。築打有虛實，分兩有多寡。有花草人物等形者，花兒名百餘種，別以泥函者曰砂碢兒，以紙函者曰花筒，以筐函曰花盆，統名曰煙火。宛署雜記。十九日，都人集白雲觀，游冶紛沓，走馬蒲博，謂之燕九節，或曰閹邱，或曰宴邱。相傳是日真人必來，或化冠紳，或化士女，或化乞丐，於是羽衣十百，結坐松下，冀幸一遇之。按：野獲編，都人名爲耍燈九，意以爲火樹星橋甫收聲采，而以燈火得名耳。既見友人東中稱爲淹九，或云燈事闌珊，未忍遽舍，取淹留之義，似亦近之。既得之都下耆舊，則云：全真道人邱元清，以是日就閹，故名閹九。京師是日不但游人塞途，而四方全真道人不期而集者，不下數萬，狀貌詭異，衣冠瑰僻，分曹而談出世之業，中貴人多以是日散錢施齋，聞京師無賴亦有趁此時腐其童稚者，則閹九之說，亦似不妄。二十五日，人家市牛、羊、豕肉，恣餐竟日，客至苦留，必盡飽而去，名曰填倉。北京歲華記。是月也，女婦閒，手五丸，且擲，且拾，且承，曰抓子兒。丸用象木、銀礫爲之，競以輕捷。景物略。二月一日爲中和節。遼禮志。都人呼二月二日爲龍擡頭，鄉人用灰自門外蜿蜒布入宅厨，旋繞水缸，呼爲引龍迴。宛署雜記。煎元旦祭餘餅，薰牀炕，曰熏蟲兒，謂引龍，蟲不出也。燕少蜈蚣，而蠍其爲毒倍焉；少蚊，而蠅其爲擾倍焉；蚤蝨之屬，臭蟲又倍焉。所苦尤在編户，雖預薰之，實未之有除也。小兒以木二寸，製如棗核，置地而捧之，一擊令起，隨擊令遠，以近爲負，曰打柭柭。古所稱擊壤者耶？其謠云：楊柳兒活，抽陀螺，楊柳兒青，放空鐘，楊柳兒死，踢毽子，楊柳發芽兒，打柭兒。（景物略）二月，都人進香涿州碧霞元君廟，不論貴賤男女，額貼金字，結亭如屋，坐神像其中，繡旗瓶鑪前導，從高梁橋歸，有雜伎人騰空旋舞於橋岸，或兩馬相奔，人互易之，或兩彈追擊，迸碎空中。（北京歲華記）二日，南北二城游盧師山，如燕九節。（析津志）是月，北城官員、士庶、婦人、女子，多游南城，愛其風日清美，名曰踏青鬬草，士庶俱立鞦韆架。（景物略。按：荆楚歲時記云：鞦韆本北方山戎之戲，以習輕趫者，後中國女子學之，乃以綵繩懸木立架，士女炫服坐其上，推引之，名曰鞦韆。）三月上巳日，上土穀祠。清明日始賣冰，以兩銅琖合而擊之。次日花木皆出窨，播瓜菜種於地，後三日新茶從馬上至，至之日，官價五十金，外價三二十金，不一二日卽二三金矣。二十八日，賽東岳廟。（北京歲華記）清明日，男女掃墓，擔提尊榼，轎馬後掛楮錠，粲粲然滿道也。是日簪柳，游高梁橋，曰踏青。多四方客未歸者，祭掃日，感念出游。（景物略）二十八日，燕京祭嶽廟，集衆爲香會，有爲首者掌之，盛設鼓樂旗幡，戴甲馬，羣迎神以往，男婦有跪拜而行者，名曰拜香。（宛署雜記）是月小兒以錢泥夾穿而乾之，剔錢，泥片片錢狀，字幕備具，曰泥錢。畫爲方城，兒置一泥錢城中，曰卯，兒拈一泥錢遠擲之，曰撇，出城則負，中則勝，不中而指杖相及亦勝，指不及而猶城中，則撇者爲卯。其勝負也以泥錢。別有挑用葦，綳用指者，與撇略同。有撇用泥丸者，與錢略同，而其畫城廓遠。景物略。四月初一日，戒壇開，城中人多往西山。初八日，各寺浴佛。十三日，上藥王廟，諸花盛發，白石莊、三里河、高粱橋外，皆貴戚花場，好事邀賓客遊之。北京歲華記。一日至十八日，傾城趨馬駒橋，幡樂之盛，一如嶽廟，碧霞元君誕也。景物略。又云：祠在北京者稱泰山頂上天仙聖母，麥莊橋北曰西頂，草橋曰中頂，東直門外曰東頂，安定門外曰北頂，盛則莫如宏仁橋，若億萬姓所皈禮以教神道焉，君相有司不禁也。俗傳是日神降，傾城婦女往乞靈，祈生子。西湖、玉泉、碧雲、香山，遊人相接，又傍近有地名秋坡，都中伎女競往逐焉，俗云趕秋坡。宛署雜記。立夏日，啟冰賜文武大臣，編氓得買賣者，手二銅盞疊之，其聲磕磕，曰冰盞。八日，捨豆兒，曰結緣。十八日亦捨。先是，拈豆念佛，一豆，佛號一聲，有念豆至石者，至日熟豆，人偏捨之，其人亦一念佛，啖一豆也。凡婦不見答於夫、姑宛若者，婢妾擯於主及姥者，則自咎曰：身前世不捨豆兒，不結得人緣也。是月，榆初錢，麪和糖蒸食之，曰榆錢糕。景物略。按：歐陽原功漁家傲詞：四月都城冰碗凍，含桃初薦瑛盤貢。南寺新開羅漢洞，伊蒲供，楊花滿院鶯聲哢。歲幸上京車駕動，近臣準備鑾輿從。健德門前飛玉鞚。爭持送，葡萄馬乳歸銀甕。則冰盞之俗，自元已然矣。五月一日至五日，家家妍飾小閨女，簪以榴花，曰女兒節。景物略。端午用角黍、杏子相遺，挈酒遊高粱或天壇，壇中有決射者，蓋射柳遺意。北京歲華記。五日游爲耍青，十日游爲送青。柳堂□集。無賴子弟以是日刺臂作字，或木石、鳥獸形。民間是日生子，東一木或荊條祭於堂，斬其木五、六尺許，祝曰：如是止，勿長抵户。北京歲華記。五月五日，漬酒以菖蒲，插門以艾，塗耳鼻以雄黄，曰避毒蟲。家各懸五雷符，簪佩各小紙符，簪或五毒、五瑞花草，項各綵繫，垂金錫，若錢、若鎖者，曰端午索。景物略。中官於端午謍内造紫金錠。居易録。六月六日，婦女多以是日沐髮，謂沐之不膩不垢，至於貓犬之屬，亦浴於河。京師象隻皆用其日洗於城外之水濱，一年惟此一度也。野獲編。三伏日洗象，内務府官以旗鼓迎象出順承門，浴響閘，象奴挽索據脊，時時出没其髻，觀者兩岸各萬衆。都門雜記。王士禛洗象行：水關蒼蒼柳陰碧，寶馬流蘇分絡繹。日中傳呼洗象來，玉河波射珊瑚赤。須臾鉦鼓干雲霄，萬夫聲寂如秋宵。虎毛蠻奴踞象頂，邱山不動何岧嶤。岸邊突兀二十四，直下波濤若崩墜。縱横欲蹴黿鼉宅，騰達還成鵝鸛隊。乍如昆明習鬬戰，萬乘旌旗眼中見。又如列陣昆陽城，雷雨行天神鬼驚。奴子胡旋氣遒壯，忽没中流躍巨浪。撤波一躍萬人呼，皤然却出層霄上。今年宰相收夜郎，扶南盤況求王章。遠隨方物貢天闕，屹然立仗金堦旁。聖朝自不貴異物，致此亦足威遐荒。黄門鼓吹暮復動，海立山移浩呼洶。大秦獅子多威神，山林豈是天家珍。六月，京師中多市麻泥、科斗粉、煎茄、炒韭、煎餅，五更汲水以備合醬之用，咸謂此日水與臘水相同，仍以此日曬乾肉，猶臘味也。析津志。立秋日，相戒不飲生水，曰呷秋頭水，生暑痱子。景物略。祀先用麻稭，奠酒爲誠，買紙錢冥衣，燒化於墳，謂之送寒衣。仍以新土覆墓，市中賣摩訶羅巧神，泥塑人物，大小不等。宫庭、宰輔、士庶之家，咸作大棚，張掛七夕牽牛織女圖，盛陳瓜果、酒餅、蔬菜、肉脯，邀請女流作巧節會，稱曰女孩兒節，覘小貞咎。飲宴盡歡，次日饋送還家。析津志。七夕前數日，種麥於小瓦器，爲牽牛星之神，謂五生盆。燕石集。七夕，女子以碗水暴月下，各自投小鍼浮之水面，徐視水底月影，或散如花，動如雲，細如綫，觕如椎，因以卜女之巧。宛署雜記。十三日至十五日，迎節，送節，笑節。燕北雜記。十五日，燕城鄉民，薥黍苗、麻粟苗，連根及土，縛豎門之左、右，別束三叢立之門外，供以麵果，呼爲祭麻穀。月令廣義。中元節前，上冢如清明，各寺設盂蘭會，以長椿寺爲盛。北京歲華記。十五日，上墳如清明時，或製小袋以往，祭甫訖，輒于墓次掏促織，滿袋則喜，秫竿肩之以歸。景物略。十五夜，兒童争持長柄荷葉，然燈其中，繞街而走，青光熒熒，若燐火然。陝志。晦日，謂是地藏佛誕，供香燭於地，積水潭、泡子河各有水燈。北京歲華記。是月始鬭促織，壯夫士人亦爲之。鬭有場，場有主者，其養之又有師，鬭盆筩礶，無家不貯焉。都門雜記。八月十五日祭月，其祭果餅必圓，分瓜必牙錯瓣刻之如蓮華，紙肆市月光紙，繢滿月像，趺坐蓮華者，月光徧照菩薩也。華下月輪桂殿，有兔杵而人立，搗藥臼中，紙小者三尺，大者丈，工緻者金碧繽紛。家設月光位，於月所出方，向月供而拜，則焚月光紙，徹所供，散家之人徧。月餅月果，戚屬餽相報，餅有徑二尺者，女歸寧，是日必返其夫家，曰團圓節也。景物略。是月，人家婦女皆歸外家，姨、舅輒以新葫蘆貽之，云宜外甥。自得語。九月九日，都中以麵爲糕，餽遺作重陽節，亦於闤闠中笊篾蘆蓆叫賣，如七夕、午節，市人又多以小扛車上沿街叫賣。析津志。列菊花數十層於屋下，前者輊，後者軒，望之若山坡，五色燦爛，環圍無隙，名曰花城。陳琮詩註。霜降後，鬭鵪鶉，籠於袖中，若捧珍寶。北京歲華記。載酒具、茶爐、食榼，曰登高。麵餅種棗栗其面，星星然，曰花餻。餻肆標綵旗，曰花糕旗。父母家必迎其女來食，亦曰女兒節。景物略。十月朔，上冢如中元，祭用豆泥骨朵。北京歲華記。紙坊翦紙五色，作男女衣，長尺有咫，曰寒衣。有疏印緘，識其姓字輩行，如寄書然，家家修具夜奠，呼而焚之其門，曰送寒衣。景物略。賣韡人以十月一日爲韡生日，供具祭之，以其陰晴，卜一冬寒燠。宛署雜記。是月，羊始市，兒取羊後脛膝之輪骨，曰貝石，置一而一擲之。置者不動，擲之不過，置者乃擲，置者若動，擲之而過，勝負以生。其骨輪四面兩端，凹曰真，凸曰詭，勾曰騷，輪曰背，立曰頂。骨律，其頂岐亦曰真，平亦曰詭，蓋真勝詭負，而騷背閒，頂平再勝，頂岐三勝也，其勝負也以貝石。景物略。冬至日，人家畫素梅一枝，爲瓣八十有一，日染一瓣，瓣盡而九九出，則春深矣。曰九九消寒圖。都門雜記。十一月，人家瑾户，藏花木於窖，食兔羹，女子嫁者多歸寧，爲母浣濯，曰報娘恩。始擊羯鼓，鼓用鐵爲圍，單皮覆之，每十人、五人聚擊，女子亦然。北京歲華記。十二月一日至歲除夜，小民爲疾苦者，奉香一尺，宵行衢中，誦元君號，自述香願，其聲烏烏惻惻，曰號佛。八日先期鑿冰方尺，至日納窖中，鑑深二丈，冰以入則固之封如阜，内冰啓冰，中涓爲政，凡蘋婆果入春而市者附藏焉，其窖在安定門及崇文門外。景物略。八日作臘八粥，以米果雜成之，品多者爲勝，此蓋循宋時故事，然宋時臘八乃十月八日。燕都遊覽志。臘月束梅於盎，匿地下五尺許，更深三尺，用馬通然火，使地微温，梅漸放白，用紙籠之，鬻於市，小桃、郁李、迎春皆然。北京歲華記。張萱疑耀：京師風俗，入冬以地窖養花，其法自漢已有之。漢世大官園，冬種蔥、韭菜，茹覆以屋廡，晝夜燃熅火，得温氣，諸菜皆生，召信臣爲少府，謂此皆不時之物，有傷於人，不宜以奉供養，奏罷之。但此法以養菜蔬，未嘗養花木也。今内家十月卽進牡丹，亦是此法。然在漢止言覆以屋廡而已，今法皆掘坑塹以窖之，蓋入冬，土中氣煖，其所養花木，借土氣火氣相半也。餽遺尚鮮果，羯鼓聲益喧，曰迎年鼓。先除夕一日，曰小除夕，家置酒宴，往來交謁曰別歲，焚香於户外，曰天香，凡三日止。帖宜春字，小兒女寫好字。北京歲華記。二十三日祀竈，日下舊聞考。以糖劑餅、黍餻、棗、栗、胡桃、炒豆祀竈君，以糟草秣竈君馬，竈君翌日朝天去，白家間一歲事，祝曰：好多説，不好少説。記稱竈，老婦之祭，今男子祭，不令婦女見之。祀餘糖果，禁幼女不令得啖，曰啖竈餘，則食肥膩時口圈黑也。景物略。二十五日，五更焚香楮接玉皇，曰玉皇下查人間也。竟此日，無婦嫗詈聲。都門雜記。下旬，於西鎮國寺内牆下，灑掃平地，束稈草爲人形一，爲狗一，翦雜色綵段爲之腸胃，交射之，至縻爛，以羊酒祭焉，俗謂之射草狗。元史祭祀志。除歲五更，焚香楮，送玉皇上界，迎新竈君下界，插芝蔴稭於門簷窗臺，曰藏鬼稭中，不令出也。門窗貼紅紙葫蘆，曰收瘟鬼。夜以松柏枝雜柴燎院中，曰松盆熰歲也。懸先亡影像，祀以獅仙斗，糖蔴花，饊枝，染五色葦架罩陳之，家長幼畢拜，已各自拜，曰辭歲。已，聚坐食飲，曰守歲。是月小兒及賤閒人，以二石毬置前，先一人踢一令遠，一人隨踢其一，再踢而及之、而中之爲勝，一踢卽著焉、卽過焉，與再踢不及者，同爲負也，再踢而過焉，則讓先一人隨踢。其法初爲趾踵苦寒設，今遂用賭，如博然，有司申禁之不止也。景物略。

都下寺院，每用歲除鍛磨，是日作鍛磨齋。僧園逸記。是月，河冰結時，水面多設冰牀，往來絡繹，以供行客，其捷如飛。湖海樓集。彭蘊章幽州土風吟，咬春詞云：羅蔔辛，名咬春。此是古人菜根意，可愧一食萬錢人。食萬錢，恣遊戲，笙歌叢裏朝朝醉。不到山村水邊寺。九十韶光睡夢中，春人誰識春滋味。太平鼓云：太平鼓，聲鼟鼟，白光如輪舞索童。一童舞索一童唱，一童跳入光輪中。廣場駢集四方客，曼衍魚龍鬧元夕。姹女弄竿竿百尺，驚鴻宛轉淩風翼。今夜金吾鐵鎖開，銅街踏月人不歸。夜摸釘云：春書刻青繪，幟畫蟾蜍形，畫蟾製起遼俗婦，後來宜男夜摸釘。夜摸釘，女子行走橋，踏穿雙繡履，入市看徧千珠燈。月斜星散珠燈落，歸倚紅鑪飲羊酪。五花帚云：五花帚，上市來，家家粉糝白玉堆。王瓜豆莢千錢貴，椿芽碧乳茶甌沸。珠絡青驄笑買花，花房雪裏蒸紅霞。攜歸金谷籠絳紗，十三嬌女彈琵琶。燕九節云：白雲觀中燕九節，跳丸舞劍誇方術。盡言是日真人來，或化冠纓或行乞，冠纓行乞皆神仙，著意求之無夙緣。赤龍不救陶安冶，紛紛羽士青松下。禱碧霞云：貼黃金，禱碧霞，繡龕羽帳仙人家。篆煙五色爐中裊，時花一枝瓶裏斜。碧童十二玉童引，鸞笙吹到靈前近。雛姬桃頰芙蓉粉。翻身逐彈馬如雲，兩彈空中並作塵。賣冰詞云：銅盤磕磕玉有聲，寒食街前始賣冰，置君牀頭午夢清。牛家賀客凍且死，銀壺登筵鼓翅起，墨痕點點污窗紙。污窗紙，塵尾揮，冰寒不及重簾垂。浴佛云：佛本清淨身，土木招埃塵，塵污土木非污佛，浴佛奔走尋常人。尋常人，慕元妙，不誦藥師經，空詣藥王廟。藥王廟前桃李開，折花一枝騎馬回。女兒節云：女兒節，女兒歸。耍青去，送青回。毬場紛紛插楊柳，去看擊鞠牽裾走。紅杏單衫花滿頭，綵扇香囊不離手。誰采艾，裝絮衣？女兒嬌癡知不知？看洗象云：宣武城南塵十丈，揮汗駢肩看洗象。象奴騎象遊玉河，長鼻捲起千層波。昂頭一歕一天雨，兒童拍手笑且舞。笑且舞，行蹇蹇，日暮歸來洗貓犬。卜巧鍼云：浮鍼水面，視影百變，如花如雲，如椎如線。七月七日卜聰明，皓腕凝脂搖玉釧。曝衣樓頭笑語喧，願乞雲錦裁天孫。天孫巧被燕姬乞，採桑羅敷妒煞人。月宮符云：月宮符，畫成玉兔瑶臺居。月宮餅，製就銀蟾紫府影。一雙蟾兔滿人間，悔煞嫦娥竊藥年。奔入廣寒歸不得，空勞玉杵駐丹顏。駐丹顏，瑳兮儺，癡紛紛，還羨我。阿姨贈爾新葫蘆，不須月下陳瓜果。賣餻人云：菊花酒，鹿舌醬，九日登高卓早帳。幽州古俗重圍場，雕弓射獵西山上。時平久覺猛虎馴，馬上健兒多好文。今日登高遇佳節，去尋市上賣餻人。花花孝云：清明中元十月朔，短轅犢車上塚哭。紛紛陌上紙錢飛，豆泥骨朵沿風俗。前朝此地尚火化，近來比户牛眠卜。牛眠卜兮馬鬣封，銘旌五丈淩蒼穹。猩紅一點風吹帽，孫曾還是花花孝。擊羯鼓云：玉面童，雙文舄，石彈丸，隨轉側。鐵圍皮，羯鼓擊。是時黃昏東壁中，家家墐户爐火紅。紅爐煮得兔羹熟，替娘濯衣女歸宿。射草狗云：束草稈，射草狗。草狗爛，祭羊酒。圍場紛紛祈脱災，可惜健兒好身手。南山有貔，北山有熊，爾何不彎百石弓，一發長嘯生雄風！牆邊草狗射何用？玉勒珠鞭成一闋。拽冰牀云：拽冰牀，城濠下，疾如帆，駛如馬。朱軒繡轂黄塵中，凌牀十里生清風。泠泠踏遍白玉宮。白玉宮，芒鞋路，幾日東風吹煙霧，提壺挈榼公無渡。焚竈馬云：焚竈馬，送紫官。辛甘臭辣君莫言，但言小人塵生釜，突無煙，上乞天公憐。天公憐，錫純嘏，燔熊豢豹充庖廚，黑豆年年飼君馬。

正月時品：除椒盤、柏酒、春餅、元宵之外，則青韭滷餡包、油煎肉三角、開河魚、看鐙雞、海青螺、雛埜鶩、春橘、金豆；花則迎春、探春、水仙、月季，百花接次争艷矣。二月：菠薐於風帳下過冬，經春則爲鮮赤口菜，老而碧葉尖細，則爲火燄赤根，葉同金鉤蝦米，以麪包合，烙而食之，乃仲春之時品也；至若丁香紫、壽帶黄、杏花紅、梨花白，所謂萬紫千紅總是春矣。三月：採食天壇之龍鬚菜，味極清美。香椿芽拌麪筋，嫩柳葉拌豆腐，黄花魚卽江南之石首，甚稱小葱炒麪條魚，蘆筍膾鰣花，勒鮝和羹，又不必憶蓴鱸矣；若夫桃花歷亂，柳絮飛殘，紅白燦蘋婆，荷包挂牡丹，曰西府，曰鐵梗，曰垂絲，海棠之妙，可甲天下。四月：薦新菜果，王瓜櫻桃、瓠絲煎餅、榆錢蒸糕、蠶豆生芽、萵苣出筍，乃佳品也；花名玫瑰，色分真紫鵞黄，樹長娑羅，品重香山卧佛。青蒿爲蔬菜，四月食之，三月則採入藥爲茵陳。七月小兒取作星燈，諺云：三月茵陳四月蒿，五月六月砍柴燒。五月：小麥登場，玉米入市，蒜苗爲菜，青草肥羊，麥青作撵轉，麥仁煮肉粥。豇豆角、豌豆角、蠶豆角、扁豆角，盡爲菜品；腌稍瓜、架冬瓜、緑絲瓜、白茭瓜，亦作羹湯，晚酌相宜；西瓜、甜瓜、雲南瓜、白黄瓜、白櫻桃、白桑椹，甜瓜之品最多，長大黄皮者爲金皮香瓜，皮白瓤青爲高麗香瓜，其白皮緑點者爲脂蔴粒，色青小尖者爲琵琶軸，味極甘美。桃品亦多，五月結實者爲麥熟桃，尖紅者爲鷹嘴桃，純白者爲銀桃，純紅者爲五節香，緑皮紅點者爲秫稭葉，小而白者爲銀桃奴，小而紅緑相兼者爲缸兒桃，扁而核可作念珠者爲柿餅桃，更有外來色白而漿濃者爲肅甯桃，色紅而味甘者爲深州桃。杏除香白、八達杏之外，有四道河、海棠紅等，杏仁亦甘美。李柰則有御黄李、麝香紅，又有黄皮紅點者爲梅杏，又杏質而李核者爲胡撕賴、蜜淋噙。至若榴花似火，家人摘以簪頭，鳳草飛紅，繡女敲而染指。江西臘五色芬芳，虞美人幾枝嬌艷，則又爲端陽之佳卉也。六月：盛暑食飲，最喜清新。京師蓮實種二：内河者嫩而鮮，宜承露，食之益壽；外河堅而實，宜乾用。河藕亦種二：御河者爲果藕，外河者多菜藕。總以白蓮爲上，不但果菜皆宜，晒粉尤爲佳品也。且有鮮菱、芡實、茨菇、桃仁，冰湃下酒，鮮美無比。茉莉花、福建蘭，摘以薰茶，六月菊、白鳳仙，俱堪浸酒，夜蘭香、晚香玉，落日香濃，勤娘子、馬纓花，平明蕋放。七月：禾黍登，秋蠏肥，蘋婆果熟，虎喇檳香。都門棗品極多，大而長圓者爲櫻絡棗，尖如橄欖者爲馬牙棗，質小而鬆脆者爲山棗，極短而圓者爲酸棗，又有賽梨棗、無核棗、合兒棗、甜瓜棗，外來之密雲棗、安平棗，博野、棗强等處之棗，其羊棗黑色，俗呼爲軟棗，卽丁香柿也。紅子石榴之外，有白子石榴者，甘如蜜蔗，種出内苑。梨種亦多，有秋梨、雪梨、波梨、密梨、棠梨、罐梨、紅綃梨，外來則有常山貢梨、大名梨、肉綿梨、瀛梨、洺梨，其能消渴解酲者，又莫如西苑之截梨，北山之酸梨也。山樝種二，京産者小而甜，外來者大而酸，可搗糕，可糖食。又有蜜餞榅桲，質似山樝，而香美過之，出自遼東。楸葉鳴秋，葵花向日，雞冠分五色，高逾檐，多如林，秋日盛開，若百鳥朝鳳，芬芳豔麗，乃秋色中之絶品也。至於剪秋羅、玉簪花、芙蓉花、雁來紅，又不若秋海棠，雖西府鐵梗木本之花，亦難比其嬌媚也。老來少，由青而碧，碧而黄，黄而紅，如暮霞照紫，覩此則不必西山問霜葉矣。八月：中秋桂餅之外，則滷餡芽韭稍麥、南鑪鴨、燒小猪、挂爐肉，配食糟發麪團、桂花東酒。鮮果品類甚繁，而最美者莫過葡萄，圓大而紫色者爲瑪瑙，長而白者爲馬乳，大小相兼者爲公領孫，又有硃砂紅、棣棠黄、烏玉珠等類，味俱甘美，其小而甜者爲瑣瑣葡萄，性極熱，能生發花痘，至於街市小兒呌賣小而黑者爲酸葡萄，性斯下矣。柿出西山，大如椀，甘如蜜，冬月食之可解炕煤毒氣。白露節薊州生栗初來，用錫沙拌炒，乃都門美品。正陽門王皮衚衕楊店者更佳。其餘清新果品，如蘋婆、檳子、葡萄之類，用巨瓷甕藏貯冰窖，經冬取出，鮮美依然。九月：萸囊辟毒，菊葉迎祥，松榛結子，韭菜開花。新黄米包紅棗作煎糕，蕎麥麪和秦椒壓合酪。板鴨清蒸，嫩蟹香糟。草橋荸薺大於盃，衛水銀魚白似玉。十月：鐵角初肥，湯羊正美。白鮝並豚蹄爲凍，脂蔴灌果餡爲糖。冬筍新來，黄韮纔熟。至於酒品之多，京師爲最。煮東煮雪，醅出江元，竹葉飛清，梨花湛白，窩兒米釀，甕底春濃；藥酒則史國公、狀元紅、黄連液、蓮花白、茵陳緑、橘豆青，保元固本，益壽延齡。外製則鄉販南路燒酒，張家灣之灣酒，涞水縣之涞酒，易州之易酒，滄州之滄酒，更有清河乾榨，潞水思源，南來之木瓜惠泉、紹興苦露、桂酒、橘酒、一包四瓶、三白五加皮。雖品味各殊，然皆不及内府之玉泉醴酒醕且厚也。十一月：時維長至，貢物咸來。北置則獾、貍、麅、鹿、野豕、黄羊，風乾冰凍；南來則橙、柑、橘、柚、香圓、佛手，塘棲蜜餞。薦新時品，摘青韭以煮黄芽；祠祭鮮羹，移梅花而烹白雪，欣一陽之來復，遂萬有以萌生。十二月：臘月朔，街前賣粥果者成市，更有核桃、柿餅、棗、栗、乾菱角米者，肩挑筐貯，叫而賣之。其次則肥野雞、關東魚、野貓、野鶩、腌臘肉。錢店銀號，兑换押歲金銀，小梅花、海棠元寶。二十八外則賣糖瓜、糖餅、江米竹節糕、關東糖。糟草炒豆，乃二十三日送竈餉神馬之具也。臘月諸物價昂，蓋年景豐裕，人工忙促，故有臘月水土貴三分之諺，高年人于歲逼時訓飭後輩，謹慎出入，又有二十七八平搶平抓之諺。帝京歲時紀勝。

前代風俗考

遼俗：立春，婦人進春書，刻青繪爲幟，象龍御之，或爲蟾蜍書幟，曰宜春。遼禮志。

遼俗：每年正月一日，以糯米炊飯，用白羊髓和丸如拳大，行宫寢帳内各散四十九丸。燕北雜記。

遼俗：三月三日，以木雕爲兔，分兩朋，走馬射之，先中者勝，負者下馬跪進勝者酒，勝者於馬上接盞飲之。燕京雜記。

燕北風俗，不問士庶，皆自稱小人。宣和間，有遼國右金吾衛上將軍韓正歸朝，授檢校少保節度使，對中人以上語，卽稱小人，中人以下，卽稱我家。每日到漏舍誦天童經，自云：對天童豈可稱我？於是凡稱我者皆改爲小人，云：皇天生小人，皇地載小人，日月照小人，北斗輔小人。然小人有母，皆嘗小人之食，小人之稱，其來古矣，施之於經，是可笑也。錢氏私誌。

燕人諱言四十五歲，人或問之，不曰去年四十四歲，則曰明年四十六歲，不知何所謂也。朔紀。

金因遼舊俗，以重五、中元、重九日行拜天禮。重五於鞠場，中元於内殿，重九於都城外。其制，刳木爲盤如舟狀，赤爲質，畫雲鶴文，爲架高五、六尺，置盤其上，薦食物其中，聚宗族拜之，若至尊則於常武殿築臺，爲拜天所。金史禮志。

金因遼俗，重五日插柳毬場，爲兩行，當射者以尊卑序，各以帕識其枝，去地約數寸，削其皮而白之，先以一人馳馬前導，後馳馬以無羽横鏃箭射之，既斷柳，又以手接而馳去者爲上，斷而不能接去者次之，或斷其青處，及中而不能中者爲負，中者負，每射必伐鼓以助其氣。已而擊毬，各乘所常習馬，持鞠杖，杖長數尺，其端如偃月，分其衆爲兩隊，共争擊一毬，先於毬場南立雙桓置板下，一孔爲門，而加網爲囊，能奪得鞠擊入網囊者爲勝，毬狀如小拳，以輕韌木枵其中而朱之。金史禮志。

擊毬者，今之故典，五月五日、九月九日，太子、諸王於西華門内召集各衙萬户、千户能擊毬者，咸用上等駿馬，繫以雉尾纓絡，縈綴鏡鈴，裝飾如畫。一馬前馳，擲大皮縫軟毬於地，羣馬争驟，各以長藤柄毬杖争接之，而毬子忽綽在毬棒上，隨馬走如電，終不墜地，力捷而熟閑者以毬子挑剔跳躑於空中，而終不離於毬杖，然後打入毬門，中者爲勝。析津志。

五月五日，賜文武官走驃騎於後苑。其制，一人騎馬執旗引於前，一人馳騎出呈藝於馬上，或上或下，或左或右，騰擲趫捷，人馬相得，如此者數百騎，後乃衣蕃服，臂鷹，走犬，圍獵狀終場。俗名曰走解，觀畢，賜宴而回。疆識略。

九引臺，七夕乞巧之所，至夕，宮女登臺，以五采絲穿九孔鍼，先完者爲得巧，遲完者謂之輸巧，各出資以贈得巧者。元掖庭記。

是月都城當諸角頭，市中設瓜果，香水梨、銀絲棗、大小棗栗、御黄子頻婆、柰子、紅果子、松子、榛子諸般時果發賣，宣徽院起解西瓜等果，時蔬北上，迎接大駕還宮。析津志。

九月，車駕還都，初無定制，或在重九節前，或在節後，或在八月，宮中菊節，自有常制，駕大内下馬，大茶飯者浹旬。析津志。

十月，皇城東華門外，朝廷命武官開射圃，常年國典。析津志。

立春日，於午門賜百官春餅。燕都游覽志。

京師風俗：每正旦，主人皆出賀，惟置白紙簿並筆硯於几，賀客至，書其名，無迎送。寓圃雜記。

八日至十八日，集東華門外，曰燈市，十三日至十六日，鄉村人縛秫稭作棚，周懸雜燈，地廣二畝，門逕曲點藏三、四里，入者誤不得逕，即久迷不出，曰黄河九曲燈也。景物略。

結燈者，各持所有貨於東安門外燈市，價有至千金者。商賈輳集，技藝畢陳，冠

蓋相屬，男婦交錯，市樓賃價勝湧。十四日夜試燈，十五正燈，十六日罷。宛署雜記。臨朐馮琦

觀燈篇：帝握千秋歷，天開萬國歡。鶯花周正月，燈火漢長安。長安正月璇璣正，萬户陽春布天令。新歲風光屬上元，中原物力方全盛。五都萬寶集燕臺，航海梯山入貢迴。白環銀甕殊方至，翡翠明珠萬里來。薄暮千門凝瑞靄，當天片月流光彩。十二樓臺天不夜，三千世界春如海。萬歲山前望翠華，九光燈裏簇明霞。六宫盡罷魚龍戲，千炬争開菡萏花。六宫千炬紛相似，星橋直接銀河起。赤帝真乘火德符，玉皇端拱紅雲裏。燈煙散入五侯家，炊金饌玉鬬驕奢。桂燼蘭膏九微火，珠簾繡幌七香車。長安少年喜賓客，馳鶩東城復南陌。百萬縱博輸不辭，十千沽酒貧何惜。夜深縱酒復徵歌，歸路曾無醉尉訶。六街明月吹笙管，十里香風散綺羅。綺羅笙管春如繡，窮簷蔀屋寒如舊。誰家朝突静無煙？誰家夜色明如晝？夜夜都城望月新，年年郡國告災頻。願將聖主光明燭，並照冰天桂海人。江陵張居正元夕行：今夕何夕春燈明，燕京女兒踏月行。燈摇珠彩張華屋，月散瑶光滿禁城。禁城迢迢通戚里，九衢萬户燈光裏。花怯春寒帶火開，馬衝香霧連雲起。絃管紛紛夾道傍，遊人何處不相將？花邊露洗雕鞍濕，陌上風迴珠翠香。花邊陌上煙雲滿，月落城頭人未返。共道金吾此夜寬，但愁玉漏春宵短。御溝楊柳拂銅駝，柳外樓臺雜笑歌。五陵豪貴應難擬，一夜歡娛奈樂何！年光宛轉不相待，過眼繁華空自愛。君不見，燕臺向時歌舞人，歌舞不聞明月在。毛奇齡帝京踏燈詞：毬場花帽打三郎，重戴朱竿學教坊。何處大鼇山最美，三條火巷在廊房。勾欄缺處接燈棚，五色番花四角擎。踏斷麻鞋歸不得，永安門外老田更。放夜金吾永戴翎，紅纓白馬駕朱軿。月明只覺火星少，撤作車盤兩面釘。夜涼蟬髩貼金貂，漏滴銅缾水漸消。忽聽盒中千礮發，襄陽城破在中宵。一道燈輪去復迴，瓜囊鏤作八仙臺。走橋婦女呼教住，好讓秧歌唱過來。靈佑宫聯祈穀壇，鵓糊紅紙坐坊官。露珠滴盡壇前樹，綵剪蓮花頗耐寒。

上元，穿燈景補子；三月三日換羅衣；四月四日換紗衣；五月朔穿五毒艾虎補子、蟒衣；七月七日穿鵲橋補子；九月四日穿重陽景菊花補子；十月朔換穿紵絲；冬至節穿陽生補子、蟒衣；臘月二十四日祭竈後，宫眷、内臣穿葫蘆景補子、蟒衣。燕史。

清明，戴柳枝於髮；夏至，戴草麻子葉、長命菜，卽馬齒莧也；立秋日戴楸葉。燕史。

鐸針者，内官釘帽央，金銀、珠翠、珊瑚皆可製，元旦則大吉葫蘆，元夕則燈籠，端午則天師，中秋則月光，重陽則菊花，冬至則綿羊。太子頒曆日則寶曆萬年，其製，

八寶荔枝、卍字、鮎魚也；萬壽節萬壽洪福齊天，其製於齊天字兩旁各紅蝙蝠一枝，又有枝箇，其製減小，偏向成對，又桃枝則不垂。燕史。

先是，四月八日梵寺食烏飯，朝廷賜羣臣食不落夾，蓋緣元人語也。嘉靖十四年始賜百官於午門食麥餅宴。燕都游覽志。

端午，賜京官扇，竹骨，紙面，俱畫翎毛，不工。綵縧一條，五色線編者，鬚頭作虎形，綵仗二根，長丈許，五色線纏繞，艾虎紙二幅，方尺許，俱畫虎，並諸毒蟲。戒庵漫筆。

京城端午，貴賤人等必買新蒲鞋穿之過節，歲以爲常。暖姝由筆。

故事，五月五日太醫院官具旗物，鼓吹赴南海子捉蝦蟇，取蟾酥，以針刺其兩眉，蟾多死。吾鄉諸公儒爲院使，俾兩眉止刺其一，蟾雖被刺得活，後遂因之。間史掇遺。

七夕，各宮供像生牛郎、織女、從人、麒麟、象、羚羊、海馬、獅子、獬豸、兔、海味、糖果、糖菜，俱用白糖澆成。光禄寺志。

七夕節，宮中立巧山子，衣鵲橋補。初一起至十四日止。中元節，食銀苗菜及水鴨，菜乃藕之嫩芽，鴨乃先一日煮熟，凝成膏。甜食房供佛波羅密。西苑作法事，放河燈。陳琮詩注。

九日集無定所，而阜成門外真覺寺金剛寶座，游人爲多。市上賣糕人，頭帶吉祥字。霜降後鬬鵪鶉，籠於袖中，若捧珍寶。北京歲華記。

故事，自冬至後至立春日，殿前將軍、甲士，賜酒肉，名曰頭腦酒。明典故紀聞。

都人生子，往往閹割，覬爲中官，有非分之福，或投爲軍，或夤緣入廠衛，穿白韡刺事，又或十五結黨，横行街市間，號爲闖將，其游手不自給者，目曰閒的兒，遇人移居，賃運家具，而長班一項尤多見。士子入京進取輒隨之，釋褐後往來挾刺交謁，匪惟熟識縉紳邸舍，並嫻習各衙門相見儀，以是仕者便之。然門生屬吏修謁，必饜其欲而後許之入見，始進者未嘗不以爲憾。及爲達官，居要路，則每倚之爲耳目腹心矣。逌崇禎甲申，都城一破，士大夫雖至不肖，未必盡甘心從賊，其如長班争先具職名投僞政府，併各言所居之地，於是按名而索，降者授官，未降者刑辱，見任、候補諸員，無一得免者。白頭聞話。